Über dieses Buch

Ein Atlas zur Literatur? Also eine Sammlung von Landkarten, die Aufenthaltsorte und Reisewege der Dichter verzeichnen?
Ein dtv-Atlas ist mehr, so auch dieser. Auf den 116 Farbtafeln zeigen über 200 Schaubilder Zeitdiagramme, Wirkungsschemata und natürlich auch Karten, gleichberechtigt neben dem Text, die Entwicklung der deutschen Literatur von den Anfängen bis zur Gegenwart. Übersichten der Stilepochen werden ergänzt durch die Darstellung von Leben und Werk einzelner Dichter, von Inhalt und formalem Aufbau wichtiger Werke sowie von der Geschichte literarischer Stoffe, Strömungen und Gattungen. Wechselwirkungen mit Politik, Wissenschaft und Gesellschaft werden deutlich gemacht.
Eine Auswahlbibliographie bietet weitere Hinweise, Autoren- und Sachregister erleichtern das Nachschlagen.

In der vorliegenden 5. Auflage wurden die sich durch das Ende der DDR ergebenden Veränderungen soweit schon möglich berücksichtigt.

Bisher sind in dieser Reihe erschienen:

dtv-Atlas der Anatomie, 3 Bände, 3017, 3018, 3019
dtv-Atlas zur Astronomie, 3006
dtv-Atlas zur Atomphysik, 3009
dtv-Atlas zur Baukunst, 2 Bände, 3020, 3021
dtv-Atlas zur Biologie, 3 Bände, 3221, 3222, 3223
dtv-Atlas zur Chemie, 2 Bände, 3217, 3218
dtv-Atlas zur deutschen Literatur, 3219
dtv-Atlas zur deutschen Sprache, 3025
dtv-Atlas zur Mathematik, 2 Bände, 3007, 3008
dtv-Atlas zur Musik, 2 Bände, 3022, 3023
dtv-Atlas zur Ökologie, 3228
dtv-Atlas zur Philosophie, 3229
dtv-Atlas zur Physik, 2 Bände, 3226, 3227
dtv-Atlas der Physiologie, 3182
dtv-Atlas zur Psychologie, 2 Bände, 3224, 3225
dtv-Atlas zur Weltgeschichte, 2 Bände, 3001, 3002

Weitere dtv-Atlanten sind in Vorbereitung

Horst Dieter Schlosser:

dtv-Atlas zur deutschen Literatur
Tafeln und Texte

Mit 116 farbigen Abbildungsseiten
Graphiker: Uwe Goede

Deutscher
Taschenbuch
Verlag

Originalausgabe
1. Auflage November 1983
5. Auflage August 1992: 86. bis 100. Tausend

Umschlaggestaltung: Celestino Piatti
Gesamtherstellung: C. H. Beck'sche Buchdruckerei,
Nördlingen
Offsetreproduktionen: Werner Menrath, Oberhausen/Obb.
Printed in Germany · ISBN 3-423-03219-7

Vorwort zur dritten Auflage

Seit der ersten Auflage sind mir so viele freundliche Worte zuteil geworden, daß ich annehmen muß, das Experiment, historische Informationen zur Geschichte der deutschen Literatur mit graphischem Anschauungsmaterial zu verknüpfen, sei die Mühe wert gewesen. Dennoch will ich auch die kritischen Stimmen nicht übergehen. Sie meldeten sich zum einen bei nachweislichen Fehlern, die bei der Fülle der verarbeiteten Daten kaum vermeidbar sind und auch bei Überarbeitungen wie der vorliegenden sich nie ganz tilgen lassen oder gar neu einstellen. Für freundliche Hinweise bin ich nach wie vor dankbar. Kritik kam zum anderen von Benutzern, die den lebendigen Geist der Literatur nicht auf abstrakte Zeichen reduziert sehen möchten. Solche Reduktion ist hier aber keineswegs nur ein Tribut an die zweifellos gewachsenen Neigungen zur "visuellen Kommunikation", sondern entspringt auch und zuallererst der Überzeugung, daß keine noch so wohlklingende Aussage über Literatur die unmittelbare Begegnung mit ihr, durch Selber-Lesen, ersetzen kann. Insofern sollen die graphischen Abstraktionen, selbst und gerade dort, wo sie bestimmten Deutungen folgen, weniger als eine ausformulierte Interpretation (die bei so beschränktem Raum leicht zur unannehmbaren Simplifikation geraten kann) den Benutzer auf ein fremdes Urteil festlegen.
Nach wie vor hat dieses Büchlein – wie mir scheint – einen doppelt passenden Namen: Für den, der es zur Erstinformation heranzieht, trägt dieser Atlas, dem Riesen der griechischen Sage gleich, einen Sternenhimmel, von dem er selbst zumeist nur das Gewicht verspürt. Diesen Himmel genauer zu betrachten ist Sache der anderen (das Literaturverzeichnis bietet ebenfalls nur einen schmalen Ausschnitt aus der Fülle schon gelungener Betrachtungen). Für den, der sich in der Literatur schon auskennt, bietet es, einem Atlanten gleich, einen zusammenfassenden Überblick, der die persönliche Nähe zum originalen Wort der Literatur ebensowenig ersetzen kann und will wie ein Landkartenwerk das Reisen.

Frankfurt a. M., im Frühjahr 1987 — Horst Dieter Schlosser

Auch die Veränderungen in der 5. Auflage beschränken sich auf meist kleinere Korrekturen und Ergänzungen. Eine gewisse (immer noch vorläufige) Aktualisierung haben die Abschnitte zur Literatur in der DDR und zur Situation nach dem Untergang des "Realsozialismus" erfahren.

Frankfurt a. M., im Frühjahr 1992 — H.D.S.

Inhalt

Verzeichnis der Abkürzungen und Symbole

Abkürzungen

A (in Karten)	Österreich
Abh.	Abhandlung
altengl.	altenglisch
altfrz.	altfranzösisch
altind.	altindisch
altjidd.	altjiddisch
ahd.	althochdeusch
alem.	alemannisch
altsächs.	altsächsisch
arab.	arabisch
Aufl.	Auflage
B (in Karten)	Belgien
-bänd.	-bändig
bair.	bairisch (Sprache)
bayer.	bayerisch
Bd., Bde.	Band, Bände
bearb.	bearbeitet
bes.	besondere
bibl.	biblisch
By.	Bayern
CH	Schweiz
ČSR, ČSSR	Tschechoslowakei
D (in Karten)	Deutschland
dän.	dänisch
d. i.	das ist
DK (in Karten)	Dänemark
d. s.	das sind
dt.	deutsch
E (in Karten)	Spanien
ed.	ediert
Ed.	Edition
ehem.	ehemalig
einschl.	einschließlich
engl.	englisch
entspr.	entsprechend
entst.	entstanden
ep.	episch
ersch.	erschienen
erw.	erweitert
Erz., Erzz.	Erzählung, Erzählungen
ev.	evangelisch
evtl.	eventuell
F (in Karten)	Frankreich
fränk.	fränkisch
Fragm.	Fragment
fragm.	fragmentarisch
fries.	friesisch
frühahd.	frühalthochdeutsch
frühmhd.	frühmittelhochdeutsch
frühnhd.	frühneuhochdeutsch
frz.	französisch
GB (in Karten)	England/Großbritannien
geb.	geboren
gegr.	gegründet
gen.	genannt
german.	germanisch
gest.	gestorben
gg.	gegen
got.	gotisch
griech.	griechisch
Hann.	Hannover
hdt., hochdt.	hochdeutsch
-heb.	-hebig
hebr.	hebräisch
Hess.	Hessen
Hg.	Herausgeber
hg.	herausgegeben
hl.	heilig
Hs., Hss.	Handschrift, Handschriften
I (in Karten)	Italien
i. J.	im Jahre
ind.	indisch
insbes.	insbesondere
insges.	insgesamt
i. S.	im Sinne
it.	italienisch
Jh.	Jahrhundert
jidd.	jiddisch
jüd.	jüdisch
Kap.	Kapitel
kath.	katholisch
kelt.	keltisch
langobard.	langobardisch
Lat.	Latein
lat.	lateinisch
literar.	literarisch
luth.	lutherisch
lyr.	lyrisch
MA	Mittelalter
mag.	magisch
mhd.	mittelhochdeutsch
mlat.	mittellateinisch
N (in Karten)	Norwegen
ndt., niederdt.	niederdeutsch
nhd.	neuhochdeutsch
NL (in Karten)	Niederlande
nord.	nordisch
norddt.	norddeutsch
NS	Nationalsozialismus, nationalsozialistisch

oberdt.	oberdeutsch
Öst.	Österreich
österr.	österreichisch
ostfränk.	ostfränkisch
okzitan.	okzitanisch
P (in Karten)	Portugal
pers.	persisch
PL (in Karten)	Polen
poet.	poetisch
polit.	politisch
poln.	polnisch
Pr.	Preußen
provenzal.	provenzalisch
rd.	rund, zirka
relig.	religiös
rev.	revolutionär
röm.	römisch
roman.	romanisch
russ.	russisch
Rußl.	Rußland
S (in Karten)	Schweden
s.	siehe
S.	Seite
Sa.	Sachsen
s.a.	siehe auch
Sav.	Savoyen
SBZ	Sowjetische Besatzungszone
schwäb.	schwäbisch
schwed.	schwedisch
skandinav.	skandinavisch
slaw.	slawisch
s.o.	siehe oben
sog.	sogenannt
Span.	Spanien
spätmhd.	spätmittelhochdeutsch
Str.	Strophe
-stroph.	-strophig
süddt.	süddeutsch
svw.	soviel wie
T., Tle.	Teil, Teile
tschech.	tschechisch
u.a.	und andere / unter anderem
u.ä.	und ähnliches
u.a.m	und andere(s) mehr
UdSSR	Sowjetunion
überarb.	überarbeitet
Übers.	Übersetzung
übers.	übersetzt
UN	Vereinte Nationen
urspr.	ursprünglich
usw.	und so weiter
u.v.a.(m.)	und viele andere (mehr)
v.	Vers
veröfftl.	veröffentlicht
versch.	verschiedene
vgl.	vergleiche
wiss., -wiss.	wissenschaftlich, -wissenschaft
z.B.	zum Beispiel
-zeil.	-zeilig
Zs., Zss.	Zeitschrift, Zeitschriften
z.T.	zum Teil

Symbole

- Burg
- Pfalz
- Kloster
- Bistum, Bischofssitz
- Erzbistum, Erzbischofssitz
- * geboren
- † gestorben
- Krankheit, Erkrankung
- musikalische Tätigkeit
- § Vertrag, Rechtsverhältnis
- enge Beziehung, (persönl.) Verbindung, Bündnis
- Spannung, (krieger.) Auseinandersetzung
- Aufstand, Revolte, Revolution

(Weitere, nur einmalig verwendete Symbole werden jeweils in den Karten erklärt.)

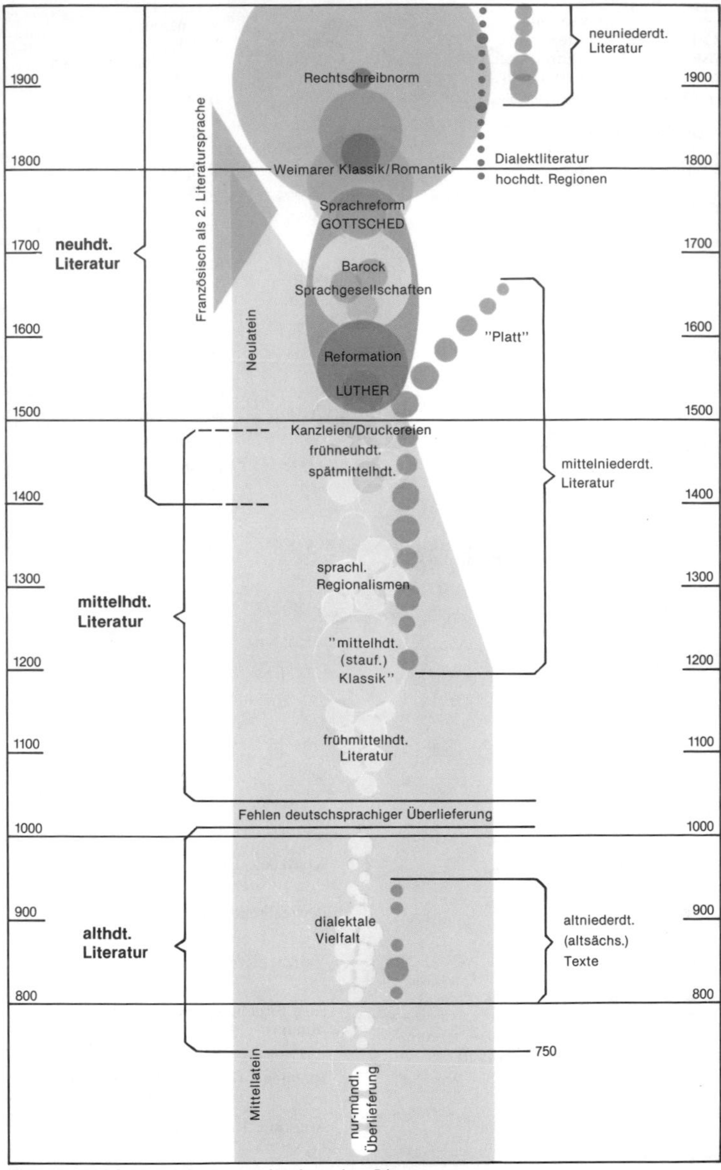

Sprachgeschichtliche Stichwörter der deutschen Literatur

Dt. Literatur vor dem Hintergrund der Sprachgeschichte

Die dt. Literaturgeschichte ist nicht nur im Hinblick auf die natürl. Unterschiede, die auch in anderen Literaturen zwischen versch. Epochen, Richtungen und einzelnen Autoren herrschen, über lange Strecken ein höchst uneinheitl. Gebilde. Sie ist auch in ihrer sprachl. und polit. Entwicklung nicht ohne weiteres als eine "Nationalliteratur" unter anderen zu begreifen. Sprachlich teilt sie nicht nur den durchaus natürl. Wandel, dem auch andere Literaturen unterliegen; schon in ihren Anfängen tritt sie uns auch aufgrund der dialektalen Herkunft der dt. Sprache, die erst in der Neuzeit zur Einheitsnorm findet, als **mehrsprach. Gebilde** entgegen, das bis in die jüngere Neuzeit hinein obendrein in der Konkurrenz zum Latein als urspr. stämmeverbindender "Hochsprache" und im 17.–19. Jh., vor allem im 18. Jh., auch zum Französ. als "2. dt. Literatursprache" leben mußte.

Die **dialektale Vielfalt** der Frühzeit schließt eine Zweiteilung in hoch- (ober-) dt. und niederdt. Mundarten ein, die bis zur Reformation von großer Bedeutung war. Das Mittelniederdt. entwickelte sich parallel zum Mittelhochdt. nicht zuletzt im Rahmen des mächt. Bundes der Hansestädte zur vollgült. Literatur- und Rechtssprache, der noch zu Beginn der Neuzeit eigene Grammatiken gewidmet waren und die auch ihre eigenen Druckereien hatte. Erst die Reformation und die Verbreitung hochdt. Texte der neuen Konfession drängte das Niederdt. in Randbereiche ab, in denen die Bezeichnung "Platt" zum Schimpfwort auch für andere Dialekte absinken konnte. Eine neue Förderung als Literatursprache erfuhr das Niederdt. erst wieder im 19. Jh. durch die dichter. Leistungen KLAUS GROTHS, FRITZ REUTERS u. a. Die Dialektliteratur anderer Regionen hat trotz einer langen Reihe von Einzelleistungen noch keine vergleichbare Wiederbelebung erfahren können. Daß sich aus dialektalen Eigenheiten noch vor staatlich-polit. Sonderung eine eigene Nationalsprache und -literatur entwickeln kann, belegt das Niederländ., das sich im Verlauf des MAs auf der Grundlage (west-)niederfränk. Dialekte des Dt. Reiches ausgliederte.

Umgekehrt wird kaum ernsthaft daran gezweifelt, daß die Literatur, die im Medium einer gemeinsamen dt. Sprache oder – wie im MA – nahverwandter Regionalsprachen geschrieben wurde und wird, **trotz unterschiedl. polit. Organisation der Deutschsprach. eine kulturelle Einheit** darstellt. Die Bewegungen, die den Weg zu einer einheitl. dt. Literatursprache ebneten, haben mit der Entwicklung zu polit. Einheit oder Differenzierung nur wenig zu tun. Die erste Vereinheitlichung in der Stauferzeit (**"mittelhochdt. Klassik"**), die im übrigen kein unmittelbarer Vorläufer des Neuhochdt. ist, verbindet die Kulturträger in einem Vielvölkerreich, das sich bis Sizilien erstreckt. Das **"gemeine Deutsch"** des 15./16. Jhs. ist eine Spracheinheit, die unter dem Einfluß der kaiserl. Kanzlei im wesentl. nur im Südosten des Reiches Geltung hat. Die Verbreitung der **kursächsisch-meißn. Kanzleisprache** durch LUTHERS Schriften ist zunächst als Teil relig. Erneuerung zu sehen, die alles andere als eine polit. Einheit der Deutschen im Gefolge hatte, vielmehr eine bis heute nachwirkende Spaltung hervorrief, die sogar die anderen europ. Mächte zu massivem Einwirken auf das dt. Schicksal einlud (Dreißigjähr. Krieg). Die von LUTHER gleichwohl ausgehende sprachl. Einheitsbewegung, die schließlich auch die Konfessionsgrenzen zu den altgläub. Katholiken wie zu den von CALVIN Reformierten überwand, ist ausgerechnet von den um "nationale" Werte so sehr bemühten **Sprachgesellschaften** des 17. Jhs. nur indirekt gefördert worden. Ihr großes Verdienst liegt in der Abwehr der zeitgenössisch starken fremdsprachl. Einflüsse und in der Intensivierung der literar. Kultur, deren idiomat. Zersplitterung sie aber nicht überwinden konnten. Erst die **Sprachreform Gottscheds** setzte eine bis heute in Grundzügen gült. Einheitsnorm auf der Basis des "Meißnischen" durch, der sich die großen Schriftsteller des 18. und 19. Jhs. anschlossen und sie zur dt. Literatursprache gestalteten, der sich alle deutschsprach. Autoren in Deutschland, Österreich, Schweiz und in der übrigen Welt (sei es als Emigranten oder Vertreter deutschsprach. Minderheiten) bei aller sprachstilist. Unterschiedlichkeit grundsätzlich verpflichtet fühlen. Die von KONRAD DUDEN angeregte orthograph. Normierung ist nur die schreibprakt. Seite dieser Einheit

Diese kulturelle Gemeinsamkeit, die auch von Autoren und Lesern in der DDR zu Zeiten noch empfunden wurde, als deren offizielle Vertreter eine eigene "sozialist. Nationalliteratur" reklamierten, berechtigt uns, trotz der vielfältigen Brüche in der älteren dt. Sprachgeschichte und in der modernen polit. Geschichte deutschsprach. Länder, doch von einer **literar. Einheit der Deutschsprachigen** zu sprechen. Wie die sprachl. Einheit war auch die literar. Einheit der Deutschen zu keiner Zeit ihrer Geschichte monolithisch, sondern stets "plurizentrisch", d. h. von mehreren Zentren gleichzeitig geprägt. Der Versuch der Nazis, diese Vielfalt zugunsten einer falsch verstandenen nationalen Einheit zu unterdrücken, hatte nur schlimmste Menschenopfer und literar. Qualitätsverluste zur Folge.

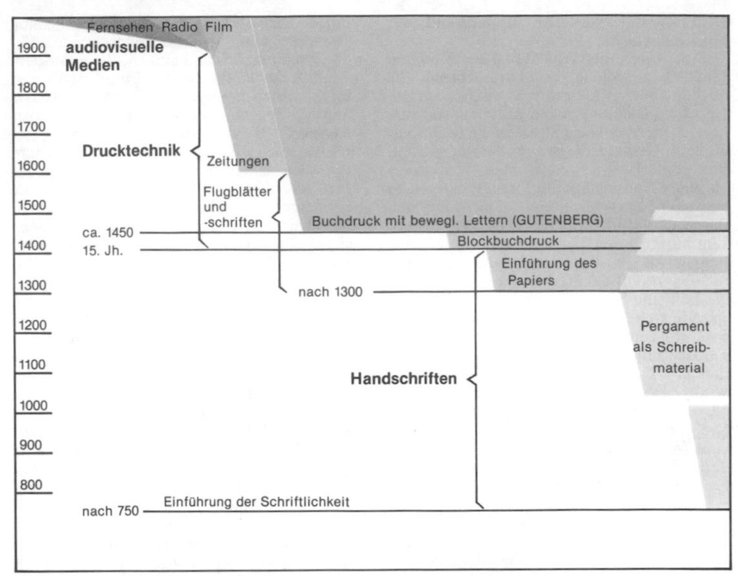

Mediengeschichte in Deutschland

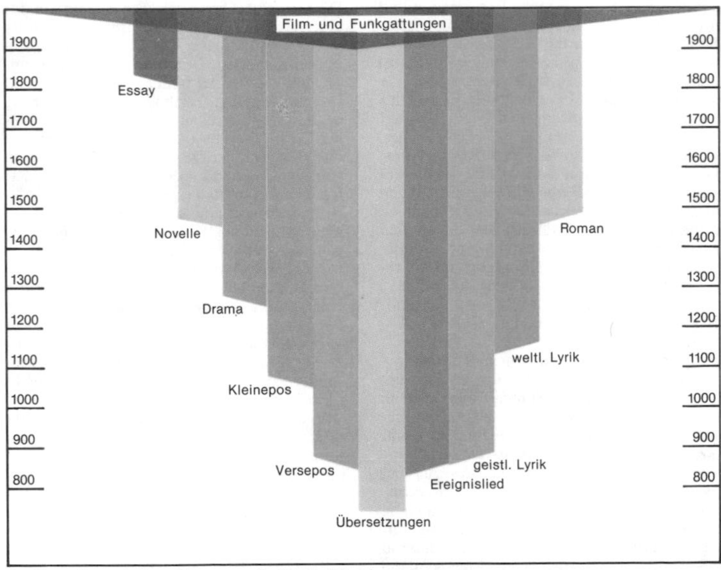

Anfänge literarischer Gattungen in Deutschland

Zur Kulturgeschichte der dt. Literatur: Medien, Gattungen, Literaturbetrieb

Mit anderen Literaturen teilt die dt. Literatur wesentl. Entwicklungen der Mediengeschichte. Der kulturell bedeutsamste Schritt ist der Übergang von einer nur-mündl. Tradition von Texten, die der vordt. german. Kultur wie allen archaischen Kulturen eigen war und wie sie die Produktion und Weitergabe vieler früher dt. Texte noch lange bestimmte, zur **Schriftlichkeit.** Es ist sicher kein Zufall, daß dieser Übergang im benediktinisch-klösterl. Kontext erfolgt: Schweige- und Lesegebot der abendländ. Mönchsregel förderten ihn gewiß. Die mündl. Weitergabe volkssprachl. Texte überwog gleichwohl noch sehr lange die Schriftlichkeit, weil Lesen und Schreiben bis weit ins späte MA vorwiegend in der **(mittel-)lat. Sprache** geübt wurde, die noch aus den Zeiten des Röm. Reiches für "Staat" und Kirche das offizielle Kommunikationsmittel war. Die schriftl. Tradition der dt. Sprache beginnt darum fast zwangsläufig mit **Übersetzungen** aus dem Lat. (die frühe dt. Literatur wird sogar diejenige aller german. Literaturen werden, die den größten Anteil an Übersetzungen aus dem Lat. aufweist!). Übersetzungen aus anderen Literaturen bilden bis heute die Brücke, die die dt. Literatur – oft genug im nachhinein – zu weltliterar. Bewegungen schlägt. Das kostspiel. **Pergament als Schreibmaterial** und die Mühe handschriftl. Aufzeichnung (*manu-scriptum* 'Handschrift') hemmen verständlicherweise lange Zeit die schriftliterar. Produktion und Reproduktion.

Eine eigenständ. dt. Literatur beginnt gattungsgeschichtlich mit dem aus mündl. Tradition stammenden **"Ereignislied"**, also einer ep. Form, die sich im Lauf der Zeit zur Ballade (auch zu Bänkelsang und Moritat) wandelt. Noch im 9. Jh. regt die lat. und vielleicht die von ihr schon beeinflußte altengl. Literatur zur Gestaltung umfangreicher (geistl.) **Versepen** an, eine Form, die im 12. Jh. unter frz. Einfluß auch weltl. Themen aufnimmt. Das Prosaepos ist eine Neuerung des 13. Jhs. Im großen Versepos manifestiert sich bereits eine **Buchkultur** ("Buchepos"), die die Textproduktion nach und nach von der Bedingung befreit, daß ein Autor sein Werk vollständig "im Kopf" haben muß. Erst dies öffnet den **Weg zu komplizierterer Textarbeit,** zur Überarbeitung, auch zum literar. Experiment.

Das relig. Leben des 9. Jhs. begünstigt erste Schritte in Richtung einer geistl. **Lyrik,** der erst im 12. Jh., in der Phase einer generellen "Verweltlichung" der Kultur (Stauferzeit), weltl. Lyrik als Liebeslied, als polit. oder didakt. (lehrhafte) Spruchdichtung folgen wird. Heiligenlegenden des 11. Jhs. sind die ersten Belege einer kontinuierl. dt. **Kleinepik,** die sich – ebenfalls in stauf. Zeit – auch weltl. Themen öffnen wird ("höf. Legende", Schwank, Fabel ...). Die Tradition schriftlich fixierter **Dramen** beginnt Mitte des 13. Jhs. mit geistl. Spielen, denen sich – aus anderen Quellen genährt – bald weltl. Spiele (u. a. Fastnachtspiele) beigesellen werden. Nach der Stauferzeit gewinnt erneut eine geistl. Kultur an Bedeutung, mit Hilfe derer sich auch das Bürgertum literarisch zur Geltung bringt (z. B. im Meistersang). Der zögernde Einsatz dt. Gattungen ist vor dem Hintergrund des in lat. Sprache voll ausgebildeten Gattungsspektrums zu erklären, in dem nur die dramat. Kunst (bis zum Humanismus) ein Schattendasein fristet.

Eine wichtige Erweiterung der materialen Basis der Literatur bedeutet die heim. Herstellung von **Papier** im 14. Jh., das bis dahin nur als teurer Import bekannt war. Nun wird eine Fülle von Texten aufgezeichnet, auch solche, die früher nur selten für aufzeichnungs"würdig" gehalten wurden (auch alltägl. Gebrauchstexte). Das Papier verändert notwendig die Schreibkultur, die nicht mehr unter dem "Kostendruck" des Pergaments steht. Die Einführung von **Drucktechniken,** zunächst des Blockbuchdrucks, bei dem ganze Seiten in eine Holztafel ("Block") geschnitten werden, dann des von GUTENBERG entwickelten Verfahrens mit bewegl. Lettern, revolutionieren die Herstellung und Verbreitung von Texten, die nun in größerem Stil, als es die zuvor schon tätigen klösterl. und städt. Schreibstuben ermöglichten, kommerzialisiert werden, zunächst noch in der Einheit von Druckerei und Verlag ("Buchführer" reisen über Land, besuchen Messen; neben den traditionellen Warenmessen entwickeln sich Buchmessen, zunächst in Frankfurt a. M., später auch in Leipzig).

Die techn. Entwicklung gestattet nun auch die botenunabhäng. Verbreitung von Nachrichten ("Zeitung") und Aufrufen durch **Flugblätter und Flugschriften,** Vorläufer der regelmäßig erscheinenden **Presse,** die das allgem. Nachrichtenwesen vom 17. Jh. an grundlegend verändert und **"journalist." Gattungen,** darunter das literarisch wichtige Feuilleton, hervorbringt (S. 131).

Unter humanist. Einfluß gelangen die prosaep. Gattungen von **Novelle** und **Roman,** zunächst durch Übersetzungen aus dem Ital. und Frz., nach Deutschland.

In einer Übersicht, die nur die Anfänge wichtiger Gattungen in Deutschland markieren soll, kann die **Differenzierung der poet. Formen** durch Rezeption weiterer Einzelgattungen aus antikem und humanist. Erbe (wie Ode, Sonett, Komödie, Tragödie usw.) bis hin zur gegenseit. Durchdringung selbst der Grundgattungen ("ep."/"lyr. Drama", "Prosagedicht" u. ä.) nicht dargestellt werden. Wichtig bleibt trotz des notwend. Verzichts der Hinweis auf die (Wieder-)Entdeckung von Formen der **sog. Volkspoesie** in der Romantik, darunter des Märchens, das grund-

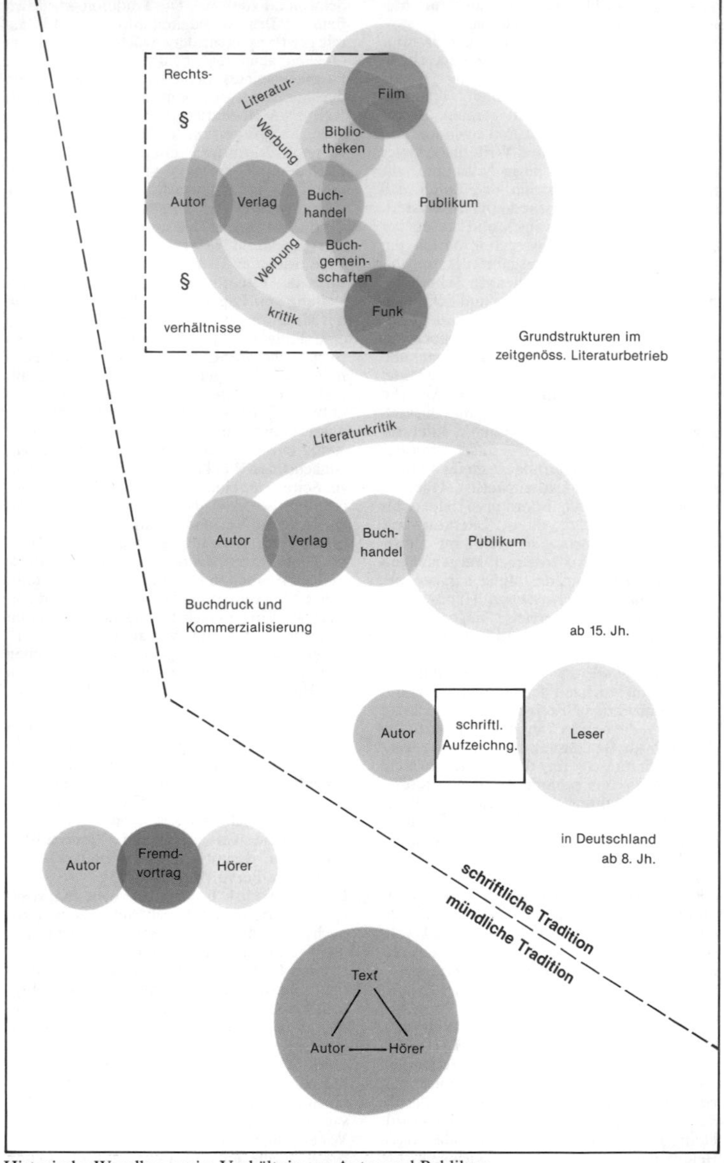

Historische Wandlungen im Verhältnis von Autor und Publikum

sätzlich unter die "Kleinepik" subsumiert werden kann, und auf die erstaunlich späte Aufnahme des **Essays,** der bei F. SCHLEGEL zu einem ersten dt. Höhepunkt geführt wird. Der Essay fordert wie viele andere gnom. (belehrende, reflektierende ...) Textsorten geradezu eine **Revision der Theorie von Grundgattungen,** deren traditionelle, aber unbefriedigende Dreiteilung in Epik, Lyrik und Drama nach HEINZ HAMM (1981) um eine "reflexive" Grundgattung erweitert werden müßte, zu der u. a. der Essay, die Spruchdichtung, die "Gedankenlyrik", das "Lehrstück" ... zählen würden.
Jede Epoche hat außerdem ihre "formalen Favoriten", die nicht alle als Gattungen im engeren Sinne zu fassen sind, etwa die offene Form des romant. Fragments, die naturalist. "Skizze" usw., sowie ihre Popularisierungen in der **Trivialliteratur** (z.B. Ritterromane, Detektivgeschichten, Science-fiction u. ä.).

Umwälzend wie die Technik von **Film und Funk** selbst, die Bilder und Texte außerhalb des traditionellen papiernen Mediums konservier- und reproduzierbar gemacht haben, sind auch die Einflüsse der neuen Medien auf die innere Gestaltung von Texten. Reportage, Hörspiel, Filmmontage, Feature beschränken sich längst nicht mehr auf ihren medialen Ausgangsbezirk, sondern verändern auch die literar. Darstellung, z. B. narrative (erzähler.) Grundmuster.
Formal noch höchst oberflächlich, auf lange Sicht aber die literar. Kultur stark verändernd dürften die von den USA ausgehenden sog. **Audio-Bücher** werden, literar. Texte, von Schauspielern auf Kassette gesprochen, deren Umfang die Textauswahl (ggf. radikale Kürzungen) bestimmt (vgl. schon jetzt 'SCHUMM'S SPRECHENDE BIBLIOTHEK'). Ebenso sind Videopräsentationen von lebenden Autoren (z.B. E. JANDL) keine Seltenheit mehr.
Nicht absehbar sind die Folgen **digitaler Textspeicherung** in sog. "electronic books", einer Variante der CD Entwicklung.
Die massenhafte Verbreitung von Literatur wurde nachhaltig auch durch die Einführung des preisgünst. **Taschenbuchs** gefördert, das in seiner heutigen Gestaltung auf die TAUCHNITZ-Edition (ab 1856 Urlaubslektüre für engl. Badegäste in Dtld.) und RECLAMS Universalbibliothek ab 1867 (Bd. 1: GOETHES 'FAUST') zurückgeht. In den 30er Jahren des 20. Jhs. wurde es als "Pocket-book" in USA und Großbritannien heimisch und kehrte 1945 nach Dtld. zurück. 1946 erschienen erstmals in Deutschland ROWOHLTS Rotations-Romane als Zeitungsdruck; 1950 ROWOHLT-Taschenbücher, 1951 FISCHER-Bücherei, 1961 dtv ...). Die Taschenbuchproduktion begünstigt nicht nur eine weitere Verbreitung literar. Texte, sie hat auch die Weiterentwicklung und breiteste Streuung des **Sachbuchs** ermöglicht, durch das die Bildungssituation insges. stark verändert, "demokratisiert" wurde.

Die **ökonom. Entwicklung der Literatur,** die seit dem Ende des MAs zunehmend auch als **"Ware"** gehandelt wird, hat zusammen mit der sich verändernden sozialen Stellung der Autoren als "Produzenten" wesentlich zur Entwicklung des Begriffs vom "geist. Eigentum" mit daraus abgeleiteten Urheber- und Verwertungsrechten von Autoren und Verlagen beigetragen (erster Entwurf des modernen Urheberrechts 1834 von R. BRÖNNER und K. JÜGEL, Frankfurt a. M.). Der "Literaturbetrieb" mußte sich somit zwangsläufig von der archaischen Unmittelbarkeit im "Dreiecksverhältnis" Autor–Publikum–Text zum komplizierten Interessengeflecht zwischen einer Vielzahl "literar. Instanzen" entwickeln, innerhalb dessen sich die in der Aufklärung noch als autonom verstehende **Literaturkritik** (Klassiker LESSING; Anfänge bereits im Hoch MA) nicht selten nur als ökonom. Funktion (etwa für die Buchwerbung) eingebettet findet. Dennoch ist angesichts der technisch ermöglichten und bildungsgeschichtlich unterstützten erhebl. Erweiterung des literar. Publikums gegenüber früheren Zeiten und angesichts der kaum noch überschbaren Fülle literar. Erscheinungen eine sich selbst überlassene Klärung, was literarisch bedeutsam sei, kaum noch vorstellbar. Das Buchangebot hat 1989 in der Bundesrep. erstmals die Marke von einer halben Mio. Titel (520000) überschritten (jährlich neu 50000–60000)! Man wird die mitunter auch eigennütz. Einflußnahme auf den öffentl. Geschmack also so lange akzeptieren können, solange sie sich gegen konkurrierende Urteile behaupten muß, mithin kein generelles ökonom. oder gar polit. Monopol i. S. einer Zensur besitzt. Gegen die unzweifelhafte ökonom. Macht etablierter Verlage setzen sich im übrigen seit einigen Jahren nicht ohne Erfolg Autoren und andere literarisch Interessierte zur Wehr, indem sie Verlage und Buchhandlungen als Autorengenossenschaften führen oder kleine, handwerklich betriebene Buchpressen unterstützen, von denen etliche ein durchaus werbeträcht. Renommee besitzen und damit an der öffentl. Meinungsbildung beteiligt sind.
Die soziale Situation von Schriftstellern heute kann schlaglichtartig durch folgende Daten (1989) beleuchtet werden: Nur fünf Prozent westdt. Autoren können von ihrer Literatur leben. Jährlich werden 3 MIO. DM an öffentl. und privater Unterstützung aufgewendet, u. a. für rd. 200 Literaturpreise. Ein Versuch der Selbstorganisation mit sozialpolit. Absicht war der Beitritt vieler Schriftsteller zur 1989 gegr. "IG Medien".

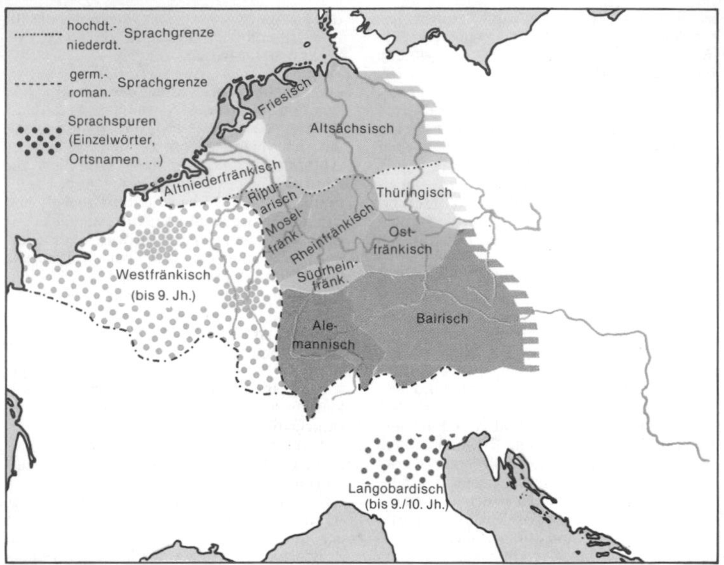

Deutsche Mundarten 8.–10. Jh.

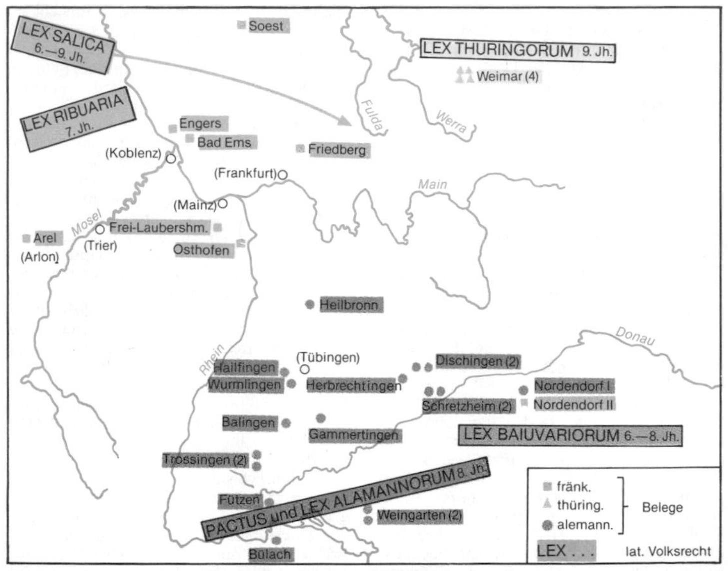

Wichtige Runenfunde und lat. Volksrechte mit frühahd. Rechtswörtern

Sprachl. Grundlagen der literar. Anfänge
Die dt. Literaturgeschichte ist wie die Geschichte der zugrundeliegenden Sprache gekennzeichnet durch die verhältnismäßig späte Erringung einer dt. Einheitssprache, der hochdt. Schriftsprache. Die Bezeichnung "Schriftsprache", neben der eine Reihe anderer Begriffe für den gleichen Sachverhalt, die Einheitlichkeit der Sprache, verwendet wird, soll auf den engen Zusammenhang verweisen, der zwischen der Schriftlichkeit der Literatur und jenem Prozeß der Sprachvereinheitlichung besteht: Die Einheitlichkeit unserer gegenwärt. Hochsprache ist in erster Linie durch schriftl. Fixierung und Normierung begründet. Es gibt kaum einen Deutschen, der im Reden ausschließlich der hochdt. Idealnorm folgt. Abweichungen davon sind nicht nur gewöhnl. Sprechfehler, sondern beruhen vielfach auf regionalen Eigenheiten, die älter und fester verwurzelt sind als die hochdt. Norm.
Am deutlichsten ist die Konkurrenz zwischen Einheitsnorm und sprachl. Vielfalt bei Dialektsprechern ausgeprägt, deren Sprechen ein Stück "Urgeschichte" der dt. Sprache repräsentiert.
Am Anfang waren die **Mundarten,** und dies für die Literaturgeschichte mit doppelter Bedeutung: Die versch. auf dt. Boden siedelnden Germanenstämme benutzen unterschiedl., wenn auch untereinander verwandte Sprachen, und ihre über die Alltagskommunikation hinausgehobenen Texte in Kult, Rechtsleben, Dichtung werden nur durch mündl. Weitergabe aufbewahrt. Am Anfang der in die Schriftlichkeit übergreifenden dt. Sprachgeschichte sind beteiligt die ursprüngl. "Elbgermanen" Alemannen und Bayern, während die in Norditalien seßhaft gewordenen Langobarden durch die polit. Geschichte davon ausgeschlossen werden, ferner die "Weser-Rheingermanen" Hessen und Thüringer und die "Nordseegermanen" Friesen und Sachsen. Der polit. bedeutendste Stamm der Zeit, die Franken, hat teil sowohl am weser-rheingerm. wie auch am nordseegerman. Sprachverkehr. Er erleidet wohl nicht zuletzt aufgrund der immensen Ausdehnung seiner Eroberungen auch die sprachl. Teilung der dt. Stämme in nieder- und ober-(hoch-)dt. Dialekte infolge der Zweiten Lautverschiebung, wobei er auch am dazwischen liegenden Mitteldt. beteiligt ist. Auch ist seine Oberschicht in Westfranken gegenüber der roman. Bevölkerungsmehrheit sprachlich zu schwach, um das Westfränk., über zaghafte Ansätze hinaus, zu einem Literaturdialekt zu entwickeln. Wie vom Langobard. sind hier nurmehr Sprachspuren übriggeblieben. Im 9. Jh. verfestigt sich die bis heute gült. german.-roman. Sprachgrenze im Westen. Das Altniederfränk. ist zur Wiege des heut. Niederländ. geworden (vgl. S. 11).
Die Ausdehnung der dt. Dialekte nach Osten in Bereiche, die heute fest zum dt. Sprachraum gehören, setzt mit der fränkisch-karoling. Expansion mächtig ein, wird aber erst durch die spätere Ostkolonisation abgeschlossen. Doch auch dann ist zunächst mundartl. Vielfalt das Ergebnis.
Von den Anfängen der dt. Literaturgeschichte können wir sprachlich somit kaum etwas anderes als **verschriftlichte Mundarten** erwarten.

Vorliterar. Schriftzeugnisse
Die german. Kultur vor der karoling. Zeit kann man nur mit einer Einschränkung schriftlos nennen. Der Kulturkontakt mit dem Mittelmeerraum, teilweise durch röm. Eroberung und Kolonisation erzwungen, hatte die Germanen auch mit der entwickelten Schriftlichkeit antiker Kulturen in Verbindung gebracht. WULFILAS got. Bibelübersetzung (4. Jh.) ist ein vieles überragender Beleg dafür, daß Germanen nicht nur passive Partner bleiben mußten. Bereits die **Runen** sind aus diesem Kontakt hervorgegangen. Sie scheinen einem norditalisch-etrusk. Alphabet entlehnt zu sein.
Aber auch als Objekte röm. Herrschaft hatten die Germanen einen Übergang zur Schriftlichkeit erfahren. Bis dahin nur mündlich Tradiertes stieß auf das Interesse **röm. Autoren.** In den Beschreibungen german. Zustände, bei Schriftstellern wie CÄSAR, TACITUS oder PLINIUS D. Ä., fanden german. Einzelwörter Aufnahme. Einschneidender war indes die im Gefolge röm. Verwaltung notwendig gewordene Verschriftlichung tradierter **Volksrechte** – freilich nur in lat. Übersetzungen –, weil hier in einem zentralen Bereich des sozialen Lebens Sprache an ein techn. Medium mit allen Vor- und Nachteilen gebunden wurde: Die Aufzeichnung von Rechten erhöht die Rechtssicherheit, trägt aber auch die Gefahr der Erstarrung in sich. Auf diese Weise finden die fränk. Stammesrechte, die 'LEX SALICA' und die 'LEX RIBUARIA', das Thüringerrecht der 'LEX THURINGORUM', 'PACTUS' und 'LEX ALAMANNORUM' der Alemannen, und die 'LEX BAIUVARIORUM' der Bayern – um nur die Rechte der später dt. Stämme zu nennen – ihre frühe Schriftform. Manches german. Wort, für das es im Latein. keine Entsprechung gab, ist dabei, oft oberflächlich latinisiert, "stehengeblieben".
Fast paradox mutet es an, wenn dann ein so fixiertes Volksrecht wie die 'LEX SALICA', offensichtlich zum Zwecke einer besseren Gebrauchsfähigkeit, in Einzelwörtern und -sätzen wieder rückübersetzt wird, wie es in den sog. 'MALBERGISCHEN (oder MALLOBERGISCHEN) GLOSSEN' im 6. Jh. geschieht.

Die in der Karte wiedergegebenen Runenfunde auf dt. Boden bezeugen wesentl. Dialektunterschiede aus vorliter. Zeit (nach SONDEREGGER).

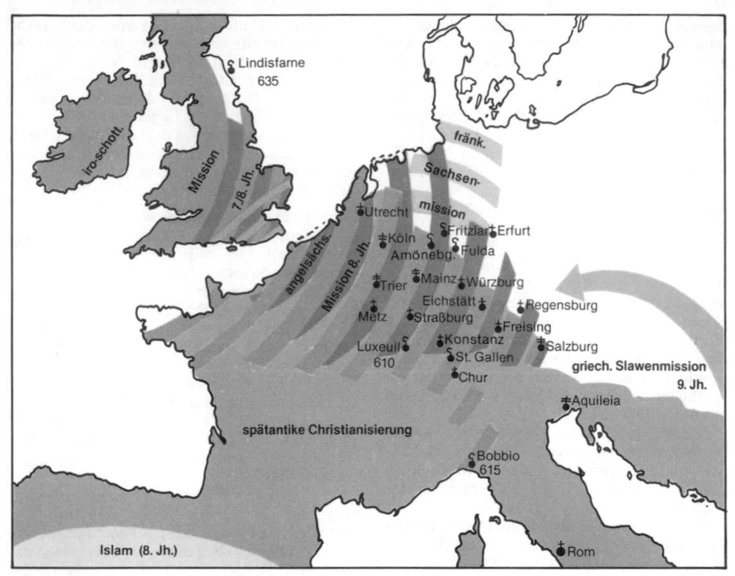

Missionsbewegungen 7.–9. Jh.

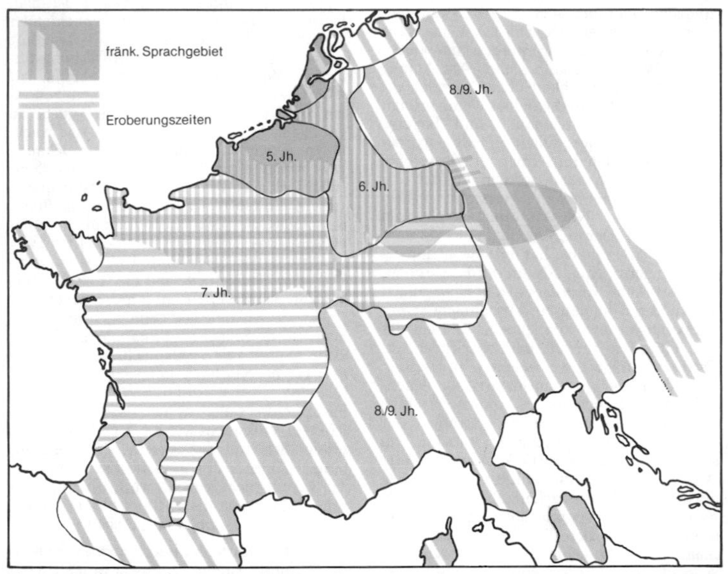

Fränkische Herrschaft – Sprache der Franken

Missionsbewegungen des 7.–9. Jhs.
Nach dem Niedergang des Röm. Reiches in den Wirren der Völkerwanderung und der Schwächung des Fernhandels durch das Vordringen des Islam im Mittelmeerraum fehlten wesentl. Voraussetzungen für eine weiträum. Kommunikation, in der die Schriftlichkeit unabdingbar gewesen wäre. Nur die Kirche bewahrte bestimmte Verwaltungsstrukturen der reichsröm. Vergangenheit. Insbes. das abendländ. Mönchstum hielt an der **Pflege lat. Schriftkultur** fest, wofür in den Klöstern unter den Bedingungen vorgeschriebener Ruhe- und Meditationszeiten (vgl. entspr. Vorschriften der 'BENEDIKTINERREGEL') geradezu ein vitales Bedürfnis bestand.
Eine Wiederbelebung dieser kulturellen Restbestände in größerem Rahmen war an polit. Voraussetzungen gebunden, die wesentlich auch eine stabile polit. Ordnung in einem größeren Raum einschlossen. Diese Voraussetzung wurde nach und nach mit dem Erstarken und der **Ausbreitung der Frankenherrschaft in Westeuropa** geschaffen. Sie verband sich in einer für die römisch-kath. Kulturträger außerordentlich günstigen Weise, als der Frankenkönig CHLODOWECH (CHLODWIG I.) durch die kath. Taufe (498?) den **Anschluß an die röm. Kirche** suchte und damit den kulturlähmenden konfessionellen Gegensatz zwischen roman. Katholiken und german. Arianern, wie er in anderen german. Herrschaftsräumen, vor allem im it. Ostgotenreich spürbar war, beseitigte.
Für die polit. Organisation des fränk. Merowingerreichs war trotz mancher Spannungen zwischen weltl. Macht und Kirche die christl. Missionstätigkeit, die mit der Verbreitung von Kulturfertigkeiten einherging, von großem Nutzen. In einer ersten großen Bewegung taten sich im 7./8. Jh. vor allem **iroschott. Mönche** mit ihrem reichen kulturellen Hintergrund hervor (Gründung der Klöster Luxeuil/Vogesen und Bobbio/Norditalien durch COLUMBAN, der Urzellen von St. Gallen und Füssen durch seine Schüler sowie weiterer "Schottenklöster"). In unmittelbarer Verbindung mit der röm. Mutterkirche folgten ihnen im 8. Jh. **angelsächs. Missionare,** allen voran BONIFATIUS, der zunächst für die Bayernherzöge, sodann im Auftrag des fränk. Königs die Kirche in Süd(ost)- und Mitteldeutschland reorganisierte bzw. neu begründete. Zeitweil. Konflikte ergaben sich im äußersten Südosten zwischen der fränk.-bayer. Kirche und der hier im 9. Jh. auftretenden griech. Slawenmission.
Mission und Kirchenreform waren wegen ihrer nützl. Nebeneffekte für die Organisation und Kultivierung des fränk. Herrschaftsraums nicht mehr von polit. Interessen zu lösen. Sie sicherten dem "Staat" die Verbreitung "seiner" Religion als Grundlage auch polit. Identifikation und noch konkreter eine ausreichende Zahl gebildeter Funktionsträger, die die mehr und mehr wieder auf Schriftlichkeit angewiesene Kommunikation in einem großen Reich gewährleisten konnten.
So war die Unterwerfung der Sachsen durch KARL D. GR. im 8./9. Jh. notwendigerweise ein Doppelakt militär. Beherrschung und christl. Bekehrung.

Fränk. Herrschaft – Sprachen der Franken
Vom 5. bis zum 9. Jh. haben die Franken unter merowing. und karoling. Führung, vom heut. Belgien und Nordfrankreich ausgehend, ganz Westeuropa unterworfen. Auf dieser Grundlage entstanden im 9. bzw. 10. Jh. **Frankreich** und **Deutschland.** Die Ausbreitung ihrer Sprache hat mit dieser Expansion nicht Schritt halten können. Auch mußten es die Franken hinnehmen, daß bereits in ihren Kernlanden zwei Dialekte miteinander konkurrierten, das Westfränk. und das Niederfränk. Noch bunter wurde die Vielfalt fränk. Dialekte im später dt. Ausbreitungsgebiet (vgl. S. 16f.). Polit. Herrschaft sichert also nicht unmittelbar auch Sprachherrschaft.
Schon aus prakt. Gründen mußten sich die Franken einer fremden Einheitssprache bedienen, um sich in ihrem Vielvölkerreich mit seinem roman.-german., teilweise auch slaw. Sprachengemisch durchzusetzen. Sie entschieden sich für Latein, genauer: Mittellatein, das sich durch seinen Gebrauch in den ehem. weström. Provinzen und noch mehr in der mit ihrem Staat verbundenen kath. Kirche empfahl. **Latein** wurde somit für viele Jahrhunderte zur **amtl. Verkehrs- und Hochsprache in Westeuropa** und durch diese ihre Auszeichnung vor anderen europ. Sprachen mit ihren vielfält. Anregungen und Einwirkungen auf die Volkssprachen zur "Vatersprache des Abendlands".
Der Abstand des Lat. zu den Volkssprachen war naturgemäß in den german. Reichsteilen größer als in den roman., wo sich etwa das Altfrz. unmittelbar aus gesprochenen (vulgär-)lat. Idiomen entwickelte. Folglich hatte die in Latein verfaßte Literatur im ostfränk., "deutschen" Bereich von vornherein einen Sonderstatus, der für volkssprachl. literar. Leistungen oft genug auch einen entmutigend hohen Maßstab bedeutete.

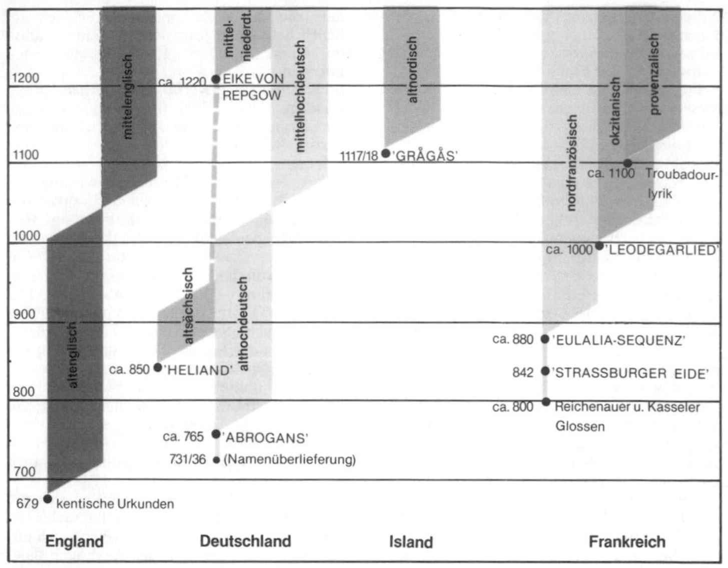

Schriftliche Anfänge west- und nordeuropäischer Literaturen

literarische Kommunikation
mündliche Kommunikation
Verwaltung
Recht
Religion
weltliche Wissensch.
Dichtung
oral poetry, Rechtsprechung, Kulttexte . . .
Ottonen
Karolinger
Karl d. Gr.
1000
950
900
850
800
750
dt. Text
dt. Textgruppe
dt. Glossen zu lat. Literatur

Deutsche Anteile an literarischer Kommunikation (8.–10. Jh.)

Schriftl. Anfänge west- und nordeurop. Literaturen

Die schriftl. Anfänge der großen west- und nordeurop. Literaturen verteilen sich über fünf Jahrhunderte. Den Vorreiter spielt die **altengl. Literatur** Ende des 7. Jhs., wie die ahd. Literatur auf regionalsprachl. Einzelleistungen aufbauend. Ihr folgt die **"deutsche"**, die mit einem bair. Schriftzeugnis, dem 'ABROGANS', einem lat.-ahd. Lexikon einsetzt. Ein knappes Jahrhundert später tritt im Rahmen seiner sprachl. Selbständigkeit das **Altsächs.** als "zweite dt. Literatur" gleich mit einer eindrucksvollen Großleistung hervor, dem Bibelepos 'HELIAND'.

Die älteste roman. Literatur ist die **altnordfrz.**, deren Beginn spätestens durch die 'EULALIA-SEQUENZ' (um 880) belegt ist, nachdem bereits in den 'STRASSBURGER EIDEN' (842) und in noch früheren Glossen einzelne altfrz. Formulierungen und Wörter schriftlich festgehalten waren. Erst um 1000 tritt das **Okzitan.** Südfrankreichs im 'LEODEGARLIED' mit einem eigenen Text auf. Okzitan. Idiome werden dann um 1100 zur Grundlage der provenzal. Literatursprache, in der sich, von den Troubadours ausgehend, nicht nur in Frankreich, sondern auch in Italien und Sizilien Höhepunkte abendländ. Lyrik ereignen werden.

Die skandinav. Literaturen haben ihren Vorläufer im **Altnord.** Islands, das infolge der späten Christianisierung der Insel trotz reicher mündl. Tradition erst 1117/18 mit einer Gesetzessammlung, der 'GRÅGÅS', beginnt.

Der Wechsel aus einer zuvor nur mündl. Tradition ins schriftl. Medium bzw. der Sprachwechsel im schriftl. Medium vom alles beherrschenden Latein zu einer Volkssprache ist zu bedeutsam, als daß man die Daten dieses Wechsels, der nun nichts Zufälliges mehr hat, sondern jeweils eine zunehmende literar. Praxis einleitet, für nebensächlich halten oder durch bloße Rekonstruktionen möglicherweise verlorengegangener Vorstufen jüngerer Texte verunklären darf.

Vier der hier erwähnten sechs bzw. sieben Literaturen setzen mit "Gebrauchstexten" ein, wobei jurist. Themen eine bes. Rolle spielen (das gilt auch für das Ahd., in dem auf den 'ABROGANS' drei Rechtstexte folgen). Am Anfang steht noch kaum die Poesie, die zunächst die Domäne der mittellatein. Literatur bleibt. Die volkssprachl. Annäherung an diesen Kernbereich literar. Praxis vollzieht sich – gleichsam wie eine notwend. Fingerübung – über Texte zur Regelung unmittelbar lebensprakt. Fragen.

Dt. Anteile an literar. Kommunikation (8.–10. Jh.)

Die bis zum Einsetzen einer kontinuierl. volkssprachl. Schriftpraxis getrennten Sphären lat. Schriftlichkeit und volkssprachl. Mündlichkeit überschneiden sich im ostfränk. bzw. dt. Raum des 8.–10. Jhs. auf charakterist. Weise.

Die typ. Form der Aneignung lat. Quellen, insbes. auf dem Gebiet weltl. Wissenschaft ist die **Glossenliteratur,** das sind Übersetzungshilfen, die in lat. Texte zu einzelnen Wörtern und Phrasen eingetragen und auch als "Glossare" zusammengefaßt werden. Sie bleibt auch das ganze MA hindurch Brücke zur lat. Literatur. Erst um 1000 erhalten wir von einem einzigen Autor, NOTKER D. DT., einen ganzen Komplex abgeschlossener dt. **Wissenschaftstexte.**

Den Glossen und **Rechtstexten** folgen volkssprachl. **Fassungen relig.** (theolog. und katechet.) **Themen.**

Poet. Texte als Aufzeichnungen ursprüngl. mündlich überlieferter Dichtungen oder für Schriftfassungen neu konzipierte Texte sind erst im 9. Jh. anzutreffen. Sie werden schon im 10. Jh. wieder selten, wie auch volkssprachl. Rechtstexte in dieser Zeit so gut wie nicht mehr vorkommen.

Während der ganzen Zeit ist natürlich mit einer vielfält. **Tradierung mündlicher Texte** verschiedenster Art zu rechnen. Das, was die Wissenschaft *oral poetry* ("mündl. Poesie") nennt, spielt insges. während des ganzen MAs und über weite Zeiträume der Neuzeit, wie noch heute in nichtindustrialisierten Weltgegenden, eine zentrale Rolle für die Begegnung der Bevölkerungsmehrheit mit Dichtung überhaupt. Selbstverständlich sind in dieser Sphäre auch die heute noch wesentlich mündlich gestalteten Textsorten für relig. Feiern (Gebet und Predigt), jurist. Verhandlungen (Recht"sprechung") und im weitesten Sinne brauchtüml. Praxis angesiedelt.

Der Umfang dessen, was aus dieser Sphäre aufs Pergament meist klösterl. Schreibstuben gelangt, ist so gering, daß es auf den ersten Blick wie purer Zufall oder der Laune eines Schreibers entsprungen anmutet. Das Ungewöhnliche volkssprachl. Aufzeichnungen, das in der ahd. Zeit von Autoren durchaus reflektiert wurde (bei OTFRIED VON WEISSENBURG, S. 31, und NOTKER D. DT., S. 39), läßt es indes geraten erscheinen, Zufall oder Laune nur als allerletzte Erklärungsmöglichkeit zuzulassen. Nicht selten lassen sich durchaus konkrete histor. Umstände aufhellen, die das Ereignis einer Schriftwerdung erklärbar machen.

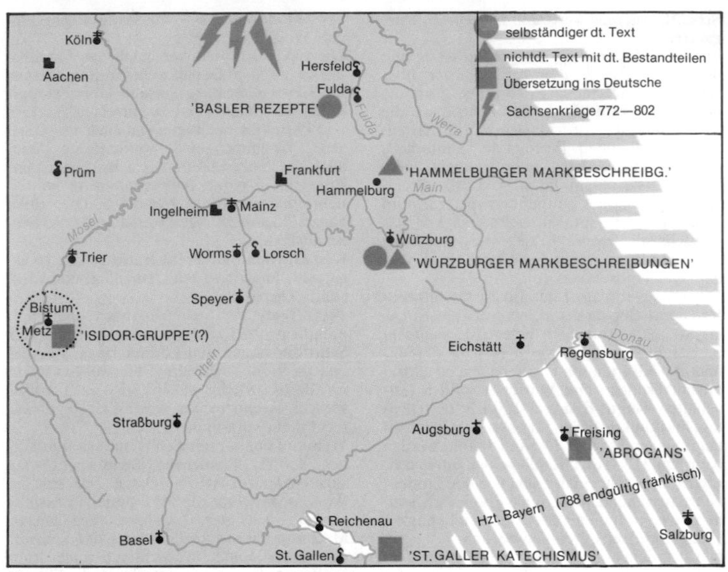

Erste deutsche Schriftzeugnisse (ca. 765–800)

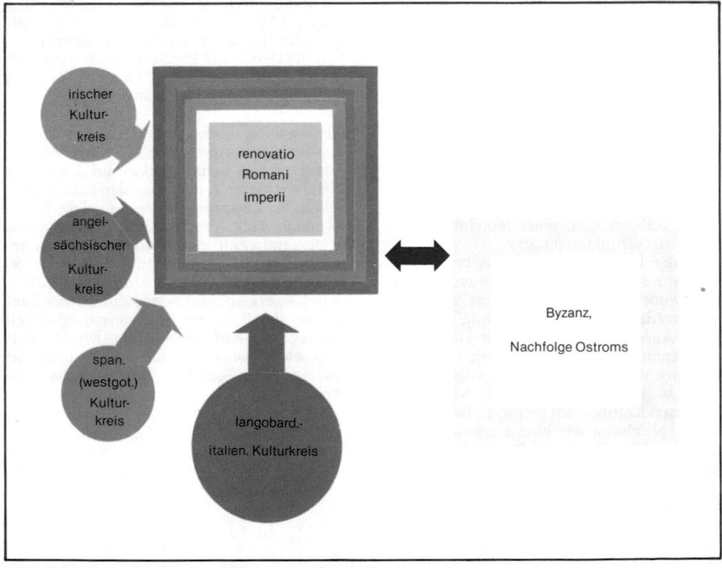

Nichtfränkische Einflüsse auf KARLs D. GR. Kulturprogramm

Die früheste dt. Überlieferung (8. Jh.)
Das "erste dt. Buch" ist die schon mehrfach erwähnte bair. Glossierung eines lat. literar. Lexikons, die in weiteren Fassungen zu einem **lat.-ahd. Wörterbuch** umgestaltet wird, nach seinem ersten (lat.) Stichwort der 'ABROGANS' genannt. Der bayer. Ursprung der dt. Literatur zu einer Zeit, da dort die karoling. Herrschaft noch durchaus umstritten ist, verlangt nach einer histor. Erklärung, die freilich nicht endgültig gesichert werden kann. Ein unmittelbarer Zusammenhang mit fränk. Bemühungen um die Volkssprache ist hier kaum herzustellen, es sei denn, man sieht in dem vermutl. Anreger dieser Arbeit, Bischof ARBEO VON FREISING, vornehmlich den Parteigänger des fränk. Königs gegen den bayer. Herzog. Weniger spekulativ ist die Deutung, die für viele Glossierungs- und Übersetzungsarbeiten der ahd. Zeit gelten kann: Es ging in erster Linie um Hilfsmittel, die *latein.* Bildung zu vertiefen. Diese Deutung würde sich mit politisch und kirchlich motivierten Bildungsreformen der Zeit (vgl. unten) begegnen. Volkssprachl. Zeugnisse dieser Art wären dann freilich zunächst nur Nebenergebnisse lat. orientierter Bestrebungen!
Sicher nicht auf die Begründung einer dt. Literatur gerichtet sind drei 'MARKBESCHREIBUNGEN', das sind **Aufzeichnungen über Grenzbegehungen:** in Hammelburg 777, einer Schenkung Karls d. Gr. an das Kloster Fulda, sowie in Würzburg 779 ('ERSTE WÜRZBURGER M.') und wenig später ('ZWEITE WÜRZBURGER M.'). In unterschiedl. Nähe zu formgerechten lat. Urkunden wird hier Volkssprachliches (vor allem Orts- und Personennamen, in der 'ZWEITEN WÜRZBURGER M.' auch das Übrige) fixiert, offensichtlich um lateinunkundigen Zeugen und Adressaten besitzrechtl. Verhältnisse zweifelsfrei zu machen.

Diese noch wenig anspruchsvollen Arbeiten weit hinter sich lassend übersetzen in den neunziger Jahren Unbekannte eine Reihe höchst schwieriger lat. Texte, die nach dem wichtigsten, dem **Traktat über die göttl. Dreifaltigkeit** ('DE FIDE CATHOLICA') des ISIDOR VON SEVILLA (gest. 636), als 'ISIDOR-GRUPPE' zusammengefaßt werden, zumal sie in wichtigen Sprachmerkmalen, die auf normierende Gestaltung verweisen, übereinstimmen (sog. ISIDOR-Sprache). Hier scheint bereits eine (kirchen-)polit. bedeutsame Anregung Pate gestanden zu haben. Kaum zufällig beschäftigen zur selben Zeit höchst brisante Zweifel am Dreifaltigkeitsdogma auf seiten der nordspan. Adoptianer mehrere Synoden, so daß die ISIDOR-Übersetzung wie eine Verständnishilfe für die im Lat. nicht sattelfesten höheren Entscheidungsträger anmutet. Entstanden könnte das gesamte Übersetzungswerk in Lothringen (Diözese Metz?) sein.

Rücksicht auf mangelnde Lateinkenntnisse nahm zweifellos der Übersetzer des 'ST. GALLER KATECHISMUS' (alemann.) vom Ende dieses Jahrhunderts. Seine Übersetzung ist selbst nicht fehlerfrei, doch wollte er, wie manche Katechismusübersetzer nach ihm, ganz sicher den sich häufenden Befehlen des Königs nachkommen, wenigstens die Zentraltexte des offiziellen Glaubens, **Vaterunser und Glaubensbekenntnis,** allen Gläubigen verständlich (und damit wohl auch verbindlicher!) zu machen. Eindeutig prakt. Zwecken dienten auch die beiden ältesten erhaltenen '(BASLER) REZEPTE', gegen Fieber und Krebs, die wohl aus Fulda stammen und die die volkssprachl. Tradition **klösterl. Pharmazie** einleiten.
In keinem Fall ist diese Literatur aus unmittelbarer Zweckdienlichkeit zu lösen. Alle Belege sind – im neuzeitl. Verständnis – **"Gebrauchstexte".** Das Neue an ihnen, das sie zum Fundament einer literar. Tradition macht, ist die Hinwendung ihrer Urheber zu einem bis dahin schriftlich noch nicht angesprochenen Publikum. Ob dies nur als beiläuf. Nebenprodukt lat. Bildungsarbeit oder als bewußte Rücksichtnahme auf polit. wichtig gewordene Bevölkerungskreise zu werten ist – schriftl. Texte stoßen durch Verwendung der Volkssprache in **neue soziale Räume** vor, in denen sich später auch eigene Ansprüche an Literatur entwickeln können. Die bis dahin nur mündlich gebrauchte Sprache beweist in der ISIDOR-Übersetzung, daß sie bei fähiger Handhabung jederzeit zu Höchstleistungen taugt.

Nichtfränk. Einflüsse auf Karls d. Gr. Kulturprogramm
Die ahd. Literatur setzt ein, bevor KARL D. GR. an seiner Aachener Hofschule ein **großangelegtes Programm kultureller Erneuerung** entwickeln läßt, in der auch eine minimale relig. Volksbildung, die auf volkssprachl. Vermittlung angewiesen ist, ihren Platz erhält. Quellen und Zielrichtung dieser Erneuerung bedingen freilich, daß selbst die fränk. Muttersprache des Herrschers, um deren Pflege KARL sich persönlich zu kümmern versuchte (Anregung einer fränk. Grammatik, Vereinheitlichung von Monats- und Windnamen), zu kurz kommen mußte. *"renovatio Romani imperii"*, die Erneuerung des röm. Reiches – so lautet die von KARL selbst benutzte Programmformel. *"Man gewinnt den Eindruck, daß der Kulturwille mehr aus dem Norden, die Kultursubstanz mehr aus dem Süden gekommen ist."* (W. BRAUNFELS) Dabei spielt eine nicht unwesentl. Rolle die Konkurrenz des aufstrebenden Karolingerreichs mit dem bis dahin einzig legitimen Nachfolgereich des antiken Rom: Byzanz (ehem. Ostrom).
Entsprechend setzt sich denn auch KARLS D. GR. Beraterkreis zu bedeutenden Teilen aus

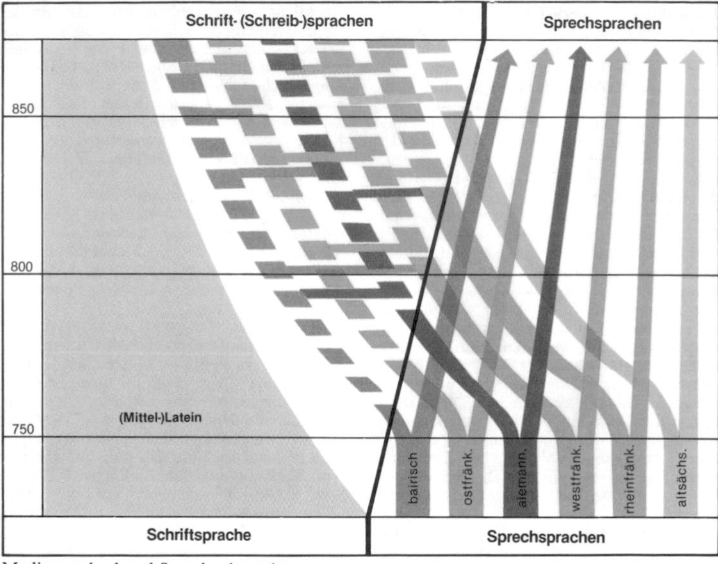

Medienwechsel und Sprachenkontakt

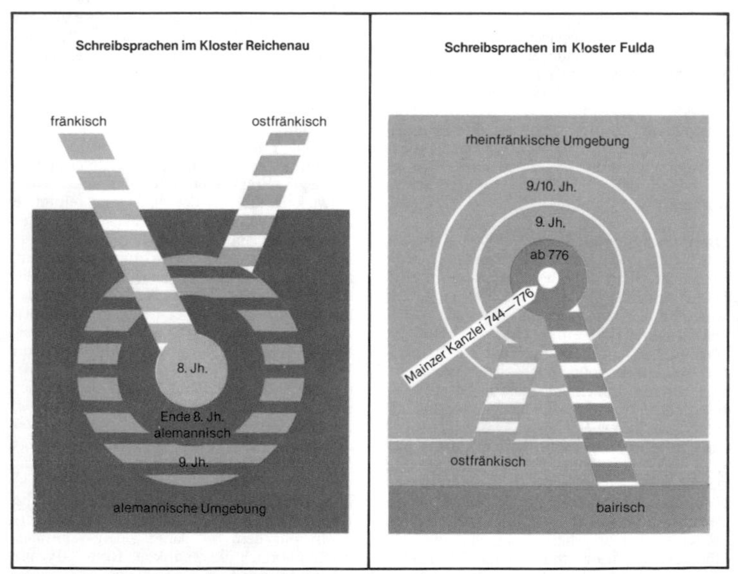

Wechsel der Schreibsprache (nach S. SONDEREGGER)

nichtfränk. Gelehrten zusammen. Den langobard.-italien. Kulturkreis vertreten u. a. PAULINUS VON AQUILEIA, PETRUS VON PISA und PAULUS DIACONUS. Angelsächs. Tradition vermitteln ALKUIN und BEONRAD, irische JONAS und RAEFGOT. Mit THEODULF, dem späteren Bischof von Orléans, ist sogar das westgot. Spanien repräsentiert. Dennoch bleibt die so bedingte "karoling. Renaissance" nicht ohne Wirkung auf die weitere Entwicklung einer volkssprachl. Literatur. Insges. dürfen wir aber nur mit einer indirekten Wirkung rechnen.

Medienwechsel und soziale Differenzierung

Am Anfang der dt. Literaturgeschichte stehen die Mundarten, und doch ist ein Text stets, nicht zuletzt in der Frühzeit, etwas anderes als die lautgetreue Wiedergabe gesprochener Sprache. Das liegt zum einen an den in einer Anfangsphase stets schwierigen Problemen der Umsetzung von Lauten in ein vorgegebenes Schriftzeichensystem (Alphabetisierung). Zum anderen geht der Anspruch von Schreibern grundsätzlich über die Bedürfnisse eines eng begrenzten Dialektpublikums hinaus. Der Medienwechsel in ahd. Zeit führt also schon lange vor orthograph. Regelungen einer Hochsprache zu einer **Differenzierung der Volkssprache(n):** hier weiter benutzte Sprechsprache (Mund-art), dort mühsam geformte Schrift-(Schreib-)sprache, und diese stets unter den Maßstäben, die das schon über ein Jahrtausend gepflegte Latein gesetzt hatte, so daß sich noch im 9., ja selbst im 10./11. Jh. Autoren bemüßigt fühlen, ihre volkssprachl. Bemühungen vor mögl. Kritik durch Kenner lat. Literaturpraxis zu verteidigen (OTFRIED VON WEISSENBURG und NOTKER D. DT.).
Bereits in ihrer Anfangsphase ist damit auch die volkssprachl. Literatur der sozialen **Differenzierung der Sprachbenutzer** ausgesetzt: hier des Lesens (und Schreibens) Kundige, dort Analphabeten oder im Lesen Ungeübte. Dennoch darf der Schritt zu volkssprachl. Schriftlichkeit nicht gering geachtet werden. Mag man auch bedauern, daß die Schriftlichkeit auf Dauer lebend. mündl. Traditionen (auch literaturwürdiger Texte) untergehen ließ und gelegentlich auch zu einer Überschätzung des geschriebenen (und gedruckten) Wortes führte – wie anders hätten auf lange Sicht gesehen die der lat. Kultur fernstehenden Schichten an einer überregionalen Kommunikation teilhaben können, wenn nicht durch Verschriftlichung der Idiome, die sie aus tägl. Umgang kennen! Wie auch immer die Motive für diese ersten Gehversuche auf schriftl. Gebiet gewesen sein mögen, im Ergebnis bedeuteten diese Versuche eine emanzipator. Tat.

Sprachwechsel – "sprachl. Mobilität"

Bereits zu den Übersetzungen der 'ISIDOR-GRUPPE' war zu bemerken, daß sich in ihnen Hinweise auf eine normierende Gestaltung der Sprache finden. Ein **Ausgleich** oder auch nur **Austausch zwischen den Dialekten** konnte indes auch weniger beabsichtigt dort geschehen, wo ein Schreiber einen Text, der seiner eigenen Mundart fremd war, beim Niederschreiben oder Kopieren seiner Mundart anzupassen versuchte. Es gibt aus der frühen Zeit gelegentlich sogar Texte, die in zwei dialektal unterschiedl. Fassungen vorliegen. Häufiger sind freilich Texte, in denen Eigenarten versch. Mundarten unvermittelt nebeneinander stehen. Am extremsten ist dies beim 'HILDEBRANDSLIED' (Niederschrift im 9. Jh.) der Fall. Hier nimmt man eine "Wanderung" des Texts durch sehr versch. Dialektgebiete an, von den Langobarden über Bayern bis nach Fulda, wo es oberflächlich "saxonisiert", d. h. altsächs. Sprachgewohnheiten angepaßt wurde.
Die Schreibstuben der Klöster, die entscheidenden Produktionsstätten schriftl. Textfassungen, sind im übrigen nur mit Vorbehalten dem sie jeweils umgebenden Sprachraum zuzuordnen. Wechselnde Besetzungen der Klosterkonvente können auch zum **Sprachwechsel in den Skriptorien** führen. So ist die früheste volkssprachl. Schreibsprache des "alemann." Klosters auf der Reichenau fränk. Gegen Ende des 8. Jhs. kann sich das Alemann. durchsetzen. Im 9. Jh. wird es hingegen wieder vom Ostfränk. abgelöst. Auch in Fulda wird zunächst nicht in der rheinfränk. "Umgebungssprache", sondern – nachdem zunächst die Mainzer Kanzlei für Fulda tätig war – in der bair. Sprache der Gründergeneration geschrieben. Im 9. Jh. finden wir ostfränk. Merkmale, und erst zum 10. Jh. hin dringt das Rheinfränk. in die Schreibpraxis ein.
Eine solche "sprachl. Mobilität" ist eng mit dem Schriftmedium als solchem verbunden. Sie hätte sich so kaum in nur-mündl. Praxis ereignen können. Auch lange bevor ein dauerhafter Ausgleich zwischen den Dialekten erreicht wurde, deutet sich in dieser Mobilität jedoch schon die Möglichkeit des Ausgleichs zugunsten einer weiträumig. Einheitssprache an, die Bedingung einer "großen" Literatur ist.

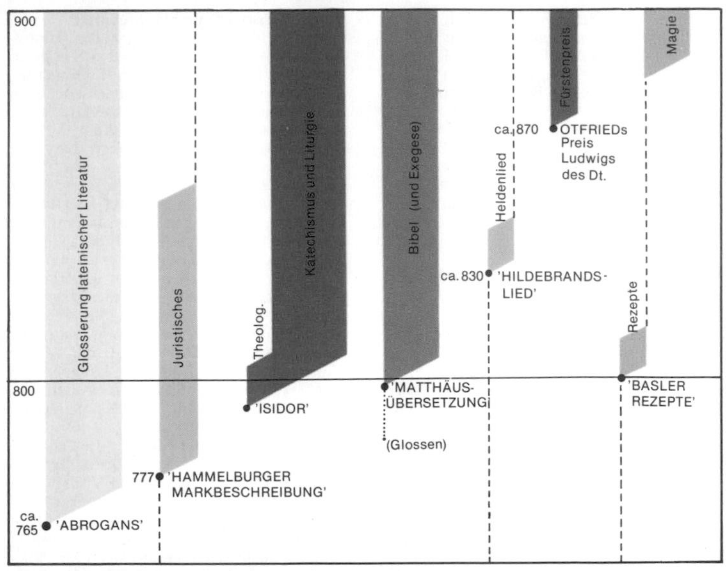

Thematische Entfaltung der frühesten deutschen Literatur

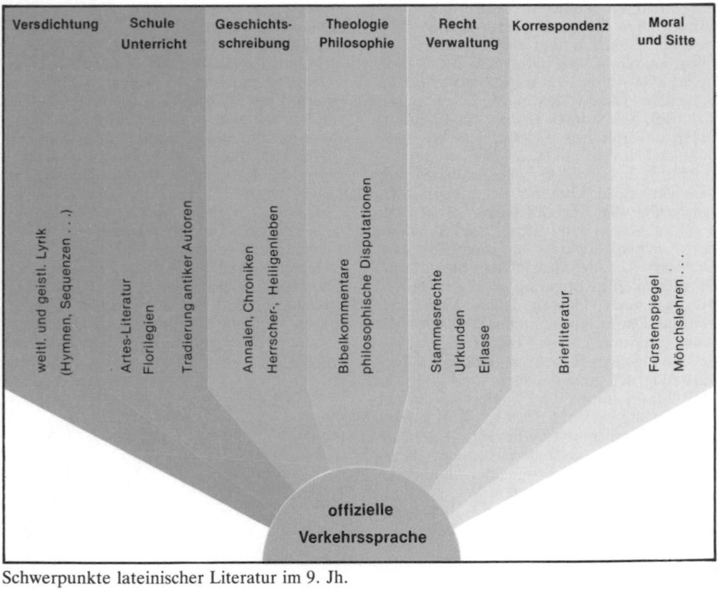

Versdichtung
weltl. und geistl. Lyrik
(Hymnen, Sequenzen ...)

Schule Unterricht
Artes-Literatur
Florilegien
Tradierung antiker Autoren

Geschichtsschreibung
Annalen, Chroniken
Herrscher-, Heiligenleben

Theologie Philosophie
Bibelkommentare
philosophische Disputationen

Recht Verwaltung
Stammesrechte
Urkunden
Erlasse

Korrespondenz
Briefliteratur

Moral und Sitte
Fürstenspiegel
Mönchslehren ...

offizielle Verkehrssprache

Schwerpunkte lateinischer Literatur im 9. Jh.

Themat. Entfaltung der frühesten dt. Literatur
Das 9. Jh. ist innerhalb der ahd. Periode der überlieferungsreichste Abschnitt. Im bescheidenen Rahmen volkssprachl. Produktion könnte man sogar von einer **"Blütezeit"** sprechen, die aber keineswegs mit einer Phase der polit. Geschichte zusammenfällt, die einer ungestörten Kultur- und Literaturpflege besonderns günstig gewesen wäre. Nach dem Tod KARLS D. GR. (814) erweist sich, daß seine Reichsgründung und seine idealen kulturellen Perspektiven noch nicht dauerhaft lebensfähig waren. Bruderzwist der Enkel KARLS, Reichsteilungen, Normanneneinfälle und der Aufstieg lokaler Mächte schwächen das Reich, dessen Einheit am Ende des Jhs. endgültig zerbricht.
Um so erstaunlicher ist die themat. Entfaltung der volkssprachl. Literatur in dieser Zeit. Zentrum auch der volkssprachl. Bemühungen bleiben **Themen der Religion,** zu denen auch die hier für sich gesehen jurist., panegyr. (herrscherpreisenden), ja selbst die mag. Texte in engerer Beziehung stehen.

Juristisches: Die glossierende Übersetzung der 'BENEDIKTINERREGEL' (Anfang 9. Jh.) trifft nicht nur den auch verfassungsrechtlich bedeutsamen Grundlagentext des damals wichtigsten Mönchsordens (ab 802 für alle Klöster verbindlich), sie repräsentiert zugleich eine wesentl. theolog. Äußerung zu Fragen der Lebensführung. Der ahd. Ausschnitt aus dem 'TRIERER CAPITULARE' (nach 818) konzentriert sich auf jurist. Regelungen zugunsten der Kirche.
Panegyrik: Der Lobpreis auf LUDWIG D. DT. bei OTFRIED VON WEISSENBURG (um 870) oder auf LUDWIG III. von Westfranken im 'LUDWIGSLIED' (881/82) ist untrennbar mit geschichtstheolog. Vorstellungen verbunden. Möglicherweise steht auch die Aufzeichnung des 'HILDEBRANDSLIEDS' (um 833) im Zusammenhang mit religiös-moral. Erwägungen zu gleichzeit. polit. Ereignissen (Konflikt LUDWIGS D. FR. mit seinen Söhnen).
Magie: Die im 9. Jh. einsetzende Aufzeichnung von Zauber- und Segenssprüchen ist ebenfalls nicht von offizieller und halboffizieller relig. Praxis zu trennen (vgl. dazu S. 37).

Die am Rande theolog. und seelsorgl. Absichten stehenden Aspekte der erwähnten Textgruppen bedeuten indes, daß volkssprachl. Literatur grundsätzlich auch für höchst weltl. Zwecke taugte und sich unter veränderten histor. Bedingungen von relig. Zweckbindung lösen konnte. **Bibl. Themen** katechet. und liturg. (gottesdienstl.) Bedürfnisse bestimmen im 9. Jh. jedoch noch uneingeschränkt die literar. Praxis, was sich in der Fülle von entspr. **Übersetzungen** und poet. Bearbeitungen lat. Vorlagen niederschlägt.

Schwerpunkte lat. Literatur im 9. Jh.
Eine histor. Analyse der volkssprachl. literar. Anfänge und ihrer themat. Entfaltung muß den Vergleich mit der lat. Literatur einschließen, damit zumindest Überbewertungen vermieden werden. Auch für die lat. Literatur ist **das 9. Jh. eine fruchtbare Zeit,** die karoling. Reichsteilungen scheinen zunächst sogar eine Art Wettstreit zwischen den Reichsteilen zu bewirken. Dies macht sich zumindest auf dem in der Volkssprache ausgeblendeten Feld der Geschichtsschreibung bemerkbar. Hier spielen sicher polit. Legimitationsbedürfnisse der versch. Parteien eine wichtige Rolle.
Unter KARL D. GR. (gest. 814) wirkt sich dessen Reformprogramm bei einer Reihe lat. Autoren zunächst jedoch noch unmittelbar als Anregung zu Gestaltungen auf vielen versch. literar. Feldern aus. Die schon genannten PAULUS DIACONUS, ALKUIN, THEODULF und PAULINUS (s. S. 23ff.) sind hier besonders zu erwähnen.
In theolog.-philosoph. Werken, auf dem Gebiet von Recht und Verwaltung wie auf dem von Schule und Unterricht behält Latein seine uneingeschränkte Stellung gegenüber der volkssprachl. Literatur, deren Autoren von der Schulung in diesen Sparten nachweislich zehren.
Auch von lebensprakt. Texten wie Fürstenspiegeln und Mönchslehren sowie aus der geistl. Lyrik springen Funken in ahd. Dichtungen über, so bei OTFRIED und im 'LUDWIGSLIED'.
Ein bes. Schwerpunkt ist jedoch – wie gesagt – die Geschichtsdarstellung. Im Versuch, den zentrifugalen Kräften das Ideal der Einheit unter einem großen Kaiser entgegenzuhalten, entsteht die erste Herrscherbiographie des MAs, EINHARDS 'VITA KAROLI MAGNI' (um 830). REGINO VON PRÜM führt am Ende dieses Jhs. die Historiographie mit seiner Weltgeschichte 'CHRONICA' noch einmal auf einen Höhepunkt umfassender Darstellung, während sich in einer Fülle anderer Arbeiten bereits regionale und lokale Traditionen in den Vordergrund gedrängt hatten.
Ausschließlich lat. führen die Geistesgrößen der Zeit jedoch auch ihre umfangreichen Korrespondenzen, die als Briefliteratur eine selbständ. literar. Gattung sind.
Der ostfränk. ("dt.") Teil des Karolingerreiches, auf theolog.-philosoph. Gebiet dem Westen unterlegen, hat seine bes. Verdienste in historiograph. Werken und in einer reichhalt. lyr. Dichtung, für die hier der Name des St. Galler Sequenzen- und Hymnendichters NOTKER BALBULUS stehe.

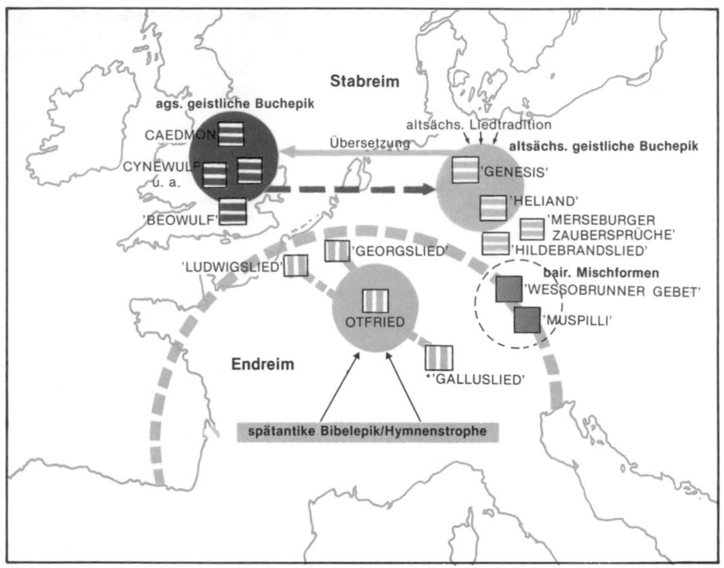

Epische und Verstradition im 9. Jh.

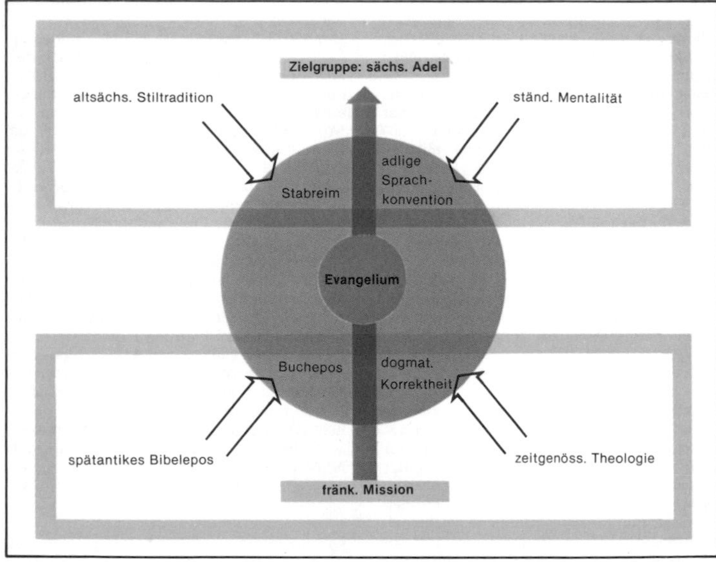

Einige Gestaltungsfaktoren des 'HELIAND'

Epische und Verstradition im 9. Jh.
Im 9. Jh. gelangen erstmals poet. Texte aufs Pergament, die nicht unmittelbar von lat. Vorlagen abhängig sind. Im 'HILDEBRANDSLIED', dem einzigen erhaltenen dt. Heldenlied, vom trag. Konflikt zwischen einem Vater und seinem Sohn (um 833 in Fulda aufgezeichnet) wird der die german. Dichtung lange Jahrhunderte beherrschende **Stabreim** bereits in einer Spätform sichtbar.
Im Stabreim werden bedeutungsschwere Wörter durch gleichen Anlaut (Alliteration) ihrer Stammsilben hervorgehoben, wobei sich die "Stäbe" im reinen Stabreim im Verhältnis von 2 : 1 über die beiden Hälften einer Langzeile verteilen:
welaga nu waltant got . . ./wewurt skihit. (Wehe jetzt, waltender Gott,/Wehschicksal geschieht = 'HILDEBRANDSLIED' v. 49).
Während der Stabreim im angelsächs. Bereich lange Zeit unangefochten gilt und in der altnord. Literatur noch seine große Blüte erleben wird, zeigt er sich in der ahd. Literatur nur noch in schwachen Nachklängen. Die 'MERSEBURGER ZAUBERSPRÜCHE' bezeugen ihn als letzte Texte im 10. Jh. 'WESSOBRUNNER GEBET', das offenbar einen german. Schöpfungsmythos zitiert, und 'MUSPILLI', das fragmentar. überlieferte Gedicht vom Weltende (beide frühes 9. Jh.), folgen wie das 'HILDEBRANDSLIED' nicht mehr der skizzierten klass. Form. Das 'MUSPILLI' weist schon vereinzelte Endreime auf, und im 'WESSOBRUNNER GEBET' wird bereits Prosa mitverwendet.
Ein ganz anderes Bild bietet, freilich auch nur für kurze Zeit, die **altsächs. Literatur,** die um 850 mit einem großen stabreimenden Bibelepos, dem 'HELIAND', einsetzt. Einflüsse der angelsächs. Stabreimepik, in der bereits mit dem 'BEOWULF' der wesentl. Schritt vom Stabreimlied zum stabreimenden **Buchepos** getan worden war, sind anzunehmen, freilich auch umgekehrte Anregungen, wie eine angelsächs. Übersetzung des zweiten altsächs. Bibelepos, der 'GENESIS', belegt. Die 'GENESIS', etwa gleichzeitig mit dem 'HELIAND' entstanden und mit diesem eine nur aus schriftl., nicht mündl. Tradition erklärbare Sprachform bezeugend, ist leider nur in einigen Bruchstücken erhalten. Mit diesen beiden Texten erschöpft sich auch in Niederdeutschland rasch wieder eine schriftl. Stabreimtradition. Die christl. Kultur des Karolingerreichs bot anders als die Altenglands und später die Altislands der german. Formtradition wenig Lebenschancen. Der lat. literar. Einfluß aus dem Süden war stärker.
So wird das erste regelmäß. Auftreten des **Endreims** im 'EVANGELIENBUCH' OTFRIEDS VON WEISSENBURG (um 870, südrheinfränk.) inzwischen unmittelbar aus der ambrosian. Hymnenstrophe abgeleitet. Die Großform geht auf spätantike Vorbilder in poet. Bearbeitungen der Bibel zurück. OTFRIED selbst beruft sich auf die lat. Dichter JUVENCUS, ARATOR und PRUDENTIUS.
Die verlorengegangene dt. Fassung des 'GALLUSLIEDES', eines Preislieds auf den Gründer von St. Gallen, das westfränk. 'LUDWIGSLIED' (881/82) und das schwer datierbare 'GEORGSLIED' (wohl aus Prüm/Eifel) sind die nächsten Zeugen einer im Frankenreich schnell Fuß fassenden Tradition endreimender Poesie.

Gestaltungsfaktoren im altsächs. Bibelepos
Im schon lange christianisierten Süden des Karolingerreiches beginnt die literar. Bibelarbeit mit zwei Übersetzungen. Die früheste, im Rahmen der lothring. (?) 'ISIDOR-GRUPPE', hat das MATTHÄUS-Evangelium zum Gegenstand. Davon sind uns bair. bearbeitete Bruchstücke aus dem Kloster Mondsee (Anfang 9. Jh.) erhalten. Die zweite, wichtigere ist die Übersetzung des 'TATIAN' (ostfränk., Fulda, um 830), einer Evangelienharmonie, die nach ihrem syr. Verfasser benannt ist.
Ein freieres Verhältnis zum neutestamentl. Stoff hat der niederdt. Anonymus, der um 850 für ein **sachs. Publikum** das Christus-Epos 'HELIAND' ("der Heiland") in einem altsächs. Schreibidiom verfaßt. Das Kloster Werden/Ruhr als Entstehungsort ist nur eine Annahme, die mit anderen Lokalisierungen konkurriert.
"Freier" bedeutet indes nur, daß der Dichter mit Rücksicht auf seine Leser und Hörer, die vornehmlich dem noch im neuen Glauben zu befestigenden sächs. Adel (militär. Unterwerfung durch KARL D. GR. 804) angehört zu haben scheinen, **altsächs. Stiltraditionen und eine ständ. Mentalität** beachtet hat, was auf den ersten Blick wie eine "Germanisierung" des christl. Stoffs anmutet. Tatsächlich aber stimmt der 'HELIAND' in seinen wesentl. Aussagen mit der **zeitgenöss. Theologie** durchaus überein, darf also in dogmat. Hinsicht als korrekt gelten, und auch die auf dt. Boden erstmals verwendete **buchep. Form** hat, ähnlich wie bei mögl. angelsächs. Vorbildern, im spätantiken Bibelepos ihren genuin christl. Vorläufer.
Der charakterist. Stabreim, hier noch einmal in seiner reinen Form (vgl. oben) verwirklicht, der sog. Hakenstil (d. h. die eine Langzeile bis in den nächsten Anvers überschießende Satzgestaltung), Schwellverse und die Variationstechnik sind zweifellos formale Annäherungen an ursprünglich german. Traditionen. Gleiches gilt auch für inhaltl. Elemente, die der sozialen und geograph. Erfahrungswelt eines (nord-)seegerman. Stammes entnommen sind. Beispiele sind die Gestaltungen des Herr-Jünger-Verhältnisses und Naturbilder, etwa die ausführl. Schilderung eines Seesturms.

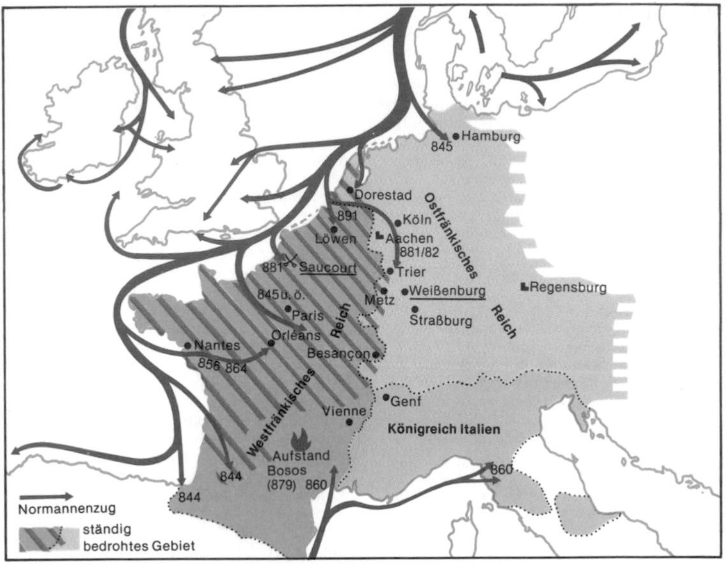

Karolingische Reichsteilung 870 (Vertrag von Meersen) und Normannengefahr

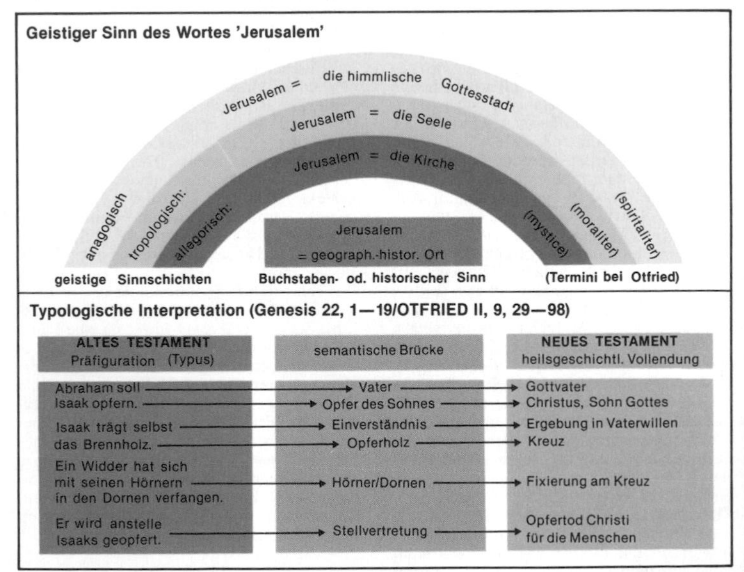

Spätantike/mittelalterliche Interpretationsverfahren

Die ersten Endreimdichtungen und ihr zeitgeschichtl. Kontext

Der Mönch, Priester und Lehrer OTFRIED im nordelsäss. Kloster Weißenburg (ca. 800–875) ist der erste volkssprachl. dt. Dichter, der den wohl aus der ambrosian. Hymnenstrophe abgeleiteten Endreimvers in einem ahd. (südrheinfränk.) Text konsequent anwendet. Seine Dichtung, der 'LIBER EVANGELIORUM' ("Evangelienbuch"), ist ein in fünf Bücher gegliedertes **Leben Jesu,** in dessen Gestaltung theolog. Reflexionen eingearbeitet sind (s.u.). Aus den Lebensdaten der Widmungsadressaten folgt eine Entstehung des Werkes zwischen 863 und 871. OTFRIEDS vier Widmungsschreiben enthalten wichtige zeitgeschichtl. und poetolog. Hinweise.

In einem lat. (!) Brief an Bischof LIUTBERT VON MAINZ beschreibt er, in vorsorgl. Verteidigung gegen lat. orientierte Kritik an einem dt. Bibelepos, was ihn angeregt hat, schildert ausführlich die Schwierigkeiten, die ein volkssprachl. Autor mit dem lat. Alphabet und mit stilist. Vorgaben des Lat. hat. Damit schreibt OTFRIED, mehr als 400 Jahre vor DANTE, faktisch die **erste europ. Poetik für eine Volkssprache.** Im Widmungsgedicht an Kg. LUDWIG D. DT., das zugleich ein **erster dt. Herrscherpreis** ist, und im Einleitungskap. führt er auch polit. Motive als Anregung ins Feld: Preis der Franken und ihrer Könige, die außer auf dem Gebiet eines allen verständl. Gotteslobes anderen Völkern in Geschichte und Gegenwart gleichrangig oder sogar überlegen seien. Verdeckt kommt darin auch die prekäre Lage seines Klosters in den karoling. Wirren (Reichsteilung von Meersen 870) und in der dauernden Bedrohung des Westens durch Normanneneinfälle zum Ausdruck. Von einer mögl. Kontinuität volkssprachl. Schreibens weiß OTFRIED noch nichts; er fühlt sich als Protagonist dt. Dichtung!

Unmittelbar wird der histor. Kontext einer volkssprachl. Dichtung im 'LUDWIGSLIED' sichtbar. Am 3. 8. 881 hatte der westfränk. König, LUDWIG III., einen glänzenden (aber auch folgenlosen) **Sieg über ein Normannenheer** bei Saucourt (Pas de Calais) errungen, obwohl er zunächst mit der Niederschlagung eines Aufstands BOSOS VON VIENNE in Südfrankreich an der Normannenabwehr gehindert war. Dies preist ein fränk. Dichter (wohl aus dem sprachl. Grenzbereich am Mittellauf der Maas) in diesem 59 Verse umfassenden Lied als Eingreifen Gottes, der sich den König als würdiges Werkzeug seiner Heilstat erwählt habe. Die Aufnahme der Dichtung in eine Legendenhs. bestätigt die zeitgenöss. Deutung des geschichtl. Ereignisses als Bestandteil der Heilsgeschichte. Propagandist. Motive der Verteidigung des Königs gegen innenpolit. Feinde können unterstellt werden. Ein denkbarer Vortrag am Königshof würde letzte Reste fränk. Kommunikation im allmählich reromanisierten Nordwesten bezeugen.

In der Nähe zum sprachl. Mischgebiet der sich festigenden romanisch-fränk. Sprachgrenze, wohl im Eifelkloster Prüm, ist nach neuerer Forschung das fragmentarisch erhaltene 'GEORGSLIED' entstanden. (Ob es noch im 9. Jh. gedichtet wurde, ist nun unsicher geworden.) Es beschreibt das Martyrium des hl. Georg, der später zum Patron der Ritterschaft wurde, und gilt als **erste dt. Legende.** Seine verwirrende Sprachform wird als Einfluß roman. Schreibgewohnheiten erklärt.

Das alemann. **Preislied auf den Gründer von St. Gallen,** das 'GALLUSLIED' RATPERTS (gest. um 890) ist nur noch in einer lat. Übersetzung des 11. Jhs. erhalten, die aber noch die volkssprachl. Urgestalt, auch seine Endreimgestaltung, erkennen läßt.

Spätantike/mittelalterl. Interpretationsverfahren

Die erwähnten theolog. Reflexionen in OTFRIEDS 'EVANGELIENBUCH' wären in ihrer bes. Form undenkbar, wenn nicht der zeitgenöss. Bibeldeutung eine spezif. Auffassung des geistl. Wortes zugrundeläge, die noch die Textinterpretation kommender Jahrhunderte bestimmt. Das einzelne Wort hat seinen Buchstaben- oder histor. Sinn, der jedermann unmittelbar eingängig ist. Darüber erheben sich aber **Schichten geistl. Bedeutung,** die sich nur dem Gläubigen, und auch diesem nur bei entspr. Einführung (der ein wachsendes, im Hoch-MA umfangreiches lat. Schrifttum dient) erschließen. Am Beispiel des Wortes *Jerusalem* aufgezeigt läßt sich dieses semant. Schichtenmodell so erklären: *Jerusalem* ist selbstverständlich Name des geograph./histor. Ortes in Israel, kann aber in einem bestimmten Kontext "allegorisch" (bei OTFRIED "mystisch") die Kirche, "tropologisch" ("moralisch") die Seele und "anagogisch" ("spirituell", d.h. das jenseit. Leben meinend) die himml. Gottesstadt, das "himml. Jerusalem" bedeuten.

Die heilsgeschichtl. Dimension des Gotteswortes wird grundsätzlich durch ein **"typolog." Verständnis** erschlossen, das – anders als moderne Textdeutungen – von der histor. Einmaligkeit eines beschriebenen Vorgangs absehen kann und wesentlich seine weiterwirkende Bedeutung betrachtet. In erster Linie suchte man (schon zur Zeit der um theolog. Kontinuität bemühten Abfassung neutestamentl. Schriften) den "Typus", d.h. das Vorbild für jüngere Erscheinungen (auch "Präfiguration") im Alten Testament. So wurde (und wird bei OTFRIED) die (verhinderte) Opferung Isaaks durch seinen Vater Abraham (GENESIS 22, 1–19) als Präfiguration des Opfertodes Jesu Christi gedeutet, der die heilsgeschichtl. Vollendung des alttestamentl. Geschehens darstellt. Die semant. Brücke bildeten dabei nicht nur die noch

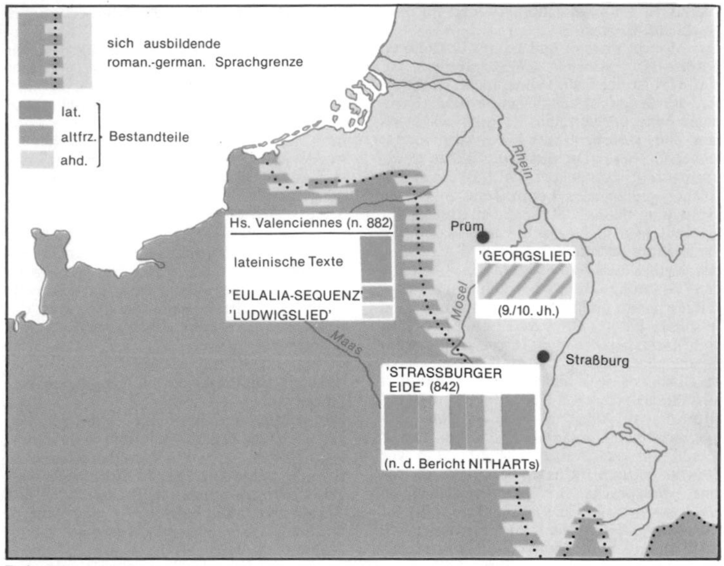

Beispiele ahd.-altfrz. Symbiose

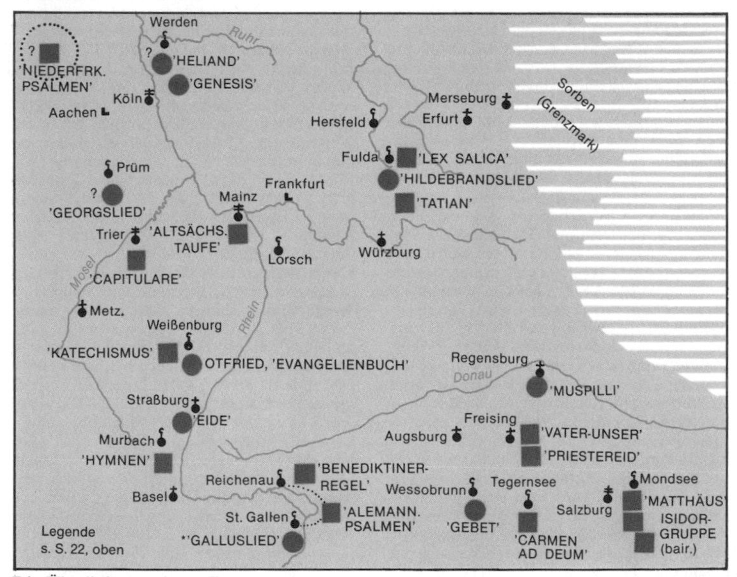

Die Überlieferung des 9. Jhs.

heute unmittelbar verständl. Begriffe *Vater, Sohn, Opfer,* sondern auch Details der älteren Darstellung, die in komplizierter Weise auf Einzelheiten des jüngeren Ereignisses bezogen wurden: Brennholz–Kreuz, Widderhörner/Dornen–Kreuzigung, Tieropfer–Stellvertreteropfer.
Diese Interpretationsverfahren waren bereits in der **spätantiken Philologie** ausgebildet worden und finden sich ansatzweise auch schon in bibl. Texten.

"Deutsch" – "Französisch"
Drei Zeugnisse des 9. Jhs. belegen, wie unbefangen in dieser Zeit noch das Verhältnis zwischen den Sprachen Ost- und Westfrankens war, aus denen sich später Deutsch und Französisch bildeten. Am 14. 2. 842 beschwören vor Straßburg die Könige LUDWIG D. DT. von Ostfranken und KARL D. KAHLE von Westfranken und nach ihnen ihre Vasallen gegenseit. Beistand gegen den kaiserl. Bruder LOTHAR I. Damit die anwesenden Heere die Verpflichtung in ihrer jeweil. Sprache verstehen, schwören die Ostfranken in roman., die Westfranken in (rhein-)fränk. Sprache. So entstehen die 'STRASSBURGER EIDE' als zweisprach. Text, der überdies vom überliefernden Historiker NITHART (gest. 844) wie selbstverständlich in einem lat. Berichtsrahmen mitgeteilt wird. – Das 'LUDWIGSLIED' (881/82) wird sehr bald zusammen mit dem ersten dichter. Zeugnis der altfrz. Sprache in eine Handschrift, die auch mehrere lat. Legenden enthält (jetzt in Valenciennes), aufgenommen. – Das ahd. 'GEORGSLIED' scheint seine schriftsprachl. Eigenart ebenfalls einem unbefangenen Nebeneinander von Fränk. und Roman. zu verdanken: Die Lautung ist ahd., die Transformation in Schriftzeichen folgt teilweise roman. Gepflogenheiten.
Die karoling. Reichsteilungen des 9. Jhs. sind ohne Rücksicht auf die germanisch-roman. Sprachgrenze erfolgt, mit der sich auch die Teilung von 870 nur sehr ungenau deckt. Insofern ist es wenig sinnvoll, die **Herausbildung eines dt. und frz. Sprachgefühls** im 9. Jh. als Akt polit. Bewußtseinsbildung zu deuten. Beide Sprachen(-gruppen) waren gegenüber dem Latein "Volkssprachen", wie ihre zeitgenöss. Bezeichnungen (*lingua theodisca* für die german., *lingua vulgaris* für die (gallo-) roman. Seite) bezeugen. *Deutsch,* aus *theodiscus* ("zum Volk gehörig"), wird als *diutsch* erst im 11. Jh. zum polit. Begriff.

Überlieferungsgeographie im 9. Jh.
Ein Vergleich der geograph. Verteilung ahd. Überlieferungen aus dem 9. Jh. mit der entspr. Übersicht für das 8. Jh. (vgl. S. 22f.) macht nicht nur das starke Anwachsen volkssprachl. Texte deutlich, sondern läßt auch die Folgen **karoling. Expansion nach Norden und Südosten** erkennen. 804 sind die Sachsen besiegt, und die Zentren der Sachsenmission, Mainz und Fulda, werden auch in volkssprachl. Arbeit aktiver, Mainz mit einem altsächs. Taufformular, das auf die bes. relig. Verhältnisse dieses Stammes (Abschwörung german. Gottheiten) zugeschnitten ist. Das 'HILDEBRANDSLIED' und eine fragmentar. Übersetzung der 'LEX SALICA' in Fulda wird man nur bedingt mit der Sachsenmission in Verbindung bringen können.
Die endgült. Integration Bayerns in das Reich unter KARL D. GR., die Verlagerung ostfränk. Macht unter LUDWIG D. DT. hierher sowie die Sicherung der Ostgrenze sind zweifellos auch Gründe für die volkssprachl. Aktivierung bayer. Bildungszentren. Das 'WESSOBRUNNER GEBET' hat seinen Namen von seinem erst späteren Aufbewahrungsort erhalten, seine genauere (süddt.) Herkunft bleibt ungeklärt (U. SCHWAB). Tegernsee ist mit der Aufzeichnung einer Übersetzung des lat. rhythm. Gebets 'CARMEN AD DEUM' beteiligt. In Mondsee werden gleich mehrere Texte aus der sog. 'ISIDOR'-Gruppe bair. bearbeitet, neben der MATTHÄUS-Übersetzung auch eine 'AUGUSTIN-PREDIGT' und der Missionstraktat 'DE VOCATIONE GENTIUM'. Freising ist Überlieferungsort einer 'VATERUNSER'-Auslegung und eines 'PRIESTEREIDS'. In eine Regensburger Handschrift schließlich, die LUDWIG D. DT. gewidmet ist, wird nachträglich das noch stabreimende 'MUSPILLI' eingetragen.
Die südl. Westgrenze ahd. Überlieferung bilden Trier mit der Teilübersetzung des 'TRIERER CAPITULARE', Weißenburg mit einem 'KATECHISMUS' und OTFRIEDS Bibelepos, Straßburg mit den besprochenen Eiden, und Murbach mit einer interlinearen (= zwischen die lat. Zeilen geschriebenen) Übersetzung ambrosian. Gottesdienstgesänge, der 'MURBACHER HYMNEN' (auf der Reichenau entst.?).
Nicht mehr genau lokalisierbar ist die Herkunft der nur noch aus späteren Fassungen bekannten 'NIEDERFRÄNK. PSALMEN'. Auch die 'ALEMANN. PSALMEN' sind in ihrer Entstehung umstritten (aus St. Gallen oder von der Reichenau?). Keiner Landschaft mehr sicher zuzuweisen ist die Ermahnung an Taufpaten, 'EXHORTATIO AD PLEBEM CHRISTIANAM', an deren beiden Fassungen Bair. und Fränk. aufscheinen.
Die Übersicht vermittelt zugleich den **hohen Anteil von Übersetzungen,** der insges. sogar der höchste in einer german. Literatur ist (vgl. S. 13).
(Die hier nicht mehr eigens erwähnten Texte der Karte sowie das 'LUDWIGSLIED' haben bereits in früheren Abschnitten ihre Besprechung gefunden.)

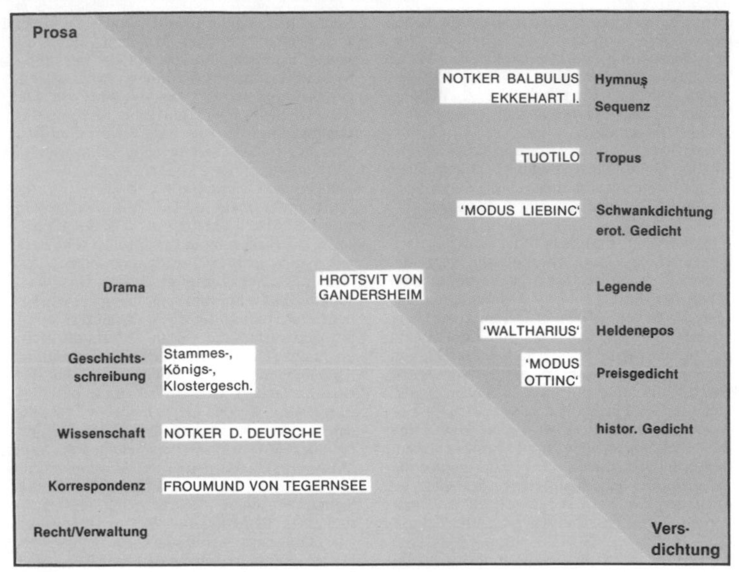

Schwerpunkte lateinischer Literatur im 10. Jh.

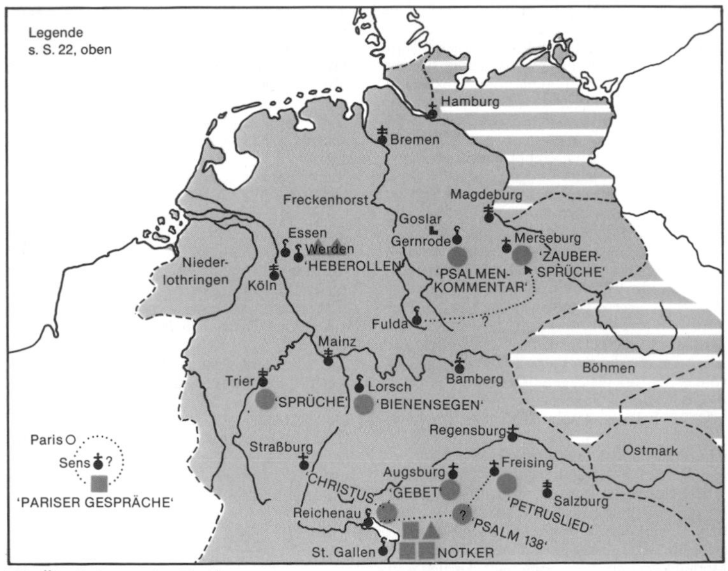

Die Überlieferung des 10. Jhs.

Schwerpunkte lat. Literatur in ausgewählten Beispielen

Im 10. Jh. geht die literar. Produktion sowohl in lat. wie auch in dt. Sprache deutlich zurück. Die polit. Herrschaft der sächs. (Ottonen-)Kaiser (ab 919) war infolge ihres weitgespannten europ. Engagements kaum in der Lage, etwa wie die Karolinger anregend zu wirken. Zwischen ihrer nördl. Heimat und dem Schwerpunkt ihrer polit. Bemühungen im Süden (Italienpolitik) war in literar. Hinsicht offenbar schwerer zu vermitteln als zwischen Franken und Rom. Südl. Einfluß konnte sich leichter in der bildenden Kunst, vor allem in der roman. Architektur durchsetzen. Dennoch nehmen (nieder-)sächs. Autoren aktiven Anteil am literar. Geschehen. Mit HROTSVIT (ROSWITHA) VON GANDERSHEIM erwächst der mittellat. Dichtung, die weiterhin das Übergewicht über volkssprachl. Schaffen behält, in Drama und Legende, in Prosa und Vers die **erste bedeutende Autorin.** Der Akzent lat. Literatur liegt – von Gebrauchstexten abgesehen – auf der **Geschichtsschreibung.** Dazu sind die histor. und Preisgedichte, etwa der Ottonenpreis des 'MODUS OTTINC', zu zählen. Ob das lat. Heldenepos 'WALTHARIUS' in diese Epoche gehört, ist in des unsicher. Hymnendichtung sowie die westfränk. Formen der **Sequenz** und des **Tropus** werden vor allem bei St. Galler Mönchen (NOTKER BALBULUS, EKKEHART I. und TUOTILO sind die hervorragendsten Vertreter) zu Höchstleistungen geführt. Durch den St. Galler NOTKER D. DT. erreicht nicht nur die ahd. Literatur einen glanzvollen Abschluß (s. S. 38f.), sondern wird auch die lat. **Wissenschaftsprosa** um wesentl. Texte bereichert. Weltl. Themen bis hin zu erot. Gedichten aus diesem Jahrhundert werden zusammen mit relig., histor. und polit. Texten in einer Sammlung des 11. Jhs., den 'CARMINA CANTABRIGIENSIA' überliefert. Darunter sind auch **Schwänke** wie der vom Schneekind, der 'MODUS LIEBINC'. Erwähnenswert ist schließlich die **Briefliteratur,** für die FROUMUND VON TEGERNSEE eine Mustersammlung (93 Textbeispiele) anlegt.

Die dt. Überlieferung des 10. Jhs.

Auch die dt. Literatur hat einen – wenn auch kleinen und fragmentar. – Beleg aus dem **Kernland der Ottonen:** den altsächs. 'GERNRODER PSALMENKOMMENTAR' (ursprünglich vielleicht auch altniederfränk.). Die 'MERSEBURGER ZAUBERSPRÜCHE' belegen ein weiteres Interesse an Volkssprachl. in dieser Region, auch wenn sie selbst wohl aus einer Fuldaer Aufzeichnung stammen. Der **Nordwesten** ist mit altsächs. Einsprengseln in zwei lat. 'HEBEROLLEN' (d.s. Register und Besitzungen und Abgaben), aus Werden/Ruhr und Freckenhorst, vertreten. Altsächs. Herkunft bezeugen auch die beiden 'TRIERER SPRÜCHE', die wie der rheinfränk. 'LORSCHER BIENENSEGEN' hier für eine größere, noch zu besprechende Anzahl von Zauber- und Segenssprüchen stehen mögen (s. S. 36f.).

Bayern steuert zur Überlieferung des 10. Jhs. eigentlich ebenfalls nur kleinere Texte bei: das 'PETRUSLIED' aus Freising und das 'AUGSBURGER GEBET', das aus (west-?)fränk. Umgebung stammt. Als spätere Umarbeitung eines alemann. Texts erweist sich nämlich der umfangreichere 'PSALM 138', der noch einmal einen Übergang vom Stabreim zum Endreim belegt. Eine klare Endreimdichtung hingegen stellt die bibl. Erzählung von 'CHRISTUS UND DER SAMARITERIN' in einem alemannisch-fränk. Mischidiom der **Reichenau** dar.

Nicht genauer zu lokalisieren sind Fragmente einer rheinfränk. Übersetzung der alttestamentl. 'CANTICA' und ein Preisgedicht, das sich auch sprachlich nicht sicher zuweisen läßt, 'De HEINRICO'. In diesem wird in ahd.-lat. Mischversen die Begegnung zwischen einem Bayernherzog und einem Ottonenkaiser geschildert.

Abseits – im literar. wie im geograph. Sinn – entsteht durch **frz.-dt. Sprachkontakt** eins der wenigen Schriftzeugnisse, aus denen die tatsächlich gesprochene Sprache etwas deutlicher wird: das sog. 'PARISER GESPRÄCHSBÜCHLEIN' (die überlieferte Abschrift ist wohl in der Diözese Sens zu lokalisieren). Es bietet ein Stück Alltagskommunikation, die für prakt. Zwecke aufgezeichnet wurde.

St. Gallen, ein Zentrum der Literatur dieses Jahrhunderts, ragt mit NOTKER D. DT. (gest. 1022) hervor, da dieser neben seinen lat. Schriften zu wissenschaftl. Themen und im Rahmen der Bibelarbeit seines Klosters den ersten vollständ. dt. Psalter schreibt. Die Glossierung dieses Werks im 11. Jh. bleibt neben Unbedeutendem für lange die einzige Spur volkssprachl. Bemühungen; eine selbständ. volkssprachl. Literaturarbeit ist nach NOTKER für rund ein halbes Jh. nicht zu erkennen, weswegen man ihn als **Endpunkt der ahd. Periode** ansehen kann.

Das letzte Jahrhundert mit ahd. (bzw. altniederdt.) Textzeugnissen läßt angesichts der Disparatheit der mehr als schütteren Überlieferung Zweifel daran aufkommen, ob man von einer literar. Epoche sprechen darf, die mit NOTKER zu Ende gehe. Tatsächlich muß die karoling. und otton. Zeit insges. als **Experimentierraum volkssprachl. Schreibens** angesehen werden, in dem sich erst allmählich ein Bewußtsein für die Möglichkeiten einer literar. Kommunikation außerhalb des Lateins bilden konnte.

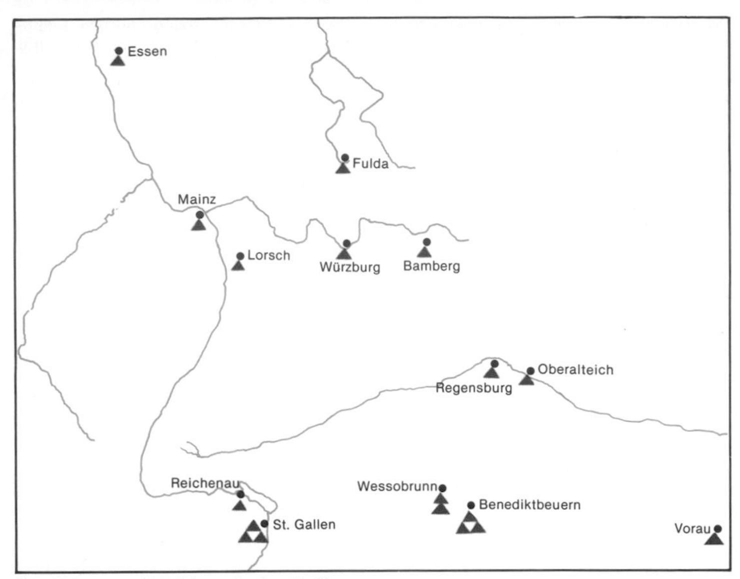

Überlieferung von Beichten des 9.—11. Jhs.

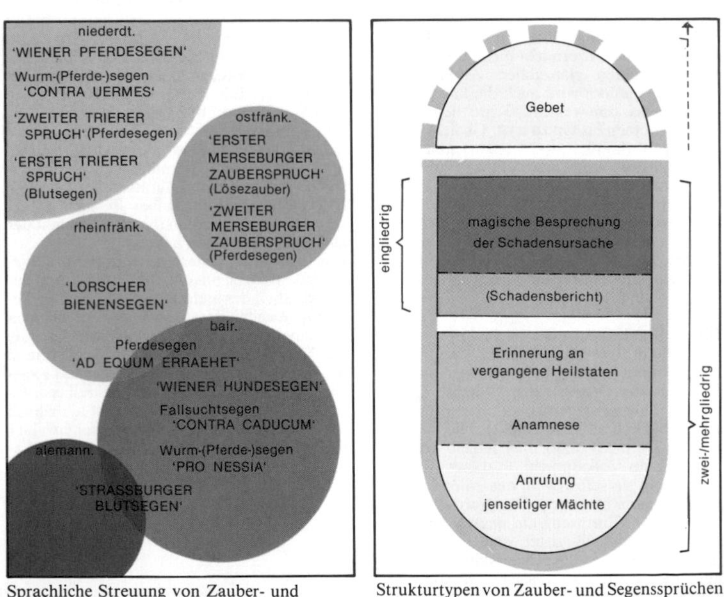

Sprachliche Streuung von Zauber- und Segenssprüchen des 9.—11. Jhs.

Strukturtypen von Zauber- und Segenssprüchen

Beichten und mag. Texte
Als Beispiele für die nicht zu unterschätzende soziale Bedeutung auch einer "kleinen Literatur", wie sie vor allem im 10. Jh. bezeugt ist, seien im folg. eine Gattung katechet., also ausgesprochen "unselbständiger" Textproduktion und eine Gattung aus mag. Sprachpraxis, die heutigem Verständnis vielleicht noch literaturunwürdiger erscheinen mag, zusammenfassend vorgestellt.

Die ahd. Beichten
Mindestens 18 Belege aus dem 9.–11. Jh., über den deutschsprach. Raum verteilt, bezeugen die Wichtigkeit, die die Kirche der Übersetzung eines ursprünglich lat. Textmusters aus der katechet. Praxis beigemessen hat. Die Beichte als eins der sieben kath. Sakramente soll den Christen von Sünden befreien und der göttl. Gnade teilhaftig machen. Die Erlösungstat Gottes setzt aber ein "Bekenntnis" (ahd. *bigicht* → *Beichte*) des Sünders voraus, das auch nach moderner Psychologie schon für sich durchaus "befreiend" wirken kann. Wenn indes formal vorgegeben wird, wie dies in den Sündenregistern der ahd. Beichten der Fall ist, was als Sünde zu gelten hat, dann ist eine Gewissenslenkung nicht ausgeschlossen, und tatsächlich ist von den lange Jahrhunderte übl. Sündenkatalogen eine starke Wirkung auf den einzelnen wie auf das ganze Kirchenvolk ausgegangen. Kein Wunder, daß auch weltl. Herrschaften dieses Instrument zu schätzen wußten: Gehorsam gegen die Obrigkeit und gewissenhafte Leistung von Abgaben, wie sie etwa in der 'LORSCHER BEICHTE' gefordert werden, spiegeln außerrelig. Interessen deutlich wider. Aber es gibt auch einige Ansätze, nicht nur schlechtes Handeln, sondern auch unterlassenes Guttun zu ahnden (auch dafür steht das gen. Bußformular). Insges. wird man nicht verkennen dürfen, daß die **"Seelenkultur"**, die von der kirchl. Bußpraxis ausging und in säkularisierter Form als eth. Reflexion von Recht und Unrecht im persönl. Tun weiterlebt, ein wesentl. Bestandteil abendländ. Menschenformung geworden ist.

Zauber- und Segenssprüche
Die sog. 'ZWEITE BAIR. BEICHTE' (um 1000) führt Zauberei ausdrücklich als Sünde auf, die zu bekennen ist. Das läßt auf heidn. Praktiken schließen, die auch durch mehrere Jahrhunderte Christentum nicht zu beseitigen waren. Die Zuflucht zu mag. Mitteln, Schäden abzuwenden, für die es noch keine rationalen Erklärungen und entspr. Abhilfen gab, hat nach Ausweis der Überlieferung mag. Texte im 10. Jh. sogar eher zu- als abgenommen. Doch ist eine solche Einschätzung dadurch zu relativieren, daß dieser Bereich sprachl. Formung eine **Domäne mündl. Tradition** war. Insofern führt uns mancher dieser schriftlich fixierten Texte auch zu vorchristl. Glaubensgut zurück, ganz deutlich die 'MERSEBURGER ZAUBERSPRÜCHE', die Idisen (d. s. weibl. Gottheiten), Wodan und andere nord. Götter als Schadensabwender anrufen. Die schriftl. Überlieferung sagt also wenig über den prakt. Gebrauch. Dennoch bleibt erstaunlich, wie stark in die mag. Praxis auch christl. Elemente (Gebete) und Namen (Christus, Maria und andere Heilige) aufgenommen wurden. Nicht zuletzt die oft unmittelbare Überlieferungsnähe der erhaltenen Zeugnisse zu dogmat. einwandfreien relig. Texten macht wahrscheinlich, daß die Grenze zwischen offizieller Religion und mythisch bestimmter Volksfrömmigkeit in jener Zeit nicht stark ausgeprägt war. Festzuhalten bleibt freilich der geringe Anteil fränk. Texte an dieser Tradition, der wohl auch auf die schon gefestigtere Glaubenssituation dieses Stammes zurückzuführen ist.
Die Form dieser Texte bezeugt sinnfällig, daß mündl. Traditionen keineswegs schriftl. Gestaltung unterlegen sein müssen. Im Gegenteil: Die mündl. Tradition ist eher auf eine **sprachl. Durchformung** von Texten als Erleichterung der Reproduktion angewiesen. Im bes. Fall mag. Praxis ist die (rituelle) Einhaltung von Formen sogar eine notwend. Bedingung der Gültigkeit und Wirksamkeit.
Kern der Gestaltungen ist natürlich die "Besprechung" der Schadensursache (Mahnformel). Ihr kann auch im eingliedr. Spruch ein (kurzer) Schadensbericht vorausgehen ('LORSCHER BIENENSEGEN'). Der zweigliedr. Spruch setzt diesem Kern eine Anamnese, d. h. eine (ep.) Erinnerung an vergangene Heilstaten der angerufenen transzendenten Macht voran. In den christlich gefärbten Sprüchen handelt es sich dabei meist um legendäre Berichte, etwa im 'ZWEITEN TRIERER SPRUCH' um die Heilung eines Pferdes von St. Stephan. Als drittes Glied kann ein Gebet angefügt werden.
Die inhaltl. Konzentration der Zauber- und Segenssprüche auf **medizin. Schadensfälle und Schäden in der Tierhaltung** bezeugt die Bedeutung, die diese Bereiche für das tägl. Leben hatten und für die es in jener Zeit und lange danach noch keine im modernen Sinne wissenschaftl. Hilfen gab. Dies und die ausgeprägte Formkunst der Sprüche verbieten es, diese Überlieferung einfach als Zeugnis einer "Subkultur" abzutun.

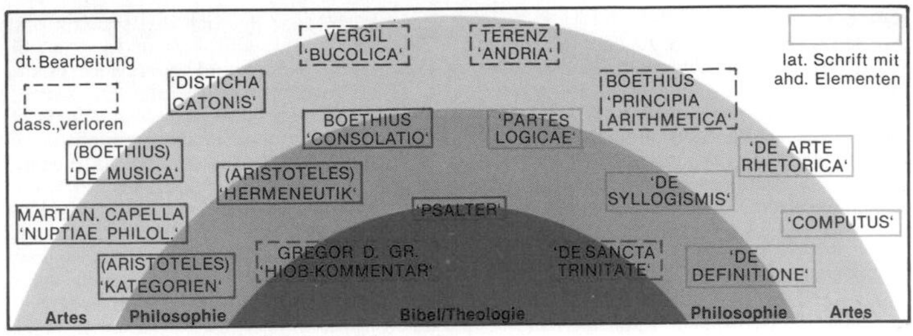

Die Werke NOTKERs DES DEUTSCHEN

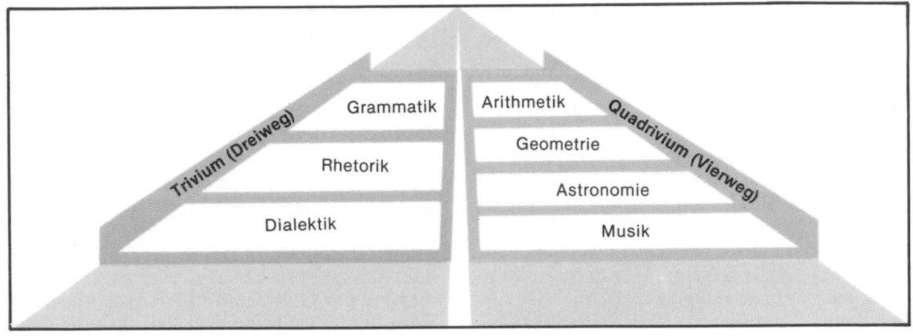

Die sieben freien Künste (septem artes liberales)

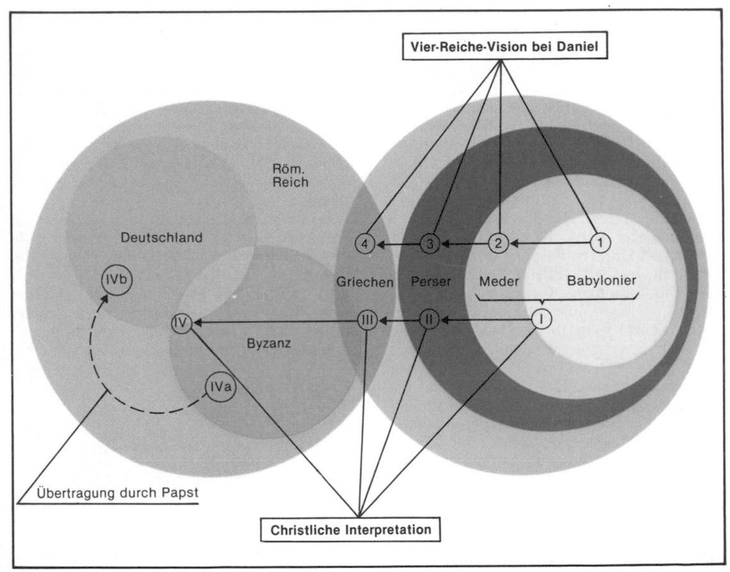

Vier-Reiche-Lehre und translatio imperii

Zum Werk Notkers des Deutschen
Um die Jahrtausendwende erfährt die ahd. Literatur im Wirken eines einzigen Mönchs, des St. Galler NOTKER (in Abgrenzung zu Trägern gleichen Namens auch "der Deutsche" oder nach einem körperl. Merkmal "Labeo", der *Großlippige,* genannt) einen krönenden Abschluß. Als Lehrer der Klosterschule sah er sich veranlaßt, neben seinen **lat. Schriften** mit Rücksicht auf die Sprachkenntnisse seiner Schüler **auch dt. Bearbeitungen** wichtiger lat. Schulschriften zu verfassen. Aber bereits in seine lat. Texte fügte er, wohl auch aus didakt. Gründen, viele ahd. Begriffe, Beispiele und Sprichwörter ein. Dennoch war auch in seinen Übersetzungen keineswegs die Ablösung des Lateins durch die Volkssprache das Ziel, so sehr er sich auch bei zentralen Begriffen um dt. Entsprechungen bemühte, die als Glanzpunkte **sprachschöpfer. Arbeit** gelten können.
Grundsätzlich wechselt bei ihm lat. Originaltext und dt. Übersetzung mit oft folgender dt. Kommentierung ab. Und auch in diesen volkssprachl. Teilen bleiben viele lat. Wörter stehen, was, wenn nicht der Eingewöhnung in einen praktizierten wissenschaftl. Mischjargon, so vielleicht der allmähl. Überführung muttersprachl. Gewohnheit in die herrschende lat. Kommunikation dienen sollte. Daß NOTKER dabei seine Muttersprache sehr genau beobachtete, beweisen sein **Akzentsystem** und die schriftlich nachgebildeten **Anlautregelungen.**
Von nachwirkender Bedeutung bleibt einzig seine Übertragung des 'PSALTERS'. Bevorzugte Autoren von "weltl." Übersetzungsvorlagen sind BOETHIUS und ARISTOTELES; diesen kennt NOTKERS Zeit freilich nur in lat. Fassungen (die Rezeption der griech. Originale fällt erst ins 12./13. Jh.; s. S. 49).
Als "Basistexte" klösterl. Ausbildung müssen Abhandlungen zu den **Artes liberales,** den (sieben) Freien Künsten gelten, die im Werk des röm. Afrikaners MARTIANUS CAPELLA, 'Die Hochzeit der Philologie mit Gott Merkur' ('DE NUPTIIS ...', um 425), allegorisch dargestellt und anhand der 'TRÖSTUNG DURCH DIE PHILOSOPHIE' ('CONSOLATIO') des BOETHIUS (gest. 524) ausführlich kommentiert werden.
Die Artes führten einen mal. Schüler auf einem "Dreiweg" in die Sprachfertigkeit und Sprachkunst, auf einem "Vierweg" in die messenden Wissenschaften, zu denen auch die Musik zählte, ein. So wenig die letzteren im modernen naturwissenschaftl. Sinn betrieben wurden, so bedeutsam waren sie für die mal. geistl. Bildung als Instrumente, mit denen die Natur der Dinge nach ihren Form- und Zahlenverhältnissen durchschaut werden konnte. Damit bildeten ihre Erkenntnisse die **Voraussetzung für die differenzierte Deutung der Wirklichkeit,** wie sie der allegor. Interpretation von Texten (s. S. 31) zugrundelag: Das Trivium war dem Klang (lat. *vox*) der Sprache, das Quadrivium der objektiven Realität des von der Sprache Bezeichneten (lat. *res*) zugewandt. Die Artes liberales wurden im 12./13. Jh. ein wesentl. Bestandteil der Universitätsausbildung (*"Magister artium"* als Ziel der "Artistenfakultät").
Die verlorengegangenen Stücke seines literar. Schaffens kennen wir authentisch aus einem Brief, den NOTKER vor 1017 an den Bischof HUGO VON SITTEN schreibt. Darin begründet er – OTFRIED vergleichbar – seine volkssprachl. Tätigkeit, die er selbst rd. 250 Jahre nach dem Einsetzen volkssprachl. Literatur noch immer als "nahezu ungewöhnlich" empfindet. Ein deutlicherer Beleg für die fehlende Kontinuität volkssprachl. Schreibens im Bewußtsein ihrer Autoren läßt sich kaum finden!

Geschichtstheologie bei Notker
Die imperialen Pläne und Ziele der Ottonen (OTTO III., 983–1002, wollte ein einheitl. Reich mit Rom als Hauptstadt schaffen) fanden auch ihre innenpolit. Gegner. Gegnerschaft zu den Sachsenkaisern, verbunden mit einer um die Jahrtausendwende verbreiteten, durch Naturkatastrophen (Erdbeben in Sachsen 998 u. ä.) gesteigerten Weltuntergangsstimmung (Chiliasmus), verrät auch ein von NOTKER der 'CONSOLATIO' des BOETHIUS vorangestellter Text (dessen lat. Vorlage bekannt ist), in dem in einer geschichtstheolog. Deutung das **Ende des Röm. Reiches** unter den "Sachsen" prophezeit wird. Von der polit. Aktualisierung abgesehen ist dieser Text ein exemplar. Zeugnis für eine das ganze MA bestimmende Überzeugung, wonach das Röm. Reich das letzte von vier Weltreichen sei. Nach diesem aber erscheine der Antichrist und mit der Wiederkunft Christi höre die ird. Geschichte auf.
Der Ursprung dieser Anschauung liegt in einer spätjüd. Geschichtstheologie, die mit zwei Traumdeutungen des Propheten DANIEL (DAN. 2 und 7) begründet wurde. Bei DANIEL war das letzte der vier Reiche jedoch noch das der Griechenkönige nach ALEXANDER D. GR. Eine christl. Umdeutung, die sich u. a. auf den hl. PAULUS (2. THESS. 2) stützte, "verlängerte" die Abfolge der Reiche bis zum Röm. Reich (wobei frühere Epochen zusammengefaßt wurden). Der Untergang des antiken Rom und das Fortbestehen der Welt zwang zu einer weiteren Umdeutung: Ostrom-Byzanz hatte danach die Kontinuität des 4. Reiches aufrechterhalten, bis die dt. Kaiser (zuerst KARL D. GR.) das röm. Imperium übernahmen. Die Päpste beanspruchten später aus polit. Gründen, den imperialen Titel auf Deutschland übertragen zu haben *(translatio imperii).*

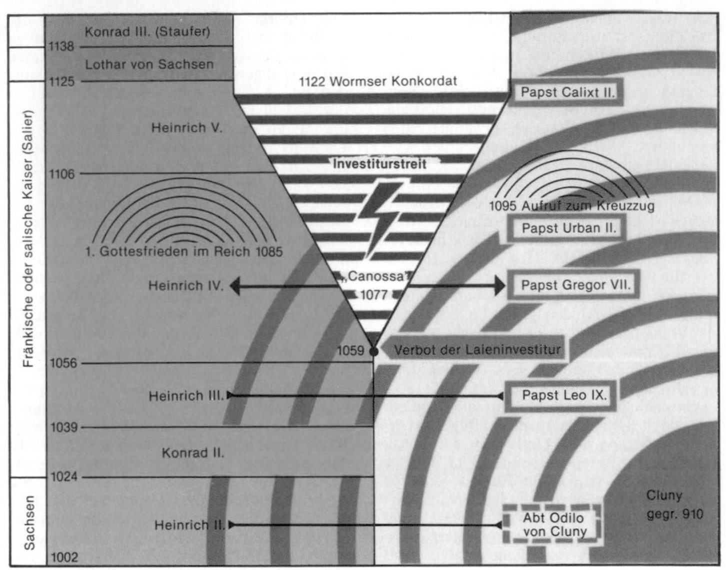

Kaiser und Kirche im Investiturstreit

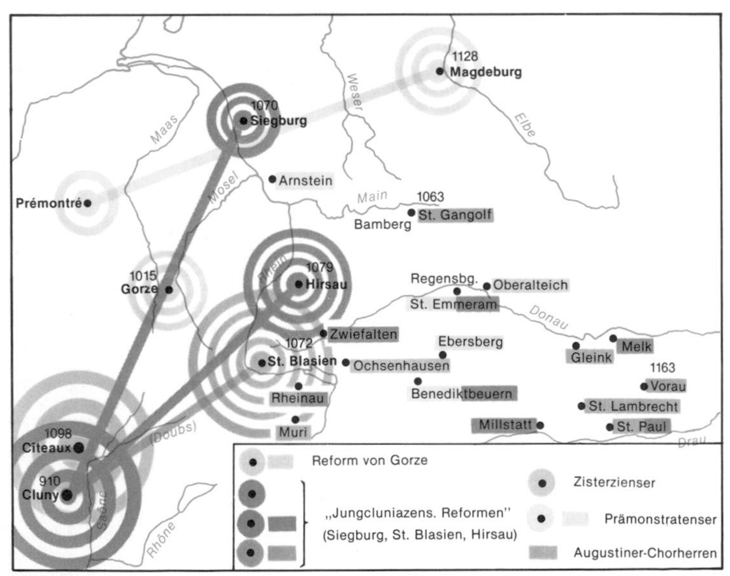

Monastische Reformen im 11./12. Jh. mit frühmhd. Überlieferung

Kaiser und Kirche im 11. Jh.
Von wesentl. Bedeutung auch für die kulturelle Entwicklung Deutschlands im HochMA werden polit. Entwicklungen des 11. Jhs., die das Verhältnis von Staat und Kirche grundlegend verändern.
Im 11. Jh. zerbricht die schon lange problemat. Einheit zwischen dt. Kaisertum und röm. Papsttum im sog. **Investiturstreit.** 1059 wird zusammen mit einem neuen Papstwahldekret ein grundsätzl. Verbot der Laieninvestitur, d. h. der Besetzung geistl. Ämter durch Laien, etwa der Bischöfe durch den König, erlassen. Die Verschärfung dieses Verbots 1075 weckt den Widerstand Kaiser HEINRICHS IV., der seinen polit. Spielraum entscheidend eingeengt sieht. Seine Vorgänger, HEINRICH III. und HEINRICH II., standen einer Kirchenreform durchaus noch aufgeschlossen gegenüber, wie aus der Freundschaft des letzten Sachsenkaisers, HEINRICHS II., mit ODILO VON CLUNY, dem Abt des burgund. Reformklosters, und der engen Zusammenarbeit HEINRICHS III. mit Papst LEO IX., einem entschiedenen Cluniazenser, erhellt. Es kommt zu offener Feindschaft zwischen HEINRICH IV. und GREGOR VII., die im Bußgang des Kaisers zum Papst in **Canossa** (1077) vorübergehend zugedeckt wird. Die Fronten bleiben, da die Päpste aus dem **Reformgeist von Cluny** das neue Selbstbewußtsein der Kirche gegenüber der weltl. Macht schöpfen. Erst das **Wormser Konkordat** von 1122 unter dem letzten Salierkaiser, dem Sohn HEINRICHS IV., bringt einen gewissen Ausgleich, sichert aber dem Papst bei der Besetzung von Bistümern und Abteien ein entscheidendes Mitwirkungsrecht.
In völliger Umkehrung traditioneller Machtverteilung plante GREGOR VII. sogar, auch als weltl. Führer *(dux)*, einen **Kreuzzug** zur Befreiung der hl. Stätten in Palästina. Doch erst URBAN II. ruft wirkungsvoll zum Kreuzzug auf (1095) und gibt damit das Signal für eine bis ins 13. Jh. wirkende Bewegung, die zu insges. sieben Kreuzzügen mit meist zweifelhaftem Erfolg, zuletzt zu völligem Scheitern führte.
Bereits HEINRICH III. hatte einen allgem. inneren Frieden, den **"Gottesfrieden"**, durchsetzen wollen, wie er für bestimmte Orte und Personen schon seit der Karolingerzeit galt. Eine gegen Gewaltverbrechen und Fehde gerichtete religiös begründete und sanktionierte allgem. Befriedung war aber erst auf der Grundlage einer weiteren "inneren Christianisierung" möglich, die im 11. Jh. von Cluny ausging. Nach einem auf das Bistum Lüttich beschränkten Gottesfrieden konnte HEINRICH IV. erst 1085 einen für das ganze Reich geltenden Frieden verkünden. Doch schon im 12. Jh. erwies sich dieses Instrument der Friedenssicherung als zu schwach und mußte durch territoriale Regelungen ("Landfrieden") abgelöst werden.

Monast. Reformen im 11./12. Jh.
Auch wenn die Beziehungen zwischen konkreten literar. Werken des 11. und 12. Jhs. und den gleichzeit. großen relig. Reformbewegungen ungenauer zu fixieren sind, als es die ältere Forschung annahm, so bleibt die Kenntnis der histor. Veränderungen unabdingbar, die sich im Zuge monast. Reformen gerade in den Klöstern vollziehen, aus denen auch in der frühmhd. Periode wieder die große Masse volkssprachl. Zeugnisse stammt. Sehr viele Überlieferungsorte frühmhd. Literatur hatten aktiven oder passiven Anteil an einer der in Deutschland wirkenden Reformen, sei es nun die ältere **Reform von Gorze** oder eine der drei sog. **jungcluniazens. Reformen** von Siegburg, St. Blasien oder Hirsau. Einen wie lebend. Anteil die Klostergemeinschaften an den einander ablösenden Versuchen nahmen, die im Verlauf der Geschichte durch allzu intensive Einbindung in weltl. Bedingungen (auch durch polit. Indienstnahme!) verlorenen oder verwässerten benediktin. Ideale zurückzugewinnen, beweisen Klöster wie St. Emmeram (Regensburg) und Benediktbeuern, die von der Gorzer Observanz zur Hirsauer Reform überwechselten, oder Rheinau und St. Paul, die sich Hirsau anschlossen, obwohl sie erst wenige Jahre St. Blasien angehangen hatten. Die beiden Beispiele (S. 40, unten) für die Einführung der **Augustiner-Chorherren-Regel,** also einer Regulierung nicht-monast. Priestergemeinschaften auf der Grundlage klösterlich. Regeln, St. Gangolf (Bamberg) und Vorau (Steiermark), stellen eine auf literar. Aspekte (den Autor OTLOH und die Vorauer Sammelhs.) bezogene Auswahl aus einer Fülle von Stiften gleicher Observanz dar. Ähnliches gilt für das hier isolierte Beispiel Arnstein (a. d. Lahn), das für den nach 1128 von Magdeburg aus wirkenden **Prämonstratenserorden** steht, der neben den **Zisterziensern** für Deutschland, vor allem in der Ostkolonisation, von wesentl. Bedeutung wird.
Die Reformen, die von Cluny ausgingen oder von dort beeinflußt wurden, sind wegen ihrer Betonung der Askese häufig als wissenschaftsfeindlich verdächtigt worden. Tatsächlich bedeutete die Rückbesinnung auf geistl. Probleme vielfach einen Rückzug aus der Welt bis hin zur radikalen Verneinung weltl. Belange, die als Störung eines gottwohlgefäll. Lebens in der Vergangenheit konkret erfahren worden waren. Zugleich setzte diese Haltung aber auch Kräfte frei, ohne die der **erstaunl. Neueinsatz einer dt. Literatur,** die nun auch die bislang vermißte Kontinuität gewinnt, gar nicht zu erklären wäre.

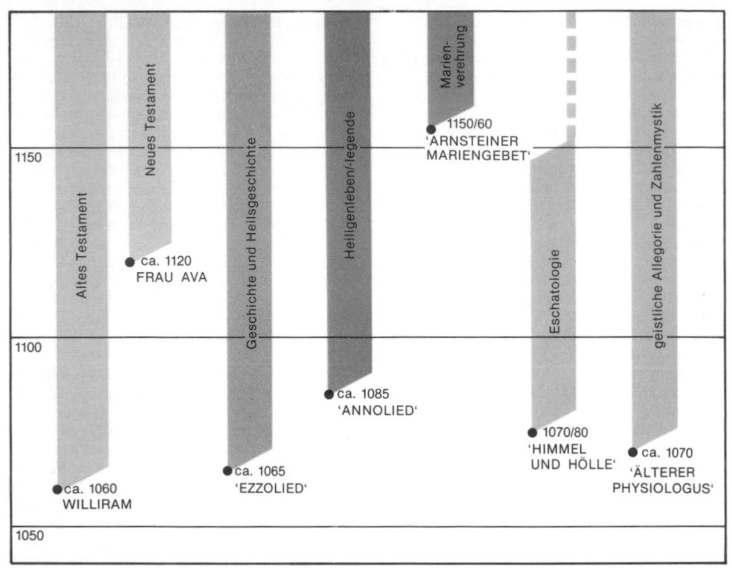

Thematische Schwerpunkte im literarischen Neubeginn der frühmhd. Epoche

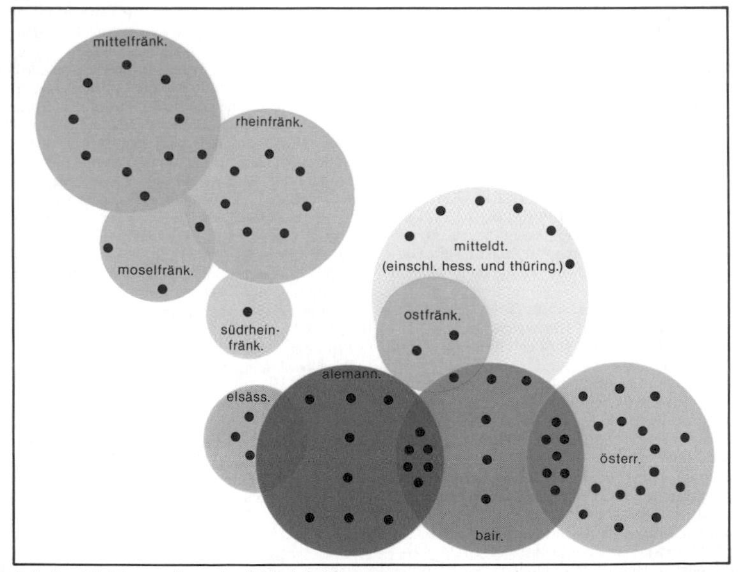

Relative Dialektverteilung der frühmhd. Literatur

Themat. Schwerpunkte des literar. Neubeginns

Nach der Unterbrechung volkssprachl. Überlieferung während eines halben Jahrhunderts bedeutete der Neueinsatz dt. Literatur im 11. Jh. tatsächlich so viel wie den eigentl. **Beginn einer literar. Tradition** in Deutschland. Denn auf fast allen themat. Gebieten, für die die frühmhd. Epoche Textzeugen hervorbringt, stellt sich in der Folgezeit eine Kontinuität ein, die mehr ist als das Ergebnis nachträgl. Systematisierung isolierter Texte. Schon die ordnende Zusammenstellung verwandter Texte in den großen Sammelhss. der Epoche (s. S. 45) sowie Mehrfachüberlieferungen bezeugen eine **veränderte Einstellung zur Literatur,** die trotz ihres dominierenden Gebrauchscharakters eine gewisse Eigenständigkeit gewinnt. Diese ist nicht zuletzt auch in der formalen Gestaltung der meisten Texte erkennbar, die sich weit über bloßes Glossieren und Übersetzen lat. Vorlagen (das auch weiterhin betrieben wird) erhebt.

Schwerpunkte der literar. Tätigkeit sind – entsprechend der Herkunft der Autoren und ihres Publikums – **relig., bibl. und geistl. Themen.** Mit WILLIRAM VON EBERSBERG und seiner Hohelied-Bearbeitung (um 1060) nimmt das Alte Testament einen zeitl., durch die nachfolgenden Texte wie 'WIENER GENESIS' (um 1070) und die Zeugnisse des 12. Jhs. ('EXODUS', 'BÜCHER MOSES', 'JUDITH' usw.) auch einen quantitativen Vorrang ein. Das Alte Testament war in der kontinuierl. Glossierung des Psalters auch in der literarisch "leeren" Zeit nach NOTKER volkssprachlich präsent geblieben. Das Neue Testament erlangt erst um 1120 durch ein 'LEBEN JESU' der FRAU AVA, einer Klausnerin aus der Umgebung von Melk/Donau, und weitere Texte eine vergleichbare Beachtung. FRAU AVA ist die **erste Dichterin in dt. Sprache.**

Theolog. Interesse wird in der heilsgeschichtl. Deutung des 'EZZOLIEDES', das gleich in zwei versch. Fassungen vorliegt, sichtbar (um 1065); geschichtstheolog. Interpretation bestimmt auch die im engeren Sinne histor. Darstellungen LAMPRECHTS in seinem 'ALEXANDERLIED' (1140/50), die 'KAISERCHRONIK' (um 1150) und das 'ROLANDSLIED' des Priesters KONRAD (um 1170). Das 'ANNOLIED' (um 1085), hier an den Anfang der umfangreichen Überlieferung von Heiligenleben und -legenden gesetzt, ist tatsächlich eine bunte Mischung versch. themat. Traditionen, unter denen die Heilsgeschichte indes deutlich hervorragt (s. u.).

Die asketisch geprägte Zuwendung zu **Themen eines jenseit. Lebens** schlägt sich in einer Reihe eschatolog., also von den "Letzten Dingen" (griech. *es'chata:* Tod und Jüngstes Gericht) handelnder Texte nieder, die vor allem Mahnungen zu rechter Vorbereitung auf Gottes Gericht vortragen wollen: Um 1070 werden als früheste Belege das 'MEMENTO MORI' eines "NOKER" und die Dichtung 'HIMMEL UND HÖLLE' datiert. Auch die Jenseitsvisionen wie das 'HIMMLISCHE JERUSALEM', die 'VISIO PAULI' u. a. können im Umkreis dieser Tradition gesehen werden, die mit der 'ERINNERUNG AN DEN TOD' des HEINRICH VON MELK im 12. Jh. ihren vorläuf. literar. Schlußpunkt erreicht. **Geistl.-allegor. Darstellungen** finden Themen aus der Tierkunde wie im (urspr. spätantiken) 'PHYSIOLOGUS', dessen ältere dt. Bearbeitung um 1070 datiert wird, ferner Zahlen wie in Priester ARNOLDS 'SIEBENZAHL' (um 1130); Meßgebräuche in einem Text von ca. 1160.

Ein für die Volkssprache völlig neues Thema schlagen die **Mariendichtungen** der 2. Hälfte des 12. Jhs. an. Neu ist auch die schriftl. Fassung zahlreicher **Legenden** in dt. Sprache (vgl. S. 47).

Daß auch in dieser Zeit dt. Dichtung nicht im Gegensatz zu lat. Literatur, sondern in einem fruchtbaren Wechselverhältnis mit dieser entstand, beweisen die Übersetzung eines Gebets des Regensburgers OTLOH (St. Emmeram um 1060; vgl. S. 41), das dieser Autor wie auch andere Schriften zunächst lateinisch verfaßt hatte, sowie die HOHELIED-Gestaltung WILLIRAMS, der seinen dt. Text in eine auch graphisch sorgfält. Komposition neben den lat. Bibeltext und eine lat. Paraphrase in Hexametern stellt. Vers- und Reimgestaltung einer Reihe von frühmhd. Texten lassen sich in ihrer (an klass. Mustern gemessen) unvollkommenen Erscheinung dann richtig einschätzen, wenn man in ihnen den **Anschluß an die rhythm. Prosa** zeitgenöss. lat. Texte sieht.

Eine mlat. Vorwegnahme dt. weltl. Themen der ritterlich-höf. Stauferzeit stellt indes der vor 1050 in Tegernsee entstandene 'RUODLIEB' dar, ein Epos von 2.300 leoninisch gereimten Hexametern, das wohl für den Hof HEINRICHS III. bestimmt war.

Frühmhd. Literaturlandschaften

An der frühmhd. Literatur sind alle mittel- und oberdt. Landschaften beteiligt. Für die Aufnahme einzelner Texte in versch. Teilen des Reiches und damit für eine wesentlich intensivere Ausprägung des literar. Lebens als in ahd. Zeit sprechen verschiedensprach. Fassungen ein und desselben Texts. Nicht lokalisierbar sind auch jetzt sprachl. Mischungen, an denen sich sehr weit voneinander entfernte Landschaften beteiligt haben (und die damit in einer Karte nicht darstellbar sind). Als Beispiel kann der 'ÄLTERE PHYSIOLOGUS' gelten, der aus Kärnten überliefert ist, in dem aber sowohl rheinfränk. wie alemann. Spracheinflüsse sichtbar werden. Auffällig ist vor allem der **neue Schwerpunkt im Südosten,** der mit der Aktivität österr. Klöster, insbes. Kärntens und der Steiermark, erklärbar wird.

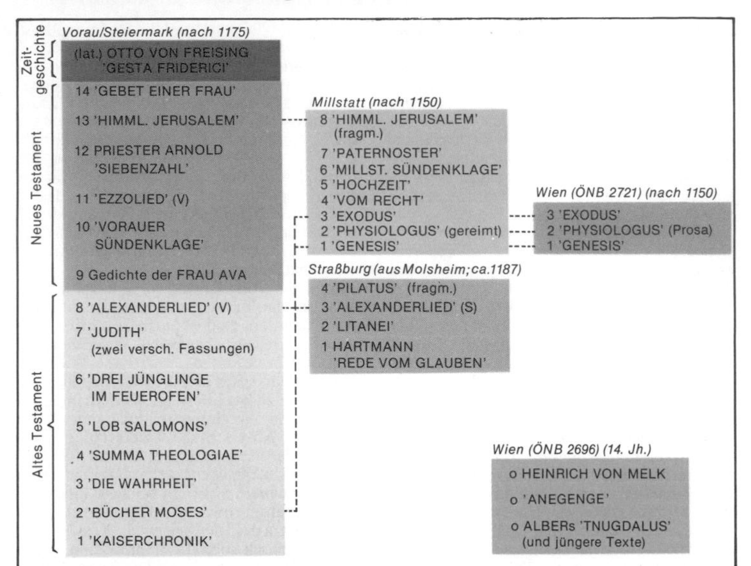

Sammelhandschriften frühmhd. Literatur

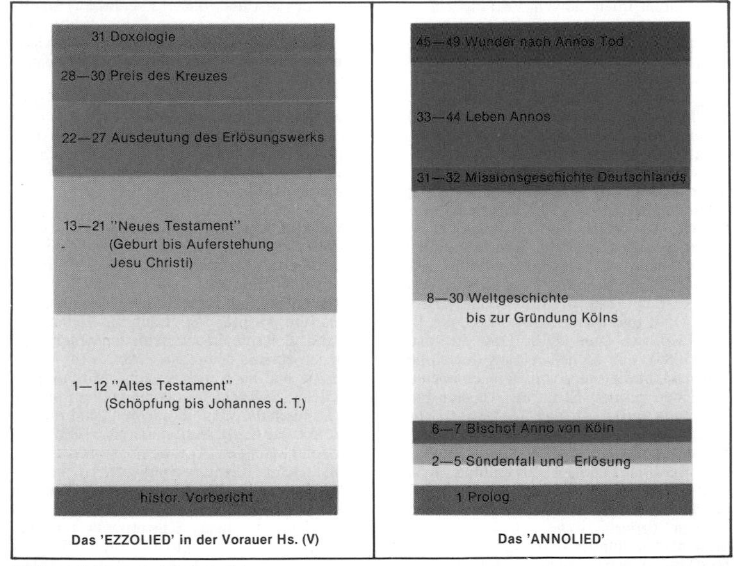

Heilsgeschichte als Werkstruktur

Frühmhd. Überlieferung in Sammelhandschriften

Zu den Bedingungen literar. Kontinuität gehört entscheidend der **Wille zu dauerhafter Aufbewahrung und Verbreitung von Texten.** In mittelalterl. Zeit kann man diesen Willen nur bei einer Mehrfachüberlieferung und/oder bei sorgfält. Aufzeichnung eines Texts feststellen. Beide Bedingungen sind erstmals in größerem Maße bei frühmhd. Texten gegeben (die mittellat. Literatur Deutschlands ging mit der Sammlung der 'CARMINA CANTABRIGIENSIA' vorauf; die angelsächs. Literatur bringt ihre großen Sammlungen 'JUNIUS-CODEX', 'VERCELLI-' und 'EXETER-BOOK' bereits im 10. Jh. hervor).

Daß die frühmhd. Sammelhss. mehr als nur ein Archivierungsmittel waren, vielmehr ein **schöpfer. Umgehen mit den versammelten Texten** darstellen, beweist der Aufbau der vier noch aus dem 12. Jh. stammenden Codices. Schon die kleinste, die aus Kärnten stammende Wiener Hs. 2721 der Ö(sterr.)N(ational-)B(ibliothek) komponiert zwei bibl. Bücher, 'GENESIS' und 'EXODUS', in "richtiger" Reihenfolge mit der geistl.-allegor. Deutung der Tiere als Schöpfung Gottes (dabei handelt es sich um den 'JÜNGEREN (Prosa-)PHYSIOLOGUS'. Die Millstätter (auch Klagenfurter genannte) Hs. spannt bereits einen weiteren Bogen: von der Schöpfung bis zum 'HIMMLISCHEN JERUSALEM'. (Um ähnl. Kompositionen hatten sich auch schon die angelsächs. Sammlungen bemüht; die Texte des 'JUNIUS-CODEX' zeigen die Reihenfolge: 'GENESIS'-'EXODUS'-'DANIEL'-'CHRIST AND SATAN'.) Eine heilsgeschichtlich orientierte Textfolge läßt auch die aus Molsheim/Elsaß stammende Straßburger Sammlung erkennen.

Den klarsten Aufbau bezeugt indes die umfangreichste Sammlung, die Vorauer, deren dt. Texte in zwei Blöcken präsentiert werden, die heilsgeschichtlich dem Alten und Neuen Testament zugeordnet werden können. Kaum zufällig sind die ersten drei Bücher (einschl. des Anfangs von Buch 4) der lat. 'GESTA FRIDERICI' ("Taten Friedrich Barbarossas") des OTTO VON FREISING, gleichsam als "Verlängerung" in die Gegenwart, angeschlossen.

Eine 5. Sammlung stammt erst aus dem 14. Jh., die Wiener Hs. ÖNB 2696, die ihre frühmhd. Texte mit jüngerer Überlieferung zusammenstellt, darin aber auch ein fortwährendes Interesse an den älteren Texten beweist.

Fünf frühmhd. Texte erfahren in diesen Hss. eine Mehrfachüberlieferung bzw. -bearbeitung: Das 'HIMMLISCHE JERUSALEM' wird in der Millstätter Hs. nur fragmentarisch überliefert; das 'ALEXANDERLIED' des Priesters LAMPRECHT ist dagegen in der Vorauer Hs. Fragment geblieben, seine 1600 Verse entsprechen den Versen 1–2200 der Straßburger Bearbeitung. 'GENESIS' und 'EXODUS' erscheinen in der Millstätter und in der Wiener Sammlung, dazu noch in den Vorauer 'BÜCHERN MOSES' als voneinander mehr oder weniger unterschiedene Bearbeitungen derselben bibl. Vorlagen. Die Allegorien des 'PHYSIOLOGUS' schließlich werden in der Millstätter Hs. in Reimform (= 'ÄLTERER PH.'), in der Wiener Hs. als erweiternde Prosa (= 'JÜNGERER PH.') vorgestellt.

Heilsgeschichte als Werkstruktur

Geschichte als Heilsgeschichte auch im formalen Aufbau darzustellen hatte sein Vorbild bereits in einzelnen Texten der frühmhd. Dichtung. Die Vorauer Fassung des 'EZZOLIEDS' (V) gliedert ihre 31 Strophen entsprechend der Abfolge von Altem und Neuem Testament, ergänzt diese Folge durch eine geistl. Ausdeutung des dargestellten Erlösungswerks und durch einen Preis des Kreuzes Christi. Sie mündet schließlich in die sog. Doxologie, einen Preis der hl. Dreifaltigkeit. Vorangeschickt wird ein Bericht über die Entstehungsgeschichte des Gedichts: Bischof GUNTHER VON BAMBERG inspirierte Ezzo, die Melodie dazu erfand ein Mann namens WILLE. Daneben gibt es aber auch noch eine siebenstroph. Fassung in einer Straßburger Hs., die darauf deutet, daß keine der beiden Fassungen mit dem (verlorenen) Original übereinstimmen kann (U. PRETZEL hat ein solches rekonstruiert, den "Bamberger Ezzo", der danach aus 17 Strophen bestanden hätte). Die Vorauer Bearbeitung könnte natürlich bereits in Übereinstimmung mit den Gestaltungskriterien der Vorauer Sammlung (s. o.) entstanden sein.

Differenzierter, weil auf eine bestimmte Heiligengestalt und ihren histor. Hintergrund, die Bischofsstadt Köln, konzentriert, stellt sich die Darstellung geschichtl. Entwicklung als Heilsgeschichte im 'ANNOLIED' (um 1085) dar. Nach einem Prolog wird die Heilsgeschichte mit unterschiedl. Intensität gleich zweimal vorgeführt, unterbrochen durch eine erste, knappe Vorstellung des Bischofs ANNO VON KÖLN, dessen Leben wie auch Wunderwirken nach seinem Tod als Vollendung der Missionsgeschichte Deutschlands berichtet wird. Hierbei sind Legende, Städtelob und Fürstenpreis mit heilsgeschichtl. Darstellung untrennbar ineinander verwoben. Die Heilsgeschichte folgt dabei dem alten geschichtstheolog. Schema der Vier-Reiche-Lehre (s. S. 38f.) mit durchaus nationalem Akzent: im 'ANNOLIED' bedeutet *diutsch* zum erstenmal in der Wortgeschichte *deutsch* im polit. Sinne.

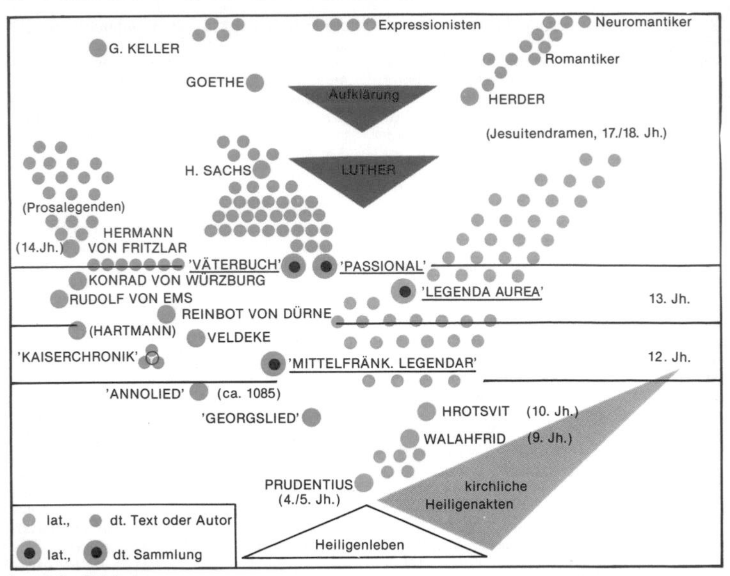

Legendendichtung

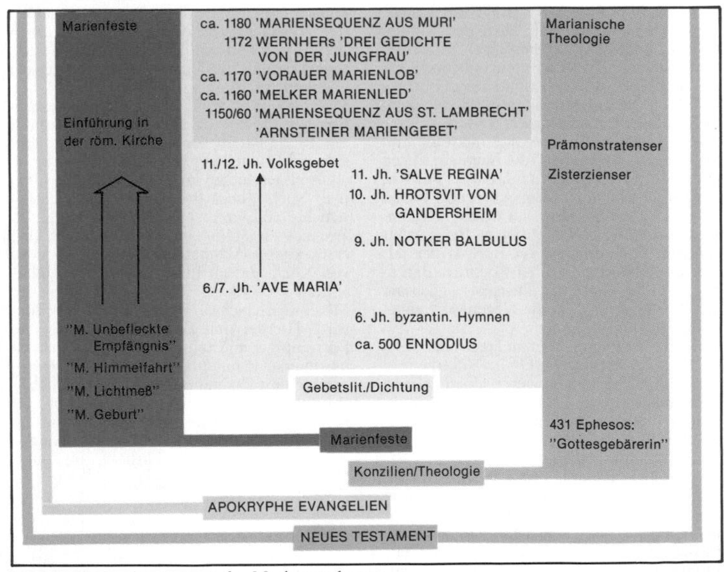

Mariendichtung im Kontext der Marienverehrung

Zur Tradition der Legendendichtung

Die frühmhd. Epoche bringt nach dem isolierten Vorgang im ahd. 'GEORGSLIED' (sowie im verlorenen dt. 'GALLUSLIED') erstmalig wieder Legenden in dt. Schriftfassung hervor. Längst gab es diese Gattung in **mündl. Tradition** zu volkstüml. Belehrung in der Predigt. Eine literar. Tradition entstand neben den offiziellen 'ACTA SANCTORUM' der Kirche, als PRUDENTIUS, der bedeutendste christl. Dichter der Spätantike (gest. 405, Spanien), **die ersten dichter. Gestaltungen in lat. Sprache** schrieb. Vor und nach dem 'GEORGSLIED' traten in Deutschland WALAHFRID STRABO und HROTSVIT mit lat. Legenden hervor. Die **frühmhd. Überlieferung,** die auch auf diesem Gebiet eine kontinuierl. literar. Entwicklung einleitet, beginnt mit dem 'ANNOLIED' (s. S. 45). Bereits in der 1. Hälfte des 12. Jhs. wird im 'MITTELFRÄNK. LEGENDAR' eine ganze Sammlung dt. Legenden vorgelegt, die sich aus lat. wie mündl. dt. Überlieferung speist. Ähnliches gilt für die in die 'KAISERCHRONIK' eingestreuten Legenden, die hier wie auch sonst im MA durchaus Anspruch auf histor. Glaubwürdigkeit erheben. (Geschichte als Heilsgeschichte verstanden läßt stets das für die Legende wesentl. Eingreifen Gottes in weltl. Geschehen zu!) Eine Reihe dt. Legenden des 12. Jhs. ist auch aus Einzelüberlieferung bekannt.

Einen ersten Höhepunkt in der literar. Gestaltung einer dt. Legende bietet HEINRICH VON VELDEKE im 12. Jh. mit seinem 'SERVATIUS'. HARTMANN VON AUE vermittelt durch 'GREGORIUS' und 'ARMER HEINRICH' der ritterlich-höf. Gesellschaft krit. Lehren. Ihm folgen andere wichtige Autoren des 13. Jhs. In der 'LEGENDA AUREA' des JACOBUS DE VORAGINE wird um 1270 ein Großteil der lat. Legendentradition versammelt, aus der dann wiederum auch die dt. Autoren schöpfen. Im Umkreis des Deutschen Ordens entstehen mit dem 'VÄTERBUCH' und dem 'PASSIONAL' um 1300 ähnl. Sammlungen. HERMANN VON FRITZLAR begründet im 14. Jh. die Tradition der **dt. Prosalegende.**

In der weiteren Entwicklung können weder der Einspruch LUTHERS gegen die "Lügenden" noch die Ablehnung durch die Aufklärer die Sympathien dt. Autoren für diese Gattung beseitigen. Auch HANS SACHS, ansonsten auf LUTHERS Seite, läßt sich nicht hindern, wenngleich bei ihm bereits ein augenzwinkernder Humor mitschwingt, den GOETHE u.a. in seiner 'LEGENDE VOM HUFEISEN' gern nachahmt. Gläubiger Ernst beherrscht noch das Legendenspiel im barocken Jesuitendrama, wohl auch noch den einen oder anderen Romantiker. G. KELLERS 'SIEBEN LEGENDEN', Bearbeitungen der HARTMANN-VON-AUE-Legenden bei G. HAUPTMANN und TH. MANN sowie die Rezeption bei Neuromantikern und Expressionisten gelten mehr den Formmöglichkeiten als der Glaubenserfahrung, die der Kern der mittelalterl. Legende war.

Marienverehrung und Mariendichtung

Die Marienverehrung der kath. Kirche gründet auf der Bedeutung Mariens, die ihr das Neue Testament als Mutter Jesu zuweist. Schon früh haben Konzilien der Gesamtkirche wesentl. Glaubenssätze als Grundlage einer **"marian. Theologie"** formuliert. Die **volkstüml. Verehrung** fußte ferner auf teilweise legendären Berichten der apokryphen, d.h. nicht offiziell anerkannten Evangelien. Befördert wurde sie durch eigene Feste, die, meist in der Ostkirche entst., vom 7. Jh. an auch in der röm. Kirche eingeführt wurden. Die Steigerung marian. Frömmigkeit über das Maß der übl. Heiligenverehrung hinaus bezeugt zweifellos auch ein Defizit der Theologie, wofür noch der Satz von Papst JOHANNES PAUL I. (1978) spricht: *"Gott ist Vater, aber mehr noch Mutter."* Die neuen Orden der Zisterzienser und Prämonstratenser nahmen sich dieses Defizits an, als sie die Marienverehrung in Liturgie und Predigt besonders förderten, doch auch die jungcluniazens. Reformbewegungen standen ihnen hierin nicht nach. Bezeichnenderweise wird das marian. Kerngebet, das 'AVE MARIA' aus dem 6./7. Jh., am Ende des 11. Jhs. zum **Volksgebet,** oft in enger Verbindung mit dem 'VATERUNSER'.

Eine **literar. Gebetstradition** konnte sich auf den lat. Dichter ENNODIUS (um 500) und byzantin. Marienhymnen des 6. Jhs. stützen. Für Deutschland werden die lat. Dichtungen des St. Gallers NOTKER BALBULUS, wiederum der HROTSVIT VON GANDERSHEIM und die verbreitete Antiphon 'SALVE REGINA' (fälschlich einem Reichenauer Mönch zugeschrieben) besonders wichtig.

Das wohl erste dichter. Zeugnis in dt. Sprache ist das 'ARNSTEINER MARIENGEBET' (1150/60), das kaum zufällig aus dem Prämonstratenserkloster an der Lahn überliefert wird. An der weiteren Entwicklung sind vor allem österr. Reformklöster beteiligt: Melk, St. Lambrecht, am 'MARIENLOB' in der Vorauer Hs. wohl auch Vorau selbst. 'DREI GEDICHTE VON DER JUNGFRAU' nennt der bayer. (Augsburger?) Priester WERNHER seine Texte aus dem Jahr 1172. Auch für die 'MARIENSEQUENZ AUS MURI' (um 1180) war ein Reformkloster, diesmal des alemann. Raums, als Herkunft zu bestimmen.

Die Tradition marian. Dichtungen reißt seit dem 12. Jh. nicht mehr ab und hat bis in die Gegenwart auch immer wieder literarisch hochstehende Gestaltungen, wie etwa von GERTRUD VON LE FORT ('HYMNEN AN DIE KIRCHE', 1924), hervorgebracht.

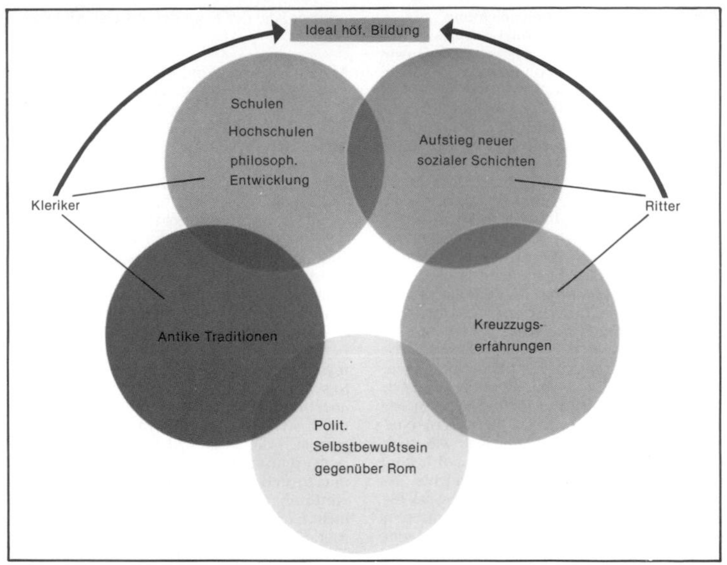

Motivfelder weltlich orientierter Kultur im 12. Jh.

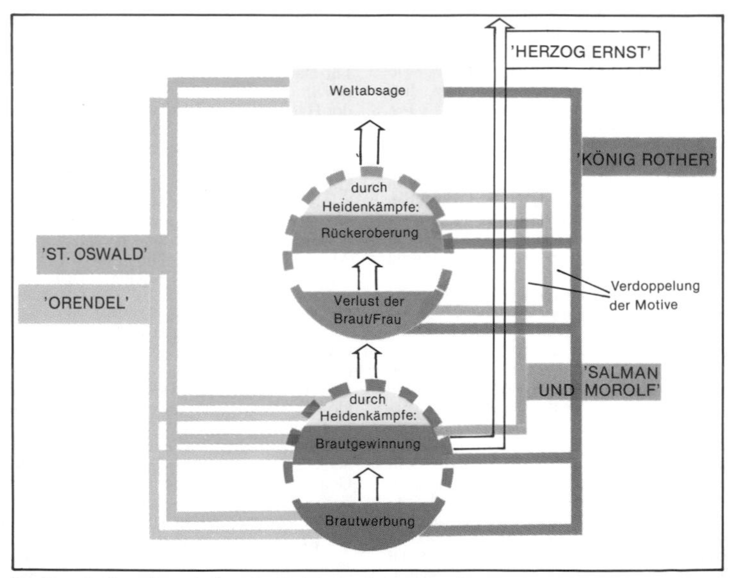

Strukturelle Gemeinsamkeiten der "spielmännischen Epen"

Zur Entstehung weltlich orientierter Literatur im 12. Jh.

Mit der noch zur frühmhd. Literatur gezählten Mariendichtung befinden wir uns schon weit im 12. Jh. In diesem Jahrhundert ereignet sich allerdings ein **grundsätzl. Wandel des literar. Lebens in Deutschland,** dessen Gründe auf sehr versch. Ebenen gesucht werden müssen. Äußerlich ist er in der Ablösung geistl. Autoren als alleiniger Produzenten von Dichtung zu erfahren, die freilich nicht so radikal ist, daß von einer Verdrängung der geistl. durch eine weltl. Literatur gesprochen werden kann; geistl. Literatur bleibt eine wesentl. Komponente auch der künftigen Entwicklung, in der sie durchaus weitere Höhepunkte (etwa in der Mystik, in der Reformation, im Barock) erfährt. Die "Verweltlichung" der Kultur im 12. Jh. beschränkt sich indes nicht auf die dt. Literatur, sondern erfaßt auch die lat. Dichtung. Das deutlichste Beispiel ist die wesentlich von ("vagierenden") Studenten theolog. Schulen getragene **europ. Vagantenlyrik,** eine von antiken Motiven geprägte Liebesdichtung (wichtigste Liedersammlung: 'CARMINA BURANA', 13. Jh.).

Die Auseinandersetzung zwischen Kirche und weltl. Macht im und nach dem Investiturstreit begründet auf beiden Seiten ein **neues Selbstbewußtsein,** das sich in unterschiedl., teilweise gegensätzl. Akzenten literar. Äußerungen niederschlägt. Zu berücksichtigen ist, daß auch nicht jeder geistl. Autor dieser Zeit ein Vertreter kirchl. Interessen im Sinne der aktuellen Reformbewegungen war, sondern daß es weiterhin eine Reihe bedeutender Anhänger der alten Einheit zwischen Königtum und Kirche gab.

Bezeichnend ist auch der Stimmungsumschwung, den der **Aufstieg der Staufer** auf dem dt. Kaiserthron bei zunächst eindeutig pessimistisch eingestellten geistl. Autoren bewirken konnte, wie es das Beispiel OTTOS VON FREISING (gest. 1158) lehrt, der sich in seinen lat. 'GESTA FRIDERICI I. IMPERATORIS' (1157/58) ausdrücklich von der depressiven Haltung seiner früheren 'CHRONICA' (ca. 1140) distanziert.

Die **Entwicklung der Philosophie** neben der bis dahin alles beherrschenden Theologie auf der Grundlage der Wiederentdeckung des ARISTOTELES in seinen griech. Originalen, an der arab. und jüd. Vermittlung wesentl. Anteil haben, der **Aufschwung des Schulwesens,** zunächst in Frankreich (Entstehung der Pariser Universität als hervorragendes Ereignis), die daraus folgende Verbreitung auch weltl. Wissenschaft, insbes. **antiker Traditionen,** auch und gerade bei Klerikern, nicht zuletzt aber die Weitung des Wissenshorizontes durch die **Kreuzzüge** und die durch sie geförderte **Begegnung mit fremden Kulturen** müssen als starke Gegengewichte gegen die geistlich-reformer. Beeinflussung des Geisteslebens gesehen werden. Der **Aufstieg neuer sozialer Schichten** in führende Positionen der hochmittelalterl. Gesellschaft (vgl. S. 50f.) ist zweifellos ein wichtiges weiteres, aber keineswegs allein ausschlaggebendes Moment für das Interesse an einer stärker weltlich orientierten Kultur. Das Ideal des höfisch gebildeten Menschen entwickelt sich aus der **Integration von Klerikerbildung und ritterl. Selbstbewußtsein.**

Die "spielmänn. Epik"

Daß die das Jahrhundert bewegende Kreuzzugserfahrung schon früh nicht nur tief religiös gedeutet wurde, belegen die sog. spielmänn. Epen 'KÖNIG ROTHER', 'ST. OSWALD', 'ORENDEL' sowie 'SALMAN UND MOROLF', die man sich in der ersten Hälfte des 12. Jhs. entstanden denkt (ihre Überlieferung ist dagegen meist erst sehr viel später richtig faßbar). Die Begegnung mit oriental. Kultur und Religion schlägt sich hier nur in der mehr oder weniger oberflächl. Exotik fremdländ. Erscheinungen nieder, die um den erzähler. Kern, eine **abenteuerl. Brautwerbung** für einen hohen Herrn (ein durchaus historisch reales Motiv), gruppiert und insbes. in der Darstellung von **Auseinandersetzungen mit Heiden** als episch retardierendes Moment (bis hin zum – einfachen oder auch doppelten – Verlust der schon gewonnenen Braut bzw. Frau) eingesetzt werden. Die Weltabsage, der sich die bis dahin erfolgreichen Helden in drei dieser Epen unterwerfen (Verzicht auf ehel. Gemeinschaft, Klostereintritt, Vorbereitung auf den in Aussicht gestellten himml. Lohn) erscheint dabei wie eine nur halbherz. Konzession an die asket. Zeitströmung, da das Hauptaugenmerk der Autoren ansonsten auf dem **Unterhaltungseffekt** ihrer Erzählungen liegt.

Die strukturellen Gemeinsamkeiten, die Erzählhaltung und stilist. Merkmale, die sorglose Sprach- und Versbehandlung sowie die durchgäng. Formelhaftigkeit haben zur Formulierung einer Gattungseinheit geführt, deren Grundlage man in einer spielmänn. Tradition sehen wollte, für die es aber keine eindeut. Beweise gibt. Unklar ist auch das Verhältnis eines weiteren Epos, des 'HERZOG ERNST', zu diesem Komplex, da ihm das Kernmotiv einer verwicklungsreichen Brautwerbung fehlt (dagegen ist eine Heirat Ausgangspunkt von Verwicklungen), während die geschilderten Fahrten des Helden in exot. Gegenden und zu sagenhaften Völkern das Abenteuerliche der "spielmänn. Epik" teilen.

Zwischen "spielmänn." und Heldenepik stehen 'ORTNIT' (13. Jh.) und das fragmentar. Brautwerbungsgedicht 'DUKUS HORANT' (280 vierzeil. Strophen) aus dem 13./14. Jh., das sich 1953 in einer ehem. Kairoer, jetzt Cambridger Hs. fand. Es ist, für aschkenas. Juden, in hebr. Schreibkursive aufgezeichnet und belegt sowohl mhd. wie auch altjidd. Sprache.

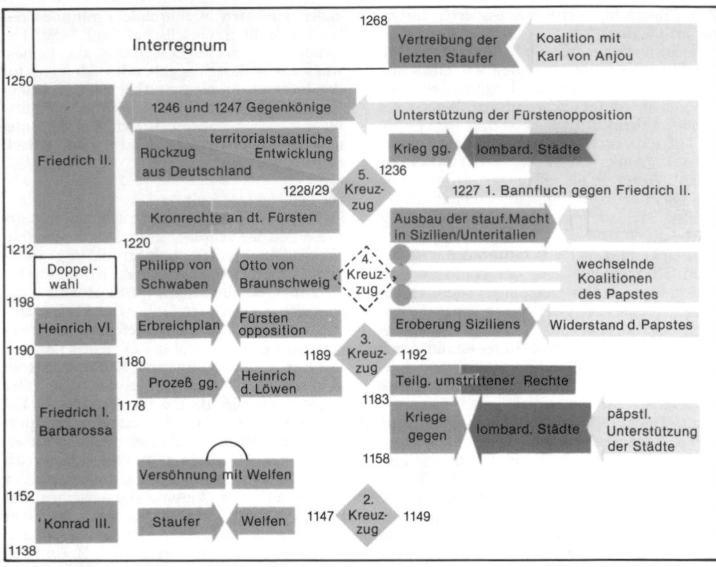

Politische Entwicklungen der Stauferzeit

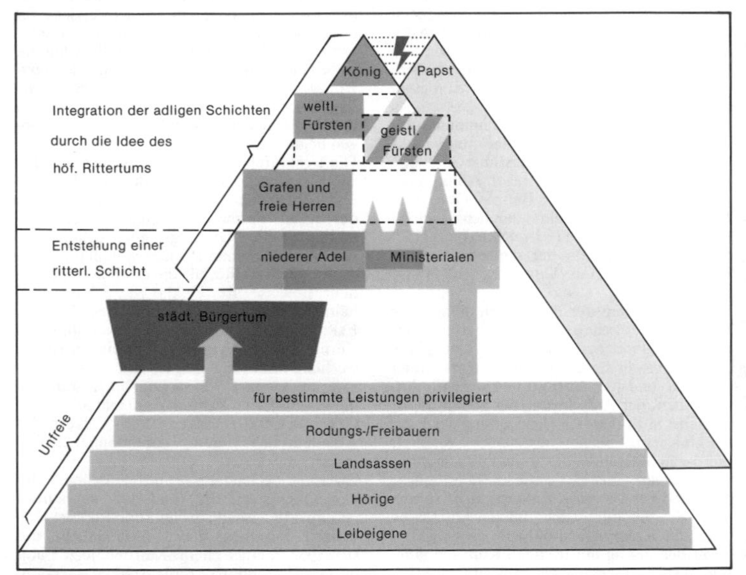

Gesellschaftsordnung im 12. Jh.

Polit. Entwicklungen der Stauferzeit

Auch die Stauferzeit widerstreitet der Annahme, daß nur eine politisch ruhige Epoche die besten Voraussetzungen für kulturelle Fortschritte biete. Sie ist in nicht minderer Weise als vorangegangene Zeiten erfüllt von scharfen Spannungen und Konflikten (vgl. S. 27). Vielleicht ist es deren teilweise grundsätzl. Charakter, der sogar bes. Impulse für Auseinandersetzungen gerade im literar. Medium gab.

Nur vorübergehend konnte BARBAROSSA den durch die Wahl des ersten Staufers, KONRADS III., aufgebrochenen **Gegensatz zu den Welfen** überbrücken. 1178 sieht er sich zum land- und lehensrechtl. Prozeß gegen HEINRICH DEN LÖWEN gezwungen. Nach des Sohnes, HEINRICHS VI., Tod droht das Reich in den Wirren unterzugehen, in die die gleichzeit. Wahl eines Staufers und eines Welfen mündete. Zur Verschärfung wie auch zur Schlichtung dieses Konflikts trug der Papst INNOZENZ III. (1198–1216), der die **höchste Entfaltung kirchl. Macht** verkörperte, wesentlich bei. Die **Italienpolitik** der stauf. Kaiser bot grundsätzl. Anlaß zu scharfen Kontroversen mit den Päpsten, die sich aktiv auch in die Kriege mit den lombard. Städten einschalteten. BARBAROSSA versuchte, mit nicht weniger als vier Gegenpäpsten das seit dem Investiturstreit (s. S. 40f.) gesteigerte Selbstbewußtsein der Bischöfe von Rom zu brechen. Endgültig besiegelt wurde der staufisch-päpstl. Gegensatz durch die Eroberung Unteritaliens und Siziliens durch HEINRICH VI., da nun die stauf. Umklammerung des Kirchenstaates (schon 1186 durch eine ehel. Verbindung HEINRICHS mit der Erbin des vormal. Normannenreiches vorbereitet) unübersehbar wurde. Stauf. Engagement auf Kreuzzügen, vor allem auf dem dritten (unter BARBAROSSA) und dem fünften (unter seinem Enkel, FRIEDRICH II.) milderten diesen Gegensatz kaum. FRIEDRICH II. trat seinen Kreuzzug sogar als vom Papst Gebannter an. 1245 traf ihn schließlich der Ketzerbann, was die Wahl von Gegenkönigen provozierte. Die letzten Staufer, auf unterital./sizil. Gebiete beschränkt, sahen sich einer konzentrierten Verfolgung durch den Papst und KARL VON ANJOU ausgesetzt.

Solche Verwicklungen begünstigten den **Aufstieg territorialer Mächte** in Deutschland, denen FRIEDRICH II. 1220 sogar förmlich wichtige Kronrechte zugestand. Das durch die Konzentration der Staufer auf Italien geschwächte Reich aber ist den Wirren nach dem Tod FRIEDRICHS II. schutzlos preisgegeben. Bis zur Wahl eines allgemein anerkannten dt. Königs, RUDOLFS VON HABSBURG (1273), vergehen 23 Jahre, die als **"Interregnum"** bezeichnet werden.

Die durchaus tatkräft. Politik der Staufer vermittelte trotz ihrer schließl. Erfolglosigkeit ein allgem. Bewußtsein mögl. Macht unter einem starken Kaiser, auf den sich eine inbrünstige Hoffnung nach Frieden und Sicherheit richtete.

Gesellschaftsordnung im 12. Jh.

Kennzeichnend für die gesellschaftl. Ordnung des hohen MAs sind **Lehnsrecht und Grundherrschaft.** Diese Ordnung wird häufig mit der Vorstellung einer "Lehnspyramide" verbunden, in der vom König über versch. Stufen abwärts Rechte ausgeliehen werden (Lehen). Eine unterste Stufe der mal. Gesellschaft stellen zweifellos die unfreien Schichten dar, die der Verfügung von Herren über den von ihnen bearbeiteten Grund und Boden, aber auch über persönl. Rechte wie Freizügigkeit, Familiengründung und Erbschaft unterliegen. Doch schon diese Stufe ist in sich durch versch. Grade der Unfreiheit stark gegliedert. Innerer und äußerer Landesausbau (Kolonisation) begründen Privilegien, die zum Aufstieg ganzer Schichten, vornehmlich ins städt. Bürgertum und über Beamtenfunktionen der "Ministerialität" in den niederen Adel führen. Insbes. der **Aufstieg der Ministerialen,** der schon unter den Saliern in der Konkurrenz zwischen König und Reichsfürsten deutl. Formen angenommen hatte, wird zu einem wesentl. Element sozialer und kultureller Veränderung, weil sich in der Verschmelzung der ehemals unfreien Krieger *(milites)* und Beamten mit der Schicht des niederen Adels ein neues Selbstbewußtsein entwickelt, das in der Folge auch die höheren Schichten bis hin zum König erfaßt. Entscheidend für diese erstaunl. Anleihe bei sozial niedriger Gestellten ist die Bedeutung, die die **Ritter** durch die **Verbindung von militär. und Verwaltungsfunktionen** gewinnen, die eine über das übl. Maß adliger Erziehung hinausgehende Bildung voraussetzt. In der **Idee des miles christianus,** des "christl. Kriegers", der seine kämpfer. Fähigkeiten nur noch auf Kreuzzügen hemmungslos beweisen darf, ansonsten aber dem Schutz des inneren Friedens, der Fürsorge für Schwache und Wehrlose verpflichtet ist, erhält diese Schicht eine eth. Zielsetzung, der sich auch der höhere Adel nicht entziehen kann. Die Realität ist jedoch von so hohen Idealen meist sehr weit entfernt. (Ein Ritter*stand* bildet sich erst im SpätMA.)

Der Aufstieg der Ministerialen erfolgt zu sehr unterschiedl. Höhen, so daß auch hierin das Bild einer klaren Stufung als zu idealisiert gelten muß. Viele überschreiten nicht den Status von Beamten kleinerer Herren, einige wenige erlangen die Bedeutung von Reichsfürsten. Die Darstellung polit. Konflikte zwischen König und Fürsten einerseits und zwischen Kaiser und Papst anderseits erklärt wohl zur Genüge, warum auch für die Spitze der stauf. Gesellschaftsordnung die Pyramide nur ein Wunschbild sein konnte.

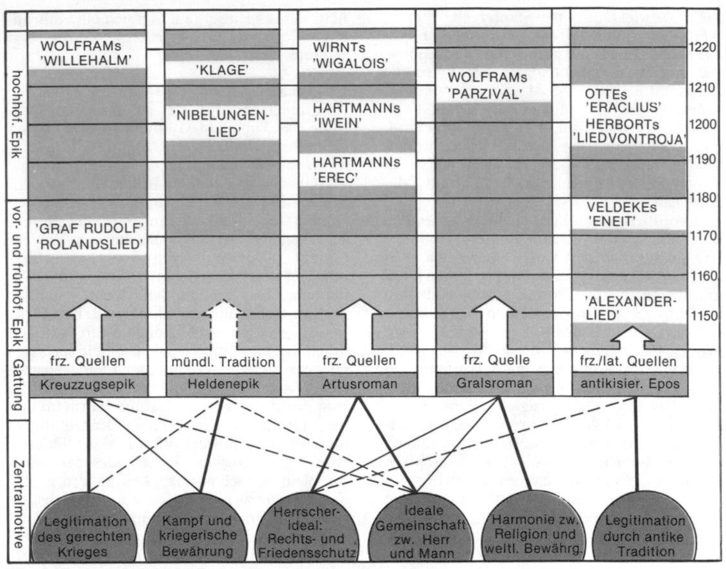

Thematische Akzente höfischer Epen

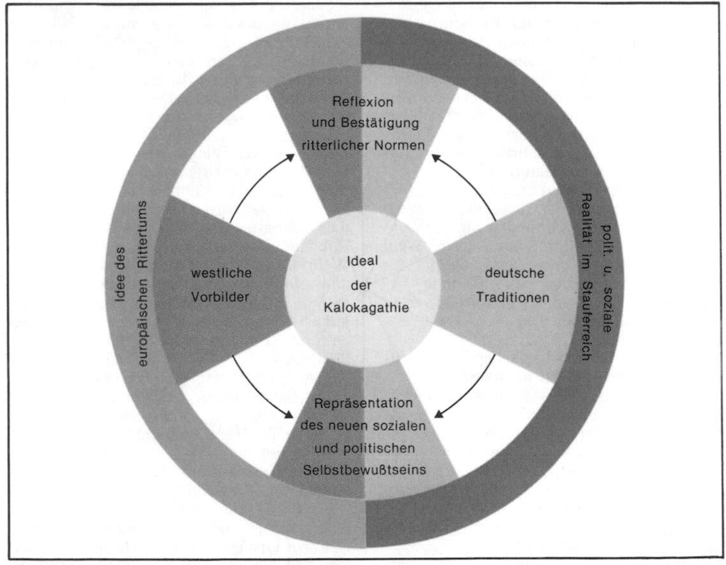

Grundbedingungen der ''staufischen Klassik''

Themat. Akzente höfischer Epen
Ein nicht geringer Teil vor allem ep. Dichtungen der Stauferzeit läßt sich als literar. Antwort auf polit. und soziale Probleme begreifen. Legitimation des Kampfes für ein gerechtes Ziel steht im Zentrum der **Kreuzzugsepik,** aber auch andere Kampfes- und Kriegsdarstellungen kennen eine deutl. Markierung der gerechten gegen eine ungerechte Sache. Die **Heldenepik** lebt vom Thema krieger. Bewährung und der in der Realität oft genug vermißten Treue zwischen Herr und Gefolgsmann. Die **Artusepik** dient dem Preis eines idealen Herrschers (König Artus) und der ihm ergebenen Ritterrunde, die für ihn die Wiederherstellung gestörten Friedens und beleidigter Gerechtigkeit bewirkt. Wo weltlich-polit. Ziele mit den Ansprüchen geistl. Macht in Konflikt gerieten, konnte das literar. Bild der Religion – sollte dabei die traditionelle Gemeinschaft mit der Kirche nicht aufgegeben werden – nur als Utopie harmon. Einheit von Königtum und Priestertum entworfen werden, wie es der **Gralsroman** tat. Der polit. Anspruch auf Herrschaft im ''röm.'' Reich führte fast zwangsläufig zur Besinnung auf eine histor. Kontinuität seit der **Antike,** wie sie in einer Reihe von Texten zum Ausdruck kommt, die gleichsam eine ''stauf. Renaissance'' begründen.

Grundbedingungen der ''stauf. Klassik''
Unter Verweis auf unzweifelhaft ''klass.'' Elemente der Epoche (etwa Rückgriffe auf die Antike, Ansätze zu einem neuen Humanitätsideal, die Bemühung um harmon. Ausgewogenheit von Inhalt und Form, den realen Vorbildcharakter der dabei entstehenden Werke) ist für die hochhöf. Literatur der Stauferzeit das Gütesiegel ''Klassik'' (''stauf. Klassik'') reklamiert worden, womit die dt. Literatur als einzige mehr als eine klass. Epoche besäße (s. zur ''Weimarer Klassik'' S. 163). Eine bescheidenere Einschätzung legt nahe, die Literatur der Stauferzeit durchaus als unstreit. Gipfel der mittelalterl. literar. Entwicklung in Deutschland anzuerkennen, das Attribut ''klassisch'' indes nur mit Vorbehalt anzuwenden, da es letztlich einer wiss. Konstruktion entspringt.
Wesentl. Bedingungen für die dt. hochhöf. Literatur sind in einem von der polit. und sozialen Realität abgehobenen Bereich zu suchen, in der **Idee eines nationenübergreifenden Rittertums,** die über gemeinsame Erfahrungen, etwa auf den Kreuzzügen und im Medium literar. Vorbilder, aus **Frankreich, Brabant, Flandern,** vermittelt wird. Von dort stammt auch der Mythos der ''Suche'' (altfrz. *queste*), auf der ein einzelner Ritter zum geradezu messian. Befreier wird. Entscheidend für den bes. ästhet. Aufschwung ist jedoch der **Repräsentationswille höf. Kreise,** das sozialpsychologisch begreifl. Bedürfnis nach Selbstdarstellung und Bestätigung des neugewonnenen Selbstbewußtseins. Gleichwohl kommt es hierbei zu einer breiten Skala von Darstellungsmöglichkeiten, bei denen nicht die einfache Bestätigung vorgegebener **Normen des ritterl. Lebens,** sondern deren höchst subtile Reflexion im Vordergrund steht. Das verrät bereits Selbstsicherheit, die es sich leisten kann, kollektive Überzeugungen in Frage zu stellen. Freilich führt die intensive Konfrontation mit individuellen Haltungen meist zur um so festeren, weil nun auch den einzelnen bindenden Bestätigung der diskutierten Norm (man denke etwa an die teilweise massiven Verstöße von Artushelden gegen Werte der ritterl. Gemeinschaft, deren Sühne sie in die höchsten Ränge dieser Gemeinschaft hebt). Aber hochhöf. Dichter scheuen sich auch nicht, **objektive Widersprüche** als solche zu markieren und ohne bequeme Lösung stehenzulassen. Auf einem solchen Widerspruch, nämlich dem zwischen realen Gegebenheiten und kaum erfüllbaren Wunschträumen, beruht letztlich der gesamte Minnesang, also die Liebeslyrik der Stauferzeit, deren innerer Widerspruch jedoch in ihrer Ritualisierung so sehr gemildert war, daß auch sie Bestandteil, ja sogar Bestätigung kollektiven Denkens und Fühlens werden konnte. Die Grenze der Belastbarkeit des um Harmonie bemühten Weltbilds der höf. Dichtung berührt jedoch zweifellos GOTTFRIED VON STRASSBURG mit seinem 'TRISTAN' (um 1220), in dem eine ''private'' Liebesbeziehung in stetem Konflikt mit höf. Öffentlichkeit steht (s. S. 56ff.). Der Ritter Erec in HARTMANNS gleichnamigem, nur wenige Jahrzehnte älterem Epos mußte sich noch auf selbstzerstörer. Weise von einem ungleich geringeren Vergehen gegen die höf. Welt reinigen (s. S. 54f.).
Auch die ''stauf. Klassik'' kennt also eine erstaunl. Spannweite literar. Lösungen. Gemeinsam aber ist ihnen sowohl auf inhaltl. wie auch auf formaler Ebene das **Ideal einer Kalokagathie,** der untrennbaren Einheit von ''schön'' und ''gut'' (griech. *kalós kai agathós*). Die Helden und Heldinnen sind schön, weil sie gut sind, und sind gut, weil sie schön sind. Schön, und damit auf die innere Qualität hinweisend, soll auch die Gestaltung der Texte sein. Nicht größere Routine, sondern eine wesenhafte Beziehung zum ideal gedachten Gegenstand treibt die Dichter an, ihre Sprache, ihr Versmaß, ihre Reime so makellos wie möglich zu gestalten. Daß dabei **erstmals ein einheitl., dialektfreies Literaturdeutsch,** das höf. oder ritterl. Mittelhochdeutsch, entsteht, ist in erster Linie ein literar. Ereignis, so sehr es auch von der überregionalen Kommunikation der höf. Gesellschaft in nichtliterar. Angelegenheiten mitbedingt sein mag. Mit der höf. Literatur geht auch ihre Sprache wieder unter. Eine unmittelbare Fortsetzung in jüngerer Hochsprache, im Nhd., findet nicht statt.

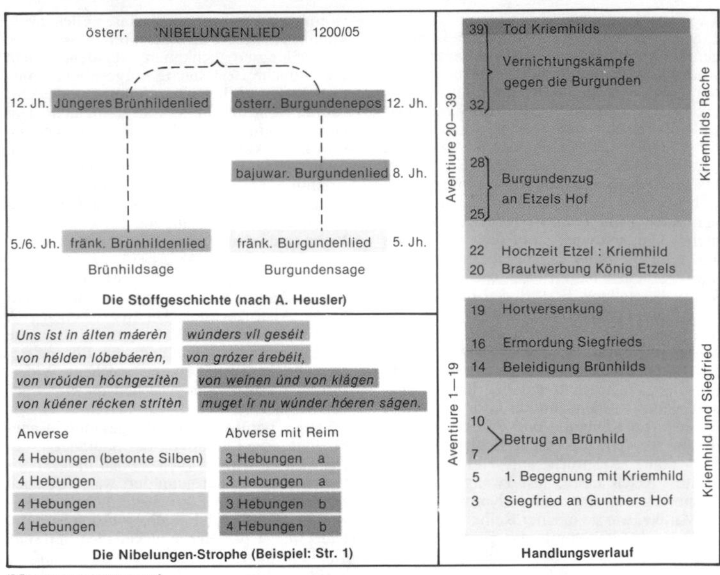

'NIBELUNGENLIED'

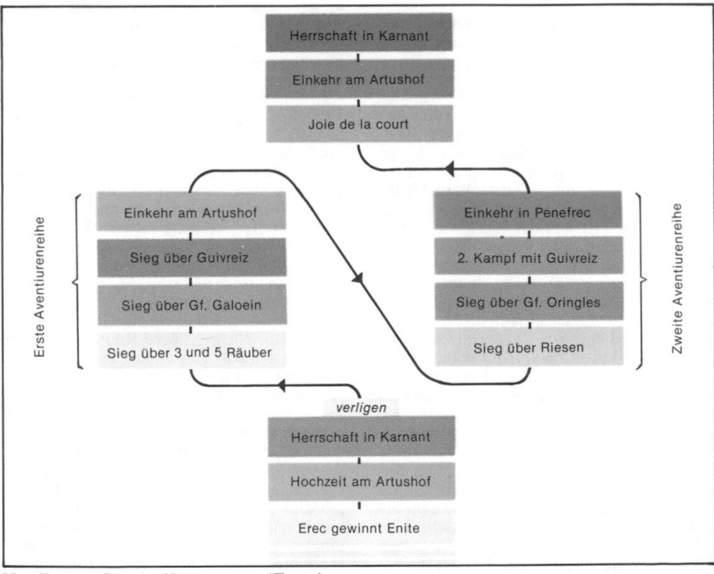

Handlungsaufbau in HARTMANNs 'EREC'

Das 'Nibelungenlied' als höf. Epos
Das Maß der Anstrengung, das nötig war, eine dem Ideal der höf. Gesellschaft angemessene Deutung der Wirklichkeit zu finden, wird an der Heldenepik deutlich, die bis zur Stauferzeit offenbar nur mündlich vermittelt wurde. Bereits die Komposition der wohl auf versch. kleinere Epen verteilten Elemente einer Brünhild- und Burgundensage zu einem großen stroph., nach Ereigniskomplexen (Aventiuren, nhd. 'Abenteuern') gegliederten Buchepos, dem 'NIBELUNGENLIED', belegt gleichsam einen Willen zur Zähmung des bis dahin unkontrolliert Umlaufenden. Noch wichtiger aber ist der im 'NIBELUNGENLIED' um 1200 aufscheinende Versuch, archaische, in die german. Völkerwanderung zurückreichende Verhältnisse so darzustellen, daß sie sich nicht allzusehr mit den Idealen der höf. Gesellschaft stritten. Aus den Haudegen der german. Kriegergesellschaft mußten **Ritter,** aus amazonenhaften Frauen (vielleicht sogar mit "Walkürenvergangenheit") mußten **höf. Damen** werden. Wenn dabei die Quellen nicht völlig mißachtet werden sollten, konnte dies nicht bruchlos gelingen. Tatsächlich bleibt gerade im 'NIBELUNGENLIED' ein Großteil archaischer Motive erhalten. Insbes. der durchgäng. **Rachegedanke,** der die Ermordung Siegfrieds und schließlich die Vernichtungsschlacht gegen die Burgunden an Etzels Hof motiviert, fällt in seiner Schärfe völlig aus dem Rahmen des höfisch Wünschbaren heraus. Doch trifft sich diese Seite durchaus auch mit realen Erfahrungen der höf. Gesellschaft, die immer noch und nicht zuletzt in der Zeit schärfster, auch krieger. Auseinandersetzungen um familien- und stammesmäßig begründete polit. Ansprüche (Staufer contra Welfen, Schwaben contra Sachsen usw.) **Völkerkrieg** und **Privatfehde** tagtäglich erleben konnte.
Auch die noch aus mythisch bestimmter Geschichtsdeutung stammenden Einzelbeziehungen zwischen Protagonisten des Epos haben ihre Entsprechungen in der zeitgenöss. Realität. Das extremste Beispiel ist zweifellos die Brautwerbung Gunthers um Brünhild. Hier geht es in erster Linie um die Erringung einer (im mehrfachen Wortsinn) mächtigen Frau, also um Machterweiterung. Zu diesem Zweck ist – offenbar wie in der polit. Wirklichkeit der Stauferzeit – eine Darstellung und der Erweis der Macht(-mittel) des Werbenden nötig. Gunther bedient sich der Kräfte Siegfrieds, der durch diesen Dienst Gunthers Schwester, Kriemhild, zu gewinnen hofft. Daß darin ein strafbarer Betrug sichtbar gemacht wird, geht nun allerdings über plattes Machtdenken hinaus. Die tödl. Bestrafung Siegfrieds und Kriemhilds Rache an den Mördern liegen noch im Rahmen archaischer Vorstellungen, der Untergang eines ganzen Volkes aber verdeutlicht den Wahnwitz des konsequenten Rachegedankens, so daß in der schließl. Tötung Kriemhilds durch Hildebrand eine bewußte, geradezu erlösende Unterbrechung des tödl. Kreislaufs gesehen werden kann. Schon vorher hatte der unbekannte stauf. Dichter in den Seelenqualen der ritterl. Gestalten Rüedegers und Dietrichs ob der Unentrinnbarkeit der Rache seine **Distanz zu den Vorgaben der Quelle** deutlich markiert.

Der Artusroman bei Hartmann von Aue
Schon von den frz. Quellen her ganz auf die höf. Wunschwelt zugeschnitten sind die Artusromane, deren erster dt. Bearbeiter der alemann. Ministeriale HARTMANN VON AUE (Ende 12. Jh.) ist. Die Vorlagen für seine Versepen 'EREC' und 'IWEIN' (in Reimpaaren gestaltet) sind bekannt: Es sind Werke des nordfrz. Hofdichters CHRÉTIEN DE TROYES (gest. vor 1190), der noch weitere dt. Artusepen und WOLFRAMS PARZIVAL-Dichtung angeregt hat. Der legendäre britann. Heerführer Arthur des 5./6. Jhs. ist bereits hier zum **Idealbild eines gerechten und friedebringenden Königs** stilisiert, der eine hochgestimmte **Ritter-(Tafel-)runde** um sich schart, in allem ein mahnendes Gegenbild zu Entartungen der höf. Gesellschaft in Frankreich, darin offenbar auch ein brauchbares **Lehrstück** für dt. Verhältnisse.
Die Artusritter müssen in gefahrvollen Situationen, Aventiuren, sowohl ihre krieger. wie auch ihre eth. Ideale gemäß den Verpflichtungen des *miles christianus* bewähren. Erec tut dies zunächst durch Rächung einer ihm angetanen Schmach (der Anfang von HARTMANNS Bearbeitung ist verlorengegangen), wobei er Enite zur Frau gewinnt. In der **Ehe** verliert er sich jedoch so sehr an seine Liebe (er 'verliegt' sich), daß er Gefahr läuft, seine ritterl. Pflichten zu versäumen. Darauf aufmerksam gemacht begibt er sich mit Enite auf eine Art Bußfahrt, die beide mehrfach in höchste Lebensgefahr bringt. Die zu bestehenden Gefahren steigern sich, wobei eine Doppelung der Aventiuren deutlich wird, die zugleich die **Läuterung des Paares** charakterisieren. Der letzten Einkehr am Artushof, Ausweis ritterl. Vollendung, geht ein eindrucksvolles Zeugnis christl. Nächstenliebe voraus: Erec befreit durch einen Kampf im Wundergarten *Joie de la court* achtzig Frauen aus ihrer Gefangenschaft. Das zeitweil. Unverständnis am Artushof für Erecs Selbstprüfung scheint leise Kritik am Anspruch des Artusmythos anzudeuten: Das ritterl. Kollektiv kann dem einzelnen eth. Entscheidungen nicht vollends abnehmen.
Im 'IWEIN' gestaltet CHRÉTIEN wie HARTMANN gleichsam ein Gegenstück zum *verligen* Erecs in der Ehe: Iwein verfehlt beinahe seine Ehe durch **übertriebene Ritterschaft.**

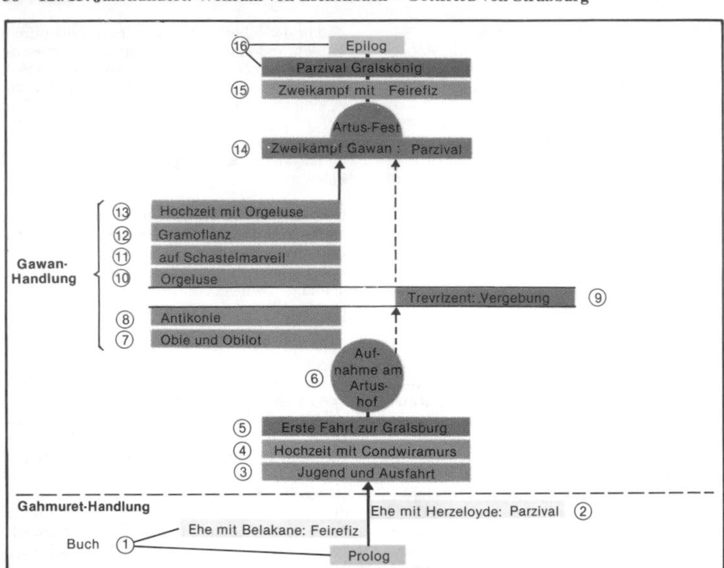

Handlungsverlauf in WOLFRAMs 'PARZIVAL'

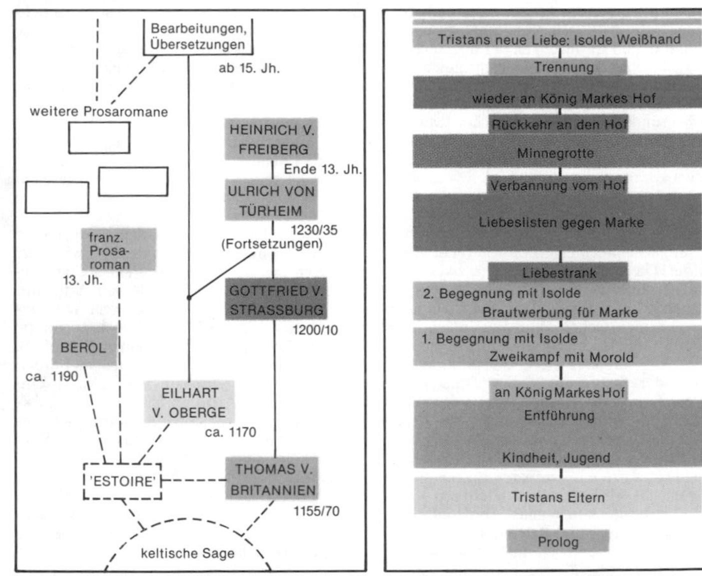

Der Tristan-Stoff im Mittelalter

Handlungsverlauf bei GOTTFRIED

Zum erstenmal in der Geschichte der dt. Literatur läßt sich aus literar. Zeugnissen ein intensiver Gedankenaustausch, ja sogar eine **engagierte Diskussion um die Grundwerte der (höf.) Gesellschaft** erkennen. Auch ohne Kenntnis biograph. Details ist zu bemerken, daß die stauf. Dichter sehr genau voneinander und von den Werken der Mitautoren wissen. Hier wirkt sich der polit. und kulturelle Kontakt zwischen den großen Höfen aus, die teilweise, wie der der Staufer oder der Welfen, noch gar nicht ortsfest sind (der Kaiser regiert von wechselnden Pfalzen aus). Je mehr in der Politik auch grundsätzl. Positionen umstritten sind, um so entschlossener entwerfen die Dichter utop. Harmonien, freilich nicht ohne die Wege dorthin als beschwerlich, für Auserwählte jedoch begehbar zu kennzeichnen. Der sozialen Elite an den Höfen, die sie mit ihren Werken ansprechen, vermitteln sie durchaus das Bewußtsein, zur Verwirklichung dieser Utopien befähigt zu sein. Damit schaffen sie nicht nur Gegenstände literar. Vergnügens, sondern bieten auch Denkmodelle und Identifikationsmuster inmitten einer sozial und politisch widersprüchl. Wirklichkeit.

Wolfram von Eschenbach und Gottfried von Straßburg

Als Antipoden der hochhöf. Literatur verstanden und bekämpften sich WOLFRAM VON ESCHENBACH und GOTTFRIED VON STRASSBURG. Beide schreiben zu Beginn des 13. Jhs., beide legen ihren Akzent auf die **Epik,** dichten aber auch **Minnelieder** (WOLFRAMS Tagelieder sind Glanzpunkte dieser Gattung). Die großen Unterschiede und Gegensätze liegen sowohl im Inhaltl., insbes. in den Darstellungsabsichten, und in der Formkunst. Höchst unterschiedl. Bildungsgänge und wohl auch sehr versch. Kreise, für die sie schreiben, begründen in ihren Werken einen kontroversen Dialog miteinander, der eine zumindest gewünschte Einheit des Publikums, auf das sie wirken wollen, voraussetzt.

Als Ritter ist WOLFRAM in seinem 'PARZIVAL' um die für das ritterl. Selbstverständnis wesentl. **Verbindung von Welt- und Gottesdienst** bemüht, indem er die höchste Form einer Synthese, die von Königtum und Priesteramt, gestaltet. Frei von allzu engen Rücksichten auf ritterl. Selbstvergewisserung nimmt sich der gelehrte Patrizier GOTTFRIED eines Kernstücks höf. Lebensgestaltung, der Minne, an und schildert die Schicksale eines Liebespaares, Tristans und Isoldes, die – zunächst dem mag. Einfluß eines Liebestranks, dann aber eigenverantwortl. Entscheidung folgend – alle **Konsequenzen des höf. Liebesideals außerhalb einer Ehe** auskosten.
Auch diese beiden Dichter lassen sich von westeurop. Vorbildern anregen. WOLFRAM greift den frz. 'PERCEVAL' des CHRÉTIEN DE TROYES auf, erweitert aber seinen Stoff um Elemente, für die er sich auf einen bis heute nicht identifizierten Autor KYOT (eine Mystifikation?) beruft. GOTTFRIED folgt einer anglonormann. Quelle, der Bearbeitung einer kelt. Sage durch THOMAS VON BRITANNIEN, bewußt eine andere Tradition des Stoffes meidend, die sich in Fragmenten eines dt. 'TRISTRANT' von EILHART VON OBERGE, einem niedersächs. Autor, schon niedergeschlagen hatte und die auch die Versuche ULRICHS VON TÜRHEIM und HEINRICHS VON FREIBERG, den unvollendeten Roman des Straßburgers fortzusetzen, mitbeeinflußt.
Wolfram schreitet im **'Parzival',** einem Epos von fast 25000 Versen in 16 Büchern, den ganzen Horizont innerer und äußerer Erfahrungen der höf. Gesellschaft ab. Bereits die Vorgeschichte, Lebensbeschreibung von Parzivals Vater Gahmuret, bestimmt eine erstaunlich **humane Verarbeitung der Kreuzzugserfahrungen** mit dem Orient: Gahmurets erste Ehe ist eine zunächst unproblemat. Verbindung mit der Heidin Belakane, der Parzivals Halbbruder Feirefiz entstammt. (Die unterstellte Gemeinsamkeit ritterl. Lebensformen und -ideale mit den sonst so grausam bekämpften islam. Orientalen motiviert WOLFRAM noch in seinem späteren Kreuzzugsepos 'WILLEHALM' zur Formulierung einer nach ihm kaum wieder erreichten **Toleranzidee.**) Die Erfahrung mit der tödl. Konsequenz ritterl. Kampfes veranlaßt Gahmurets zweite, christl. Frau, Herzeloyde, das Kind Parzival zunächst von jegl. Berührung mit der Welt seiner ritterl. Herkunft fernzuhalten. Vergeblich! Nur unzureichend in seine wahre Bestimmung eingeweiht mischt sich Parzival in die ritterl. Welt und gerät sogar, mehr zufällig und (im doppelten Wortsinn) hilflos, auf die Gralsburg, wo er die für den kranken Gralskönig erlösende Tat, die Mitleidsfrage, unterläßt. Die Aufnahme am Artushof widerfährt einem Unvollkommenen, den schließlich auch der Fluch der Gralssphäre trifft und zur erneuten Suche nach eigener und fremder Erlösung antreibt. Kontrastierend schildert WOLFRAM die Schicksale des idealen Artusritters Gawan, der in versch. Minneaventiuren eine scheinbar problemlose Daseinserhöhung findet. Die Begegnung Parzivals mit dem Einsiedler Trevrizent, der ihm entscheidende Lehren und schließlich Vergebung seines unwillentl. Vergehens erteilt, deutet jedoch die große **Distanz zwischen Artuswelt und Gralsbestimmung** an. Im Zweikampf der beiden Helden, die sich zunächst nicht erkennen, stoßen die versch. Sphären auch sinnfällig zusammen. Ein Fest am Artushof besiegelt die wiedergewonnene Freundschaft; doch erst nach einem weiteren Zweikampf, der ebenfalls trag. Nichterkennen entspringt und dessen glückl. Ausgang ganz deutlich der Wiederherstellung der durch Gahmurets Ehen ge-

spaltenen Familienidentität dient, kann Parzival seiner Berufung, Gralskönig zu werden, folgen. In diesem Amt ist Königs- und Priesterfunktion vereinigt, eine nach dem Investiturstreit immer ferner rückende Utopie der mittelalterl. Gesellschaft. Das Scheitern aller bisher. Versuche, das "Dingsymbol" Gral konkreter zu bestimmen, verstärkt heute noch die utop. Qualität dieses Epos.
Parzivals Fahrten in die Welt auf der Suche nach dem Gral (Mythos der *queste;* S. 53) werden von Wegweisungen seiner Cousine Sigune begleitet. Die erste Begegnung mit ihr eröffnet ihm seine wahre Abkunft und seinen Namen (seine Mutter hatte ihn immer nur mit Koseworten gerufen). Die zweite Begegnung ereignet sich nach Parzivals unheilvollem ersten Gralsbesuch. Sigune flucht ihm ob seines Versäumnisses. In der dritten Begegnung weist sie ihm den Weg zur Gralsburg, den er aber zunächst noch verfehlt. Gleichsam als sei ihre Mission nach Parzivals endgült. Aufnahme in die Gralswelt erfüllt, findet man sie, am Ende der Erzählung, in ihrer Klause tot auf. Sie wird neben ihrem schon vor Parzivals erstem Auftreten in einem Zweikampf getöteten Minneritter Schionatulander beigesetzt. Aus den Andeutungen Sigunes zu ihrem Schicksal im 'PARZIVAL' hat WOLFRAM noch ein eigenes **Sigunen-Epos** zu gestalten versucht, in dem die Minne und der Tod Schionatulanders im Minnedienst für Sigune erzählt werden sollte. WOLFRAM hat zwei in kunstvoller Strophik gestaltete Bruchstücke hinterlassen, die als 'TITUREL-FRAGMENTE' überliefert sind. (Titurel ist in der Vorgeschichte des Sigunen-Epos der erste Gralskönig; die verwendete Strophenform, später mehrfach nachgeahmt, wird wie die Fragmente nach ihm benannt: "Titurel-Strophe").
WOLFRAM konfrontiert sein Publikum in der Sigunenerzählung des 'PARZIVAL' wie des 'TITUREL' durchaus bewußt mit der Tragik, die sich aus konsequentem Minnedienst ergeben kann. Schionatulander wird auf der Suche nach einem kostbaren Jagdhundgeschirr, dem sog. Brackenseil, getötet. Zu dieser Suche hatte ihn die Liebe zu Sigune veranlaßt, die ihm für die Erringung des Brackenseils die Erfüllung seiner Minne in Aussicht gestellt hatte. Sein Tod führt Sigune die Unverhältnismäßigkeit ihrer Bedingung vor Augen und stürzt sie in lebenslange Trauer. Hierin liegt eine unüberhörbare **Kritik am Liebesideal der höf. Gesellschaft,** gegen das WOLFRAM mehrfach den Preis der Liebesgemeinschaft in der Ehe setzt.

Aus **Gottfrieds 'Tristan'** (rd. 20000 Verse) ist dagegen nur indirekt die Gesellschaftsfeindlichkeit einer konsequent durchlebten Minnebeziehung herauszulesen. GOTTFRIED strebt nicht WOLFRAMS Ausgleich zwischen Diesseits und Jenseits an, verwahrt sich sogar gegen den Anspruch des 'PARZIVAL'-Dichters. Die Bewährung dessen, was er *moraliteit* nennt, sieht er gerade in einer **konsequenten innerweltl. Erfüllung,** die gleichwohl eigene, höchste Ansprüche an den einzelnen stellt, die Reinheit *edeler herzen* erfordert. Nur sie können die Widersprüchlichkeit bestehen, in die die Minne als außerehel. Beziehung Liebende notwendigerweise stürzt. GOTTFRIED führt – für die Beurteilung seiner Position höchst aufschlußreich – gegen WOLFRAM einen bewußt engen Anschluß an eine Quelle ins Feld (die "Erfindungen" WOLFRAMS lehnt er ausdrücklich ab, wie er auch sein strenges Formideal gegen WOLFRAMS eher ausschweifenden Erzählstil setzt).
Am Anfang steht Tristans Dienst für seinen späteren "Liebesgegner" König Marke. In seinem Dienst lernt er Isolde kennen, die er sogar als Braut für ihn wirbt. Ein versehentlich genossener Liebestrank verbindet ihn mit Isolde jedoch auf zwanghafte Weise und läßt die Liebenden nach der Eheschließung zwischen Marke und Isolde zu einer Reihe von Listen greifen, damit sie dieser Verbindung weiter leben können. Die Verbannung vom Hof, das Schlimmste, was einem Ritter hätte widerfahren können, führt sie jedoch keineswegs ins Elend, sondern in dem aus der gesellschaftl. Wirklichkeit mystisch ausgegrenzten Raum einer Minnegrotte zu höchster Vollendung ihrer Liebe.
Eine Täuschung Markes bewirkt ihre Rückkehr an den Hof, wo ihre heiml. Liebe jedoch bald endgültig offenbar wird und zu erneuter, nun wohl letzter Trennung führt. Bei dem von GOTTFRIED nicht mehr ausgeführten Schluß des Epos bleibt es der Spekulation überlassen zu deuten, welchen Sinn und welches Ziel eine neue Liebe Tristans zu einer anderen Isolde, Isolde Weißhand, haben sollte. Eine Antwort versuchten die Fortsetzer, die sich aber weit von GOTTFRIEDS Werk entfernten und sich zudem einer von ihm gemiedenen Tradition des Stoffes anschlossen (s.o.).
Im Verzicht GOTTFRIEDS auf einen harmon. Ausgleich der Widersprüche in der hochmittelalterl. Gesellschaft deutet sich eine **bürgerlich orientierte Abkehr vom höf. Weltbild** an, die über der teilweise engen Anlehnung an Themen, Motive und Formen der höf. Literatur nicht unterschätzt werden darf.
Daß sowohl WOLFRAMS 'PARZIVAL' wie auch GOTTFRIEDS 'TRISTAN' in der jüngsten Neuzeit wieder bes. Zuwendung erfahren haben (am prominentesten bei R. WAGNER, vgl. S. 215, der 'PARZIVAL' aber auch in einer spektakulären Verfilmung, von H. J. SYBERBERG 1982, und in der literar. Adaption durch D. KÜHN 1986), läßt sich auf eine durchaus vergleichbare **Mythosnähe des MAs wie der Gegenwart** zurückführen, die auch ein bedenkl. Defizit verrät, der Realität rationaler zu begegnen.

"Minne"

Die Idee einer "höf. Liebe", genannt Minne, die in der dt. Epik schon sehr früh auch grundsätzlich in Frage gestellt oder zumindest mit einem Ideal ehel. Liebe konfrontiert wird, hält sich in der Lyrik, im Minnesang, weit über diese Problematisierungen hinaus, ja läßt sich sogar noch in bürgerl. Nachahmungen des Spätmittelalters wiederentdekken. Daraus läßt sich ableiten, daß es sich hierbei nicht um Erlebnislyrik im neuzeitl. Sinne, sondern nicht unwesentlich um eine **literar. Konvention** handelt.

Kern des höf. Minneideals ist eine Geschlechterbeziehung, in der die Annäherung des Mannes an die Frau wenn überhaupt, dann nur auf höchst mühevollem Wege möglich ist. Sehr häufig wird eine **Distanz zwischen Mann und Frau** vorgeführt, die durch einen gesellschaftl. Abstand zwischen hochgestellter Dame und sozial tieferstehendem Liebeswerber bedingt ist. Das hat die These gefördert, diese Liebeslyrik sei eine verhüllte Selbstdarstellung der sozialen Schicht, die im 12. Jh. tatsächlich um Anerkennung bei Höhergestellten werben muß: der Ministerialität.

Gegen diese Erklärung als zentrale Deutung des Phänomens Minnesang ist zweierlei einzuwenden: Zum einen kennen wir den sozialen Status der meisten Minnesänger nicht (die Behauptung, die meisten seien Ministerialen gewesen, ist auch durch Wiederholung nicht beweisbar!). Zum anderen befinden sich unter den genauer zu identifizierenden Dichtern schon sehr früh Angehörige des Hochadels und längst erfolgreiche "Aufsteiger" aus der Ministerialenschicht. Beide Gruppen hatten es nicht nötig, noch um soziale Anerkennung zu buhlen.

Die soziale Distanz zwischen Mann und Frau im Minnesang ist also nicht selten eine reine Fiktion, die indes einem anderen Gedanken dient, der eine über die Literatur hinausreichende Bedeutung hat. Der adlige Mann, jahrhundertelang zu krieger. Denken und Handeln erzogen, soll sich um der Erfüllung seines Liebesverlangens willen sittlich vervollkommnen. Die Attraktion des Ziels, eines Minne"lohns", wäre aber kaum allgemein in der Ehe gesehen worden, in der eine rechtlich sanktionierte Unterordnung der Frau unter den Mann galt. Die Erhörung durch eine der einfachen Verfügung entzogene Frau (stehe sie nun sozial höher oder sei sie gar – wie oft angedeutet – bereits mit einem anderen verheiratet) übte dagegen die Faszination aus, für die man auch Unmögliches zu leisten bereit war. Das öffentl. Ansingen einer solchen Frau, wie es für die höf. Übung des Minnesangs wesentlich war, stellt sich mithin auch als reizvolles Spiel dar, von dem gleichwohl noch reale **erzieher. Wirkungen** ausgingen, weil die Dichter auch im Rahmen der Fiktion heiml. Liebesverhältnisse in der Entdeckung und Benennung seel. Dimensionen der Selbstverwirklichung wetteiferten. Die Sublimierung sexuellen Verlangens kommt bereits in der Bezeichnung der dabei gefeierten Liebe als "Minne" zum Ausdruck. Minne ist zuvörderst eine gedankl. Tat (vgl. das urverwandte lat. Wort *me-mini* 'gedenken, sich erinnern').

Dies läßt nicht auf eine totale Realitätsferne des Minnesangs schließen. Die Minneverhältnisse werden häufig in der **Terminologie des Lehnsrechts** gefaßt. Die Überordnung der Frau als Herrin (mhd. *frouwe*) ergab sich aus der fakt. Stellung vieler adliger Damen als Erzieherinnen des höf. Nachwuchses, der Pagen und Knappen, die auch nach der Aufnahme in die ritterl. Genossenschaft eine Anhänglichkeit an ihre vormal. Herrin bewahren mochten. (H. BRACKERT deutet dagegen die Unterwerfung des Mannes als "masochist." Triebunterdrückung, mit der auch die seelisch als überlegen und bedrohlich empfundene Frau bestraft werden sollte!) Die häufige, oft kriegsbedingte Abwesenheit adliger Herren verlieh ihren Gemahlinnen nicht selten die tatsächl. Gewalt über den gesamten Hofstaat. Die Möglichkeit weibl. Regentschaft für minderjähr. Thronfolger läßt die jurist. Minderwertigkeit (adliger) Frauen im MA insges. differenzierter sehen. Das Lehnsrecht erlaubte zudem die Vorstellung unterschiedl. und paralleler Abhängigkeitsverhältnisse (einschl. der Aufkündigung einer Gefolgschaft!). Wenn dabei durch den Minnesang eine seel. Vertiefung von zunächst juristisch instrumentellen Vorstellungen von Treue (mhd. *triuwe,* verwandt mit got. *triggwa* 'Vertrag') und Beständigkeit *(staete)* erreicht wurde, so konnte dies durchaus auch der Geltung dieser Begriffe in den oft labilen sozialen und polit. Beziehungen der nach dem Lehnsrecht organisierten ("feudalen") Gesellschaft zugutekommen.

Wie reale Verhältnisse an den Höfen den Hintergrund für diese "Gesellschaftskunst" abgaben, so sind selbstverständlich auch **persönl. Erfahrungen** als Motive einzelner Dichter nicht auszuschließen. Der persönl. Ton, der die besten Minnelieder auszeichnet, ist jedenfalls nicht nur aus sozial motivierten Fiktionen zu erklären. Die Gemeinsamkeit zwischen Dichtern und ihrem Publikum in der Sprache dieser Lyrik wurzelt indes in einem Gemeinschaftserleben, dessen Ritualisierung auch "freieste" Äußerungen erlaubte und in diesen Anfängen der **erot. Kultivierung einer Elite,** zumindest im Reich der Vorstellung, Befreiung aus einer allzu engen Auffassung der Sexualität bot, die die Jahrhunderte zuvor beherrscht hatte.

Der gleichzeit. Preis ehel. Liebe (etwa bei WOLFRAM) ist sicher auch schon der Versuch einer Übertragung der neuen erot. Kultur auf diesen mehr als vernachlässigten Bereich zwischenmenschl. Beziehungen.

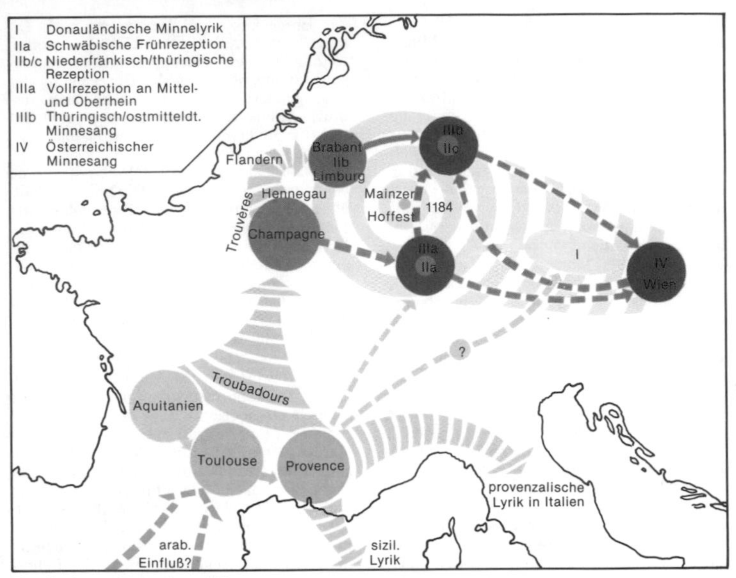

Troubadours, Trouvères, Minnesänger

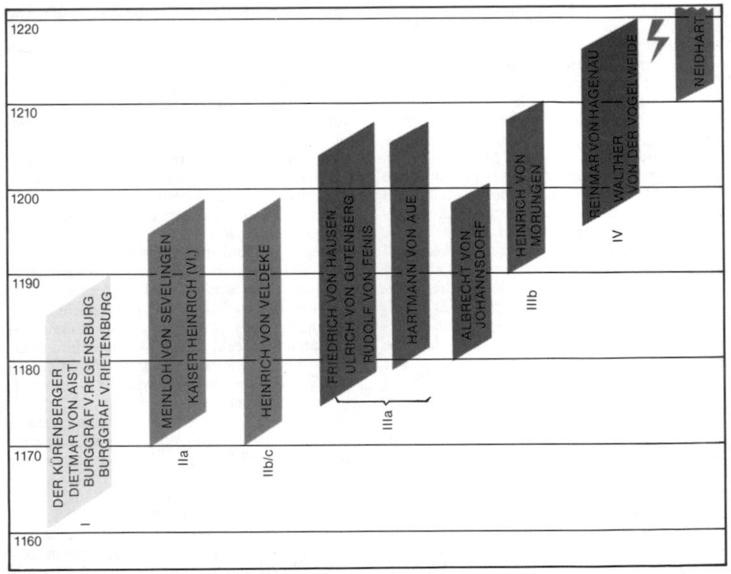

Wichtige Gestalten des früh- und hochhöfischen Minnesangs

Histor. Entfaltung des Minnesangs
Der dt. Minnesang ist ohne den Vorgang einer höf. Liebeslyrik in Frankreich kaum denkbar. Bereits an das erste Auftreten einer **Troubadourlyrik** im Süden sind demnach die Fragen nach den kultur- und sozialgeschichtl. Bedingungen zu stellen, die häufig erst an das dt. Phänomen gestellt werden. Welche Rolle spielt die **arab. Liebeslyrik** (die auch über Kreuzzugserfahrungen den Deutschen bekannt geworden sein kann)? Woher stammt die sozialgeschichtlich überraschend hohe **Stellung der Frau,** die in den meisten Gedichten der hochmittelalterl. europ. Liebeslyrik unterstellt wird? Welche Bedeutung kommt in diesem Zusammenhang der zeitgenöss. **Marienverehrung** zu? Wie hoch ist der **Anteil antiker Bildung,** die sich über Kleriker in ganz Europa ausbreitet und in mittellat. Sprache u. a. die Vagantenlyrik (vgl. S. 49) hervorbringt? Hat die höf. Liebeslyrik **volkstüml. Wurzeln?** Auf all diese Fragen gibt es noch keine endgült. Antworten. Eine monokausale Erklärung, etwa ausschließlich aus sozialgeschichtl. Gründen, scheidet gewiß aus.
Sicher ist indes, daß die Troubadourlyrik von Anfang an eine **höf. Literatur** ist, ausgehend von Aquitanien, das in WILHELM VON POITOU (1071–1127) schon anfänglich einen hochadligen Dichter aufweist. Es beteiligen sich in der Folge Dichter der Grafschaft Toulouse und der Provence, die sogar zum Synonym für diese Lyrik wird. Von hier aus wird nicht nur der Norden Frankreichs (hier heißen die Liebesdichter **Trouvères**) beeinflußt, sondern es gehen Anregungen auch nach Italien und Sizilien. Inwieweit auch der frühe donauländ. Minnesang von hier angeregt wird, läßt sich wohl nie ganz aufhellen. Entscheidender für die dt. Entwicklung ist die **Rezeption der frz. Vorbilder** über die nördl. Regionen der Champagne, dann aber auch des Hennegaus, Flanderns und Brabants, die im 12. Jh. eine Drehscheibe höf. Kultur überhaupt sind. Wichtig für die spätere (nicht, wie bisher angenommen, für die frühe) dt. Minnetheorie wird Ende des 12. Jhs. die lat. Systematisierung von Äußerungen zur höf. Liebe 'DE AMORE' des Capellanus am Pariser Hof ANDREAS. Vom Norden beeinflußt ist wohl die schwäb. Frührezeption, in den Minneliedern MEINLOHS und KAISER HEINRICHS faßbar, vor allem aber die **niederfränk. Rezeption,** deren wichtigster Träger HEINRICH VON VELDEKE aus der Provinz Limburg/Maas ist. Bei ihm stoßen wir denn auch noch auf wie selbstverständlich in niederfränk. Sprache gedichtete Lieder (z. B. *Het is gûde nouwe mâre / dat die vogele openbâre / singen dâ men blûmen sit*). Niederländ. Ursprung verraten noch lange nach der hochdt. Transformation der höf. Kulturanregungen eine Reihe von Schlüsselwörtern wie *Ritter* (das aus *riddere* und nicht aus mhd. *rîter* → *Reiter* entstanden ist), *Wapen* (*wâpen* – hochdt. *Waffen*), *dörper*/*Tölpel* (hochdt. *Dörfler*) usw. Eine hochdt. Umformung erscheint jedoch bald so zwingend, daß sich derselbe VELDEKE am Thüringerhof sogar genötigt sieht, sein großes AENEAS-Epos 'ENEIT' aus seiner niederfränk. Muttersprache zu übersetzen.
In diesen Rezeptionsstufen zeigt sich das in Grundzügen schon dargestellte Minneideal (s. o.) bereits voll entwickelt. Insofern fällt es schwer zu erklären, in welchem Zusammenhang damit die **früheste dt. Minnelyrik an der bayer.-österr. Donau** steht, in der ein Dichter wie der KÜRENBERGER Frauen ihre Liebeswünsche noch unverhüllt aussprechen läßt (Rollengedichte, sog. Frauenstrophen).
Allerdings wird auch erst in einer dritten Stufe der **Entwicklung an Mittel- und Oberrhein** sowie am **Hof des Landgrafen von Thüringen** sowie des **Markgrafen von Meißen** das frz. Vorbild voll rezipiert. Es ist schwierig, den Höfen über einige wenige Vertreter hinaus feste Namen zuzuordnen, da sich der kulturelle Austausch ganz konkret auch durch die Wanderung der Künstler von Residenz zu Residenz, aber auch durch den noch häufigen Ortswechsel manchen Hofstaats vollzog. So sind FRIEDRICH VON HAUSEN, ULRICH VON GUTENBERG und RUDOLF VON FENIS nur ungefähr dem mittel- und oberrhein. Minnesang zuzuzählen, ein Mann wie HARTMANN VON AUE, vorwiegend Epiker, wird ohnehin nur in lockerem Kontakt zu diesem Kreis gestanden haben. ALBRECHT VON JOHANNSDORF gehört trotz zeitl. Nähe als Ministeriale des Bischofs von Passau nicht dazu. Hingegen sehen wir HEINRICH VON MORUNGEN, den ersten mitteldt. Minnesänger, urkundlich in angesehener Stellung am Meißner Hof. Ein wichtiges Datum polit. und kultureller Kontakte zwischen den Regionen des Reiches ist das **Mainzer Hoffest** BARBAROSSAS 1184, von dem nachweislich starke Impulse auch auf die Dichtung der Zeit ausgehen.
HARTMANNS Sonderstellung macht sich auch in seiner Lyrik selbst bemerkbar, da er in seinem sog. Unmutslied zum erstenmal in dt. Tradition die Möglichkeit der Dienstaufkündigung gegenüber einer allzu hartherz. Dame ausspricht und eine mögl. Zuwendung zu sozial niedriger stehenden Frauen andeutet (*wand ich mac baz vertrîben / die zît mit armen wîben*). Hier klingt erstmalig das **Motiv einer "niederen Minne"** an, das fortan als Kontrast zur übersteigerten Innerlichkeit einer unerfüllbaren "hohen Minne" immer wieder, am deutlichsten bei WALTHER VON DER VOGELWEIDE, ins Spiel gebracht wird.
Noch davor aber liegt WALTHERS Lehrzeit am **Wiener Hof** der Babenberger, deren Meister REINMAR VON HAGENAU ist. Durch REINMAR erreicht der dt. Minnesang einen Gipfel der **Spiritualisierung,** auf dem sich WALTHERS Temperament jedoch kaum lange aufzuhalten vermag. Seine Differenz zu

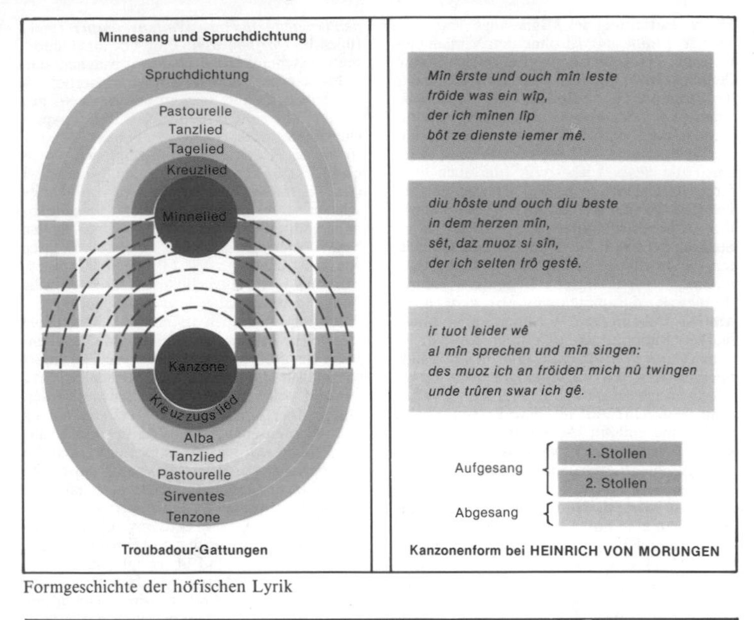

Formgeschichte der höfischen Lyrik

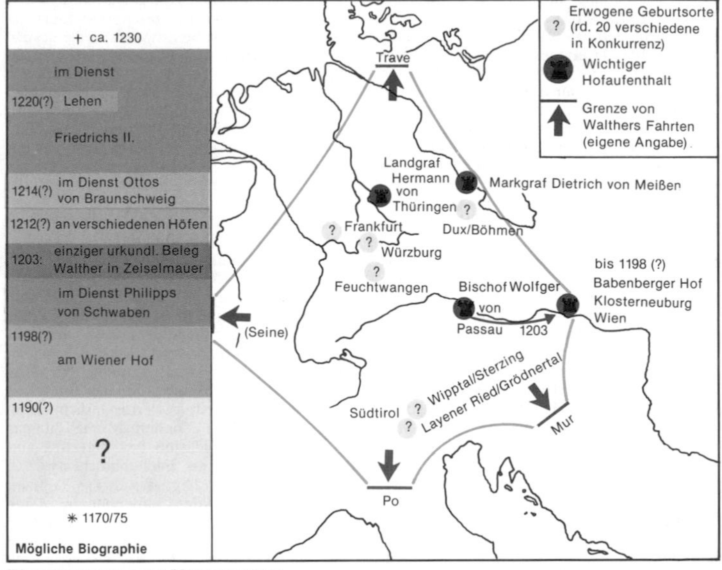

Walther von der Vogelweide

REINMAR und das Verlassen Wiens wurden oft als "Dichterfehde" mißdeutet. Tatsächlich beginnt er ein durch polit. Engagement mitgeprägtes Wanderleben. Trotz neuer Klänge bedeutet das noch keine grundsätzliche Wende für den dt. Minnesang. Gegen NEIDHART VON REUENTAL und dessen gewollt "bäuerische" Töne verteidigt er sogar die Tradition. Erst NEIDHART führt in der stereotypen Konstellation von höf. Liebhaber und **bäuerl. Gegenwelt** den erzieher. Aspekt der Minne ad absurdum. Danach sind zwar noch unendlich viele Variationen des traditionellen Minnegedankens möglich (die meisten überlieferten Minnesänger sind jünger als WALTHER oder NEIDHART!), der Einbruch in die Tradition läßt sich jedoch nicht mehr rückgängig machen.

Zur Formgeschichte der höf. Lyrik

Im Zentrum der provenzal./frz. Vorbildlyrik steht die **Kanzone,** eine Liedform mit dreiteil. Aufbau, die in Deutschland bald in alle Gattungen des Minnesangs eindringt. Auch in der themat. Differenzierung folgen die dt. Dichter weitgehend der Praxis der Troubadours, wobei sich aber der in der Provence nur geringe Abstand zwischen den eigentl. Liebesliedern und Gedichten persönl. oder polit. Inhalts, den Sirventes, sowie Streitgedichten, den Tenzones, in Deutschland zu einer grundsätzlicheren **Unterscheidung zwischen Minnesang und Spruchdichtung** entwickelt. Lediglich im dt. **Kreuzlied** bleibt eine Synthese möglich zwischen Liebesthema und zeitgenöss. Kreuzzugserfahrung. Sie ist nicht selten auf das Motiv kreuzzugsbedingter Trennung der Liebenden beschränkt, kann sich aber auch in einer trag. Alternative zwischen Frauen- und Gottesminne äußern.
Verhältnismäßig spät findet die **Pastourelle** häufigere Beachtung bei den Minnesängern, hier – wie in WALTHERS 'UNDER DER LINDEN' – durchaus auch schon als Anzeichen einer Abwendung von höf. Konvention. Ähnliches gilt für das **Tanzlied,** das erst bei NEIDHART zu voller Entfaltung gelangt. (Diese "Verspätungen" wie die Beobachtung, daß selbst einfache Naturbilder im frühen Minnesang literar. Parallelen in der Vagantendichtung haben, raten zur Vorsicht vor einer Überschätzung volkstüml. Wurzeln des Minnesangs.)
Die unverhüllte Darstellung erfüllter Liebe im **Tagelied,** das wie die provenzal. *Alba* (oder nordfrz. *Aube*) den Abschied nach heimlich verbrachter Liebesnacht zum Thema macht, gemahnt gerade in ihrer reichen dt. Tradition an die erot. Basis der höf. Liebestheorie, die sich trotz aller Spiritualisierung nicht auf die Unerfüllbarkeit der Minne reduzieren läßt.
Seltener als das Lied mit gleichförm. Strophenbau ist der **Minneleich,** der für seinen – aus der kirchl. Sequenz entwickelten – ungleichmäß. Strophenbau eine durchkomponierte Melodie erforderte.
Neben dem einfachen Wechsel zwischen Hebung und Senkung in einem Takt (alternierender Rhythmus), *Daz béste dáz ie mán gespräch* (REINMAR), werden in höf. Zeit gelegentlich auch Daktylen verwendet, d.s. Takte mit drei rhythm. Einheiten, dem Dreivierteltakt vergleichbar:
Líp unde sínne die gáp ich für eígen.
(RUDOLF VON FENIS).

Walther von der Vogelweide

Endpunkt des seiner selbst gewissen Minnesangs und erster Höhepunkt der Spruchdichtung ist WALTHER VON DER VOGELWEIDE, von dessen Leben nur ein Datum unumstritten ist: Am 12. November 1203 hat laut Reiseabrechnung Bischof WOLFGER VON PASSAU bei Zeiselmauer/Donau (oberh. Wiens) 5 Schillinge für einen Pelzmantel zugunsten WALTHERS ausgegeben. Geburts- und Todesjahr sind unbekannt. An die zwanzig Orte in versch. Landschaften des deutschsprach. Raums streiten sich um WALTHERS Herkunft. Sicher ist, daß er am Wiener Hof unter REINMAR das Dichten gelernt hat. Sicher ist auch, daß er unter versch. Herren (mit "diplomat. Aufträgen"?) weit herumgekommen ist. Von WALTHERS Differenzen zu REINMAR und NEIDHART war schon die Rede. Hier sei nur noch auf seine **polit. Dichtung** eingegangen, die zu sehr widersprüchl. Urteilen über ihn geführt hat. Sein Schicksal war es, daß er in der Zeit der schärfsten polit. Wirren nach der verhängnisvollen Doppelwahl von 1198 dichterisch selbständig wurde.
Er fühlte sich berufen, Stellung zu nehmen und Partei zu ergreifen zum allgem. Besten des Reiches, das ihm noch der Inbegriff gottgewollter Ordnung war. Doch wie sehr wich dessen Zustand schon von primitivsten Vorstellungen natürl. Zusammenlebens ab! WALTHER klagt darüber in einem seiner rd. hundert Sprüche. Im Streit zwischen PHILIPP und OTTO schlägt er sich wie selbstverständlich auf die Seite des Staufers, denn PHILIPP war im Besitz der Reichsinsignien, der für das MA untrügl. Abzeichen legitimer Macht. Als PHILIPP 1208 in einer Privatfehde getötet wurde, konnte der bis dahin auch von WALTHER in Sprüchen heftig bekämpfte welf. Konkurrent OTTO der Unterstützung des "legalistisch" denkenden Spruchdichters sicher sein; denn mit seiner Krönung 1209 war der Welfe unumstrittener Inhaber des höchsten Reichsamtes. *Hêr keiser, sît ir willekomen!* – so dichtet WALTHER mit gleichem Engagement wie zuvor für PHILIPP nun für OTTO und gegen dessen Feinde, darunter den Papst INNOZENZ. Der zweite Parteiwechsel, von dem glücklosen OTTO zu dem Staufer FRIEDRICH II., dagegen geht wohl auf weniger selbstlose Motive zurück. Nicht zu unterschätzen sind wohl auch polit. Positionen, die WALTHERS je-

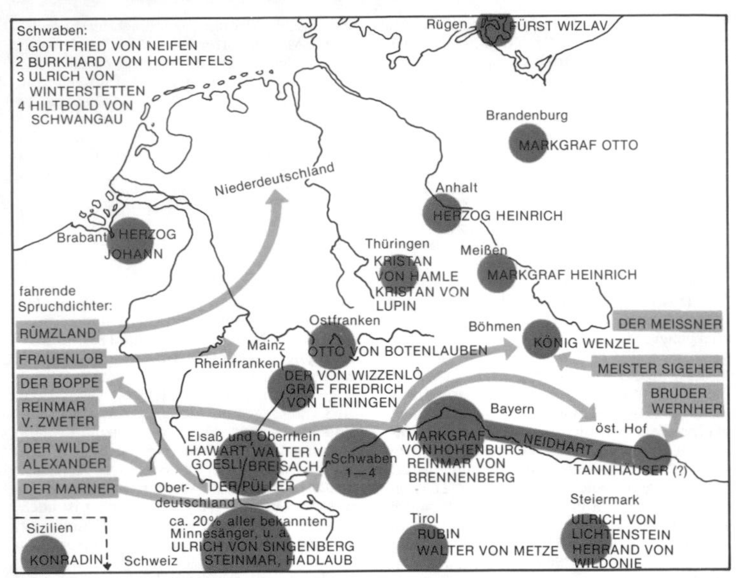

Regionen des späten Minnesangs

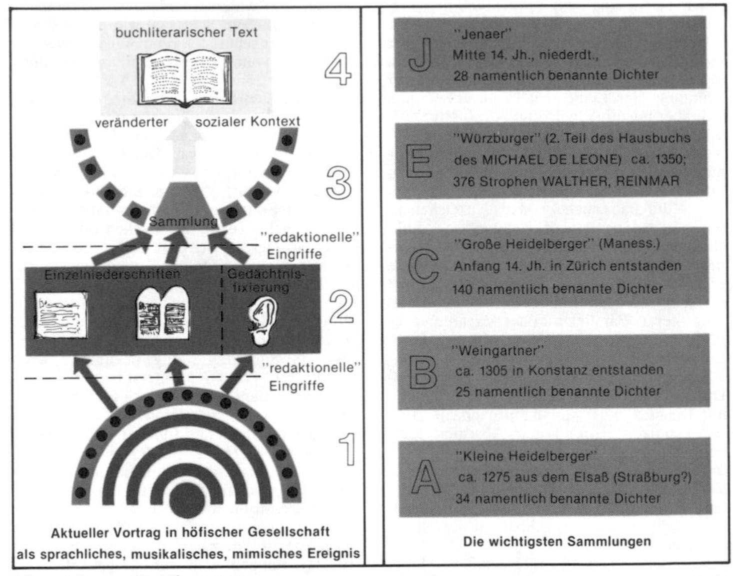

Literarisierung des Minnesangs

weilige Dienstherren in der polit. Auseinandersetzung einnahmen. Am glücklichsten zeigt er sich, als Kaiser FRIEDRICH (um 1220) ihm ein Lehen verschafft. Für WALTHER als "Berufsdichter ohne festen Wohnsitz" (WAPNEWSKI) war die Politik, bei allem Idealismus, für die Menschen und nicht die Menschen für die Politik geschaffen.

Minnesang und Spruchdichtung im 13. Jh.

Die Darstellung von Regionen des Minnesangs im 13. Jh. leidet trotz starker Beschränkung in der Nennung einzelner Vertreter nicht an einer Verzeichnung der Verhältnisse, da tatsächlich **Oberdeutschland ein großes Übergewicht** in der Versammlung von Minnesängern besaß. Allein rd. 20% aller bekannten Autorennamen stammen aus der damals noch zum Deutschen Reich zählenden Schweiz. Dieses Bild ist sicher auch vom Lokalpatriotismus Schweizer Sammler beeinflußt, doch tritt das nördl. Deutschland auch in den übrigen Gattungen nicht viel stärker hervor. Charakteristisch für die nördl. Territorien ist der hochadlige Status ihrer bedeutenderen Vertreter (Rügen, Brandenburg, Anhalt, Meißen, Brabant). Aber auch in den übrigen Landschaften ist **hoher und höchster Adel** vertreten (etwa der letzte Staufersproß KONRADIN, der 1267 von Bayern aus in den Tod nach Sizilien zieht, oder KÖNIG WENZEL VON BÖHMEN). Von großem Einfluß auf jüngere Autoren werden NEIDHART VON REUENTAL (s.o.) und ULRICH VON LICHTENSTEIN, Truchseß und Landesrichter der Steiermark (gest. um 1276), der neben seiner Lyrik auch eine Art gereimter Autobiographie, den 'FRAUENDIENST', verfaßt. Ob der Spruchdichter SÜSSKIND VON TRIMBERG tatsächlich der erste dt.-jüd. Autor war (wie ein Hs.-Eintrag nahelegt), ist weiterhin umstritten.

Eine um 1200 einsetzende Rezeption neuerer Rhetoriken aus Frankreich bestimmt nachweislich den Stil insbes. der hier genannten schwab. Minnesänger (NEIFEN, HOHENFELS usw.), wie überhaupt **rhetor. Anregungen** an der Wiege des sog. geblümten Stils und seiner überreich schmuckvollen Sprache stehen, die Minnesang und Spruchdichtung, aber auch die ep. Kunst des 13. Jhs. prägen.

Die bedeutendsten Spruchdichter dieses Jahrhunderts sind wie WALTHER VON DER VOGELWEIDE **fahrende Sänger.** Ihre polit. Kritik und allgemeiner gehaltenen Zeitklagen werden um so verzweifelter und bissiger, je verworrener die Lage des Reiches durch den Niedergang der Staufer und das Interregnum wird. Ein ep. Gedicht aus der 2. Hälfte des Jahrhunderts schildert in idealisierender Form einen fiktiven 'SÄNGERKRIEG AUF DER WARTBURG', der in dieser Zeit realiter kaum mehr möglich gewesen wäre.

Die Literarisierung des Minnesangs

Minnesang ist Literatur, seine Formenkultur setzt schriftliterar. Praxis voraus, seine Verbreitung wäre ohne schriftl. Fixierungen nicht möglich gewesen (er wäre sonst nach Art der Volkslieder "zersungen" worden). Dennoch ist diese Literatur wesentlich durch den aktuellen **Vortrag vor einem höf. Publikum** als gleichsam "multimediales" Ereignis bestimmt, bestehend aus Sprache, Musik und mim. Darstellung. Aus Mehrfachüberlieferungen geht klar hervor, daß der Vortragende nicht an kanonisch feste Strophenfolgen gebunden war, er konnte jeweils neu entscheiden, ob und wie er Strophen miteinander kombinierte. Mhd. *liet* (→nhd. *Lied*) bedeutet zunächst nur 'Strophe'. "Redaktionelle" Flexibilität anstelle einer (erst neuzeitlich mögl.) Vorstellung von authent. Werkeinheit prägt wohl schon die Produktion der Dichter.

Es bedeutet daher einen tiefen Einschnitt in die Tradition, als die Minnelieder von der Mitte des 13. Jhs. an in großen **Sammlungen** "schwarz auf weiß" fixiert werden. Auch hier spielen redaktionelle Eingriffe eine bedeutsame Rolle. So werden etwa in einigen Handschriften die Lieder nach dem sozialen Rang ihrer Autoren angeordnet: KAISER HEINRICH an der Spitze, danach in absteigender Linie die niedrigeren Ränge der Gesellschaftsordnung. Dahinter steht aber schon der **Zerfall der stauf. Hofkultur.** Andere soziale Schichten, voran das **städt. Patriziat,** tragen nun die Überlieferung, an die Stelle des Vortrags tritt die Lektüre buchfixierter Texte, die musikal. Form wird zweitrangig, in den meisten Sammlungen wird sie gar nicht mehr mitnotiert. Ein neuer Repräsentationswille äußert sich in kostbaren Illustrationen. Minnesang wird zum primär oder ausschließlich (schrift-) sprachl. Kunstwerk, Grundlage für die neuzeitl. Minnesangphilologie, die lange Zeit über diese Reduzierung des ursprünglich komplexeren Phänomens kaum nachgedacht hat.

Neuzeitliche Rezeptionsversuche

Insbes. der Minnesang hat in der jüngeren Neuzeit zahlreiche Versuche einer Neubelebung auf sich gelenkt, mit teilweise kühnsten Rekonstruktionen des urspr. "multimedialen" Zusammenhangs. Oft sagen solche Versuche mehr über moderne Wunschvorstellungen aus als über das historisch Gesicherte. Insgesamt taugt das hohe MA mit seiner grundsätzl. Endzeitstimmung wenig für den aktuell immer stärker werdenden Wunsch, in ihm eine unverbrauchte Wurzel der Gegenwart, gar deren "Jugend" zu entdecken.

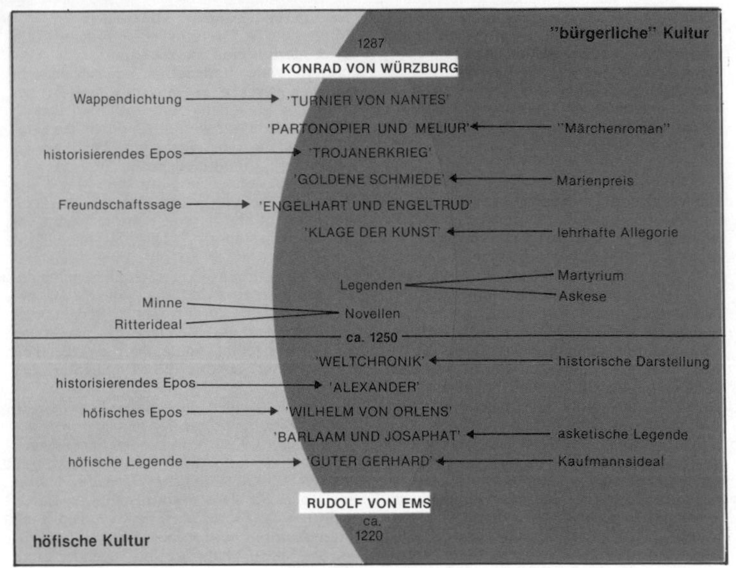

Dichtung zwischen höfischer und "bürgerlicher" Kultur

Jugend und Kämpfe mit mythischen Wesen	Exil (am Hunnenhof)	Eroberung Ravennas	
	15.—17. Jh. (Balladen) ▬ ▬ 'JÜNG. HILDEBRANDSLIED'		
14. Jh. ▬ 'DER WUNDERER' ●● 'WALBERAN'			
nach 1260 ▬ 'VIRGINAL' ▬ 'ECKENLIED' nach 1250 ▬ 'GROSSER ROSENGARTEN' ca. 1250 ●● 'LAURIN' ▬ 'SIGENOT'	ca. 1250 ●● 'BITEROLF' ▬ 'ALPHARTS TOD'	ca. 1280 ●● 'DIETRICHS FLUCHT' ca. 1268 ▬ 'RABENSCHLACHT' (Raben = Ravenna)	ca. 1250 (altnord.) 'THIDREKSSAGA'
vor 1230 ▬ 'GOLDEMAR' ca. 1225 ▬ 'ORNIT' und ▬ 'WOLFDIETRICH'	vor 1250 ●● 'DIETRICH UND WENEZLAN'		"Lebensroman Dietrichs von Bern"
10./11. Jh. altengl. 'WALDERE'	6.—9. Jh. (Stabreimgedicht) 'HILDEBRANDSLIED' ca. 700 (altengl.) 'DEOR' 6. Jh. (altengl.) 'WIDSITH'		

▬ strophisches Epos
●● Reimpaarepos

Berührung mit
Nibelungensage
Ermanrichsage

Thematische Entfaltung der Dietrich-Epik

Dichtung zwischen höf. und "bürgerl." Kultur

Auf wie schmaler Basis in sozialer und polit. Hinsicht die "stauf. Klassik" der dt. Literatur entstand, wird schon daran erkennbar, wie schnell in allen Gattungen **neue, unhöf. und sogar antihöf. Töne** hörbar wurden und wie schnell die **Regionalsprachen** das dialektfreie ritterlich-höf. Mittelhochdeutsch wieder verdrängten. Sobald ein Dichter herkunfts- oder publikumsbedingt diese schmale Basis verläßt, wird der große "Rest" sozialer Wirklichkeit der Zeit sichtbar.

Bei deren Bestimmung in der Literatur ist allerdings zweierlei zu beachten:

Zum einen fühlen sich auch nichthöf. Autoren durchaus in eine von der höf. Literatur begründete Tradition eingebunden; nur selten artikulieren sie ein eigenes Selbstbewußtsein. Das hat ihnen die abfällige Wertung als "Epigonen" eingetragen, worin eine unangemessene Einschätzung mittelalterl. Traditionsdenkens zum Ausdruck kommt, das "naiver", darum aber auch kreativer war, als es neuzeitl. Vorstellungen zulassen möchten.

Zum andern ist auch aus sozialpsycholog. Gründen eine scharfe **Abgrenzung zwischen adliger und nichtadliger Literatur kaum möglich,** da das aufkommende Bürgertum – wie so häufig bei aufsteigenden Gruppen und Schichten – sein Selbstbewußtsein zunächst in Formen artikulierte, die den Lebensäußerungen der höheren, sozial anerkannten Schicht entlehnt waren.

Hinzu kommen auch Vagheiten, die durch Veränderungen im Selbstbewußtsein einer Schicht bedingt sind. So sind relig. Strömungen sowohl im Adel wie im Bürgertum des 13. Jhs. für themat. Verschiebungen in der Literatur mitverantwortlich (vgl. die Ausführungen zur myst. Literatur S. 77). Die Gegenüberstellung von höf. und "bürgerl." Kultur kann somit nur Kernbereiche der Entwicklung bezeichnen, die erst sehr viel später antagonist. Züge annimmt.

Natürlich ist etwa der 'GUTE GERHARD' des Ministerialen RUDOLF VON EMS (gest. 1250/54) als Preisgedicht auf einen "königl. Kaufmann" erst durch den Aufstieg großer Handelsherren denkbar, und trotzdem wird darin auch nicht im mindesten die soziale Hierarchie der Stauferzeit bewußt in Frage gestellt. Natürlich schreibt KONRAD VON WÜRZBURG (gest. 1287), selbst bürgerl. Herkunft, vorwiegend für großbürgerl. Kreise Basels und für die höhere Geistlichkeit Basels und Straßburgs, und trotzdem wird sein Werk wesentlich von den Themen und Formen höf. Kultur geprägt, in denen auch seine Leser und Hörer sich selbst zu erkennen suchten.

Beide Epiker sollen hier nicht als die "größten Epigonen" des 13. Jhs., sondern als die bedeutendsten Vermittler zwischen höf. und einer sich ihrer selbst erst gewiß werdenden städt. Kultur exemplarisch für vieles genannt werden, was sich im 13. Jh. zwischen Höfen und Städten literarisch ereignet.

Jüngere Heldenepik

Als Akt einer "Literarisierung" wie die des Minnesangs muß auch die Produktion weiterer Heldenepik im 13. Jh. angesehen werden, weil die Themen und Stoffe auch der nun aufs Pergament gelangenden Epen schon **lange mündlich tradiert** wurden, wie schon in früheren Jahrhunderten verschriftlichte Erzählausschnitte und histor. Notizen beweisen. Nach dem 'NIBELUNGENLIED' (S. 55) entsteht 1230/40 unter deutl. Einfluß dieses Texts in Österreich das stroph. Buchepos der 'KUDRUN'. Auch die erhaltenen Fragmente des stroph. 'WALTHERLIEDES' sind ohne den Vorgang der Dichtung des 'NIBELUNGENLIEDES' kaum denkbar.

Der schriftliterarisch produktivste Sagenkreis aber ist der um **Dietrich von Bern,** d.i. THEODERICH (D. GR.) von Verona. Andeutungen auf seine heroischen Schicksale finden sich schon in frühen altengl. Gedichten. Auch das 'HILDEBRANDSLIED' (S. 27ff.) als Erzählung von einem Gefolgsmann Dietrichs muß diesem Kreis zugerechnet werden. Die extremen Umformungen, denen ein mündlich tradierter Stoff unterworfen sein konnte, belegen die Balladenfassungen der Hildebrandsgeschichte im 15.–17. Jh. Auch Texte dieser heroischen Tradition zeigen Einflüsse des 'NIBELUNGENLIEDES', so der 'GROSSE ROSENGARTEN' oder der 'BITEROLF'. Aber auch die am 'NIBELUNGENLIED' bereits bemerkte höf. Stilisierung der heroischen Stoffe (s. S. 55) kennzeichnet einen großen Teil der jüngeren Dietrich-Epen. Beispielhaft sei hier 'ALPHARTS TOD' genannt. Auch zeigt dieses Epos noch Beziehungen zu einer in Deutschland nur noch durch ein niederdt. Gedicht belegten weiteren Sage, der von Ermanarich, der gegen Dietrich von Bern kämpfen muß. Der niederdt. Beleg ist das Lied von 'KONINC ERMENRÎCES DÔT' (um 1560).

So wertvoll uns heute die Aufzeichnungen vormals nur mündlich umlaufender Erzählstoffe auch sind, so sehr hat das im 13. Jh. wachsende Vertrauen in das schriftlich Fixierte den Lebensnerv der Erzähltradition getroffen. Redaktionelle Eingriffe zugunsten eines übergreifenden, nur buchliterarisch mögl. Zusammenhangs werden sichtbar, so wenn der 'SIGENOT' zur Einleitung des 'ECKENLIEDES' stilisiert oder wenn der 'WALBERAN' als Fortsetzung des 'LAURIN' (auch 'KLEINER ROSENGARTEN' gen.) gedichtet wird. Eine die versch. Elemente kompilierende Einheit versucht das um 1250 im norweg. Bergen entstehende Prosaepos der 'THIDREKSSAGA' herzustellen.

(Zum 'DUKUS HORANT', jenem mhd.-jidd. überlieferten Text aus dem 13./14. Jh., s. S. 49.)

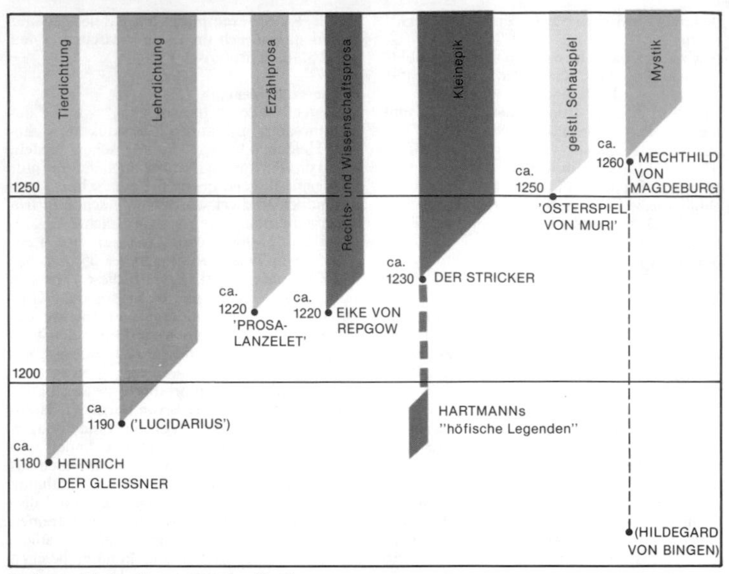

Weitere wichtige Textsorten des 13. Jhs.

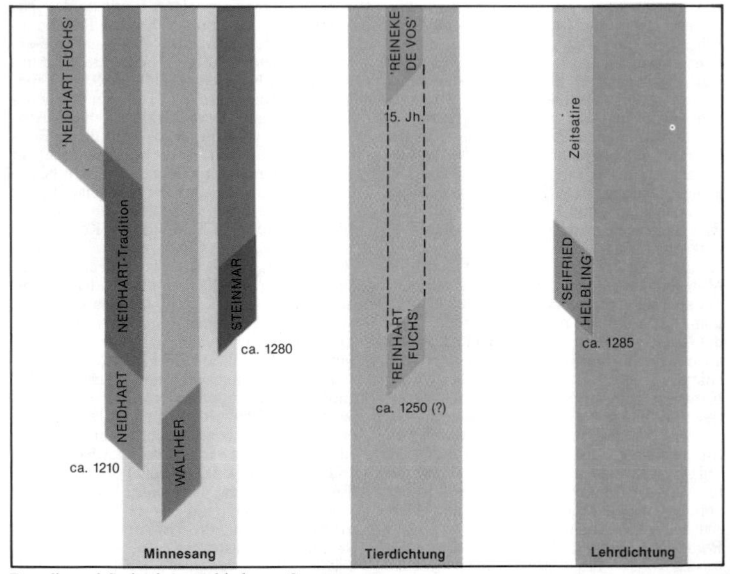

Parodie und Satire in verschiedenen Gattungen

Erweiterung deutschsprach. Literatur im 13. Jh.

Das 13. Jh. wird literarisch von einer außerordentlich starken Ausweitung des Textsortenrepertoires in dt. Sprache bestimmt. Besonders folgenreich war die **Einführung der Prosa** in dt. Dichtung und Gebrauchsliteratur. Erster **Prosaroman** ist der 'LANZELET', ein zuvor schon frz. und mhd. bearbeiteter Stoff der Artusepik. Der Niedersachse EIKE VON REPGOW zeichnet in Prosa den 'SACHSENSPIEGEL' auf und begründet damit eine schriftsprachl. Tradition **dt. Rechtssatzungen** (ihm folgen der 'SCHWABENSPIEGEL', später ein 'DEUTSCHENSPIEGEL'). Um 1235 entsteht eine dt. Fassung des 'MAINZER REICHSLANDFRIEDENS', der gleichsam den **Beginn des deutschsprach. Urkundenwesens** markiert. Nach 1270 wird die 'SUMMA THEOLOGICA' des THOMAS VON AQUIN, ein **Zentraltext der Hochscholastik,** wahrscheinlich von einem alemannisch-schwäb. Übersetzer in Prosa übertragen.

Beherrschend aber bleibt noch lange die Reimversgestaltung. Persönl. Probleme, didakt. Lehre und aktuelle polit. Fragen behandeln Dichter seit den frühesten dt. Spruchdichtern HERGER und SPERVOGEL (12. Jh.) in einer stetig wachsenden Zahl immer kunstvoller werdender **Spruchgedichte,** die – wie schon angedeutet – in Deutschland anders als in Frankreich als eine Sonderform der Lyrik gepflegt werden. Aber auch **umfangreichere Lehrdichtungen,** ausgehend von der am Welfenhof angeregten Übertragung des lat. Prosadialogs 'LUCIDARIUS', belegen das wachsende Interesse an Texten, die Orientierungshilfen bieten können. Ca. 15000 Verse umfaßt das Lehrbuch höf. Tugenden 'DER WELSCHE GAST' des THOMASIN VON ZERCLAERE (um 1215). Der bürgerl. Dichter FREIDANK zeichnet um 1230 relig. und moral. Spruchweisheit in den rd. 4700 Versen seiner 'BESCHEIDENHEIT' auf. Nicht groß ist der Schritt zu **satir. Darstellungen** von Zuständen, die sich durch Belehrung allein nicht mehr verändern lassen (s. u.).

Auch die in der 1. Hälfte des 13. Jhs. neu einsetzende **Kleinepik** bevorzugt – selbst im lehrhaften Zusammenhang – bald mehr das negative als das positive Beispiel. Exemplarisch seien hier des wohl bürgerl. Dichters STRICKER Schwankerzählungen genannt (u. a. 'PFAFFE AMIS'), die noch im Spätmittelalter weiterwirken.

In zwei Bereichen relig. Dichtung bedeutet das 13. Jh. einen Markstein: Im 'OSTERSPIEL VON MURI' hat das **geistl. Schauspiel** in dt. Sprache seinen Anfang (s. S. 79), in den Visionen 'DAS FLIESSENDE LICHT DER GOTTHEIT' MECHTHILDS VON MAGDEBURG, der niedersächs. Begine und späteren Zisterzienserin (gest. um 1282; vgl. S. 79), setzt die deutschsprach. **Mystik** ein, die sich in den mittellat. Schriften der HILDEGARD VON BINGEN (gest. 1179) bereits vorbereitet hatte.

Parodie und Satire als Zeit- und Kunstkritik

Unhöf. und antihöf. Töne kommen im 13. Jh. bezeichnenderweise wesentlich im Rahmen vorgegebener Traditionen auf.

In der Lyrik ist es der vorherrschende Minnesang, innerhalb dessen WALTHER VON DER VOGELWEIDE eine erste, aber durchaus noch immanente, die höf. Normen noch keineswegs sprengende Kritik vorträgt, als er, wohl auch in der persönl. Konkurrenz mit REINMAR (vgl. S. 61 ff.), die erot. Basis des Minnewesens in seinen "Mädchenliedern" **gegen die Spiritualisierung der "hohen Minne"** und ihren Unerfüllbarkeitsanspruch betont. Die Tanzlieder NEIDHARTS VON REUENTAL mit ihrer Verlagerung der Liebesthematik in bäuerl. Milieu bezeugen schon mehr, wohl auch bewußt angestrebte Brisanz. Daß NEIDHART für eine ganze Tradition antihöf. Schwänke ('NEIDHART FUCHS') und für sog. Sauf- und Freßgedichte Pate gestanden hat, zeigt, daß die Abweichung vom höf. Thema auch im Verständnis der Zeitgenossen mehr als eine Stilvariante war. NEIDHART hat, bei aller, teilweise aggressiven Betonung seines adligen Selbstbewußtseins gegen die Parvenus einer bäuerl. Oberschicht (in seiner Zeit steigen die Meier in ihrer Geltung), einen sozialen Gegensatz thematisiert und damit indirekt auch die **Abgeschlossenheit der höf. Gesellschaft kritisiert.** Ebenfalls mehr als eine Formvariante ist die Parodie, der der Minnesänger STEINMAR das Tagelied unterzieht: Bäuerl. Verhältnisse werden in höf. Formen gekleidet, womit sicher auch die Beibehaltung dieser Formen bei inzwischen geschwundener Inhaltsentsprechung in der Literatur überhaupt kritisiert werden soll. Auch STEINMAR hat eine Reihe von Nachahmern gefunden.

Nicht zufällig gewinnt um die Mitte des 13. Jhs. die von einem HEINRICH (früher "Gleißner" gen.) nur fragmentarisch überlieferte Gestaltung des 'REINHART FUCHS' durch eine Bearbeitung neue Bedeutung. Die Kritik der Gesellschaft in der Verkleidung einer Tierfabel hat am Ende der Stauferzeit gewiß ihre aktuelle Berechtigung gehabt. Freilich erst in einer anderen "Endzeit", im 15. Jh., findet diese Satire in niederländ. und niederdt. Fassungen (Drucke 1480 und 1498) weiteste Verbreitung (u. a. Bearbeitung von GOETHE 1794, S. 166).

Die lehrhafte Dichtung war schon an sich zur Zeitkritik aufgelegt. Es zeugt von Vorsicht oder Resignation, wenn ein Autor wie der wohl ritterl. Anonymus des 'SEIFRIED HELBLING', einer Sammlung von 15 Gedichten, die direkte Lehre zugunsten einer satir. Darstellung von Mißständen, vor allem in Österreich, meidet.

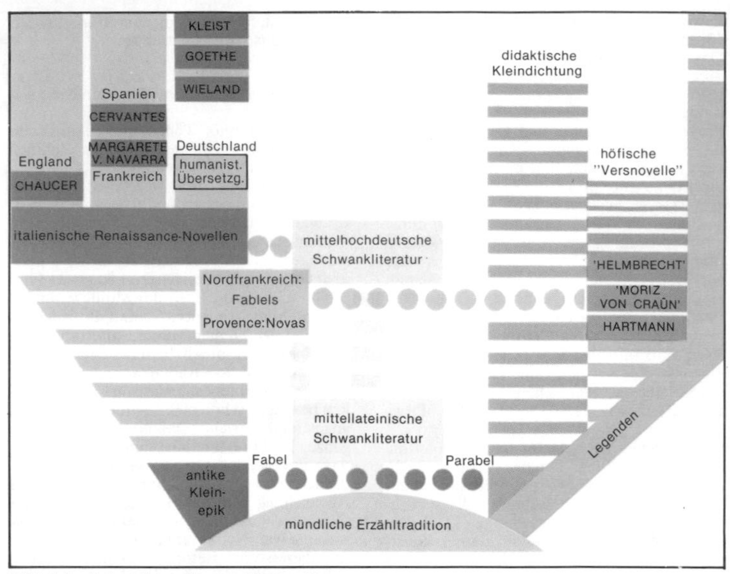

Mittelalterliche Kleinepik und die Novelle

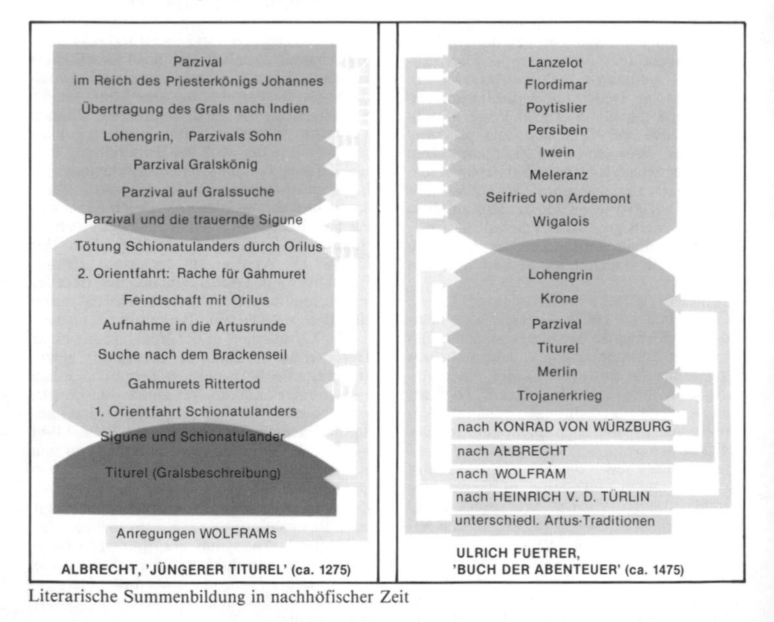

Literarische Summenbildung in nachhöfischer Zeit

Mittelalterl. Kleinepik

Für gewöhnlich wird die it. Renaissance als die Geburtsstunde der Novelle angesehen. Tatsächlich ist ohne die Leistung der it. Novellendichter, allen voran BOCCACCIOS ('DECAMERONE' 1348/53), die Geschichte der neuzeitl. Novelle gar nicht vorstellbar. Mag es auch zunächst so scheinen, als habe Deutschland daran zunächst nur rezeptiven Anteil, weil dt. Humanisten im wesentl. nur fremde Vorlagen übersetzen, so lehrt die Vor- und Frühgeschichte der Novelle doch auch eine andere Sicht, wonach die it. Kleinerzählungen gemäß der selbstbewußten Entwicklung der städt. Kultur, in deren Raum sie entstehen, nach wie vor als andernorts nicht erreichbare Höhepunkte der Gattungsgeschichte gelten müssen, die anderen Literaturen Europas aber keineswegs ohne eigene beachtenswerte Leistungen auf dem Gebiet der Kleinepik sind.

Die dt. Entwicklung speist sich wie die it. u. a. aus **mündl. Erzählgut** und **mittellat. Literarisierungen** vor allem schwankhafter Natur. Durch Vermittlung frz. Texte hat auch sie **Anteil an antiken Vorgaben,** schlägt aber, bedingt durch Besonderheiten der außerliterar. Situation, in Deutschland auch eigene Wege ein, deren gattungstheoret. Einordnung schwierig ist.

Vielfach sind auch kleinep. Texte in Deutschland von **standesspezif. Diskussionen** geprägt, bei denen die Dichter aus dem Gesamtinventar kleinep. Formen schöpfen. Die Verserzählungen HARTMANNS VON AUE, 'ARMER HEINRICH' und 'GREGORIUS', stehen mit ihren, der späteren klass. Novelle fremden relig. Elementen, insbes. ihrem Wunderglauben, der **Legende** nahe. Die weltl. Erzählung WERNHERS (DES GÄRTNERS) vom Aufstieg, Frevel und Fall des Bauernsohnes Helmbrecht kreist intensiv um die Legitimationsproblematik von Rittertum und bäuerl. Oberschicht im 13. Jh., und selbst der durch und durch schwankhafte 'MORIZ VON CRAÛN', die Geschichte eines Ritters, der mit großem Aufwand Minnelohn zu erringen hofft, die widerspenstige Dame dann aber selbst mit Nichtachtung straft, gehört in eine Reihe standesdidakt. Äußerungen, weil es dabei letztlich um die Explikation einer Theorie höf. Liebe geht.

Daneben kommen einzelne **nichthöf. Kleinepen,** die von bürgerl. Autoren stammen, in Form und Inhalt dem späteren Ideal der Novelle schon sehr nahe. Angesichts der "Unsicherheit" der zeitgenöss. Benennungen für die sowohl in Versform wie in Prosa auftretenden Erzählungen ist es gelegentlich sogar irreführend, wenn einzelne Benennungen zum einheitl. Gattungsbegriff hochstilisiert werden, wie es mit der mhd. Bezeichnung *maere* geschehen ist. Irreführend insofern, als der lebendige Umgang mit sehr versch. Gestaltungsmöglichkeiten, wie er die Produktion der Dichter, aber auch das Verständnis von Sammlern bestimmt, zugunsten einer statischen Katalogisierung geleugnet wird.

Ein summar. Überblick kann ohnehin nur festhalten, daß die mittelalterl. dt. Kleinepik den literar. Bezirk darstellt, in dem sich die **größtmögl. themat. Vielfalt** ereignet. Damit ist sie auch der fruchtbarste Boden für die Weiterentwicklung der volkssprachl. Literatur von einer Veranstaltung für wenige zum Medium für viele.

Literar. Summenbildung in nachhöf. Zeit

Daß das MA auch in literar. Hinsicht zu Systematisierungen fähig war, beweisen nicht nur die ordnenden Sammlungen auf den Gebieten der Lyrik und der Kleinepik, die geradezu ein Charakteristikum des nachhöf. Literaturbetriebs werden. Auch die Großepik erfährt vom 13. Jh. an eine **systematisierende Behandlung,** die in Bearbeitungen gipfelt, die selbst wieder Anspruch auf literar. Anerkennung erheben (vgl. auch die norweg. THIDREKSSAGA; S. 67).

Eine der am meisten verbreiteten Kompositionen vorgegebener Epik, die teilweise sogar die Lektüre der Originale verdrängt, ist der 'JÜNGERE TITUREL' des ALBRECHT (VON SCHARFENBERG?), eines bayer. Dichters, der um 1275 in mehr als 6000 Titurel-Strophen WOLFRAMS **Gralsepik** aus 'PARZIVAL' und 'TITUREL' zu einem einheitl. Ganzen zu verschmelzen sucht. Kennzeichnend für die nachhöf. Literaturauffassung ist hier wie bei den **"Fortsetzern" Gottfrieds von Straßburg** (vgl. S. 58) nicht nur der unbefangene Umgang mit Originalen, sondern vor allem der Versuch, Fragmentarisches oder ursprünglich nur locker Verbundenes zu einer plausiblen Einheit umzuformen, zu "vollenden", d.h. auch mögl. Widersprüche und Deutungsreste, der rationalist. Methode der zeitgenöss. Scholastik vergleichbar, in einer "Summe", aufzuheben.

Ähnliches widerfährt 200 Jahre später den **Artusromanen,** die der Landshuter Maler und Autor ULRICH FUETRER (gest. nach 1492) für Herzog ALBRECHT IV. in Titurel-Strophen und Prosa zu einer Gesamtgeschichte des Artusrittertums zusammenfügt. Hatte er es dabei schon im engeren Rahmen der Gattung Artusroman mit sehr unterschiedl. Gestaltungen zu tun, so bezieht er in seine "Vorgeschichte" der Artusrunde auch gattungsfremde Texte wie den 'TROJANERKRIEG' ein. Die nicht nur zeitl. Entfernung von der stauf. Klassik, die hier konserviert werden sollte, bezeugt am eindrucksvollsten die "Umfunktionierung" WOLFRAMSCHER Epik zu Bausteinen einer Pseudohistorie. FUETRER gibt jedoch auch seine persönl. Distanz zu diesem "ritterromant." Wiederbelebungsversuch der höf. Vorzeit deutlich zu erkennen.

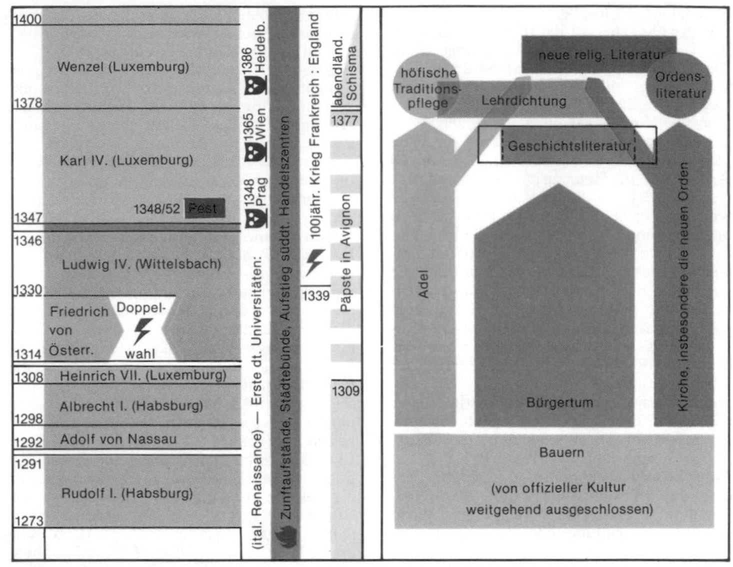

Politische und soziale Grundbedingungen der Literatur im 14. Jh.

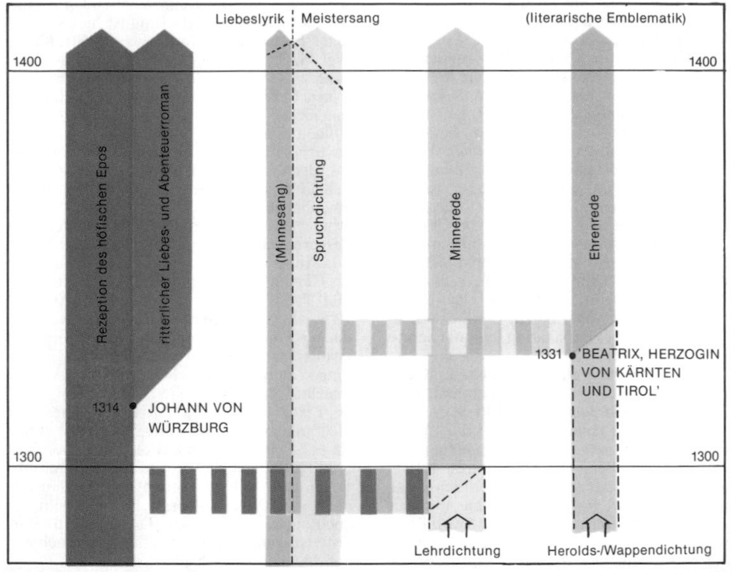

Produktive Traditionspflege

Grundbedingungen der Literatur im 14. Jh.
Die hausmachtorientierte Politik der seit dem Interregnum in der Königswürde einander rasch ablösenden dt. Fürstenhäuser bot für die Literatur offenbar wenig "große" Themen. Dennoch ist diese Zeit literarisch durchaus produktiv, und das nicht nur in konservativer Traditionspflege, die es freilich in allen kulturell tätigen Schichten gibt. Das dt. **Bürgertum** hat noch einen langen Weg der Aneignung und Umformung vorgegebener Themen und Gattungen vor sich (während die italien. Stadtkultur mit DANTE, 1265–1321, bereits einen ersten literar. Höhepunkt erlebt hat und mit BOCCACCIO, 1313–75, u.a. Höhepunkten der Renaissance entgegengeht). Am ehesten macht es sich in der **histor. Darstellung** frei von Vorbildern, da es in dem nun einsetzenden Strom chronikal. Aufzeichnungen seine eigenen Belange, oft indes mit stark ortszentriertem Blick, artikulieren kann. Auch in der **Lehrdichtung** ringt sich mehr und mehr eine spezifisch bürgerl. Haltung durch, mit Kritik an den anderen Ständen und wachsendem Blick für das Pragmatische. Zunftaufstände, Städtebünde gegen den Adel, Auseinandersetzungen mit kirchl. Stadtherrschaft und die Verlagerung wirtschaftl. Aktivität vom Norden (Hanse) in die süddt. Fernhandelszentren binden jedoch die Kräfte noch sehr. Auch gibt der **Adel** noch in vielen kulturellen Bereichen den Ton an, nähert sich aber seinerseits bürgerl. Denken. Alle drei "Stände", die Kirche insbes. mit den neuen **Reformorden** (s. S. 76f.), wirken in der Weiterentwicklung der relig. Literatur zusammen. Herausragende Beispiele sind die **Mystik** und das **geistl. Schauspiel.**
Äußere Ereignisse wie die "Babylon. Gefangenschaft" der Päpste in Frankreich, das anschließende große Schisma der abendländ. Kirche und die erste große europ. Pestwelle sind zwar Motive allgem. Erregung, die sich aber weniger literarisch äußert, dafür eher in brutalen Aktionen, so in den Judenpogromen (1349/50), entlädt. Im Herrschaftsbereich des Dt. Ordens kann sich dagegen eine Literatur eigener Prägung, die **Deutschordensliteratur,** entwickeln. Die unter dem Einfluß der Renaissance entstehenden ersten dt. Universitäten sind fest in die lat. Tradition der Wissenschaft eingebunden.

Produktive Traditionspflege
Je weiter sich die polit. und sozialen Entwicklungen von den Bedingungen entfernten, unter denen in der Stauferzeit die Utopien der höf. Gesellschaft entstehen konnten, desto intensiver wurde die **literar. Tradition dieser Utopien** gepflegt. Im 14. und 15. Jh. entstehen beispielsweise die meisten 'PARZIVAL'-Handschriften. Allerdings kennt das MA noch keine neuzeitl. "Denkmalspflege"; die Schreiber der Handschriften gehen mit den Texten durchaus produktiv um, indem sie hinzufügen, fortlassen, umstellen ... Und die Autoren, die Neues schaffen, entwickeln dieses inhaltlich wie formal aus den alten Vorlagen. So entsteht 1331/36 durch Einschub von über 36000 Versen in WOLFRAMS Vorlage ein 'NÜWER PARZIVAL', zusammengestellt von den Straßburger Bürgern C. WISSE und PH. COLIN. Bereits mit dem 1314 vollendeten 'WILHELM VON ÖSTERREICH' des JOHANN VON WÜRZBURG hatte das Ritterepos seine Wandlung zum **ritterl. Liebes- und Abenteuerroman** erfahren. Auch niederdt. Autoren wie die unbekannten Dichter von 'FLOS UND BLANKEFLOS' und 'VALENTIN UND NAMENLOS' beteiligen sich an dieser Umformung, die dem Geschmack eines bürgerl. Publikums schon sehr nahekam.
Dem Minnesang hingegen ist durch die Auflösung einer einheitl. höf. Kultur die Kraft zu produktiver Weiterentwicklung genommen. Seine überkommenen Texte werden zwar gesammelt (s. S. 64f.), Neues zu seinen Themen wird aber eher in der rationalistisch argumentierenden Spruchdichtung geäußert. Hervorragender Vertreter dieser Art **Minnedichtung** ist HEINRICH VON MEISSEN, genannt "FRAUENLOB" (gest. 1319). Auch HEINRICH VON MÜGELN repräsentiert jenen für das 14. Jh. typ. **Übergang vom Minnelied zu meistersinger. Gelehrsamkeit.** Beide werden später von den Meistersingern zu den kanon. "alten Meistern" gezählt (s. S. 90f.). Allgemein gesungene Liebeslieder vermittelt die 'LIMBURGER CHRONIK' (1351ff.).
Die lehrhaften Elemente der höf. Tradition verselbständigen sich sowohl in der **Spruchdichtung** wie auch in neuen Gattungen der **didakt. Dichtung.** Die Liebeslehren der Epik wie des Minnesangs wurden insbes. in den **Minnereden** weitertraktiert, am gelungensten dort, wo durch Personifikationen höf. Werte wie *Minne, Treue, Staete* ein neues "dramat. Personal" entstand, das in Erzählungen unterschiedlichster Länge und Differenziertheit Verhaltensregeln in Liebesdingen exemplifizierte. Am Anfang dieser Tradition, die es (nach T. BRANDIS' Zählung) auf über 500 Texte bringen sollte, steht der Dialog zwischen Herz und Leib in HARTMANNS 'BÜCHLEIN' (auch 'KLAGE' genannt) am Ende des 12. Jhs. Aus der Textflut des 14. Jhs. seien hervorgehoben die anonyme 'MINNEBURG', die Jagdallegorie HADAMARS VON LABER (ca. 1335) und die Minneallegorien MEISTER ALTSWERTS (um 1380).
Als Isolierung eines Elements hochhöf. Literatur muß auch die **Ehrenrede** gelten, die aus der Herolds- oder Wappendichtung hervorgeht und über Lobsprüche auf Lebende oder Verstorbene (Totenklage) schließlich unter humanist. Einfluß in die literar. Emblematik einmündet (vgl. S. 128). Hier ist vieles nicht mehr überliefert. Eine der frühesten bekannten Ehrenreden ist die auf die Herzogin BEATRIX (gest. 1331).

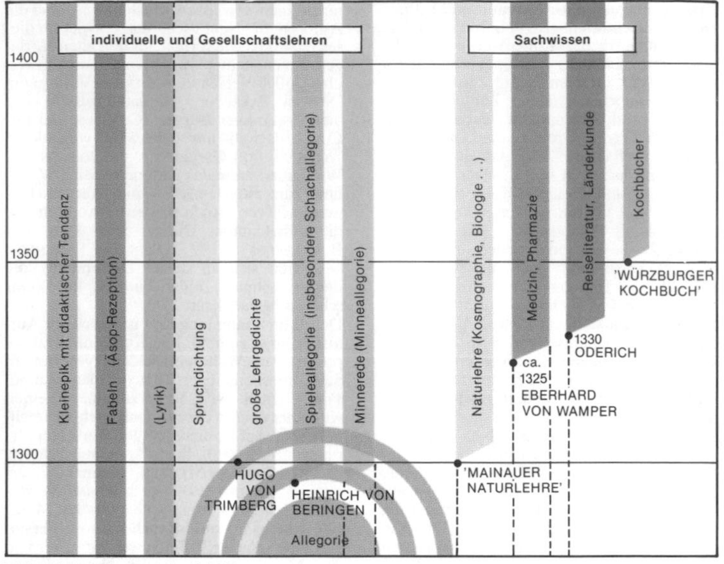

Didaktische Literatur im 14. Jh.

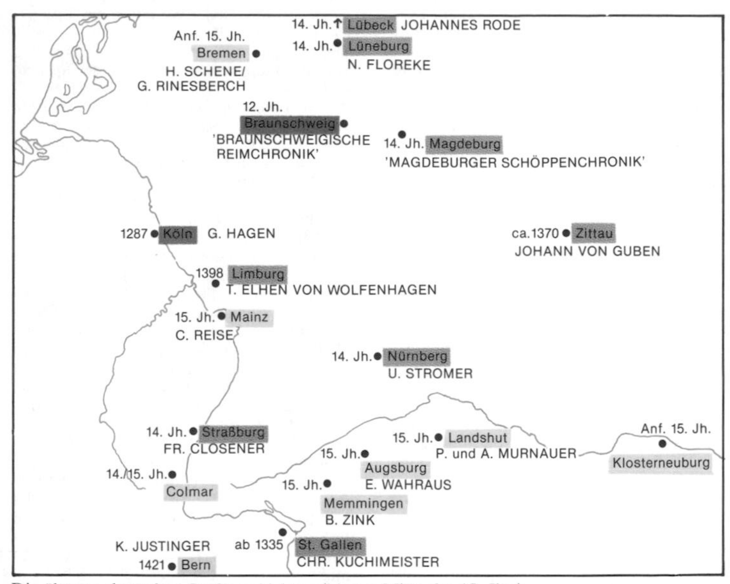

Die ältesten deutschen Stadtgeschichten (bis zur Mitte des 15. Jhs.)

Didakt. Literatur im 14. Jh.
Minnereden wären ohne die große Bereitschaft des späten MAs, sich durch Literatur belehren zu lassen, gar nicht denkbar. Auch in der Kleinepik herrscht keineswegs die unterhaltende Absicht allein. Die Fabel ist schon ihrem Wesen nach auf Belehrung hin angelegt. Neben selbsterfundenen Fabeln (so bei HEINRICH VON MÜGELN) ist im 14. Jh. auch die Rezeption des lat. ÄSOP zu beobachten, etwa bei dem Berner Dominikaner ULRICH BONER ('DER EDELSTEIN', vor 1350) und bei GERHARD VON MINDEN (niederdt. 'ÄSOP', 1370). Auch die Lehrdichtung par excellence, die **Spruchdichtung,** wird im 14. Jh. weitergepflegt, freilich wird der alte Sangspruch mehr und mehr zugunsten der **gesprochenen Reimrede** aufgegeben, eine Parallele zum Verlust der Musik im Minnesang (vgl. S. 65). Die bedeutendsten Spruchdichter dieses Jahrhunderts sind der Österreicher HEINRICH DER TEICHNER (gest. um 1370), von dem rd. 750 Gedichte stammen, und sein Landsmann PETER SUCHENWIRT (gest. nach 1395). Das **große Lehrgedicht** wird vor allem durch die Rezeption älterer Meister (insbes. FREIDANKS) und Sammlungen ('CATO', 'FACETUS') präsent gehalten. 1300 hatte der Bamberger HUGO VON TRIMBERG eine letzte große Lehrdichtung, 'DER RENNER' (über 24000 Verse), vollendet (Nachträge bis 1313), die große Verbreitung fand.
Von bes. Bedeutung für die Lehrdichtung, hier sogar neue Gattungen anregend, wird die **allegor. Darstellungsweise.** Allegorie ist die Versinnbildlichung eines abstrakten Begriffs oder Vorgangs, die allegor. Deutung vorgegebener Texte lag bereits spätantiker und frühmittelalterl. Bibelexegese zugrunde (s. S. 31). Als Gestaltungsmittel bestimmt die Allegorie u. a. schon die Minnegrottenszene in GOTTFRIEDS 'TRISTAN', in den Minnereden tritt sie uns als Handlung zwischen personifizierten Begriffen entgegen (s. o.). Neu für das 14. Jh. ist die **allegor. Darstellung des Schachspiels** als Zeit- und Ständekritik. HEINRICH VON BERINGEN hatte sie um 1290 als Bearbeitung des 'LUDUS SCACORUM' des italien. Dominikaners JACOBUS DE CESSOLIS in Deutschland eingeführt, mit weiteren Versdichtungen KONRADS VON AMMENHAUSEN (1337), des sog. PFARRERS ZU DEM HECHTE (1355), des SCHULMEISTERS STEPHAN (1357/75) und mehreren Prosafassungen wurde die Gattung des "Schachzabelbuchs" in allen dt. Regionen verbreitet. Bedeutsamer aber als neue Gattungen auf dem Felde individueller oder gesellschaftsbezogener Didaxe erscheint die **Literarisierung von Sachwissen,** die im 14. Jh. in versch. Themenbereichen neu entsteht. Die verbreitetste enzyklopäd. Darstellung war das 'BUCH DER NATUR' des KONRAD VON MEGENBERG (1349/50). Gesundheitslehren, medizin. und pharmazeut. Fachschriften sind auch aus Niederdeutschland überliefert, so aus Rügen von EBERHARD VON WAMPER (ca. 1325) oder aus Bremen, wo ARNOLDUS DONELDEY 1382 als Auftraggeber auftritt. – Die Erweiterung des geograph. Horizonts durch Handelsfahrten, Pilger- und Missionsreisen schlägt sich in der neuen **Reiseliteratur** nieder. 1330 berichtete der Mönch ODERICH über eine Missionsreise durch Asien. Auf ODERICH wie auf anderen fußend beschrieb ein Lütticher Arzt als "Ritter JEAN MANDEVILLE" eine fiktive Asienreise, die lange Zeit als objektive Quelle galt und in der 2. Hälfte des 14. Jhs. von OTTO VON DIEMERINGEN auch ins Dt. übersetzt wurde. Auch das noch heute zu den verbreitetsten Fachbüchern zählende **Kochbuch** nimmt im 14. Jh. seinen Ausgang. Einer der frühesten Belege ist das 'WÜRZBURGER KOCHBUCH' (um 1350).

Geschichtsdarstellung
Im 14. und 15. Jh. gewinnt die dt. Sprache als Medium histor. Darstellung an Bedeutung. Das hängt wesentlich mit **Veränderungen im Personenkreis der Autoren** zusammen, die noch bis ins 13. Jh. überwiegend dem Klerus angehörten und darum eher Latein benutzten. Auch in dt. Sprache wird zunächst noch der ganze Horizont histor. Themen abgeschritten, von der heilsgeschichtlich gedeuteten Universalhistorie bis zur Geschichte eines einzelnen Klosters. Neu – und damit die veränderte polit. und soziale Situation charakterisierend – ist das **Hervortreten von Landes- und Stadtgeschichten.** Die **Territorien** überragen längst das eine Reich an Bedeutung, damit geht auch der Blick für welt- und heilsgeschichtl. Zusammenhänge verloren, die bis zur Stauferzeit unbezweifelt waren (s. S. 38f.). Die **Städte** sind inzwischen zu einem mächtigen polit. Faktor geworden, mit dem die Kaiser und Fürsten zu rechnen haben. In ihnen wächst entsprechend das **Bedürfnis einer eigenen Standortbestimmung,** die das traditionelle Drei-Schichten-Modell "Adel-Klerus-Bauern" nicht bieten konnte.
Die **Städtechroniken** verlassen auch formal sehr bald die Tradition. Die noch aus dem 12. Jh. stammende braunschweig. Chronik heißt und ist noch 'REIMCHRONIK'. Jüngere Chroniken gehen wie selbstverständlich zur Prosa über. Die Konzentration auf das Geschehen an einem Ort fördert viele Details zutage, die manche dieser Chroniken zu wichtigen polit. und kulturhistor. Quellen machen.
Parallel zu Darstellungen einzelner Ereignisse und Entwicklungen wie Belagerungen, Feldzüge und Kriege (im 15. Jh. wird der Abfall der Schweizer vom Reich ein häufig behandeltes Thema) kommen **historisch-polit. Lieder** auf, in denen sich die Kunde vom neuesten Geschehen aktuell verbreitet.

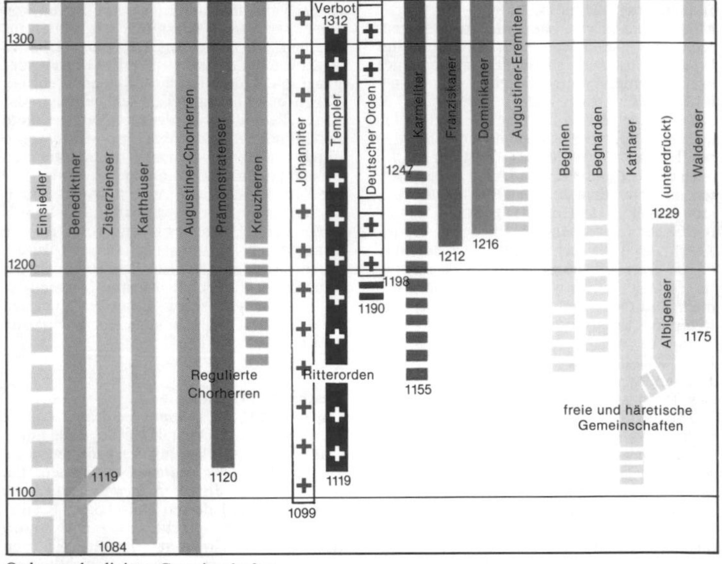

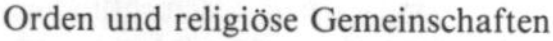

Orden und religiöse Gemeinschaften

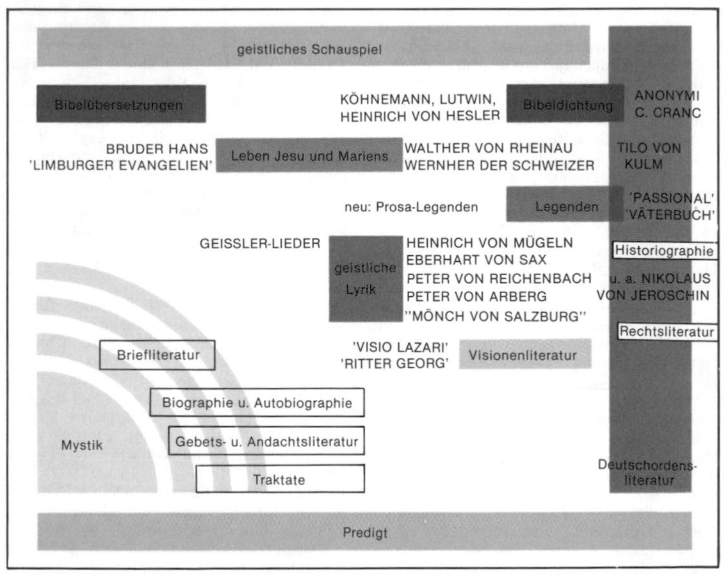

Schwerpunkte geistlicher Literatur im 14. Jh.

Schwerpunkte der geistl. Literatur

Den größten Anteil an der literar. Produktion des 14. Jhs. haben relig. Themen. Die Vielfalt ihrer Erscheinungen läßt sich nur schwerpunktartig andeuten. Alle dt. Sprachgebiete sind beteiligt, die Skala der Gattungen wird um **Schauspiel, Briefwechsel, Lebensbeschreibung und Autobiographie** erweitert. Versdichtung und Prosa stehen nebeneinander, Epik und Lyrik, einschließlich des sangbaren Kirchenliedes, sind gleichermaßen vertreten.

Stärker als je zuvor wird die **Predigt** zum Medium relig. Erfahrungen, die literarisch verarbeitet werden. Bedeutsam für diese Entwicklung ist das **Wirken neuer Orden wie Franziskaner und Dominikaner** (einschl. deren weibl. Parallelgründungen) und freierer relig. Gemeinschaften wie **Beginen** und **Begharden,** die gegen die Verweltlichung der Kirche gegründet wurden und zur Verbreitung von Reformideen bis hin zu häret. Abweichungen von der offiziellen Lehre beitrugen. Die politisch prekäre Situation nach dem Zusammenbruch des Stauferreiches, die sozialen Spannungen, mit denen der Aufstieg der Städte verbunden war (Kampf gegen fremde Stadtregimente, Konkurrenz zwischen patriz. Geschlechtern und Zünften, Proletarisierung der nicht zunftorganisierten Einwohner), Mißernten und schließlich epidem. Katastrophen wie die erste große europ. Pestwelle 1348–52 waren ein fruchtbarer Boden für Heilsbotschaften verschiedenster Prägung. Bereits um die Mitte des 13. Jhs. hatte der Franziskaner BERTHOLD VON REGENSBURG, durch fast alle Teile des Reiches ziehend, mit seinen **volkstüml. Bußpredigten** weiteste Kreise in seinen Bann geschlagen. Die Pest des 14. Jhs. intensivierte eine bes. Form massenhafter Bußübung, die ebenfalls schon im 13. Jh. in Italien aufgekommen war: Züge sich selbst geißelnder Menschen ("Flagellanten"), die auch in Deutschland ein eigenes, **quasi-liturg. Liedgut,** die GEISSLER-LIEDER, verbreiteten.

Neben diesem auf volkstüml. Wurzeln zurückgreifenden Liedgesang existierte nach wie vor eine **geistl. Kunstlyrik,** die sich jetzt vor allem der **Marienverehrung** widmete. Das **Leben Jesu,** insbes. aber seiner Mutter, bestimmt eine Reihe von Dichtungen, mit denen sich insbes. niederdt./niederfränk. und Schweizer Dichter hervortun. Diese Zeit ist ähnlich wie das 11. und frühe 12. Jh. für **geistl. Visionen** aufgeschlossen. Aber auch die traditionelle geistl. Epik, **Legende wie Bibeldichtung,** findet im 14. Jh. starke Beachtung, wobei auch die "einfache" Übersetzung bibl. Texte in dieser Zeit einen erstaunl. Aufschwung nimmt, der nur durch das allgemein gesteigerte Interesse an persönl. Auseinandersetzung mit den hl. Schriften erklärt werden kann (s. u.).

Einen bes. Anteil an dieser Entwicklung nahm der **Deutsche Orden,** der seit seiner Betrauung mit Aufgaben der Ostkolonisation (1226) im Nordosten ein eigenes Territorium aufgebaut hatte. **Legendensammlung und -dichtung, Marienpreis, Rechtstexte** und eine eigene **Geschichtsschreibung,** nicht zuletzt aber die aus den Bedürfnissen der Tischlektüre des Ordens erwachsene umfangreiche **Bibeldichtung** (neben den Prosadichtungen CLAUS CRANCS zahlreiche Versdichtungen unbekannter Verfasser zu Themen des Alten Testaments) werden als **"Deutschordensliteratur"** zusammengefaßt. Auch "externe" Dichter wie der Thüringer HEINRICH VON HESLER zeigen Beziehungen zum Deutschen Orden.

Dt. Mystik im 14. Jh.

Die fruchtbarsten Anregungen für die geistl. Literatur des 14. Jhs. gingen von der Mystik aus. Mystik (abgeleitet vom griech. *myein* 'die Augen schließen', passiv. 'eingeweiht werden') als Versuch der Einswerdung mit Gott *(unio mystica)* ist ein Phänomen vieler Religionen. Die christl. Mystik hat ihre Wurzeln bereits im Neuen Testament. Die Christus-Mystik des Apostels PAULUS wandelt sich unter dem Einfluß des Neuplatonismus zur Logos-Mystik (Kirchenväter wie ORIGINES, GREGOR VON NYSSA u. a.). Der Aufschwung der Mystik im hohen MA geht im wesentl. auf die **gegen die Verweltlichung der Kirche** gerichteten **Reformorden,** vor allem der Zisterzienser (BERNHARD VON CLAIRVAUX), Dominikaner (ALBERTUS MAGNUS) und Franziskaner (BONAVENTURA) zurück; aber auch andere Gemeinschaften wie die (frz.) Victoriner (RICHARD VON ST. VICTOR) und die von den Niederlanden ausgehende *Devotio moderna* ("Brüder/Schwestern vom gemeinsamen Leben"; GEERT GROOTE u. a.) haben intensiven Anteil an der Formulierung myst. Vorstellungen. (Die erste "dt." Mystikerin, HILDEGARD VON BINGEN, S. 69, war Benediktinerin.) Die THOMAS VON KEMPEN zugeschriebene Schrift 'IMITATIO CHRISTI' (vor 1420) wird zu einem der meistgelesenen Erbauungsbücher des späten MAs. Kennzeichnend für die dt. Mystik ist eine glückl. **Wechselwirkung zwischen lat. und dt. Sprache.** Einerseits resultiert die in zahllosen **Predigten** und **Traktaten** verbreitete Sprache aus Versuchen, die lat. Theologie in die Volkssprache zu übersetzen (vgl. die Übers. der 'SUMMA THEOLOGICA' des THOMAS VON AQUIN, S. 69), andererseits wird eine ganze Reihe volkssprachl. myst. Texte ins Latein. übertragen. **Die dt. Sprache hat erstmals den gleichen Rang wie die lat.,** sie übernimmt sogar mit ihren erstaunl. sprachschöpfer. Versuchen, die Unfaßbarkeit Gottes und das Erlebnis myst. Vereinigung mit Gott in Worte zu kleiden, eine gewisse Führung.

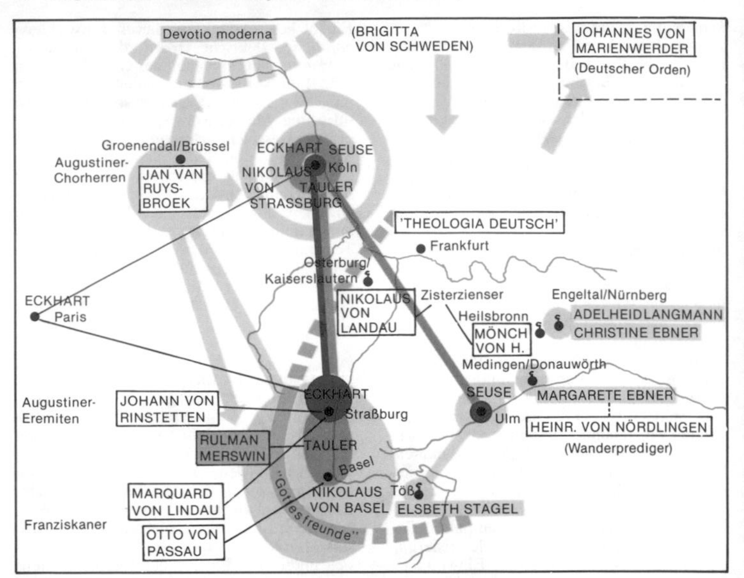

Deutsche Mystik im 14. Jh.

1400
ca. 1350 'DES ENTKRIST VASNACHT'
1300
1200
ca. 1160 (lat.) 'LUDUS DE ANTICHRISTO'
1100
1000
900

dt. Weihnachtsspiele
Ende 13. Jh. 'ST. GALLER SPIEL VON DER KINDHEIT JESU'
13. Jh. (lat.) BENEDIKTBEURER WEIHNACHTSSPIEL'
liturg. Weihnachtsfeier

dt. Legendenspiele
10. Jh. (lat.) HROTSVIT, Legendenspiele

dt. Osterspiele
Ende 13. Jh. 'RHEIN. OSTERSPIEL'
ca. 1250 'OSTERSPIEL VON MURI'
liturg. Osterspiel (lat.)
Christus
Mercator-Szene
Magdalenen-Szene
Besuch der Marien am Grabe
Apostel-Szene
Wächter und Ritter
WIPO, Ostersequenz
szenische Erweiterung
TUOTILO, Ostertropus
liturg. Osterfeier (lat.)

dt. Passionsspiele und Marienklagen
ca. 1325 (lat./dt.) 'LUDUS PASCHALIS'

sog.'INNSBR. FRONLEICHNAMSPIEL' Anf. 14. Jh.

1400
vor 1322 'EISENACHER ZEHN-JUNGFRAUEN-SPIEL'
1200
1100
1000
900

Geistliche Dramen

Die Autoren volkssprachl. Mystik-Texte gehören versch. Schichten an. Nicht unwesentlich ist der **Anteil Adliger.** Allen voran wäre der ritterbürtige MEISTER ECKHART (ca. 1260–1327/28) zu nennen. Die weltl. Orientierung des Adels, die die "stauf. Klassik" mitbegründete, wurde sehr bald von einer relig. Bewegung konterkariert, die sich in zahlreichen Klostergründungen und Klostereintritten äußerte. Eine entspr. Bewegung erfaßte auch **bürgerl. Schichten,** aus denen die Reformorden und freiere Vereinigungen großen Zulauf erhielten. Für die literar. Entwicklung bedeutsam sind die **relig. Frauengemeinschaften** (sog. Zweite Orden wie Klarissen und Dominikanerinnen), die die Ausbreitung myst. Gedankenguts besonders förderten. Mit der niederfränkisch schreibenden Begine HADEWYCH ('VISIOENEN', ca. 1240) und MECHTHILD VON MAGDEBURG (vgl. S. 69) gehen sie sogar den männl. Mystikern im Gebrauch der Volkssprache voran. Die Dominikanerin ELSBETH STAGEL schreibt die **erste dt. Autobiographie in Prosa** (von SEUSE um 1362 redigiert und vollendet). Der erste erhaltene **dt. Briefwechsel** entsteht zwischen der Dominikanerin MARGARETE EBNER und dem Wanderprediger HEINRICH VON NÖRDLINGEN (1312–50).

Als Zentralfigur der dt. Mystik gilt gemeinhin der Dominikaner **Eckhart,** der in Paris Magister ("Meister" E.) wurde und in Köln viele Schüler um sich versammelte, darunter HEINR. SEUSE (lat. SUSO, ca. 1295–1366), den myst. Verkünder der "Ewigen Weisheit", während JOHS. TAULER (ca. 1300–61), der ebenfalls begnadete Prediger der Mystik, ECKHART wohl nur durch dessen Schriften kennenlernte. Trotz seines mystiknahen Themas von der **"Geburt Gottes in der Seele"** scheint es (nach K. FLASCH) geboten, in ECKHART weniger einen Mystiker als einen systemat. Theologen zu sehen, dem auch die Ekstase seiner Schüler fremd blieb. Wie leicht aber auch ECKHART in Häresieverdacht geraten konnte, zeigt der Ketzerprozeß, der 1326 gegen ihn angestrengt wurde. Dieser endet zwei Jahre nach ECKHARTS Tod mit einer päpstl. Verurteilung von 28 Artikeln seiner Lehre (1329). Noch nach 1350 hält es der niederfränkisch schreibende JAN VAN RUYSBROEK (gest. 1381), selbst ein myst. Autor von hohen Gnaden (auch ins Oberdt. übers.) und von TAULER verehrt, für nötig, gegen ECKHARTS Theologie zu polemisieren.

Große Bedeutung für die Weiterentwicklung der dt. Mystik erlangten die **"Gottesfreunde",** Mystiker, die unter dem Einfluß des RULMAN MERSWIN (gest. 1382), eines Straßburger Schülers des TAULER, standen. Anregungen von dieser Seite hat noch die von LUTHER hochgeschätzte 'THEOLOGIA DEUTSCH' eines Frankfurter Deutschordensmannes aus der 2. Hälfte des 14. Jhs. empfangen. Auch im Deutschordensgebiet werden die Anregungen der Mystik, darunter auch von der schwed. Mystikerin BRIGITTA/BIRGITTA (gest. 1373), aufgenommen und literarisch verarbeitet.

Geistl. Schauspiel

Aus liturg. Feiern des Oster- und Weihnachtsfestes hatten sich bis zum 13. Jh. **lat. Spiele** entwickelt, die in die liturg. Feiern integriert waren. Um eine dialogisch geformte Kernszene des Osterevangeliums, den Besuch der Frauen am Grabe, wurden im Osterspiel weitere Szenen gruppiert, die zuletzt ein in sich geschlossenes Drama ergaben, das auch kom. Elemente enthalten konnte, wie sie aus der "Mercator-Szene", dem Kauf der Salben für den toten Christus, oder aus dem Lauf der Jünger zum Grabe entwickelt wurden. Dennoch ist keine kontinuierl. Entwicklung vom Einfachen zum Komplizierten feststellbar; auch in späterer Zeit werden – gemäß liturg. Erfordernissen – die einfachsten Formen weitergepflegt. Um 1250 entstand **das erste dt. Osterspiel,** dem im 14. und 15. Jh. eine Fülle weiterer Stücke folgte. Bereits um 1160 war zu einem anderen Thema in lat. Sprache ein geistl. Spiel entstanden, das Spiel vom Antichrist. Eine frühe dt. Aufnahme des Themas in 'DES ENTKRIST VASNACHT' (um 1350) zeigte ebenfalls bereits **Übergänge zum Komischen von Fastnachtspielen.**

Was zunächst auf den kirchl. Raum beschränkt war, findet in der Bearbeitung weiterer geistl. Themen und in der Verschmelzung mit anderen liturg. Formen seinen Weg auf Straßen und Plätze. Insbes. die **Fronleichnams- und Passionsspiele** sind im Zusammenhang mit Prozessionen auf die Entfaltung im Freien angewiesen. Hierbei kann gelegentlich eine ganze Stadt zum Ort eines Schauspiels werden. Eine Ausweitung auf mehrere Spieltage ist nicht selten. Spielen auch Bürger als Publikum und Mitwirkende inzwischen eine wesentl. Rolle, so sind die Autoren und Bearbeiter, oft auch die "Regisseure" lange Zeit noch Geistliche. So auch der Verfasser der 'FRANKFURTER DIRIGIERROLLE' (eines Regiebuchs) für ein zwei Tage dauerndes Passionsspiel aus dem Anfang des 14. Jhs.

Neben Spieltraditionen in Städten fast aller dt. Landschaften, ist auch für fürstl. Höfe ein Interesse an geistl. Dramen nachweisbar, so beim 'EISENACHER ZEHN-JUNGFRAUEN-SPIEL' (1322).

Trotz der erwähnten Übergänge in geistl. Dramen zum kom. Ton weltl. Spiele entwickelt sich das weltl. Schauspiel unabhängig von seiner geistl. Schwester. Die Überlieferung reicht teilweise zwar noch ins 14. Jh., bezeugt aber erst für das 15. Jh. eine nennenswerte Entfaltung (s. u.).

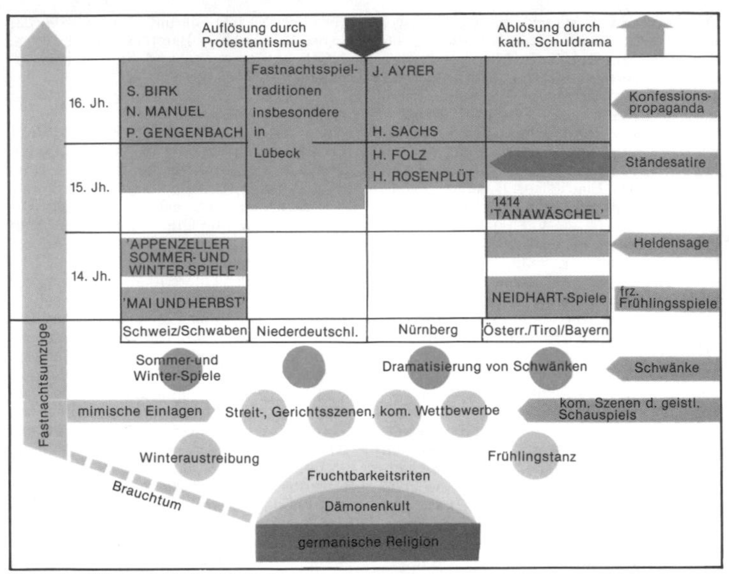

Weltliches Schauspiel (14.—16. Jh.)

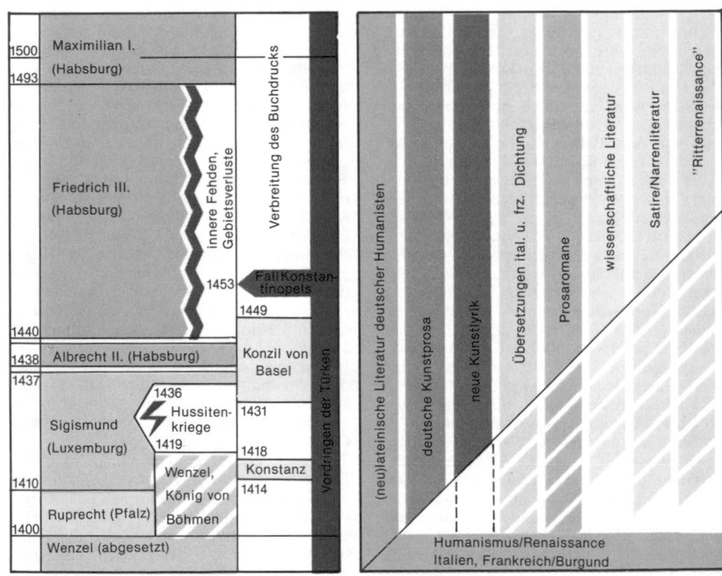

Politische Geschichte des 15. Jhs.

Literarische Innovationen

Weltl. Schauspiel

Unklarer im Ursprung als das geistl. ist das weltl. Schauspiel. Alte **heidn. Riten** und daraus erwachsende Umzugsbräuche mit mim. Einlagen bilden einen frühen szen. Grundstock, der durch literar. Einflüsse etwa der **Schwankliteratur,** aber auch durch **Elemente des geistl. Schauspiels** (s. o.) dramat. Formen hervorbringt. Derbe Komik, die noch lange Zeit nicht an das Niveau antiker Komödien heranreicht, herrscht vor. Haupttträger sind "Spielleute", Vertreter reiner Vergnügungskunst wie Mimiker, Puppenspieler, Artisten.

Die beiden ältesten erhaltenen Stücke, das kom. Kampfspiel zwischen Mai und Herbst aus der Schweiz und das 'ALTE ST. PAULER NEIDHARTSPIEL' aus Kärnten (dem weitere Neidhartspiele folgen), stammen noch aus dem 14. Jh. Beide sind noch als **Zwischenformen zwischen Naturfeier und Spiel** anzusehen. Im Spiel vom 'TANAWÄSCHEL' von 1414 wird die Dämonenabwehr auf eine damals grassierende Krankheit ausgedehnt. In ihm sind schon wesentl. Momente des künftigen Fastnachtspiels enthalten. Im österreichisch-bayer. Raum finden auch einzelne Heldensagen dramat. Formung.

Gehobeneren Ansprüchen wird das weltl. Spiel erst durch die Verbindung mit der **Ständesatire** gerecht, die ihr Zentrum vor allem in der reichen Handelsmetropole Nürnberg findet. HANS ROSENPLÜT (= SCHNEPPERER?; gest. nach 1460) und HANS FOLZ (gest. um 1515), die auch auf anderen literar. Gebieten tätig waren, sind die hervorragenden Vertreter dieser Richtung des **Fastnachtspiels** im 15. Jh. HANS SACHS (1494–1576) wird mit seinen 85 Spielen ihre Tradition auf einen Gipfel führen (s. auch S. 101); JACOB AYRER (1540–1605), der noch rd. 70 Spiele verfaßt und bereits **Einflüsse engl. Komödianten** zeigt (s. S. 120f.), steht an ihrem bald. Ende, das durch protestant. Widerstand beschleunigt wird, obwohl das Fastnachtspiel zwischenzeitlich ein wirksames Mittel der Konfessionspropaganda war.

Fastnachtspieltraditionen entstanden aber auch in niederdt. Städten, hier vor allem vom Patriziat getragen. Katholischerseits wurde das weltl. Spiel im 17. Jh. durch das lat. Schuldrama verdrängt.

Grundsätzl. Aspekte des 15. Jhs.

Mit SIGISMUND geht die durch HEINRICH VII. begründete Königsherrschaft der Luxemburger zu Ende und macht den Habsburgern bis zum Ende des alten Reiches im 19. Jh. Platz. Doch auch diese Veränderung bedeutet keine Wiederherstellung einer starken Zentralmacht, sondern nur den **Vorrang österr. Hausmachtpolitik,** der die Zustände im übrigen Reich oft genug gleichgültig sind. Die von den **Konzilien zu Konstanz und Basel** versuchte Kirchenreform verbindet sich darum bei vielen mit Forderungen nach einer Reichsreform. So waren bereits die **Hussitenkriege** von einer Mischung relig. und polit. Ansprüche geprägt. Von der **Schwäche des Reiches** profitieren alte und neue Gegner. Herzog KARL D. KÜHNE erweitert seine burgund. Gebiete auf Kosten des Reiches. 1460 haben sich die **Schweizer** endgültig der habsburg. Herrschaft entzogen; die **Türken** rükken immer weiter vor.

Der Fall Konstantinopels läßt zahlreiche byzantin. Gelehrte ihre Zuflucht nach Italien nehmen, wodurch die **humanist. Bewegung** noch weiteren Aufschwung erfährt. Bereits im 14. Jh. sind durch intensive Kontakte zwischen dem bayer. und dem böhm. Hof einerseits und einzelnen it. Humanisten **erste Einflüsse der Renaissance** auf das dt. Geistesleben wirksam geworden. Sie wurden verstärkt durch zahlreiche "Wanderhumanisten", in Italien ausgebildete Wissenschaftler, die Lehrstühle der neuen Universitäten besetzen. Von bes. Bedeutung wurden die großen Konzilien auf dt. Boden, die humanist. Gelehrte im Gefolge der Kirchenführer vereinigten.

Die Impulse, die auf die dt. Literatur ausgingen, sind nicht einfach darzustellen. Am eindeutigsten ist der **Beginn einer humanist. Literatur dt. Autoren in lat. Sprache.** Auch die Entwicklung einer **dt. Kunstprosa** ist ohne humanist. Anregung nicht denkbar. Die **neue Kunstlyrik** etwa eines OSWALD VON WOLKENSTEIN vereinigt indes auch außerhalb humanist. Interesses liegende Momente, auch solche mittelalterl. dt. Tradition. **Übersetzungen** und die **neuen Prosaromane** beziehen Sujets der Renaissance ein und verbreiten sie, doch auch hier ist kein eindeut. Bruch mit dt. Vorgaben feststellbar.

Ähnliches gilt für die **wiss. Literatur,** die **Satire** und die Texte der sog. **Ritterrenaissance,** die ohne die formalen und inhaltl. Anregungen humanist. Literatur in Italien, Frankreich und Burgund und ohne die neue akadem. und ästhet. Prägung ihres Publikums kaum vorstellbar waren, so daß selbst der formale Rückgriff auf Hochhöfisches meist nur noch zu einer "ritterromant." Maskerade für sehr moderne Aussagen gerät. Nicht zufällig wird der Narr zur Leitfigur auch des bewußten Eingeständnisses noch mangelhafter Selbstaufklärung (vgl. S. 71, 84, 93). Als dt. Vorläufer **humanist. Narrenliteratur** könnte man den 'RING' (um 1410) des Thurgauer HEINR. WITTENWILER (1387–90 Jurist in Konstanz) ansehen, in dem auf der Basis eines einfachen Bauernschwanks eine groteske Darstellung der Tollheit aller Welt bis zu ihrem furiosen Untergang (rd. 10000 Verse) geboten wird. – Die "Ritterrenaissance" wiederum ist von dem Versuch geprägt, in der dt. Vergangenheit Wurzeln des neuen Selbstbewußtseins zu entdecken. Das alles aber vollzieht sich im Kontext ungebrochen weitergeltender mittelalterl. Konventionen.

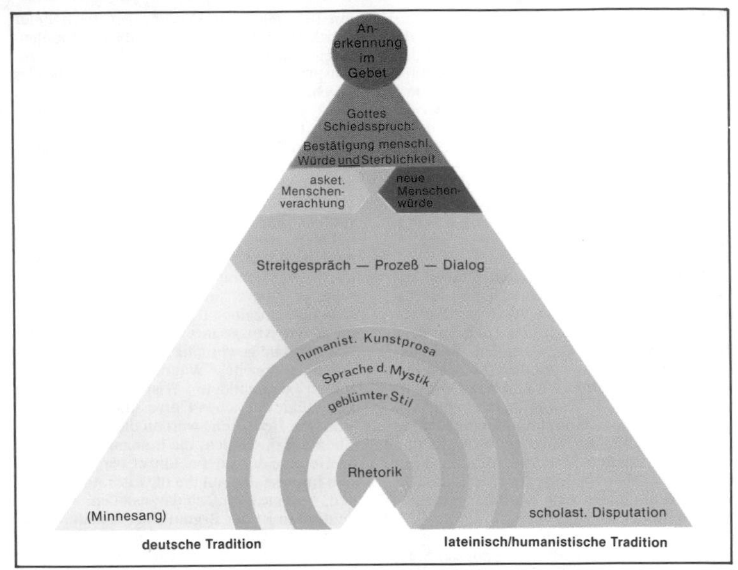

Traditionsverschränkung im 'ACKERMANN' JOHANNs VON TEPL

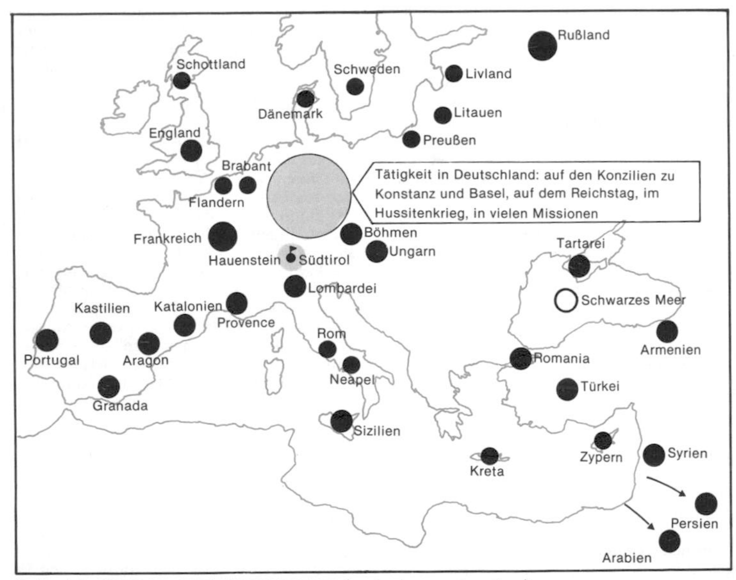

Reiseziele OSWALDs VON WOLKENSTEIN (nach eigenen Angaben)

Traditionsverschränkung bei Johann von Tepl

1400 oder 1401 schreibt aus Anlaß des Todes seiner Frau der böhm. Magister, Stadtschreiber und Notar JOHANN VON TEPL (auch: VON SAAZ; gest. 1414) einen Prosadialog, in dem ein *ackerman* und der personifizierte Tod um den Tod der Frau des *ackermans* in 32 Reden und Gegenreden streiten. Der '**Ackermann aus Böhmen**', wie das Werk meist genannt wird, endet in einem 33. Kap. mit dem Schiedsspruch Gottes, in dem beiden Seiten das ihnen gemäße Recht zugestanden wird: menschl. Würde (zeitweilig vom Tod geleugnet) und Macht des Todes über das Lebensende (die in der Klage des *ackermans* angezweifelt wurde). Erst recht im noch angeschlossenen Gebet des Autors manifestiert sich eindeutig **mittelalterl. Gläubigkeit,** die noch nichts mit renaissancehafter Diesseitsbetonung gemein hat. Und doch ist nicht zu Unrecht die engagierte Auflehnung des Menschen in dieser Dichtung gegen ein gottgelenktes Schicksal und die vehemente Betonung weltl. Glücks (hier in der Ehe) als **Signal einer neuen Geisteshaltung** auch in Deutschland interpretiert worden.

Ohne **humanist. Einfluß** hätte dieser Dialog in der Tat so nicht geschrieben werden können. Sprachlich vertritt er die **neue Kunstprosa,** die im Umkreis des Prager Kanzleistils entstand (s. S. 85), damit ist er zugleich ein meisterhafter Beleg der dt. Verarbeitung neuer rhetor. Anregungen, die auch die jurist. Formung des Streitgesprächs prägten (Judizialrhetorik). Inhaltlich sind Beziehungen zu PETRARCA und einem engl. Text mit ähnl. Thema (W. LANGLANDS 'PIERS PLOWMAN', Ende 14. Jh.) erkennbar. Gleichwohl sind vorhumanist. Traditionen – nicht nur in der Entscheidung des Konflikts – unverkennbar. Minnesang und Mystik haben ihre deutl. Spuren hinterlassen. Der geblümte Stil ist zwar auch rhetorisch bestimmte Sprachform, die aber schon ins 13. Jh. zurückreicht. Streitgespräch und Prozeßform waren auch außerhalb der neuen Rhetorik möglich. JOHANN VON TEPL führt diese Traditionen zu einer neuen Einheit zusammen, deren Wert weder allein an der alten noch allein an der neuen Tradition gemessen werden darf.

Alte und neue Formkunst in der Lyrik

Als Verschränkung alter und neuer Traditionen läßt sich auch das lyr. Werk zweier Adliger an der Wende vom 14. zum 15. Jh. deuten. Das Minnelied hatte nicht nur als Buchfixierung seiner klass. Form, sondern auch im aktuellen Gesang der Bürger seinen Fortbestand, hier jedoch kaum mit "literar. Anspruch". Histor. Notizen, so in der 'LIMBURGER CHRONIK' zu den Jahren 1351ff., und spätere Überlieferung lassen erkennen, daß es sich dabei neben volkstüml. Neuschöpfungen nicht selten um "zersungene" ältere Texte handelt, die nun als "Volkslieder" umlaufen (vgl. S. 89).

Mit der ernsten Absicht, an frühere Traditionen anzuknüpfen (ohne freilich deren Qualität auch nur annähernd zu erreichen), besingt **Hugo von Montfort** (1357–1423; Feld- und Landeshauptmann der Österreicher) in seinen Liedern Freuden und Leiden der Ehe, zuletzt tief getroffen vom Tod seiner 2. Frau. Thema und Form trennen ihn weit vom alten Minnesang; dennoch reiht er sich ein in die Übung adliger Minnesänger, die ihre Dichtung als wesentl. Lebensäußerung neben ihren polit. Funktionen sahen.

Diesen bei weitem überragend tritt etwa um dieselbe Zeit der Südtiroler **Oswald von Wolkenstein** (ca. 1377–1445) mit seinen Liedern hervor. Ein wahrhaft turbulenter Lebenslauf, der ihn schon seit frühester Jugend in vieler Herren Länder führte, hat ihn mit einem einmal. Erfahrungsreichtum ausgestattet, mit dem seine poet. Begabung wuchert. Doch nicht nur Lebenserfahrung, über die sich seine Spontaneität oft genug zu seinem Schaden hinwegsetzt, sondern auch seine in nichtdt. Ländern gesammelten künstler. Kenntnisse weiß er in seinen Liedern zu verarbeiten. Insbes. die **Anregungen moderner it., vor allem aber frz. Tonkunst** heben ihn weit über die spätmal. dt. Tradition hinaus, der man ihn im Sprachl. bei aller Originalität doch zurechnen könnte. Sein künstler. Selbstbewußtsein, das in dieser Hinsicht renaissancehaft genannt werden kann, läßt ihn für eine von ihm autorisierte Sammlung seiner Lieder sorgen. Die Nebenüberlieferung, auch in kleineren Gebrauchssammlungen, bezeugt die erfolgreiche Aufnahme seiner Lieder.

OSWALD ist mit seiner inhaltl. und formalen Vielfalt, mit dem Temperament seiner Darstellung und der Qualität seines Stils eine singuläre Erscheinung, vielleicht der einzige dt. Dichter des späten MAs von internat. Format. Die dt. Lyrik der Zeit hatte grundsätzlich eine andere, **hausbackenere Tendenz,** die schließlich in den **Meistersang** (S. 89ff.) mündet. Als Vorläufer, wenn nicht schon als Vertreter des zunftmäß. Singens gilt der 1410–38 an versch. Höfen wirkende MUSKATBLÜT, dessen rd. 100 Lieder nur wenigen Strophenschemata folgen. Wer nicht wie OSWALD über die Grenzen des Reiches hinauskam, war – so will es scheinen – dem **Provinzialismus** verfallen, der am ehesten noch zu saftiger Zeitkritik wie in MUSKATBLÜTS 'RÜGELIEDERN' anregte.

Die sozialen Grenzen dichter. Entfaltung waren in vielen Fällen aber noch sehr viel enger als bei MUSKATBLÜT, so bei HANS ROSENPLÜT (S. 80f.), der als Nürnberger Bürger (= H. SCHNEPPERER?) aufs städt. Regiment Rücksicht nehmen mußte. So konnte etwa die von ihm **"Priamel"** (von *preambel*) genannte Spruchform insges. nur wenig zeitkrit. Biß beweisen.

Dt. Literatur vor und neben dem Humanismus

Die dt. Literatur des 15. Jhs. entwickelt sich vor und neben dem Humanismus nur langsam weiter. Alle im 14. Jh. schon vorhandenen Gattungen werden bieder weitergepflegt. Auffäll. Veränderungen ergeben sich in der ersten Hälfte des Jahrhunderts zunächst nur aus der **anwachsenden Zahl von Texten** auf bestimmten Gebieten.

Dies gilt in erster Linie für die **relig. Lehre und Erbauung,** die **Populartheologie,** die in einer Fülle von traditionellen Gestaltungen in Vers und Prosa vertreten ist. Predigten, myst. Traktate, bibl. Dichtungen und geistl. Lieder werden noch vor der Möglichkeit massenhafter Verbreitung durch den neuen Buchdruck immer zahlreicher. Eine nur-ästhet. Wertung ist schwierig, würde auch nicht das Spezif. der Situation treffen, die unter dem Aspekt der **Ausbreitung der Lesekultur** schlechthin, vor allem im Bürgertum, gerechter beurteilt wird. Dennoch verdient etwa das lyr. Werk des Geistlichen und späteren Mönchs in Freiburg/Br. und Straßburg, HEINRICH VON LAUFENBERG (gest. 1460), der auch größere populartheolog. Werke wie den 'SPIEGEL DES MENSCHL. HEILES' (15000 Verse) verfaßt hat, auch unter ästhet. Aspekt hervorgehoben zu werden.

Auch die **Minnelehren und Minnereden** erscheinen als eine in diesem Jahrhundert noch äußerst beliebte Gattung. Bevor um die Jahrhundertmitte der schwäb. Ritter HERMANN VON SACHSENHEIM (s. S. 86f.) die Grenzen dieses literar. Modells in seinen Minneredenvariationen überschreitet und grundsätzlich als untauglich erweist für eine angemessene Einstellung zur andrängenden polit. und sozialen Realität, erfährt diese Gattung in der 'REGEL DER MINNE' des Mindener Kanonikus EBERHARD VON CERSNE (1404) noch einen Höhepunkt traditionsverhafteter Gestaltung. Als erster verwendet EBERHARD in dt. Sprache jedoch schon einzelne "leonin." (gereimte) Hexameter. Stärker als im 12./13. Jh. wirkt in seiner und in anderen Minnereden der Traktat 'DE AMORE' des Franzosen ANDREAS "CAPELLANUS" nach (s. S. 61).

Die **Auseinandersetzung mit histor. Ereignissen in Liedern** nimmt, gemessen an der Überlieferung, ebenfalls zu. Eine bes. historiograph. Leistung wird durch das Konstanzer Konzil angeregt. Der Konstanzer Bürger ULRICH VON RICHENTAL beschreibt in einer umfängl. Chronik Vorgeschichte und Verlauf dieses Konzils (1414–18), zunächst in einer (verlorenen) lat. Version, von der er dann eine dt. Bearbeitung anfertigt. Darin hat er viele Details aus eigener Erkundung *(von hus ze hus)* zusammengetragen und ein zugleich kirchen- und reichsgeschichtl. wie auch kulturhistor. Mosaik geschaffen.

Die **Kleinepik** blüht in vielfält. Gestalt, allem voran die **Schwankliteratur.** Bereits um 1400 tritt einer der fruchtbarsten Autoren dieser Gattung hervor, HEINRICH KAUFRINGER aus Landsberg am Lech. In der formalen Tradition früherer Kleinepik, insonderheit des TEICHNERS, bearbeitet er derbe Themen, die auch die Fastnachtspiele bestimmen, Liebschaften, Liebeslisten, Ehebruch, darin für heut. Geschmack merkwürdig inkonsequent, wenn man diese Produktionen an den Reimsprüchen mit moral. Gehalt aus seiner Feder mißt. Wie nah selbst im kirchl. Rahmen ernste und heitere Themen beieinander lagen, wird deutlich aus der liturg. Vorschrift für das Osterfest, die Gemeinden, notfalls mit Witzen, zum sog. Ostergelächter als Ausdruck österl. Freude zu bringen.

Die **Fabel** ist nicht mehr aus dem literar. Leben fortzudenken. Eine erste dt. Sammlung in Prosa liegt mit dem 'BUCH DER NATÜRL. WEISHEIT' des Wiener Kanonikus ULRICH VON POTTENSTEIN vor (ca. 1410). Diese Sammlung geht zurück auf eine entspr. lat. Anthologie, die bei Verzicht auf alte Fabelüberlieferungen unter Gestalten aus der Natur Tugenden und Laster kontrastiert. Die Einführung der Prosa in die Entwicklung der dt. Fabel bedeutet bei POTTENSTEIN indes zugleich einen Anschluß an die neue Kunstprosa.

Die Zähigkeit wie Brüchigkeit alter Traditionen wird am Gesamtwerk des Thüringers **Johannes Rothe,** Geistlicher und Gelehrter in Eisenach (ca. 1360–1434), sichtbar. Nach 1410 schreibt er einen 'RITTERSPIEGEL', eine Lehrdichtung in achtzeil. Strophen, die eine scheinbar konservative Klage um die verschwundene Ritterzeit enthält. Ihr literar. Bild nimmt er, selbst Bürger (!), für die histor. Wirklichkeit. Offen bürgerlich gibt er sich in 'DES RATES ZUCHT', einer Sittenlehre für Ratsleute. Hier verwendet er auch neben EBERHARD VON CERSNE (s. o.) leonin. Hexameter, womit man ihn gern in die Nähe humanist. Bestrebungen rücken möchte. Doch heben ihn weitere Werke nicht besonders aus dem Rahmen der grundsätzl. Möglichkeiten vorhumanist. Literatur. Da gibt es von ihm um 1420 ein 'LEBEN DER HL. ELISABETH' (in Reimpaaren) sowie 1421 als Übergang zur Prosa eine 'THÜRING. CHRONIK'. Letztlich dokumentiert ROTHE auch schon in seinem 'RITTERSPIEGEL' nichts anderes als das Selbstbewußtsein des seiner neuen Bedeutung gewissen Bürgertums. Die Ritternostalgie ist deutlich durchmischt mit Sympathie für Aufsteiger aus Bürger- und sogar Bauerntum in den Ritterstand, sofern dieser Aufstieg rechtlich sanktioniert ist und sittl. Leistung entspricht. Selbst da, wo bereits unmittelbar it. Vorbilder herangezogen werden, kann es zu einem Rückfall in "dt." Traditionen kommen, so bei dem Südtiroler HANS VINTLER, der 1411 die 'FIORI DI VIRTÚ' des TOMASO LEONI in Reimpaaren bearbeitet und schließlich doch wieder nur in Lasterschelte münden läßt.

Humanismus in Deutschland

Der dt. Humanismus ist weder nur ein Ableger der it. Renaissance noch eine programmatisch klar abgrenzbare nationale Erscheinung. **Von Italien kamen die entscheidenden Impulse** zur Pflege der *humanitas,* verstanden als (klass.) Bildung. PETRARCAS rhetorisch-literar. Strebungen, der **Platonismus** der Florentiner Akademie und der **Aristotelismus** der Universität Padua bildeten schon dort eine breite Skala humanist. Selbstverständnisses. In Mitteleuropa beflügelte der Humanismus über die schönen Künste hinaus nicht zuletzt auch **Mathematik und Naturwissenschaft.** Gestalten wie REGIOMONTANUS (= JOHANNES MÜLLER, 1436–76, aus Königsberg) und KOPERNIKUS (= NICOLAUS KOPERNIK, 1473–1543, aus Thorn) sind die besonders herausragenden Gipfel der schon früh mathematisch-naturwissenschaftlich-technischen Entdeckungen und Erfindungen aufgeschlossenen Landschaft des dt. Humanismus. Die Einschränkung des Begriffs "Humanismus" in der Folgezeit auf eine vornehmlich sprachlich-literar. Bildung stellt nicht nur eine Verkürzung, sondern auch eine Unterschlagung histor. Leistungen in nicht-literar. Bereichen dar.

Frühe Anregungen aus Italien erhielten noch im 14. Jh. der **bayerische Hof in München** (durch MARSILIUS VON PADUA, MICHAEL DE CESENA, denen sich der bedeutende engl. Philosoph WILHELM VON OCKHAM beigesellte) und – weniger direkt – der **Luxemburger Hof in Prag**.

In Prag hatten humanist. Impulse unter der bes. Pflege durch den Kanzler JOHANN VON NEUMARKT (ca. 1310–80) schon im 14. Jh. die **Entwicklung eines neuen dt. Kanzleistils** beflügelt. Der Einfluß dieses Stils auf die dt. Sprachgeschichte insges. ist allerdings (im Gefolge von K. BURDACHS Thesen) vielfach überschätzt worden. Dennoch wird man das Übersetzungswerk JOHANNS unbedingt an den Anfang humanist. Tradition in dt. Sprache setzen müssen: Dazu zählen 'DAS BUCH DER LIEBKOSUNGEN', nach einem pseudo-augustin. Text 1356 für KARL IV. geschrieben, das 'LEBEN DES HL. HIERONYMUS', nach 1368 für die Markgräfin von Mähren übersetzt; ferner der 'STACHEL DER LIEB', nach einem lat. Text der Franziskanermystik übersetzt, und ein Buch mit Gebetsübertragungen für den Prager Hof, das sich durch seinen hymn. Prosastil auszeichnet. Hier herrscht freilich noch eine formale Übernahme humanistisch bestimmter Elemente vor, während sich die Eigenproduktion in dt. Sprache wie bei JOHANN VON TEPL (s. S. 83), auf den der Prager Kanzler erkennbar gewirkt hat, dem neuen Geist zunächst nur bedingt hingibt. So ereignen sich auch weitere Übergänge zu humanist. Haltung nur sehr zögernd.

Nach der frühen, in lat. Sprache vollzogenen Aufnahme humanist. Ideen in München bezeichnet im 15. Jh. der Arzt und Naturwissenschaftler Dr. JOHANNES HARTLIEB (gest. 1468) im Umkreis eben dieses Hofes einen solchen fast unmerkl. Übergang. Sein **Bemühen um Universalität** führt ihn zu Schriften über sehr versch. Themen; darunter finden sich neben ärztl. Schriften eine Reihe auftragsgebundener Traktate zu den mag. Künsten, die er schließlich im 'PUOCH ALLER VERPOTEN KUNST' (1455/56) aus relig. und moral. Gründen selbst ablehnt. Auch umschließt sein Schaffen Übersetzungen lat. Epik wie die ALEXANDER-Geschichte 'LIBER DE PRELIIS' oder den 'DIALOGUS MIRACULORUM' des CAESARIUS VON HEISTERBACH. Keins seiner Werke kann für sich genommen schon als Ausweis humanist. Haltung gelten, erst im universell orientierten Gesamtschaffen des Autors gewinnen sie ihren Charakter als Vorläufer des Humanismus.

Folgenreicher als die frühen Einflüsse auf München und Prag war das Wirken des **Enea Silvio** (DE PICCOLOMINI; 1405–64), des späteren Papstes PIUS II. Als Sekretär des Bischofs von Fermo betritt er 1432 erstmals dt. Boden und schart auf dem Basler Konzil junge Deutsche und Italiener um sich, die seinen stilist. und poet. Künsten nacheifern. Kaiser FRIEDRICH III. ehrt ihn mit der Dichterkrönung *(poeta laureatus),* ab 1443 ist er als kaiserl. Sekretär in der Reichskanzlei zu Wien tätig. ENEA SILVIO wirkte während 23 Jahren Deutschlandaufenthalts in emsiger, auch karrierebewußter Weise für die Vermittlung vor allem der neuen literarisch-rhetor. Ideale Italiens. Ein reichhalt. Briefwechsel mit Vertretern des Adels, der Kirche, der Universitäten und anderer Kanzleien, kunstvolle Reden, kirchl. und polit. Schriften, wissenschaftl. Abhandlungen, aber auch Leistungen auf dem Gebiet der Novelle und des Dramas sind die Früchte seines Wirkens und zugleich Impulse für die weitere humanist. Entwicklung in Deutschland. Insbes. seine 'GERMANIA' weckte das Bewußtsein für Deutschlands kulturelle Einheit.

In Wien war der Boden für ENEAS Wirken bereits durch die Universität bereitet, die als Gegengründung zu Prag entstanden war. Als schließlich auch die Reichskanzlei von Prag an den Habsburger Hof verlegt worden war, konnte **Wien** zum wichtigen **Zentrum des dt. Frühhumanismus** werden, der von hier aus auch in westl. Richtung ausstrahlte.

Die dt. **Universitäten** des 15. Jhs. wurden neben nichthochschul. **städt. Gelehrtenzirkeln** durch den Zuzug dt. wie it. "Wanderhumanisten" zu Stätten neuer Bildungspflege. Nach den Höfen zu München, Prag und Wien wurden aber auch andere **Fürstenhöfe** zu aktiven Pflegestätten des neuen Geistes, der hier auch die deutschsprach. Literatur befruchtete.

Das Übergewicht behielten freilich die **neulat. schreibenden Humanisten.** Die bedeu-

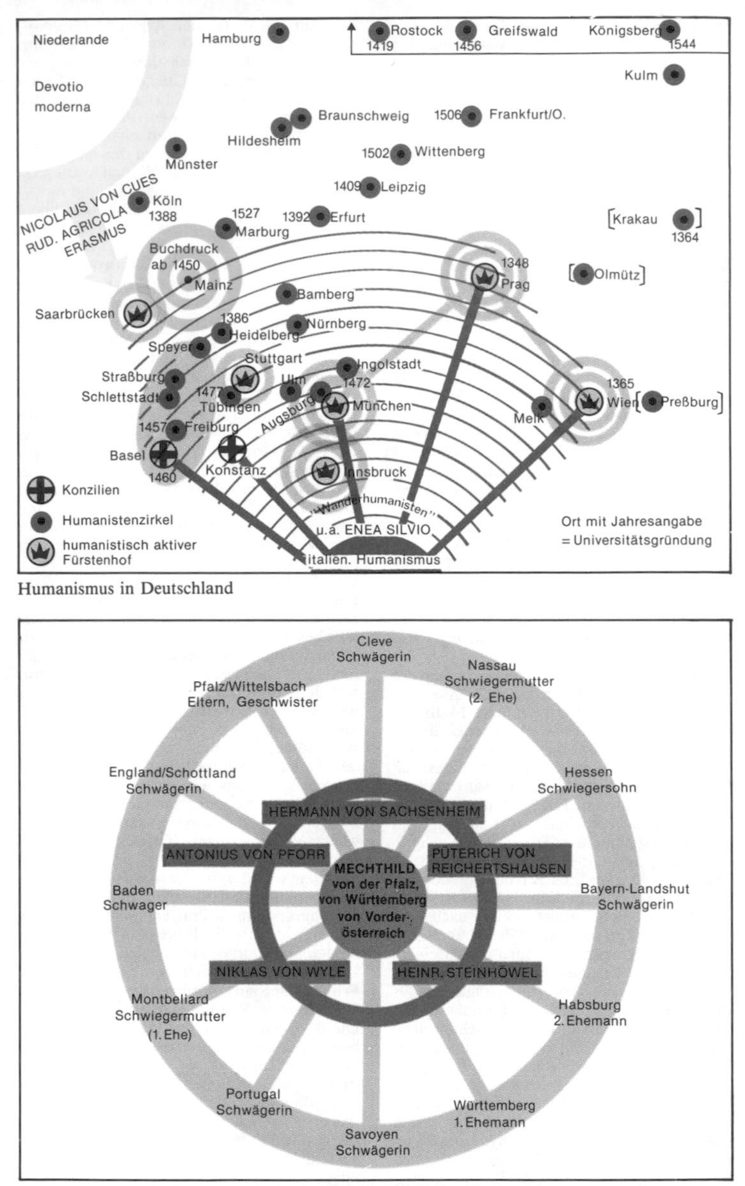

Humanismus in Deutschland

Der literarische Kreis MECHTHILDs im Rahmen ihrer Familienbeziehungen

tendsten, NICOLAUS VON CUES (1401–64) und ERASMUS VON ROTTERDAM (ca. 1466–1536), hatten wichtige Anregungen noch aus der *Devotio moderna* empfangen. Wie in der Mystik wird das Oberrheingebiet zu einer Kernzone des neuen Geistes. Doch auch bis zum Norden und Nordosten Deutschlands erweitert sich die Kommunikation der Humanisten, die nicht nur in regem Briefwechsel miteinander stehen, sondern auch durch Reisen persönl. Kontakte herstellen. Das poln. Krakau, dessen Universität noch vor der Wiener gegründet wurde, sieht so nicht weniger bedeutende Humanisten in seinen Mauern als eins der südwestdt. Zentren. Der humanist. "Erzpoet" KONRAD CELTIS (1459–1508; 1487 1. dt. *poeta laureatus*) wird zum Gründer zahlreicher **Humanistenzirkel.** Entscheidendes Medium und Kommunikationsinstrument aber ist von der Jahrhundertmitte an das **gedruckte Buch,** das durch GUTENBERGS Erfindung von Mainz aus seinen Siegeszug durch die Welt antritt.

Literar. Zentren an Fürstenhöfen

Die literar. Kommunikation im gehobenen Bürgertum nimmt im 15. Jh. durch humanist. Bildung und das Medium Buch zu. Die überwiegende Publikationssprache Latein und die hohen Buchpreise sind allerdings als einschränkende Bedingungen zu berücksichtigen! Da konnten reiche Adlige leichter mithalten. Fürstl. Bibliotheken sind darum, nicht selten bis in die jüngere Vergangenheit, kostbare Sammelstätten für die teuren Frühdrukke (sog. Inkunabeln oder Wiegendrucke) gewesen.

Als auch produktive Zentren literar. Kommunikation in dt. Sprache gelten im 15. Jh. insbes. die **Höfe der Eleonore von Österreich** (bzw. VON SCHOTTLAND, eine Stuart) **in Innsbruck und der Elisabeth von Nassau-Saarbrücken.** Beide sind selbst literarisch tätig. ELISABETH führte noch vor 1450 die **frz. Erzählprosa** in Deutschland ein, deren Beliebtheit eine Reihe ihrer Werke zu "Volksbüchern" werden ließ (s. u.). ELEONORE übersetzt um 1456 die ritterlich-abenteuerl. Liebesgeschichte 'PONTUS UND SIDONIA', einen frz. Prosaroman, der ebenfalls "Volksbuch" wurde.

Daß diese Zentren trotz der Modernität ihrer Bestrebungen nicht einfach einer einzigen literar. Tradition zugeordnet werden können, wird am **literar. Kreis um Mechthild** von der Pfalz, in erster Ehe Gräfin von Württemberg, in zweiter Herzogin von Vorderösterreich, sichtbar. Sie pflegte Kontakte zu Autoren versch. sozialer und literar. Provenienz. Aus **bürgerlich-humanist. Kreisen** stammen NIKLAS VON WYLE und HEINR. STEINHÖWEL sowie der Patrizier ANTONIUS VON PFORR. **Altadlige** sind die Ritter HERMANN VON SACHSENHEIM und JACOB PÜTERICH VON REICHERTSHAUSEN. Entsprechend unterschiedlich sind auch die von MECHTHILD angeregten oder ihr gewidmeten Werke. Grundsätzlich aufschlußreich und für die Rezeption einzelner Werke unmittelbar heranzuziehen ist der Umkreis verwandtschaftl. Beziehungen dieser Fürstin, der einen wesentl. Teil des dt. Hochadels, aber auch nichtdt. Hochadelsgeschlechter umfaßt und der auch an der literar. Kommunikation MECHTHILDS teilhat. So fanden sich etwa Handschriften des größten, ihr gewidmeten Werks HERMANNS VON SACHSENHEIM (ca. 1367–1458), der gereimten Minneredenvariation 'DIE MÖRIN', später in Bibliotheken versch. fürstl. Verwandter wieder. Der Schwabe HERMANN und der Bayer PÜTERICH repräsentieren in ihrer Dichtung jene dt. adlig konservative Spielart einer Renaissance, die treffender als **"Ritterromantik"** bezeichnet werden muß, da sie in ihrer Rückwendung zu (überholten) Normen der Vergangenheit nur indirekt eine Ahnung des Neuen, Zukunftsweisenden zuläßt (vgl. S. 71 und 93). HERMANN führt in seinen Adaptionen der Minnerede diese Gattung und ihre Idee faktisch ad absurdum; PÜTERICH konzentriert sich in seinem 'EHRENBRIEF', einem Briefgedicht in 148 Titurel-Strophen, auf den Versuch, eine (letztlich irreale) Kontinuität zwischen dem Rittertum der Stauferzeit und seiner Gegenwart nachzuweisen, was sich in teilweise ermüdenden Aufzählungen aktueller Existenzbeweise erschöpft (die gleichwohl das höf. Publikum als Instrument der Selbstbestätigung goutiert zu haben scheint).

MECHTHILDS Hofkaplan ANTONIUS VON PFORR steht da mit seiner gelehrten Übersetzungsarbeit dem it. Humanismus wesentlich näher. Vollends vertreten NIKLAS VON WYLE (ca. 1410–78) und HEINR. STEINHÖWEL (1412–82) vor allem mit ihren **Übersetzungen it. Renaissancetexte** (von ENEA SILVIO, BOCCACCIO, PETRARCA u. a.) die Vollrezeption der neuen Literatur.

Entscheidende Fortschritte erfährt die humanist. dt. Literatur aber nach wie vor in den **Städten,** in denen auch WYLE und STEINHÖWEL, dieser als Arzt in Ulm, wirkten. In diese Sphäre gehört auch der Nürnberger Patrizier, der unter dem Decknamen ARIGO (= H. SCHLÜSSELFELDER?) 1472 eine Übersetzung von BOCCACCIOS 'DECAMERONE' drucken ließ. Aber auch im **Umkreis der Kirche** nehmen Humanisten aktiven Anteil an der Vermittlung der Renaissance in dt. Sprache. Hier ist vor allem der Domherr ALBRECHT VON EYB (1420–75) zu nennen, der neben ep. Texten auch antike Dramen, des PLAUTUS 'MENAECHMI' und 'BACCHIDES', meisterhaft übersetzt.

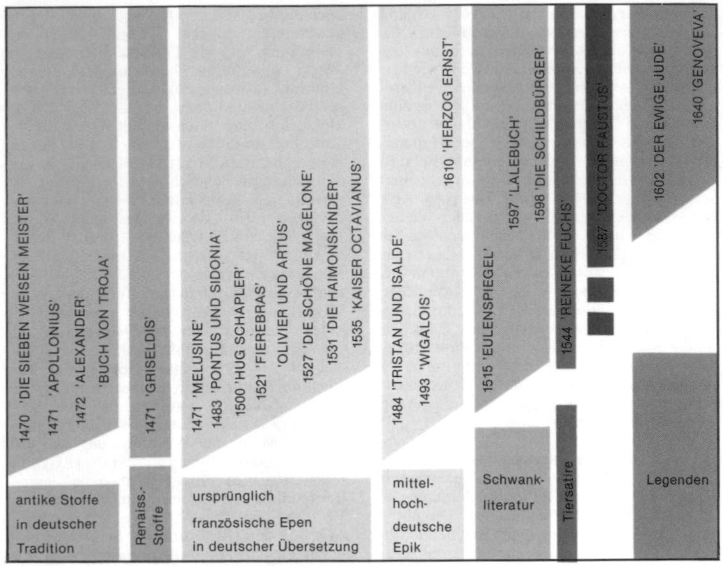

Stoffgeschichtliche Gruppierung von "Volksbüchern"

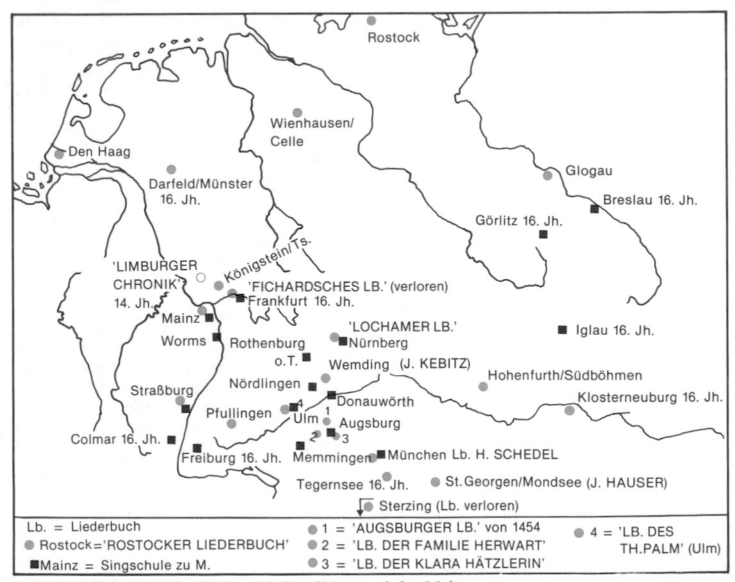

Schwerpunkte handschriftlicher Liedtradition und des Meistersangs

Buchdruck und "Volksbücher"

Die Erfindung des JOHANN (GENSFLEISCH ZUM) GUTENBERG (ca. 1397–1468), im Buchdruck statt eingefärbter Stempel und Platten bewegl. Lettern im Gußverfahren einzusetzen (um 1450), wurde zu einem Markstein literar. Entwicklung überhaupt, da sie eine **bis dahin ungeahnte Verbreitung schriftl. Texte** ermöglichte. Dadurch wurde nicht nur der Zugang zum geschriebenen Wort überhaupt erleichtert, es veränderte sich auch die Qualität des einzelnen Texts, der nun in einer "Auflage" vielfach und nicht mehr nur in Einzelexemplaren von Handschriften oder von (im alten Druckverfahren hergestellten) "Blockbüchern" vorhanden war (die frühen Auflagen betrugen allerdings zunächst nur wenige Hundert).

Die Verbreitung von Literatur tritt durch diese Entwicklung allerdings auch in einen engen Zusammenhang mit bestimmten Wirtschaftsformen, weil nur eine entwickelte **Geldwirtschaft** und ein weitreichender **Fernhandel** für die auf **Kredit und Absatz** angewiesenen Druckereiunternehmen die notwend. Basis liefern.

Die geradezu revolutionierende Wirkung des Buchdrucks wird nicht nur in der neuen Organisation der Verbreitung von Literatur deutlich, die zunehmend von **"Druckereiverlagen"**, Offizinen, besorgt wird, sondern schlägt sich auch inhaltlich nieder. So ist eine ganze Quasi-Gattung, die sog. **Volksbücher,** wesentlich aus der Einwirkung von Verlegern auf vorgegebene Stoffe erklärbar. Anders als es der romant. Begriff "Volksbuch" vermuten läßt, sind die so bezeichneten Texte weniger das Produkt anonymer Volksüberlieferung – das mag noch für die Schwankliteratur und für den FAUST-Stoff gelten –, vielmehr machen sich Verlagshändler die noch nicht urheberrechtlich geschützte Literatur, auch von bekannten Autoren, so Prosaromane der ELISABETH VON NASSAU-SAARBRÜCKEN ('HUG SCHAPLER' u.a.) oder die 'MELUSINE' des THÜRING VON RINGOLTINGEN, geschäftlich zu eigen und geben sie in Fassungen heraus, die erkennbar **auf bestimmte Käuferschichten zielen.** (Zur Volkspoesie vgl. S. 181.)

Wie breit gefächert das Leseinteresse der Zeit ist, läßt sich schon an den unterschiedl. Herkunfts- und Themenbezirken der "Volksbücher" aufzeigen, die noch vor der Reformation gedruckt werden. Die Reformation ändert daran grundsätzlich nichts, auch wenn manches Buch, je nach konfessionellem Standort, verändert wird. Auch gibt es nicht seltene Eingriffe, die den Wortschatz älterer Texte oder eines fremden Dialektgebiets den sprachl. Gewohnheiten neuer Leser anpassen.

Dies gilt nicht zuletzt auch für Bibelübersetzungen nach LUTHER, die keineswegs einheitlich über das ganze dt. Sprachgebiet verbreitet werden.

"Volkslied" und Meistersang

Das 15. Jh. erscheint als **Blüte des "Volkslieds",** wie ein wiederum romant. Begriff das "volksläufige", populäre anonyme Lied nennt. Dabei ist wie bei den "Volksbüchern" zu bedenken, daß vieles erst im Laufe einer freien Überlieferung anonym geworden ist. Der Mythos vom anonymen, selbst dichtenden Volk verkannte von vornherein, daß die Freiheit, über vorgegebene Texte je nach Gebrauchsinteresse zu verfügen, umzudichten und umzukomponieren, im MA grundsätzl. Natur ist (vgl. S. 65). "Volkslieder" treten also bei Mehrfachüberlieferung hinsichtlich ihrer sprachl. und musikal. Gestalt fast immer in unterschiedl. Fassungen auf. Das gilt auch für die ep. Liedgattung **Ballade,** die im Spätmittelalter vor allem als volksläuf. Gestaltung heroischer Stoffe (Heldensagen) hervortritt.

Diese Blüte wird in erster Linie aus der **sprunghaft anwachsenden Zahl von Aufzeichnungen** (Liederbücher) geschlossen, die freilich oft zu erkennen geben, daß ihr Inhalt teilweise bereits früher lebendig tradiert worden ist. Die im 15. Jh. wachsende Zahl von Textfixierungen, die auch auf anderen Gebieten (z.B. bei weltl. und geistl. Gebrauchstexten) zu beobachten ist, hängt wiederum mit der Ablösung des teuren Pergaments durch das in einheim. Produktion **billig gewordene Papier** zusammen. Liedersammlungen sind vielfach schon nicht mehr für den Gesangs-, sondern für den **Lesegebrauch** konzipiert (wie in der älteren Minnesangüberlieferung fehlt hier sehr häufig die musikal. Notierung). Sie sind überwiegend Sache **bürgerl. Auftraggeber und Benutzer,** können aber, wie im 'KÖNIGSTEINER LIEDERBUCH', auch noch Zeugnis adliger Liedpflege sein. Die für dieses Liedgut gelegentlich anzutreffende Bezeichnung "Gesellschaftslied" ist unglücklich, weil derselbe Begriff auch für das Kunstlied des 16. Jhs. verwendet wird (s. S. 92f.).

Aus der im doppelten Wortsinn handwerkl. Tradition bürgerl. Berufssänger entsteht daneben aber eine andere, fast esoter. Richtung lyr. Kunst, der **Meistersang,** der sich in direkter Linie von der hochmittelalterl. Kunstübung der Minnesänger und Spruchdichter ableitet. Für 1450 ist eine **erste städt. Singschule in Augsburg** bezeugt, neben der vor allem im südwestdt. Raum, aber auch in Schlesien und in der dt. Sprachinsel Südmährens, Iglau, weitere Organisationen von Meistersingern entstehen.

Dabei handelt es sich um **zunftmäß. Zusammenschlüsse** von Dichtern und Sängern, deren Vorläufer im 14. Jh. **kirchl. Bruderschaften** waren. Diese hatten sich gebildet, als das Berufsbild des bürgerl. Sängers sich auflöste und Singen zur Liebhaberei in Handwerkskreisen wurde. Auffällig ist die starke **Trennung von geistl. und weltl. Themen,** wobei nur die geistl. als "Kirchenmusik", das ei-

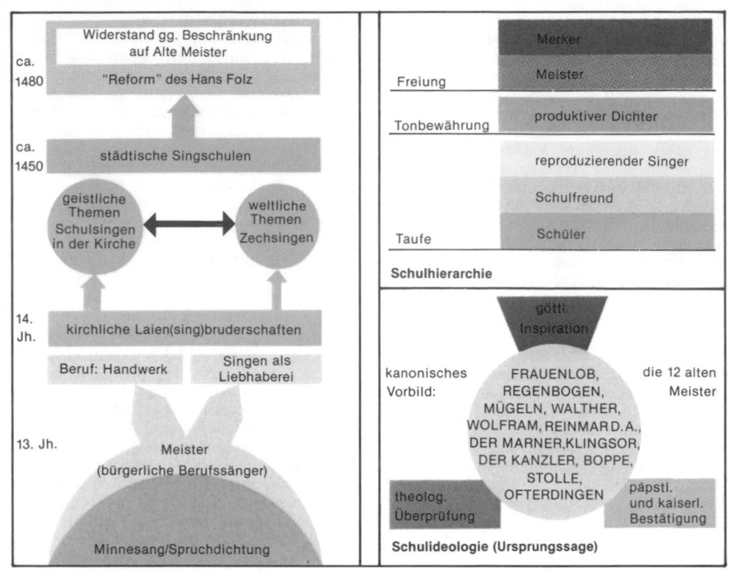

Meistersang im 15. Jh.

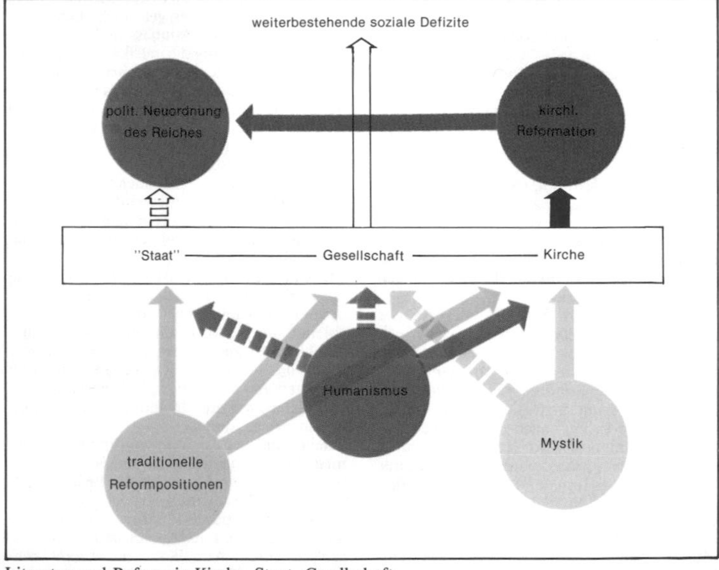

Literatur und Reform in Kirche, Staat, Gesellschaft

gentl. Schulsingen, einen offiziellen Rang erhielten, während die weltl. Themen dem ”Zechsingen“ vorbehalten blieben.
Die **Singschule** des 15. Jhs. hat ein strenges Reglement und beachtet eine feste Hierarchie ihrer Mitglieder mit zunftgemäßem Aufstiegsritual. Sie entwickelt in ihrer Ursprungssage unter Berufung auf die **12 alten Meister** (darunter auch literarisch fiktive Namen wie HEINRICH VON OFTERDINGEN und KLINGSOR) ihre eigene Ideologie, die sich auf göttl. Inspiration und geistl. wie weltl. Legitimation beruft. HANS FOLZ (ab 1479 in Nürnberg; Wundarzt u. Verleger) erhält dem Meistersang, gegen rhein. und schwäb. Beschränkungen, die Freiheit, mehr als nur die Töne der Alten Meister zu pflegen (von der früheren Forschung als ”Reform“ mißverstanden). In einem (freilich sehr eingeschränkten) Sinn kann die Normierung des Meistersangs nach OTFRIED (S. 31) und theoret. Äußerungen stauf. Autoren (S. 58) als weiterer Beitrag zu einer eigenständ. dt. Poetik gelten.
Den Meistersingern erschien die Kunst als lehr- und lernbare Fertigkeit i. S. des schon antiken *ars*-Gedankens, der indes entsprechend den sozialen Bedingungen vieler Kunstübender als Handwerker auf ”technische“ Kategorien eingeengt wurde (die Korrekturarbeit des ”Beckmessens“ ist heute synonym mit kleinl. Kritik!), und sich als geradezu originalitätsfeindlich erwies (wobei Originalität als bewußtes Kunstziel dem MA ohnehin weitgehend wesensfremd war). Erstaunlich ist das **populartheolog. Engagement** der meisten Meistersinger, die nicht selten auch spätscholast. Spitzfindigkeiten zum Thema machten. Immerhin bezeugt dieses Engagement am Vorabend der Reformation eine hohe Aufgeschlossenheit des Bürgertums für geistl. Themen insgesamt.

Literatur und Geschichte am Ende des MAs

Daß **Literatur** immer auch als **Bestandteil gesellschaftl. Auseinandersetzungen** gesehen werden muß, wird exemplarisch aus ihrem Zusammenhang mit der Geschichte der Reformation deutlich. Die zur Reformation führenden Krisen und die Programme zu ihrer Lösung, von denen die tatsächlich durchgeführte Reformation selbst nur eins von mehreren Modellen darstellt, haben sich in vielfält. Weise literarisch niedergeschlagen, ja sind vielfach erst durch literar. Gestaltung ins Bewußtsein der Zeit gedrungen.
Polit., soziale und kirchl. Mißstände sind in dt. Sprache spätestens seit der Stauferzeit Gegenstand literar. Äußerungen gewesen. Lehrdichtungen, Satiren, aber auch die didakt. Motive von ”ästhet.“ Texten aller Gattungen bieten ein **breites Spektrum von Reformpositionen,** das von konservativen Utopien bis zu sozialrevolutionären Programmen reicht, aber auch noch unentschiedene Einstellungen einschließt. Die nach 1439 weitverbreitete 'REFORMATIO SIGISMUNDI' (eines Anonymus) stellt eine jener typ. Mischungen von konservativ bis sozialrevolutionären Reformvorschlägen dar. Ein prominentes literar. Beispiel für eine noch auf kein bestimmtes ”Parteiprogramm“ festgelegte **Gesellschaftskritik** bietet der Straßburger Jurist SEBASTIAN BRANT (1457–1521) in seiner gereimten Lehrdichtung 'DAS NARRENSCHIFF' (1494), in der er Torheiten und Laster aus allen Schichten der zeitgenöss. Gesellschaft satirisch geißelt.
Revolutionierende Kraft hatte zweifellos die **Mystik** entwickelt, die im Kontext von Auseinandersetzungen mit realen Zuständen in der Kirche entstanden war und das Verhältnis des einzelnen zu Gott als letztlich radikale Alternative zu kollektiven Glaubenshaltungen entwickelt hatte (über den Pietismus im 18. Jh. wird sie sich unmittelbar auf die Entwicklung des Persönlichkeitsideals auswirken). Ihr vorwiegend relig. Impetus und kirchl. Rahmen machten sie allerdings nur bedingt tauglich für eine auch gegen polit. und soziale Mißstände gerichtete Kritik.
Auch der **Humanismus** konzentriert sich in seinen krit. Positionen sehr stark auf das von den Ursprüngen entfernte Christentum und trägt zur weiteren **Distanzierung von der offiziellen Kirche** bei, deren Erscheinung von einem schismat. Papsttum (vgl. S. 72f.) mit gleichzeitig übersteigerten Machtansprüchen negativ bestimmt ist. Mit dieser Kritik können sich sehr unterschiedl. Kräfte identifizieren, nicht zuletzt das erstarkte **Landesfürstentum,** das sich von einer kirchl. Reformation auch eine Neuverteilung der Macht im Reich erhofft. Bereits diese grob skizzierten Grundlinien enthalten eine Vielzahl von Kreuzungsmöglichkeiten, die sich in der Flut literar. Äußerungen am Ende des MAs tatsächlich finden.
Zuletzt kommt es zu einer (partiellen) **Kirchenreform mit erhebl. Folgen für die polit. Ordnung,** ohne daß grundlegende soziale Defizite beseitigt werden. Wo der Reformwille weiterreicht und wirklich revolutionäre Züge annimmt (Bauernaufstände, Wiedertäuferbewegung u. ä.), gerät er unvermeidlich in Konflikt mit alten und neuen, kath. wie reformierten Positionen.
Die Bedeutung, die vor und während der Reformation literar. Stellungnahmen für die Austragung der Konflikte gewinnen, beweist, daß Literatur keineswegs nur in Perioden polit. und sozialer Ruhe gedeiht, sondern in Krisenzeiten sogar zusätzl. Impulse erhalten kann (vgl. S. 27 u. 51). Im geschriebenen Wort manifestieren sich allerdings auch die inhumansten Verirrungen, so 1487 im 'HEXENHAMMER' von H. INSTITORIS und J. SPRENGER, jener Grundschrift der **Hexenverfolgung,** die durch die Reformation und auch in reform. Regionen nicht gehemmt wird.

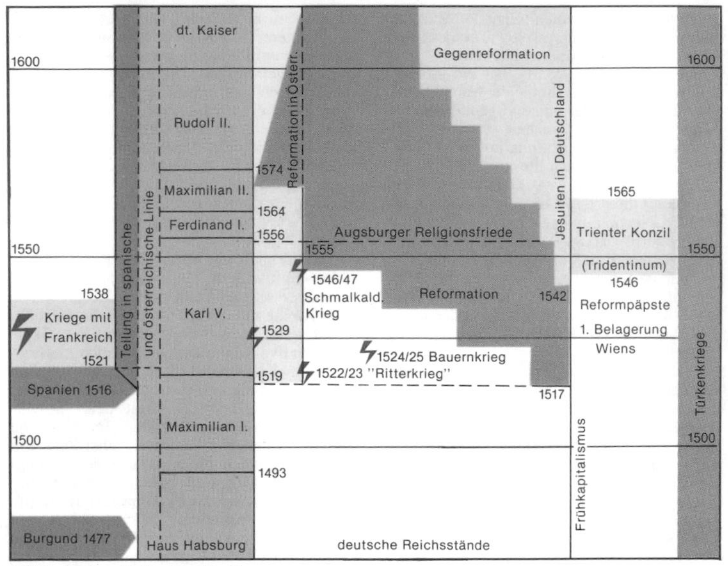

Politische Geschichte des 16. Jhs.

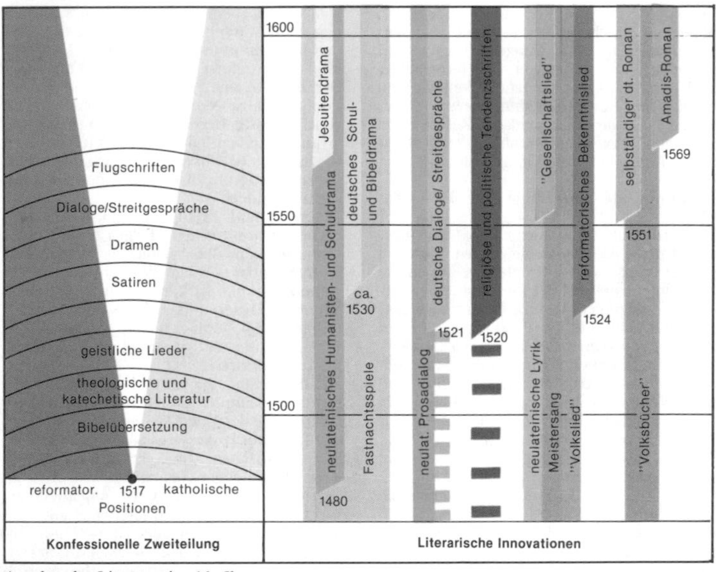

Aspekte der Literatur im 16. Jh.

Akzente histor. Entwicklung im 16. Jh.

Die dt. Geschichte des 16. Jhs. verläuft in merkwürd. Weise doppelbödig. Noch nie waren dt. Kaiser wie die **Habsburger** dieser Zeit, international gesehen, so mächtig. Durch Heirat und Erbfall kamen sie in den Besitz der **burgund. Herrschaft** einschl. der reichen **Niederlande** sowie **Spaniens** mit seinen erst kürzlich erworbenen überseeischen **Kolonien,** die zu jener Zeit die reichste Ausbeute lieferten. Noch nie war die Zentralmacht auch so ohnmächtig gegenüber einer innenpolit. Entwicklung, wie sie die **Reformation** seit LUTHERS Thesen von 1517 darstellt. Hier zeigte sich endgültig, daß nicht mehr die Kaiser als Reichsspitze, sondern als mächtigste **Landesfürsten** einen Vorrang hatten, den sie im Reich, d.h. in der Vielfalt größerer und kleinerer **Territorialstaaten** freilich kaum noch in prakt. Politik umsetzen konnten. Die Ausbreitung der Reformation, in deren Rahmen der sog. **Ritterkrieg** wie auch der **Bauernkrieg** trotz ihrer langen Vorgeschichte und langfrist. Wirkung auf die dt. Sozialgeschichte (s. S. 99) nur Episoden waren, wird somit zu einem Kapitel territorialstaatl. Entwicklung (äußerlich sichtbar an der Organisation evangel. Landeskirchen), gegen die sich die Habsburger zunächst nur für ihr eigenes Territorium erfolgreich wehren können (womit sie zugleich das polit. Prinzip dieser Entwicklung bestätigen!).

Die daraus resultierenden **Glaubenskämpfe** kommen gelegentlich unter dem Eindruck äußerer Gefahr, so auf dem Nürnberger Reichstag von 1532 wegen der vordringenden **Türken** (1529 1. Belagerung Wiens), schließlich im **Augsburger Religions- und Landfrieden** für längere Zeit zur Ruhe. Die kath. **Reformen des Trienter Konzils** verlangen jedoch auch von der altgläub. Kirche neue Anstrengungen zur Rückgewinnung verlorengegangenen Terrains. Insbes. dieser Aufgabe widmet sich der 1534 von dem bask. Edelmann IGNATIUS VON LOYOLA gegründete **Jesuitenorden,** der schon seit 1542 durch Organisation eines kath. Bildungswesens seine Tätigkeit auch in Deutschland im Dienste der sog. **Gegenreformation** aufgenommen hat (bedeutendster dt. Jesuit und Schulorganisator: PETRUS CANISIUS, gest. 1597).

Die **dt. Wirtschaft** des 16. Jhs. muß nach dem Vorgang Italiens als **frühkapitalistisch** bezeichnet werden, nachdem nun auch hier die mal. Naturalwirtschaft endgültig durch die Geldwirtschaft abgelöst ist. FUGGER und WELSER, Finanziers von Fürsten, Kaisern und Päpsten, vertreten am reinsten den neuen Typ des **"Bankierkaufmanns"** mit eigenem Exportgewerbe, Verlagssystem und einer Monopolisierung ganzer Wirtschaftszweige.

Aspekte der Literatur im 16. Jh.

Die konfessionelle und polit. Frontstellung zwischen Reformierten und Altgläubigen bildet sich auch in der Literatur dieses Jahrhunderts ab, bestimmte Gattungen und Textsorten werden sogar zu wichtigen Kampfmitteln in diesem Streit. **Relig. und polit. Kampfschriften,** insbes. Flugschriften, gewinnen durch die konfessionellen Auseinandersetzungen ihr eigenes Leben. Vieles wird – da es wesentlich um Theologie geht – in Latein geschrieben und disputiert, die Volkssprache aber erlangt hohe Bedeutung, da die Reformation Religion zur Sache auch der Laien macht.

Humanismus und Reformation wirken in kaum entwirrbarer Weise auf die Entwicklung ganzer Literaturbereiche ein, so vor allem auf das Drama. **Lat. und dt. Schuldramen** sowie konfessionell bestimmte **Bibeldramen** sind die Ergebnisse dieser Entwicklung. Nach der Jahrhundertmitte stellen die Jesuiten ihr Schuldrama, das (lat.) **"Jesuitendrama"**, in den Dienst der Gegenreformation.

Ein Meister des **neulat. Prosadialogs,** der dem Luthertum nahestehende Ritter ULRICH VON HUTTEN (1488–1523) übersetzt 1521 vier seiner lat. Dialoge. Damit erhält diese vorwiegend aus humanist. Tradition stammende Gattung nach dem 'ACKERMANN' des JOHANN VON TEPL (S. 83) neues Leben.

Ein Großteil der zeitgenöss. **Lyrik** dt. Autoren ist in lat. Sprache geschrieben, in antiken Motiven und Formen äußert sich die humanist. Grundhaltung. Aber auch **Meistersang** (dieser insbes. bei HANS SACHS) und **"Volkslied"** werden weitergepflegt. Mit dem **reformator. Gemeinschafts- und Bekenntnislied,** das aus versch. Traditionen, vornehmlich aber aus den bibl. Psalmen schöpft, leistet die Reformation ihren Beitrag.

Eine von der Tagesaktualität abgehobene literar. Weiterentwicklung wird erst nach der Jahrhundertmitte möglich, als die konfessionellen Grenzen abgesteckt erscheinen. Die **Rezeption it. Liedkunst** eröffnet auch in Deutschland dem **"Gesellschaftslied"** eine Chance, die sich im Barock voll entfalten wird. Ähnlich steht es mit der **dt. Romanliteratur,** die mit JÖRG WICKRAMS Werken eigene Wege sucht und in der Übersetzung und Bearbeitung frz. **Amadis-Romane** aktuelle europ. Tendenzen aufgreift.

Daß das Jahr von LUTHERS Thesen auch literaturhistorisch eine Wendemarke darstellt, wird an der gleichzeit. Vollendung des Reimpaarepos **'Theuerdank'** deutlich, das Kaiser MAXIMILIAN I. zum eigenen Ruhme entworfen und einem Kaplan und seinem Sekretär durchzuführen aufgetragen hat. Die "Ritterromantik" dieses Texts ist weitgehend nur Einkleidung eines schon höchst modernen polit. Gehalts.

Das 1509 gedr. "Volksbuch" 'FORTUNATUS' kann man hingegen als ersten bürgerl. Prosaroman ansehen, weil es erstmals die Abhängigkeit von Tüchtigkeit und kommerziellem Erfolg ins Zentrum der Darst. rückt.

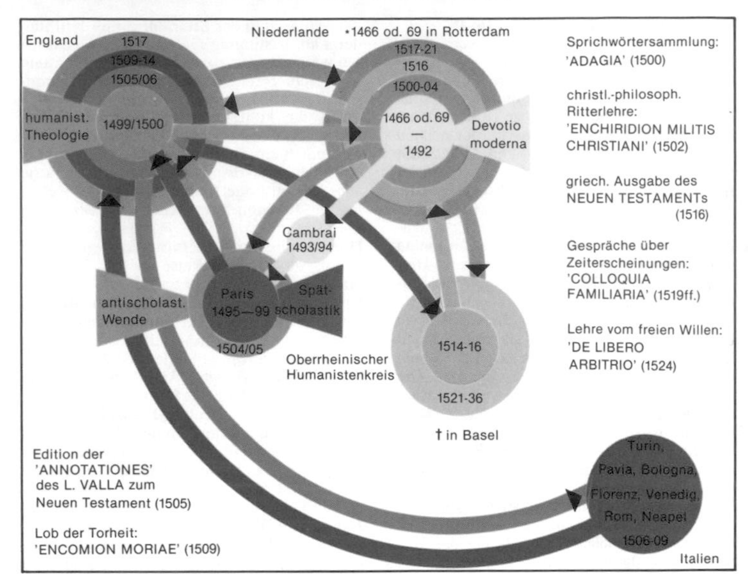

Lebensstationen des ERASMUS VON ROTTERDAM

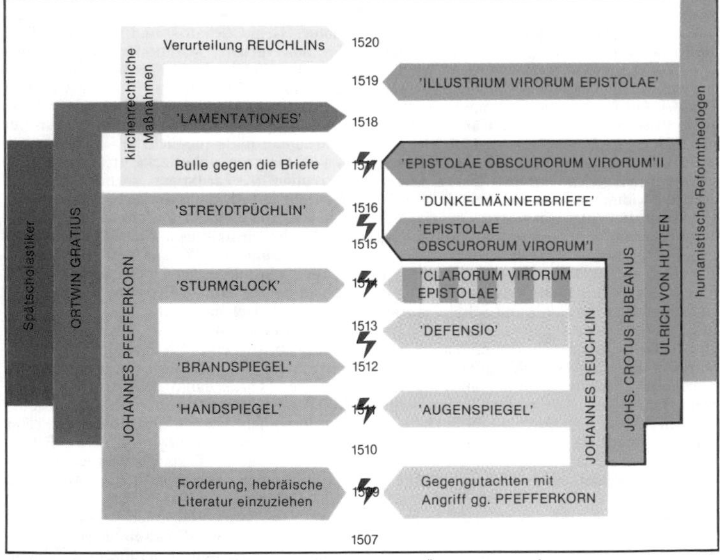

REUCHLIN contra PFEFFERKORN und die 'DUNKELMÄNNERBRIEFE'

Erasmus von Rotterdam (1466/69–1536)
Grundlegende programmat. Auseinandersetzungen vor 1517 waren im wesentl. Sache der Humanisten, fanden entsprechend meist in lat. Sprache statt und haben – wie sich am bedeutendsten Autor dieser Zeit zeigt – übernationales Gepräge. ERASMUS DESIDERIUS, gen. "VON ROTTERDAM", 1466 od. 69 geb., zunächst Mönch, auch Priester, erhält entscheidende Anregungen für seinen Humanismus durch die **Devotio moderna** der Niederlande, die Ideen des Florentiner **Neuplatonismus** bei seinen Englandaufenthalten, hier insbes. im Umgang mit seinem Freund THOMAS MORUS (1478–1535), und in Italien selbst; in Paris lernt er im Studium (1495–99) die **Spätscholastik** kennen, die er bald darauf zugunsten einer **humanist. Theologie** dort selbst bekämpft. Ausdruck seiner neuen "Schriftgelehrtheit" sind die Anmerkungen des L. VALLA zum NEUEN TESTAMENT, die er 1505 in Paris herausgibt.
So wenig sich ERASMUS angesichts seines unsteten Wanderlebens nach seiner Klosterzeit geographisch oder national festlegen läßt, so wenig läßt er sich nach 1517 von einer der konfessionellen Parteiungen vereinnahmen. Mit LUTHER bricht er im **Streit über den freien/unfreien Willen** 1524/25 (vgl. S. 97); mit ZWINGLI, dem Schweizer Reformator, seinem einstigen Schüler, entzweit er sich und zieht sich deswegen 1529 zeitweilig sogar aus dem reformierten Basel (nach Freiburg/Br.) zurück, das ihm nach 1521 so etwas wie eine zweite Heimat geworden war. Er stellt zusammen mit anderen Humanisten schließlich eine Art **"dritte Kraft" zwischen den Konfessionen** dar, zuletzt der alten Kirche wieder näherstehend, aber lange noch um friedvollen Ausgleich bemüht.
Herausragendes Werk ist zweifellos sein "Lob der Torheit", THOMAS MORUS gewidmet, das **Höhepunkt der europ. "Narrenliteratur"** ist, die auch deutschsprach. Autoren, von WITTENWILER über BRANT bis MURNER, aktiv mitgestalten. Seine 'COLLOQUIA', nach 1519 mehrfach überarbeitet und ergänzt, sind bis 1550 das meistgekaufte Buch nach der Bibel.
Auch in politisch aktuelles Geschehen hat ERASMUS praktisch und literarisch eingegriffen, so angesichts eines drohenden Krieges zwischen Habsburg und Frankreich 1517 mit seiner "Klage des Friedens" ('QUERELA PACIS'). Die philolog. Komponente seines Humanismus äußert sich in zahlreichen Editionen antiker Autoren. Die 2. Auflage seines griech. 'NEUEN TESTAMENTS' wird neben der 'VULGATA' zur Grundlage für LUTHERS Übersetzung ins Dt.

Reuchlin contra Pfefferkorn und die 'Dunkelmännerbriefe'
Wie gespalten die Gebildetenschicht am Vorabend der Reformation bereits war, zeigt sich u. a. in einer anderthalb Jahrzehnte währenden Auseinandersetzung, die neben vielen Unersprießlichkeiten auch Blüten **neulat. Satirik** hervorbrachte. Angefangen hatte der Streit mit der Forderung des getauften Juden J. PFEFFERKORN, die Juden sollten ihre relig. hebräische Literatur ausliefern, wobei er seine ehem. Glaubensgenossen in mehreren Schriften zugleich wegen Wucherei und Feindschaft gegen die Christen anklagte. Der Kaiser verlangte Gutachten zur Forderung PFEFFERKORNS, worauf J. REUCHLIN, Jurist und Philologe zu Stuttgart (1455–1522), in seinem Gutachten der pauschalen Forderung entschieden widersprach und PFEFFERKORN persönlich angriff (freilich ohne völligen Verzicht auf antisemit. Positionen). PFEFFERKORN, der sich inzwischen der Unterstützung von Theologen, darunter des Kölner Professors ORTWIN GRATIUS, versichert hatte (dieser übertrug auch P.s antihebräische Texte ins Latein.), setzte sich mit mehreren Schriften zur Wehr, auf die REUCHLIN jeweils replizierte und zuletzt sogar eine Sammlung zustimmender Stellungnahmen, die 'BRIEFE BERÜHMTER MÄNNER' (1514) ins Feld führte (1519 von Freunden fortgesetzt), die unübersehbar den persönl. Streit als grundsätzlicheren **Gegensatz zwischen humanist. Reformtheologie und mittelalterlich-spätscholast. Theologie** auswies.
Aus den Parteigängern REUCHLINS ragen der mitteldt. Humanist CROTUS RUBEANUS und ULRICH VON HUTTEN heraus. CROTUS fingierte, gleichsam als Antwort auf REUCHLINS Briefsammlung, Briefe von Parteigängern des PFEFFERKORN-Freundes GRATIUS, die 'DUNKELMÄNNERBRIEFE' von 1515, in denen sich REUCHLINS Gegner als moralisch zweifelhafte und wissenschaftlich unseriöse Gestalten entlarven sollten. ULRICH VON HUTTEN setzte diese Satire mit einer zweiten Sammlung 1517 fort. PFEFFERKORN versuchte, mit einem 'STREYDTPÜCHLIN' die Scharte auszuwetzen, GRATIUS schrieb schwache 'LAMENTATIONES'; die Hiebe REUCHLINS und der 'DUNKELMÄNNERBRIEFE' aber saßen so tief, daß man zusätzlich (kirchen-)rechtl. Maßnahmen gegen die Verteidiger der hebräischen Literatur ergriff. Das führte schließlich zu einer **Verurteilung Reuchlins,** tat aber seinem in diesem Streit mächtig gewachsenen Ruf als Humanist keinerlei Abbruch, im Gegenteil: vielen galt er als der eigentl. Sieger.
Daß die humanist. Reformtheologie nicht unmittelbar in die Arme der Reformation führte, beweist REUCHLIN, der trotz seiner krit. Distanz zur traditionellen Kirche und Theologie dem alten Glauben treublieb und kurz vor seinem Tod sogar noch Priester geworden sein soll.

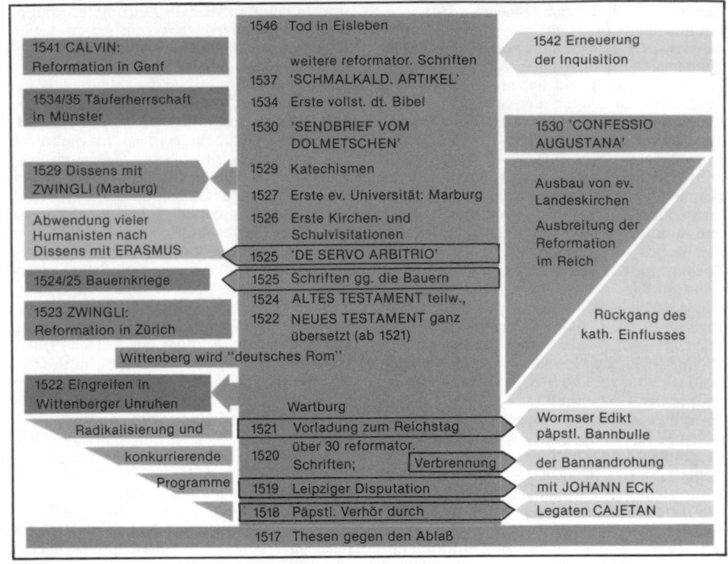

LUTHERs Wirken und Wirkung

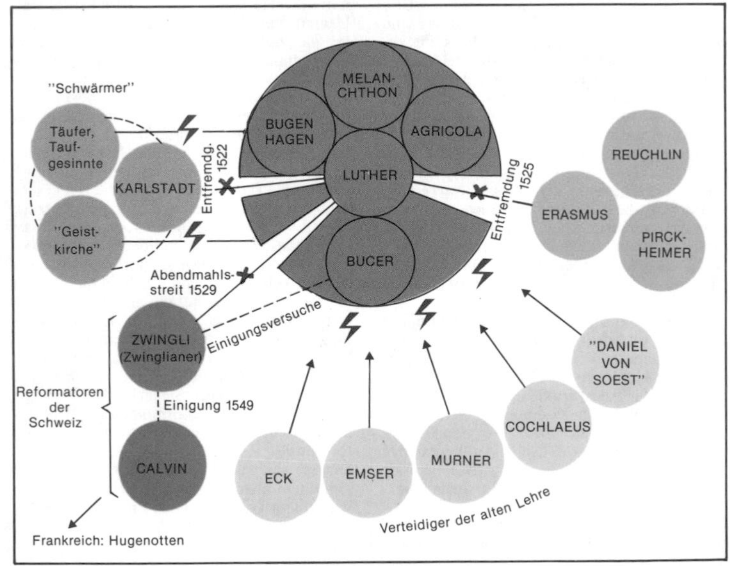

Anhänger, Konkurrenten, Dissidenten und Gegner LUTHERs

Martin Luther (1483–1546)
Mit den **Thesen von 1517** zwecks Disputation über das kommerzielle Ablaßwesen der Kirche (Ablaß = der Erlaß zeitlicher Sündenstrafen) hat der Augustinermönch und Theologe MARTIN LUTHER eine Entwicklung in Gang gesetzt, die für ihn selbst in ihrem ganzen Gewicht nicht vorherzusehen war. Ganz offensichtlich war die Situation in Kirche, Staat und Gesellschaft überreif für einen revolutionären Schritt, den LUTHER schließlich durch **Leugnung des päpstl. Primats, kirchl. Tradition und der Unfehlbarkeit eines Konzils** in der Disputation mit dem Ingolstädter Theologen ECK (1519), öffentlich durch die **Verbrennung der Bannandrohungsbulle** (1520) vollzog. Dabei geriet ihm die einmal angestoßene Entwicklung mehrfach außer Kontrolle, sehr früh im eigenen Anhängerkreis in Wittenberg, wo ANDREAS BODENSTEIN, gen. KARLSTADT, LUTHERS Rückzug auf die Wartburg zu radikalen Veränderungen nutzte. 1525 verwahrt sich LUTHER gleich gegen mehrere Gruppen von Anhängern, **gegen die "Schwärmer" und die aufrührer. Bauern** (die er geradezu haßerfüllt bekämpft); aber auch **gegen humanist. Auffassungen von Willensfreiheit,** wie sie ERASMUS mit seiner Schrift 'DE LIBERO ARBITRIO' (1524) vertreten hat, grenzt er sich ab und verliert dadurch viel an Sympathie in Humanistenkreisen. Auch zu den Schweizer Reformatoren zieht er **theologisch begründete Trennungslinien,** insbes. (im Marburger Religionsgespräch 1529) zu ULRICH (HULDREICH) ZWINGLI, der zunächst von LUTHERS Anregungen ausgegangen war.
Abgrenzung, Kritik setzt eigene Positionen voraus, die LUTHER tatsächlich in einer **Fülle reformator. Schriften** bezogen hat. Das Jahr 1520 ist in dieser Hinsicht das fruchtbarste. In ihm erscheinen auch seine drei wichtigsten Reformationsschriften: 'AN DEN CHRISTL. ADEL DT. NATION: VON DES CHRISTL. STANDES BESSERUNG', ein **polit. Reformkonzept,** das zugleich die These vom "allgem. Priestertum" vorträgt; 'VON DER BABYLON. GEFANGENSCHAFT DER KIRCHE', ein **dogmat. Traktat,** in dem von den sieben kath. Sakramenten nur Taufe und Abendmahl anerkannt werden und die schriftl. Überlieferung des Evangeliums über alle kirchl. Traditionen gestellt wird (was humanist. Quellentreue entspricht, zweifellos aber auch ein Zeugnis der mit Einführung der Schriftlichkeit grundgelegten Unterschätzung mündl. Tradition ist); 'VON DER FREIHEIT EINES CHRISTENMENSCHEN', LUTHERS **Lehre von der Gnade Gottes,** die nur durch Glauben *(sola fide)*, nicht durch Werkfrömmigkeit erworben werden kann.
Bereits ein Jahr später, als er nach dem Wormser Reichstag vor den Folgen des kaiserl. Banns in den Schutz seines Landesherrn, des Kurfürsten FRIEDRICH DES WEISEN, auf die **Wartburg** (als "Junker Jörg") gerettet worden war, beginnt er die **Übersetzung der Bibel** nach dem griech. Urtext, was ihm den (falschen) Titel "Schöpfer der nhd. Schriftsprache" eingetragen hat. Tatsächlich benutzt er (im übrigen keineswegs einheitlich, aber immer um größtmögl. Verständlichkeit über Dialektgrenzen hinweg bemüht) in Anlehnung an die kursächs. Kanzlei sprachl. Mittel, die aus dem **Dialektausgleich** des Ostmitteldt. und Ostoberdt. hervorgegangen waren und die durch die Verbreitung seiner Schriften zu einer wesentl. Grundlage der nhd. Schriftsprachentwicklung wurden. Die 'SEPTEMBER-BIBEL', d.i. seine Übersetzung des NEUEN TESTAMENTS, war zuerst vollendet (Sept. 1522). Ihr folgten die ersten drei Teile des ALTEN TESTAMENTS, 1534 lag die ganze Hl. Schrift in dt. Sprache durch seine Übersetzung vor, wodurch ein krit. Zugang zu allen bibl. Texten auch theolog. Laien möglich wurde. Für die Wirkung seiner Übersetzung noch bedeutsamer als die sprachl. Eigenart des Dialektausgleichs wurde die **Volkstümlichkeit seiner Wortwahl und Syntax.** Sein Übersetzungsprinzip hat er im 'SENDBRIEF VOM DOLMETSCHEN' eindringlich dargestellt.
Seine theolog. Anschauungen systematisierte er im 'GROSSEN' und 'KLEINEN KATECHISMUS' (1529), die eine wichtige Grundlage für die **Neuorganisation des Kirchen- und Schulwesens** in den reformierten dt. Ländern wurden, für die er (mit Kursachsen beginnend) regelmäß. Visitationen anregte. Dabei standen ihm treue **Helfer** zur Seite, so JOHS. BUGENHAGEN, Verfasser zahlreicher Kirchen- und Schulordnungen. Mit LUTHERS Unterstützung entsteht auch die 'CONFESSIO AUGUSTANA' für den **Augsburger Reichstag 1530,** in der PHILIPP MELANCHTHON die inzwischen schon auseinanderstrebenden evangel. Bekenntnisse in ihren Gemeinsamkeiten zusammenfaßte und zugleich das mit kath. Lehre Verbindende für einen relig. und polit. Ausgleich in lat. und dt. Fassung vortrug.
Dieser Ausgleichsversuch scheitert, KARL V. erneuert das **Wormser Edikt** (von 1521), die evangel. Reichsstände schließen sich 1531 im **Schmalkald. Bund** zusammen. Eine polit. Einigung auf der Grundlage der von LUTHER für ein Konzil zu Mantua verfaßten Bekenntnisschrift der 'SCHMALKALD. ARTIKEL' kommt allerdings nicht zustande; diese 'ARTIKEL' werden indes zur theolog. Basis der künft. Entwicklung der "luther." Kirchen.
Nach weiteren grundsätzl. und aktuellen Äußerungen, darunter auch eine Schrift 'VON DEN JUDEN UND IHREN LÜGEN' (1543), wird eine **Gesamtausgabe seiner Werke** veranstaltet. Die Vorrede zu seinen lat. Werken enthält deutl. autobiograph. Elemente.
LUTHERS Wirken nur unter literar. Aspekt zu werten, wäre extrem unhistorisch. Dennoch kann und muß gerade sein literar. Schaffen als **wesentl. Beitrag zur Entwicklung der noch heute gebotenen Möglichkeiten, auch mit li-**

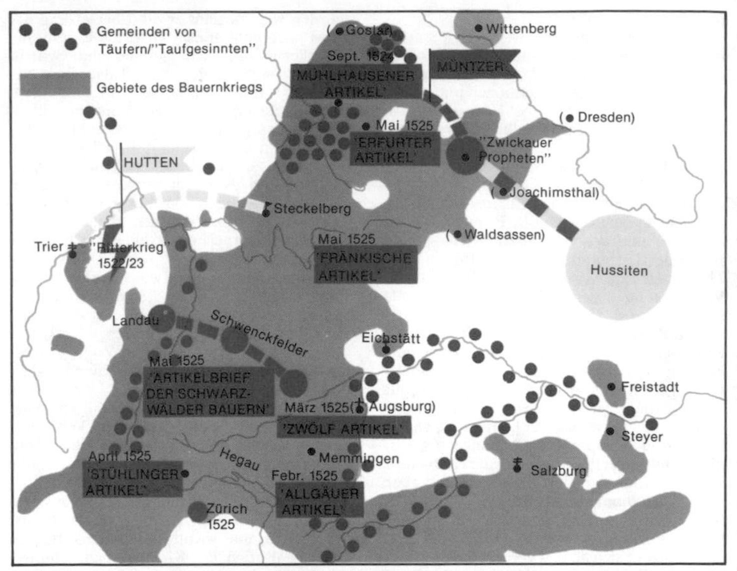

Soziale und religiöse Erhebungen 1522—25

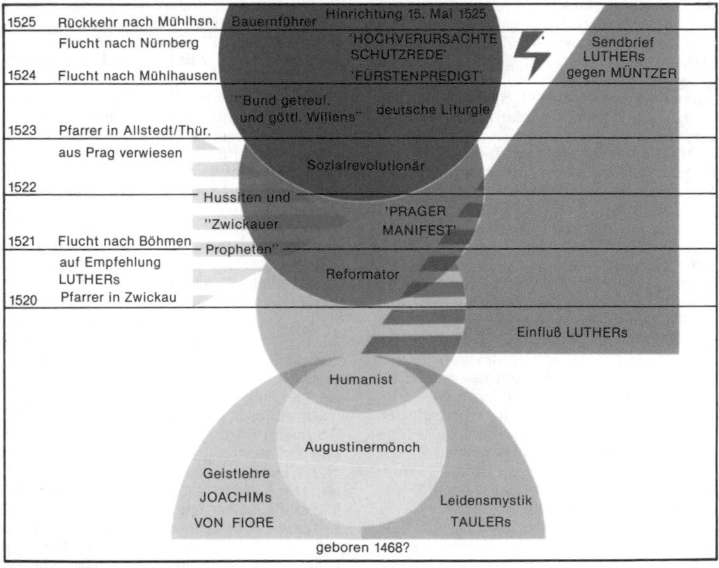

Lebensstadien THOMAS MÜNTZERs

terar. Mitteln zu wirken, gesehen werden. Um diesem Beitrag gerecht zu werden, darf man die zeit- und persongebundenen Akzente nicht übersehen. Aber auch die von ihm ausgehenden Anregungen für bis dahin nichtliterarisch agierende Gruppen und Schichten gehören zum Gesamtbild seiner Wirkung. Man denke an die **Fülle sympathisierender und widerstreitender Textzeugnisse** in Flugblättern, Pamphleten, Satiren. Insbes. LUTHERS Beiträge und Anregungen für das **dt. Kirchenlied** (erstmals im 'ACHTLIEDERBUCH', 1524, mit ständigen Erweiterungen in den rasch folgenden weiteren Auflagen) haben eine starke Popularisierung evangel. Überzeugung durch "Literatur" bewirkt.

Soziale und relig. Erhebungen 1522–25

Daß die Popularisierung der Reformation sehr schnell auch eigene Wege ging, sich insbes. mit den keineswegs durch die Reformation gelösten sozialen und polit. Problemen wieder verbinden konnte, wird sowohl im **"Ritterkrieg"** des FRANZ VON SICKINGEN als auch in der Kette von Aufständen des **Großen Bauernkriegs** quer durch Deutschland offenbar.

Geist. Führer des Ritteraufstands war ULRICH VON HUTTEN (geb. 1488 auf Steckelberg), ein bedeutender lat. Publizist, mit zahlreichen Humanisten befreundet und 1517 noch von Kaiser MAXIMILIAN I. zum Dichter gekrönt. Seine polit. Hoffnung hing an einem auf wiedererstarkter Ritterschaft gegründeten Kaisertum. Der Krieg gegen das Erzbistum Trier zielte auf Ausschaltung der Fürsten, eine Illusion, die auch LUTHER, dem sich die aufständ. Ritter verpflichtet fühlten, nicht mehr teilen konnte. Das Unternehmen endete mit einer totalen **Niederlage der Ritter,** die ihre polit. Bedeutungslosigkeit endgültig besiegelte. HUTTEN flüchtete, wurde in Basel selbst von ERASMUS abgewiesen und starb noch 1523 auf der Ufenau im Zürichsee. Von HUTTENS **dt. Schriften** wurde die Übersetzung von vier seiner lat. Dialoge (gegen Geistlichkeit, Hofleben, die röm. Kirche und über den Augsburger Reichstag von 1518) als Beiträge zum **dt. Prosadialog** besonders bedeutsam (– 'GESPRÄCHSBÜCHLEIN', 1521).

Reformator. Gedanken stärkten zunächst auch das Selbstbewußtsein traditionell unterdrückter Schichten, vor allem der Bauern. Gegen den wachsenden Druck verarmender Grundherren, gegen die Ablösung bäuerl. Gerichtsbarkeit durch das neue (röm.) Landesrecht und für die Rückgewinnung alter Rechte hatten schon **vorreformator. Bauernerhebungen,** so die Bewegung des "Bundschuh" 1493 ff. oder des "Armen Konrad" 1514, gekämpft. Die Begründung ihrer Forderungen durch Berufung auf die Bibel förderte **neue Aufstände,** die sich 1524–25, einer Kettenreaktion gleich, ereigneten. Die theoret., vorwiegend theolog. Untermauerung sozialer und polit. Forderungen ging dabei wesentlich von gebildeten Anhängern der Reformation aus, die die neue ev. Lehre, teilweise in Fortführung älterer außerkirchl. relig. Programme, auf die Ordnung weltl. Bereiche übertrugen.

Die soziale Erhebung verband sich also vielfach mit relig. Sonderbewegungen, von denen die **Täufer** oder "Taufgesinnten" die weiteste Verbreitung fanden. Wie bedeutsam auch die **hussit. Bewegung Böhmens** als relig. wie polit. Kraft noch war, wird am Lebensweg **Thomas Müntzers** (geb. 1468 od. 1489/90) sichtbar. Von LUTHER selbst als Pfarrer nach Zwickau empfohlen, öffnet er sich dort dem Einfluß der "Zwickauer Propheten". Ihre und seine Verfolgung zwingt ihn zur Flucht nach Böhmen, wo er in Kontakt mit der **Böhm. Brüdergemeine** tritt. Sein 'PRAGER MANIFEST' wirbt um Vereinigung mit dieser hussit. Gruppe. Die Entfremdung zwischen ihm und LUTHER war – ähnlich wie bei KARLSTADT (s. S. 97) – kaum vermeidbar. LUTHER wehrte sich gegen Konsequenzen seines relig. Programms für die Politik, während MÜNTZER in seiner 'FÜRSTENPREDIGT' sogar den Herzog JOHANN VON SACHSEN aufforderte, seinem "Bund getreulichen und göttlichen Willens" beizutreten, der ein **urchristlich-kommunist. Reich** zum Ziele hatte. Dieses versuchte er 1525 in Mühlhausen/Thür. selbst zu errichten, ein Versuch, den die **Wiedertäufer** 1534/35 in Münster/Westf. ähnlich wiederholen werden. Sein **Mißerfolg als Bauernführer** in der Schlacht von Frankenhausen beendete dieses Experiment blutig.

Entscheidend für den Dissens mit LUTHER war aber die Abkehr MÜNTZERS vom Evangelienglauben zugunsten eines Glaubens an die **innere Geistoffenbarung,** weswegen die von MÜNTZER geprägte Bewegung auch "Geistkirche" genannt wird. Zu ihr ist auch der schles. Adlige **Kaspar von Schwenckfeld** (1489–1561) zu zählen, der außer in Schlesien Anhänger in der Pfalz und in Schwaben gewinnen konnte.

Nicht nur durch die Tat, sondern auch durch sein Wort ist MÜNTZER aufs engste mit der allgem. Bauernerhebung verbunden. Bereits 1524 ist er an der Abfassung von **"Artikeln"** beteiligt. Diese Textsorte, in Flugschriften massenhaft verbreitet, ist das Medium, in dem sich die Aufständ. regional und überregional ihrer Ziele vergewissern. Die 'ZWÖLF ARTIKEL' aus Memmingen erfahren rd. 25 versch. Ausgaben. Die Unterschiede zwischen den regionalen Programmen sind indes so groß, daß die Gesamtbewegung **ohne einheitl. Stoßrichtung** bleibt. Gegen die diplomat. und militär. Taktik ihrer Gegner und gegen den massiven Einsatz LUTHERS bleiben sie schließlich erfolglos. Durch ihre Niederlagen wird der **Bauernstand schließlich für Jahrhunderte aus der aktiven Politik ausgeschaltet.**

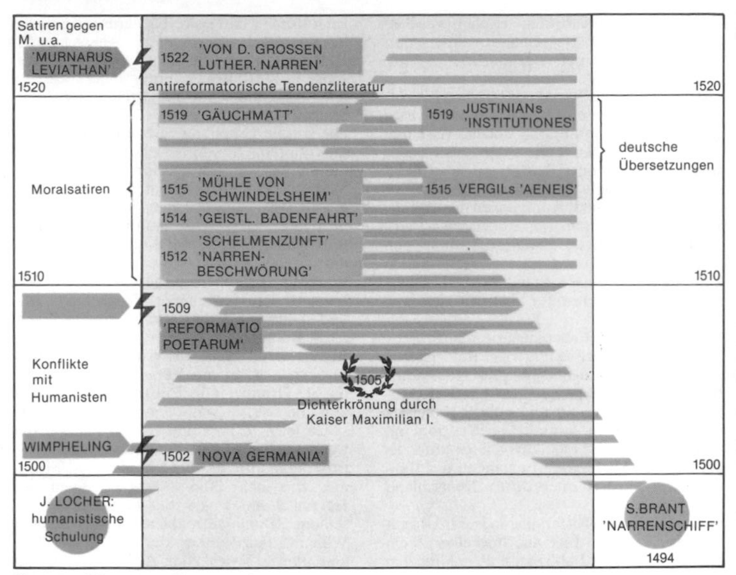

THOMAS MURNERs Hauptwerke

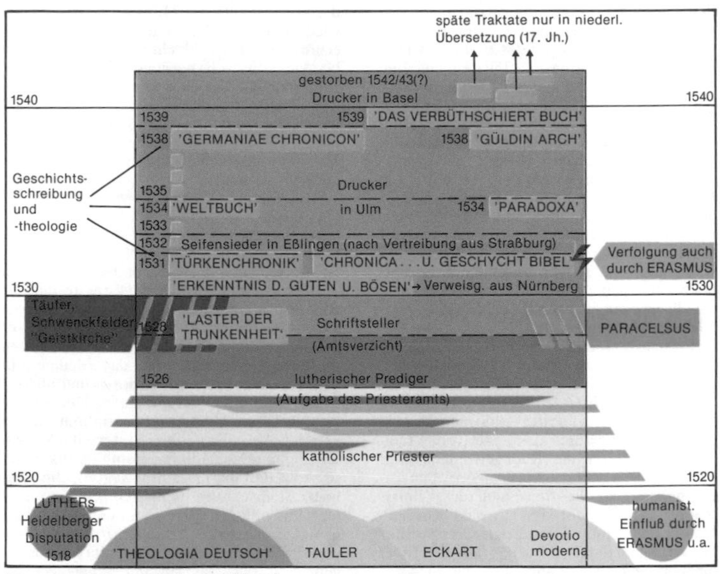

SEBASTIAN FRANCK (VON WÖRD)

Literar. Einzelgestalten: Th. Murner, S. Franck, H. Sachs

Exemplarisch für die unterschiedl. persönl. und literar. Folgen, die die Auseinandersetzung mit der Reformation haben konnte, seien drei Autoren vorgestellt, die überdurchschnittl. Bedeutung erlangt haben. **Th. Murner,** Franziskaner aus dem Elsaß (geb. um 1475), studierte an mehreren Universitäten, absolvierte insges. drei Fakultäten und blieb bis zur Rückkehr in seinen Geburtsort Oberehnheim/Elsaß 1530 (gest. 1536) auf stetiger Wanderschaft durch die Klöster seines Ordens und die hohen Schulen seiner Zeit (Krakau, Prag, Wien). Dennoch blieb er ein überaus **volksnaher Prediger** mit ungebrochenem Eifer für die alte Kirche.

MURNER gelang es, die einmal empfangenen Anregungen konsequent durchzuhalten, so auch seine **humanist. Schulung.** Seine Konflikte mit zeitgenöss. Humanisten entstammten dem Versuch, humanist. Ideale mit relig. Mission zu vereinen, am deutlichsten in seiner **Einschränkung poet. Geltungsansprüche** ('REFORMATIO POETARUM'), die ihm viele Gegner schuf. Seine eigenen philolog. Leistungen (Höhepunkte sind seine Klassiker-Übersetzungen 1515 und 1519) bewahren ihn vor dem Vorwurf, selbst nur ein eifernder Ignorant gewesen zu sein. Die höchste Anerkennung für frühe dichter. Arbeiten erhielt er 1505 als poeta laureatus.

Die fruchtbarste Anregung gab ihm S. BRANT, nicht zuletzt wegen der Brauchbarkeit des Narrenmotivs für die prakt. Erfordernisse der Predigt, die MURNERS Beruf war. MURNER entwickelte geradezu ein System der **Vermittlung zwischen Predigt und Narrendichtung.** Man kann bei ihm gleichsam drei Produktionsstufen erkennen: den lat. Predigtentwurf, die ausgeführte mündl. dt. Predigt und die literar. Predigtvariation in Form von Moralsatiren. Wie traditionell die Themen dabei sein konnten, wird an der 'GÄUCHMATT' (= "Narrenwiese") sichtbar. Bereits 1516 hatte der Basler Meistersinger PAMPHILUS GENGENBACH ein gleichnam. Fastnachtspiel, ebenfalls mit moral. Anspruch, aber auch schon auf älterer Tradition fußend, geschaffen.

Als MURNER schließlich 1522 das Narrenmotiv als **Kampfmittel gegen Luther** einzusetzen versuchte, verbot ihm der Straßburger Rat die Veröffentlichung. Aus dem reformierten Straßburg vertrieben fand er 1525 Aufnahme in Luzern. Wegen seines streitbaren Einsatzes auch gegen ZWINGLI mußte er 1529 die Schweiz wieder verlassen. Sein antireformator. Wirken hatte bereits 1521 eine der bedeutendsten lat. Satiren der Zeit (gegen ihn!) provoziert, den 'MURNARUS LEVIATHAN' des RAPHAEL MUSAEUS.

Ähnlich wenn auch mit anderen Vorzeichen erging es wenig später dem 1499 in Donauwörth geb. **Sebastian Franck.** Bis 1526 übte er im Bistum Augsburg ein Priesteramt aus, von der **Mystik** geprägt, von führenden **Humanisten** beeinflußt, seit 1518 aber auch zunehmend **für Luthers Lehre** engagiert. Von 1526 an betätigte er sich in Franken als luther. Prediger, hier aber bald auch für **spiritualist. Einflüsse** aufgeschlossen, u.a. im Kontakt mit dem Arzt und Naturforscher PARACELSUS (= THEOPHRAST VON HOHENHEIM, 1493–1541), der als erster Vorlesungen auch in dt. Sprache hielt. Die ehel. Verbindung mit OTTILIE BEHAM, 1528, entfremdete FRANCK endgültig der luther. Sache und führte ihn der von LUTHER als "schwärmerisch" bekämpften **"Geistkirche"** zu (vgl. S. 99). Fortan wollte er literarisch wirken (sein erstes Werk war der Traktat 'LASTER DER TRUNKENHEIT'). Tatsächlich entwickelte er sich bald **neben Luther zum sprachmächtigsten Autor der Zeit.**

Jeglichem Dogmatismus abhold, wobei er auch den künftigen der luther. Kirche voraussah, geriet er immer wieder zwischen die geist. Fronten, erlitt Verfolgung und Gefangenschaft. An seiner Vertreibung aus Straßburg wirkte ERASMUS persönlich mit. Von bes. Bedeutung wurden seine **historiograph. Werke,** die zugleich seine Theologie verkünden: Offenbarung Gottes in Natur und Geschichte, und zwar als Erfahrung für das Individuum. Von hier aus erklärt sich sein **Widerstand gegen alle Formen kollektiver Kirchlichkeit,** ob in der kath., luth. oder zwingl. Konfession. Seine Haltung zur Hl. Schrift legt er insbes. in den 'PARADOXA', der 'GÜLDIN ARCH' und im 'VERBÜTHSCHIERTEN (d.h. "versiegelten") BUCH' nieder. Die ihn von Anfang an begleitende 'THEOLOGIA DEUTSCH' aus der myst. Bewegung der "Gottesfreunde" (s. S. 79) paraphrasierte er in seinen letzten Lebensjahren für seine Anhänger auf Latein.

Neben Autoren wie MURNER und FRANCK verblaßt notwendigerweise eine Gestalt wie die des **Hans Sachs** (s. S. 81), der auch nicht annähernd die geist. und künstler. Höhe MURNERS oder gar FRANCKS erreicht hat, der gleichwohl schon aufgrund seiner immensen Produktion (u.a. über 4000 Meisterlieder, mehr als 200 Dramen; vgl. S. 81) als **einer der wirkungsvollsten Dichter der Reformationszeit** noch einmal erwähnt sei. Entscheidend für literar. Wirkung ist eben nicht nur der Grad geist. Differenzierung und ästhet. Durchdringung eines Themas. HANS SACHS, der Nürnberger Schuhmachermeister, der seine Erfahrungen mit Religion und Welt auf einer handwerkstraditionellen Wanderschaft durch Deutschland, Österreich und die Niederlande (1511–16) gemacht hatte, sprach just die Volksschichten an, die durch die hohe Gelehrsamkeit vieler Texte der Zeit kaum für die großen Themen der Reformation gewonnen worden wären. Seit 1523 ergriff er **Partei für Luther** und diente ihm mit biederer Treue durch seine Dichtungen, wobei durch-

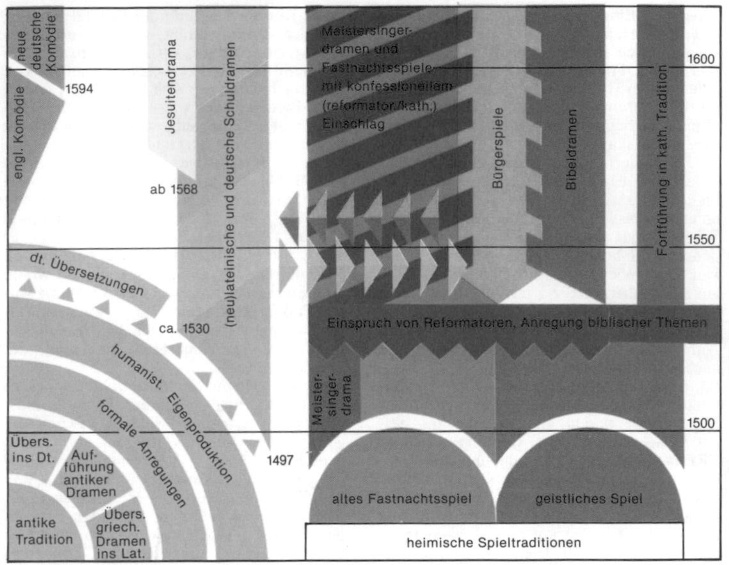

Grundzüge neuer Dramenentwicklung im 16. Jh.

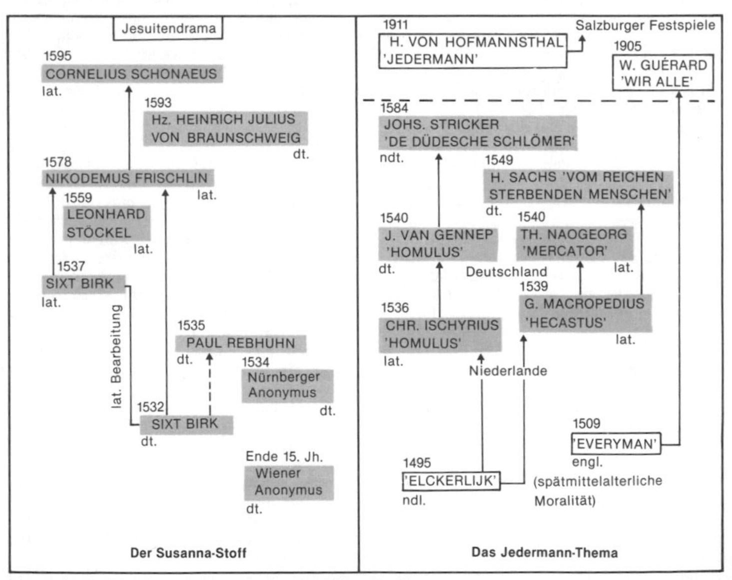

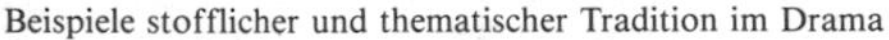
Beispiele stofflicher und thematischer Tradition im Drama

aus auch er obrigkeitl. Druck riskierte, etwa die Beschlagnahmung einer Reformationsschrift ('WUNDERLICHE WEISSAGUNG' 1527) durch den Nürnberger Rat.

Grundzüge neuer Dramenentwicklung

Die verwirrende **Typenvielfalt** eines neuen Dramas im 16. Jh. läßt sich hier in der Beschränkung auf einige Grundzüge nur andeuten. Die **humanist. Rezeption des antiken Dramas** und noch **ungebrochene alte Spieltraditionen,** deren Wille zur Präsentation von Ideen und Schicksalen durch die konfessionellen Kämpfe nur gesteigert wird, fördern in gleicher Weise das Aufblühen dramat. Literatur.

Durch das **Humanistendrama** in (neu-)lat. Sprache finden schon im 15. Jh. formale Anregungen des antiken Dramas Eingang in die dt. Tradition: die Szenengliederung etwa durch JAC. WIMPHELINGS 'STYLPHO' (1480), die Akteinteilung durch JOH. REUCHLINS 'HENNO' (1497). PLAUTUS (Übersetzungen schon durch ALBRECHT VON EYB, s. S. 87), mehr aber noch TERENZ (Übersetzung seines 'EUNUCHUS' durch HANS NYTHART, 1486) beeinflussen die Formgeschichte des humanist. Dramas.

Universitäten und Lateinschulen entwickeln das sog. **Schuldrama,** das sowohl in lat. wie auch in dt. Sprache (auch in wechselseit. Übersetzungen) zur wichtigen Komponente der Dramenentwicklung, mit seiner pädagog. Tendenz insbes. zum beliebten **Kampfmittel der Konfessionen** wird. In der 2. Hälfte des 16. Jhs. bildet sich, vornehmlich an Jesuitenschulen, das lat. **Jesuitendrama** heraus, das bewußt in den Dienst der Gegenreformation genommen wird.

Die Reformatoren, ausdrücklich LUTHER, standen den alten heim. Spieltraditionen reserviert gegenüber. Nur in kath. Umgebung konnten etwa **Passionsspiele** weitergedeihen (vgl. z. B. das 'OBERAMMERGAUER P.', seit 1634). In protestant. Umgebung löste zumeist das **Bibeldrama** die alten geistl. Spiele ab. Für viele andere seien hier die Bibeldramen des vormal. Franziskaners BURKARD WALDIS (1490–1556) in Riga, des in Mitteldeutschland wirkenden PAUL REBHUHN (ca. 1500–46) und des Augsburgers SIXT BIRK (1501–54) genannt. Einzelne Stoffe und Themen (auch außerhalb des Bibeldramas) bilden wahre Traditionsketten.

Aber auch das **Fastnachtspiel** wandelte sich unter dem Eindruck der Reformation einerseits und der Einflüsse des Schuldramas anderseits. Vorbereitet hatte sich diese Wandlung bereits in den **vorreformator. Zeit- und Tendenzstücken der Schweiz.** Der Basler Buchdrucker PAMPHILUS GENGENBACH (ca. 1480–1525) hatte in seinen Spielen 'DIE ZEHN ALTER DIESER WELT' (1515) und 'GÄUCHMATT' (1516; vgl. S. 101) frühe zeitkrit. Töne angeschlagen. Ausdrücklich antipäpstlich wurde dann der Berner Bürger NIKLAS MANUEL (ca. 1484–1536) in seinen Fastnachtspielen 'VOM PAPST UND SEINER PRIESTERSCHAFT' (1522) und 'DER ABLASSKRÄMER' (1525). Unter dem Aspekt des reformator. Engagements könnten etliche, lat. wie dt. Spiele der Zeit auch **"Reformationsdramen"** genannt werden. Geradezu ein Kampfdrama zugunsten der Reformation schuf der aus Niederbayern stammende THOMAS NAOGEORG (1511–63) in seinem lat. 'PAMMACHIUS' (1538), der bereits ein Jahr später ins Dt. übersetzt wurde. Pammachius ist die Personifikation eines anmaßenden Klerus, der mit dem Teufel im Bunde steht. Ihm tritt der Gottesstreiter Theophilus (= LUTHER) entgegen.

Schwer abgrenzbar von den gen. Dramentypen ist das **städt. Bürgerspiel,** das wiederum in der Schweiz, aus der Verschmelzung alter Spieltraditionen mit humanist. und reformator. Elementen, entsteht. Das Erscheinungsbild des dt. Dramas dieser Zeit erschiene noch vielgestaltiger, bezöge man die höchst **unterschiedl. Bühnentechniken** in die formale Differenzierung ein.

Von dt. Boden, aus Landshut, stammt aus dem Jahr 1568 das älteste bekannte Scenario der neuen it. Stegreifkomödie, **Commedia dell'arte,** die bis ins 20. Jh. hinein die europ. Dramenkunst immer wieder befruchtet hat, in Deutschland u. a. GRYPHIUS, GOETHE, NESTROY, HOFMANNSTHAL.

In dt. Sprache entwickelt am Ende des Jahrhunderts Herzog HEINRICH JULIUS VON BRAUNSCHWEIG (1564–1613) sowohl unter antikem Einfluß wie unter Einwirkung engl. Komödianten (s. S. 120f.) eine **neue dt. Komödie.** In ihr wie im Jesuitendrama wird das Barockdrama vorbereitet.

Erzählende Literatur im 16. Jh.

Die spätmittelalterl. Epik-Traditionen sind mit der Reformation nicht unterbrochen, wenngleich die Zeit vor 1530 für die Großformen auch nicht eben günstig ist. Die kleinen Formen, die sich trefflich im konfessionellen Streit verwenden ließen, leben ungebrochen weiter, erfahren – wie die **Fabel** durch LUTHER oder der **Schwank** bei H. SACHS – sogar neue Impulse. Die neulat. Epik auf dt. Boden weist ein differenzierteres Spektrum als die deutschsprach. auf, doch hat sie geringere Bedeutung als die neulat. Lyrik (s. S. 106). Gemeinsame Themen für die beiden Literatursprachen sind **Biographien, Memoiren** und **Reisebeschreibungen.** In den Auseinandersetzungen der Reformation gedeihen **Satiren** besonders gut (vgl. oben). Aus den Anregungen BRANTS und MURNERS entstehen **Rügedichtungen** und **moralisch-relig. Historien.** Die lat. Satirik bringt ein Werk hervor, dessen Thematik und Stil über eine Reihe von Bearbeitungen und Übersetzungen zum prägenden Merkmal einer ganzen

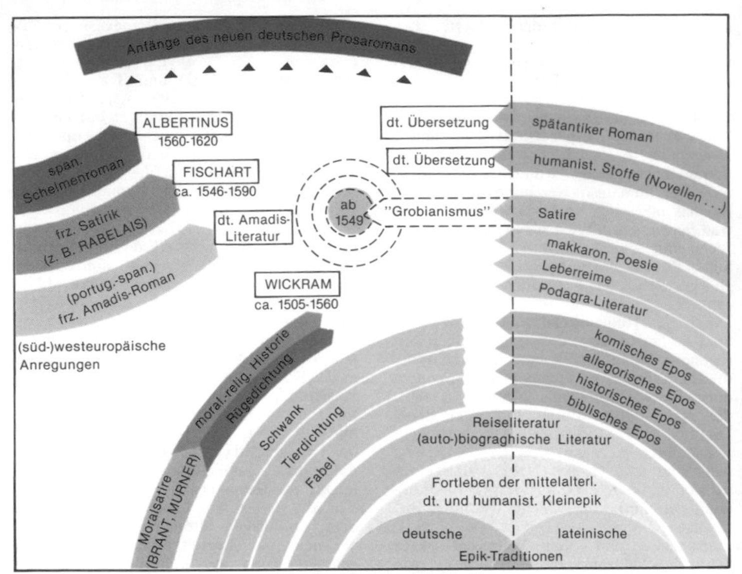

Grundzüge und Schwerpunkte erzählender Literatur im 16. Jh.

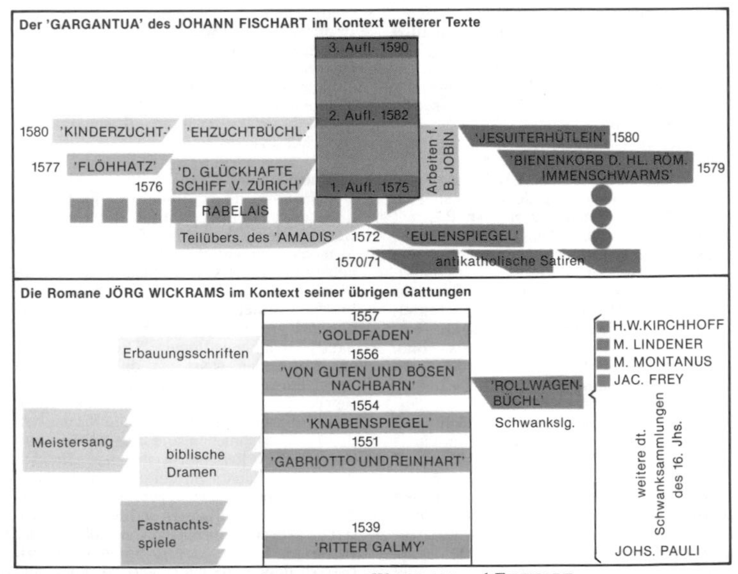

Zwei Hauptvertreter des neuen Prosaromans: WICKRAM und FISCHART

Epoche wird: den 'GROBIANUS' F. DEDEKINDS (1549). Der ungehobelte und ungebildete Held (schon bei BRANT "Heiliger" und Patron unanständigen Benehmens) soll Zerrspiegel für die verrohten Sitten der Zeit sein. Statt der erstrebten Besserung fällt (wie bei vergleichbaren Ansätzen der Kulturgeschichte) jedoch eher die begeisterte Aufnahme und Verbreitung des **"grobian." Stils** ins Auge. Aber auch andere gegen positive Stilideale gerichtete neulat. Anregungen wie die **"makkaron. Dichtung"** (it. *maccheroni* = 'Knödel') mit ihrer grotesken Sprachmischung treffen auf ein aufnahmebereites Publikum. Das wachsende Lesebedürfnis des gehobenen Bürgertums wird von einer Fülle thematisch höchst unterschiedl. **"Volksbücher"** gestillt (s. S. 89), in deren Rang auch Neuschöpfungen wie das 'FAUSTBUCH' (1587) aufsteigen. Humanist. Vorlagen speisen nach wie vor das Repertoire dt. Bearbeiter.

Ein **dt. Prosaroman,** der mehr war als die Addition disparater Erscheinungen und selbst typenbildend wirkte, bedurfte der kräftigen Anregungen schon entwickelter Traditionen. Solche kamen, humanistisch vermittelt, aus der Spätantike, hier vorzugsweise aus dem Vorrat **späthellenist. Liebes- und Abenteuerromane,** ferner aus Frankreich, wo nicht nur F. RABELAIS (gest. 1553) mit seinem 'GARGANTUA' zum großen Anreger J. FISCHARTS wurde, über das vielmehr auch die ursprünglich portugiesisch-span. **Amadis-Romane** vermittelt wurden, ein **Zyklus von Ritter- und Abenteuerromanen.** Ihre Bedeutung für Deutschland liegt weniger im Stoffl. als in ihren Stilelementen, insbes. in ihrer Psychologie und Erzählkunst. Dt. "Amadis-Schatzkammern" stellen denn auch anthologisch Beispiele aus Reden, Gesprächen, Briefen der Originale zusammen, aus denen dt. Autoren nur lernen konnten. Schließlich gelangt auch, zunächst durch Übersetzungen und Bearbeitungen, der **span. Schelmenroman,** neben dem Amadis jene zweite starke Wurzel des dt. Barockromans, ins Bewußtsein dt. Autoren und Leser. AEGIDIUS ALBERTINUS (um 1560–1620), ein am bayer. Hof tätiger Niederländer, geistig ein Vorkämpfer der Gegenreformation, damit zugleich Gegenspieler FISCHARTS, hat dem Schelmenroman ("pikar." Roman) wie span. Literatur überhaupt den Weg gebahnt.

Zwei Hauptvertreter des neuen Prosaromans: Wickram und Fischart

Noch vor dem unmittelbaren Einfluß antiker und (süd-)westeurop. Vorbilder gab der in Colmar/Elsaß geborene **Jorg Wickram** der Entwicklung des dt. Romans aus bürgerl. Geist neue Impulse. Der als Ratsdiener und Buchhändler, zuletzt als Stadtschreiber in Burkheim/Oberrhein tätige Protestant hat seine literar. Schulung in versch. heim. Gattungen absolviert. Er ist maßgeblich an der Entwicklung der Colmarer Meistersingerschule beteiligt (Schulordnung und Tabulatur stammen von ihm), in Colmar wirkt er auch als Spielleiter. Er verfaßte selbst Fastnachtspiele und bibl. Dramen mit reformator. Grundhaltung. So nimmt es nicht wunder, daß sein Romanschaffen auch bei "ritterl." Thematik **bürgerl. Haltung** widerspiegelt, nicht zuletzt in dem Bestreben, erzieherisch zu wirken. Selbst der zuletzt erschienene 'GOLDFADEN', ein **Höhepunkt der "ritterl. Gattung",** vermerkt ausdrücklich den Zweck, allen jungen Knaben Ideale der Tugend vorzuführen. Sein 'KNABENSPIEGEL' ist sogar als eine Art **Erziehungsroman** angelegt. Der Unterhaltung mit durchaus prakt. Hintergrund, d.h. der Lektüre auf Reisen war seine **Schwanksammlung** 'DAS ROLLWAGENBÜCHLEIN' (1555) gewidmet. Vorbild war die volkstüml. Schwanksammlung des JOHS. PAULI, 'SCHIMPF UND ERNST' von 1522, die wie viele gleichart. Sammlungen des 16. Jhs. in der Tradition der (urspr. neulat.) **Facetien-Literatur** stand.

Eine jüngere Generation, zugleich eine **weltoffenere Bürgerlichkeit** vertritt der Straßburger **Johann Fischart,** gleich WICKRAM Protestant, doch schon früh mit den verschiedensten, in Straßburg liberal geduldeten reformator., auch französisch-hugenott. Richtungen vertraut gemacht. Sein literar. Schaffen ist eng mit den **Bedingungen des modernen Verlagswesens** verflochten, die er durch seine Mitarbeit in des Schwagers B. JOBIN Verlag und Nachrichtenagentur kennenlernt. Dort erledigt er eine Reihe von gleichsam **"journalist." Auftragsarbeiten,** auch Bearbeitungen, Erweiterungen fremder Vorlagen. In diesen Rahmen gehören die Volksbuch-Bearbeitung 'EULENSPIEGEL REIMENSWEIS' und die Übersetzung des 6. Buches des Amadis-Romans (für den Frankfurter Verleger S. FEYERABEND).

Seine **satir. Fähigkeiten** übte FISCHART in einer Reihe von antikath. Schriften, die schon Reaktionen auf gegenreformator. Initiativen, 1538 auch auf die Jesuiten, sind. Aber auch nichtkonfessionelle Themen nimmt er spöttisch aufs Korn, so die astrolog. Jahreskalender in der Schrift 'ALLER PRAKTIK GROSSMUTTER' (1572). Der schon neulat. literaturfähig gewordenen Gichtkrankheit, *Podagra,* widmet er sein 1577 erschienenes ironisch preisendes 'PODAGRAMATISCHES TROSTBÜCHLEIN'. Doch will auch FISCHART unmittelbar erzieherisch wirken, wie seine "Zuchtbüchlein" für die Eheführung und Kindererziehung (1580) beweisen. Seine rd. 80 Schriften aus verschiedensten Themenbereichen, die meisten davon allerdings auf fremden Vorlagen beruhend, lassen sich hier unmöglich einzeln aufführen. Ihr Themenreichtum aber ist grundlegend für die ep. Kunst, die in seiner 1575 erstmals erschienenen **'Gargantua'-Bearbeitung** gipfelt. Neben ihr sind das ep. Gedicht

'DAS GLÜCKHAFTE SCHIFF VON ZÜRICH', in dem er das polit. Bündnis zwischen Straßburg und der Zürcher Bürgerschaft preist, sowie die satir. Tierdichtung 'FLÖH HAZ, WEIBER TRAZ' trotz ihrer unbestrittenen Qualität fast nur Beiwerk.
Vorlage von FISCHARTS Hauptwerk ist das 1. Buch des satirisch-grotesken Romans 'GARGANTUA UND PANTAGRUEL' des FRANÇOIS RABELAIS (erschienen 1532–62). RABELAIS hatte darin ein krit. Gemälde der zeitgenöss. relig., kulturellen und polit. Zustände Frankreichs entworfen, das in seinen scharfen Wendungen gegen kirchl. Institutionen, bestimmte pädagog. Haltungen und die scholast. Philosophie (in Paris) FISCHARTS eigenen satirisch-krit. Nerv traf und zur Bearbeitung anregte. Die groteske, Disparates zusammenzwingende Grundhaltung seines Vorbilds provozierte gleichsam die Überbietung. FISCHARTS Nachdichtung wuchs durch Erweiterungen auf das Dreifache der Vorlage an; nun stehen dt. Verhältnisse im Zentrum *(auf den Teutschen Meridian visirt)*, und RABELAIS' Ironie wandelt sich zum **grobian. Angriff.** Doch bleibt die moral. Absicht, durch parodist. Überzeichnung vorbildl. Zustände aufscheinen zu lassen, unverkennbar. Dieser Absicht dient auch der reiche **Einsatz volkstüml. Elemente** wie eigener sprachl. Erfindungen, die höchste Virtuosität verraten.
FISCHART bearbeitet sein Werk bis zu seinem Tod, eine 2. Auflage erschien 1582, die 3. (1590) führte im Titel die heute geläufige Bezeichnung 'GESCHICHTKLITTERUNG' ein.
Die zunehmende Bedeutung des Verlagswesens für die konkrete Erscheinung der Literatur, die an FISCHART, hier sogar an orthograph. Eingriffen, so deutlich wird, macht sich auf dem Gebiet des Romans im 16. Jh. auch an anderer Stelle eindringlich bemerkbar. Verleger. Interesse, hier wiederum des Frankfurter FEYERABEND, vereinigt 1587 in einer Sammlung, gen. 'BUCH DER LIEBE', 13 der beliebtesten romanhaften Prosaerzählungen, Auflösungen alter Versepen, Übersetzungen und auch zwei Originalwerke WICKRAMS, den 'RITTER GALMY' und 'GABRIOTTO UND REINHART'. Das **"Bestseller-Prinzip"** ist seitdem aus der Literaturgeschichte nicht mehr fortzudenken!

Lyrik im 16. Jh.

Wesentl. Neuerungen auf dem Gebiet der deutschsprach. Lyrik, die im 16. Jh. vollzogen wurden, hatten bereits ihre Vorgänger in anderen Ländern oder waren in der neulat. dt. Lyrik vorgebildet. Lyriker des 16. Jhs. taten die entscheidenden ersten Schritte in Richtung einer **kontinuierl. Entwicklung einer dt. Kunstlyrik,** wie sie in lat. Tradition durch die Humanisten längst gepflegt wurde oder wie sie in Italien und Frankreich im Gefolge der Renaissance volkssprachlich schon etabliert war.
Als dt. Kunstlyrik konnte bis dahin nur der **Meistersang** (s. S. 89) gelten, der in HANS SACHS noch einmal seine kräftige Förderung erhielt und in ADAM PUSCHMANNS 'GRÜNDL. BERICHT DES DT. MEISTERSANGS' 1571, der poet. und musikal. Theorie sowie einer Geschichte dieser Kunstübung, seine gleichsam abschließende Beschreibung erfuhr, wenngleich sich vereinzelt meistersinger. Praxis bis ins 19. Jh. halten konnte. Die wieder zunehmende Bemühung der Höfe um Literatur, nicht zuletzt aber ein selbstauferlegtes Druckverbot für die Produktionen des Meistersangs (eine wichtige Quelle, SACHS' 'SCHONE SCHUELKUNST', ist beispielsweise nur handschriftlich überliefert) drängten die ständisch-zünft. Liedkunst allmählich in den Hintergrund.
Das **"Volkslied"**, das seine Stellung im Leben sozialer Gruppen, in Berufsständen wie Handwerkern und Bergleuten (erste Sammlung sog. **Bergreihen** 1531) behaupten konnte, war durch seinen Gebrauch von bewußter Kunstübung weit entfernt (vgl. S. 89). Es war aber eine wichtige Grundlage für die **Entwicklung des deutschsprach. Kirchenliedes,** das in der Reformation, voran bei MARTIN LUTHER ein bedeutendes missionar. Instrument wurde (s. S. 99). Eine bedeutsame Form der (gelegentlich wechselseit.) Beziehung zwischen "Volkslied" und Kirchenlied ist die **Kontrafaktur,** d.i. die Umdichtung eines vorhandenen Textes, meist des weltl. in einen geistl., damit eine bekannte Melodie weiterverwendet werden kann; überhaupt grenzt die Vorrangstellung der Melodie, damit des akust. Ereignisses, das "Volkslied" gegen die im engeren Sinne "literar." (damit zunehmend "optische"!) Textbetonung des Kunstliedes ab.
LUTHERS Lieder liefen vor ihrer ersten Zusammenfassung im 'ACHTLIEDERBUCH' (1524) bereits auf fliegenden Blättern um. Schließlich wollten auch die übrigen Konfessionsparteien nicht nachstehen. Auf THOMAS MÜNTZERS **dt. Liturgie,** für die er auch eine Reihe von Liedern schuf, ist kurz hingewiesen worden (s. S. 98). ZWINGLI schuf ebenfalls Kirchenlieder, die "Böhmischen Brüder" erhielten 1531 im 'NEWEN GESENG BUCHLEN' ihr erstes eigenes Kirchengesangbuch. Die Altgläubigen folgten ihnen mit den Sammlungen von M. VEHE (1537), G. WITZEL (1541) und J. LEISENTRITT (1567).
Folgenreich war die Anregung, die vom **calvin. Psalter** auf die dt. Lyrik ausging. Der 'GENFER' oder 'HUGENOTTENPSALTER' von 1562, ein geist. und geistl. Kristallisationspunkt der Calviner, vor allem aber der Hugenotten in den frz. Glaubenskriegen, wurde zunächst von dem Lutheraner AMBROSIUS LOBWASSER 1565 für den Preußenherzog ALBRECHT D. Ä. übersetzt. Bedeutsamer wurde indes die Übersetzung des Calviners PAULUS SCHEDE MELISSUS 1572 im Auftrag von

FRIEDRICH III. von der Pfalz. SCHEDE übertrug dabei die in Frankreich ausgebildete neue Vers- und Sprachgestaltung ins Dt. und wirkte damit prägend auf die nachfolgende Kunstlyrik. So unterschied er erstmals streng zwischen "männl." (einsilb.) und "weibl." (zweisilb.) Reimen. SCHEDE mied den sog. Hiat(us), d.i. die Folge zweier Vokale am Ende des einen und am Anfang des nachfolgenden anderen Wortes; er bemühte sich um jambischen (steigend alternierenden) Rhythmus und wollte das silbenzählende Prinzip der Franzosen mit dem dt. Akzentuierungssystem verbinden.

Künstler. Anregungen aus dem Ausland, die zur Ausbildung des eigentl. **"Gesellschaftsliedes"** (vgl. S. 93) führen, werden aber auch schon vor der Reformation in weltl. Liedsammlungen wie denen des ERHART ÖGLIN 1512, PETER SCHÖFFERS 1513 oder ARNTS VON AICH 1520 dokumentiert. Dort steht das Neue allerdings noch ungetrennt vom Volkstüml. Erst der unmittelbare **Einfluß it. Hofmusiker** nach der Jahrhundertmitte in München, Dresden und in süddt. Handelsstädten und die Einwirkung der Lyriker der **frz. Pléjade** (des "Siebengestirns" unter Führung von PIERRE DE RONSARD, 1524–85; vgl. S. 113) wird die klare Abgrenzung des neuen weltl. Kunstliedes vom volkstüml. Gesang in formaler, inhaltl. und publikumsbezogener Hinsicht bringen. *"Nach Art der Neapolitanen oder Welschen Vilanellen"* (d.s. kunstmäßig weiterentwickelte it. Hirten- und Bauernlieder) dichtete etwa der in Wien als Hofkapellmeister tätige Niederländer JAKOB REGNART (1540–1599) seine 'KURTZWEILIGEN TEUTSCHEN LIEDER, ZU DREYEN STIMMEN' (1576–79 erschienen), wodurch er eine wesentl. Form der **roman. Renaissancelyrik** in Deutschland einführte. Antike Mythologie und Motive der auf PETRARCA zurückgeführten **("petrarkist.") Liebeslyrik** (vgl. S. 124f.) sind weitere wichtige Elemente, mit denen diese deutschsprach. Lyrik ihren Anschluß an außerdt. Entwicklungen suchte.

CONRAD GESNER verwirklichte 1555 als erster **Hexameter** in einem dt. Lied (als "leonin. Hexameter", d.h. mit Zäsurreim, war diese Versform bereits im 14. Jh. in Deutschland eingeführt worden; vgl. S. 84). 1556 realisierte CHRISTOFF WIRSUNG erstmals in dt. Sprache die **Sonettform**, jene 14zeil. Einzelstrophe, bestehend aus zwei vierzeil. "Quartetten" (Aufgesang) und zwei dreizeil. "Terzetten" oder "Terzinen" (Abgesang; urspr. die Kanzone, vgl. S. 62f.). JOHANN FISCHART verband 1575 mehrere Sonette zum ersten dt. **"Sonettzyklus"**. Der im 17. Jh. in dt. Lyrik herrschend werdende **Alexandriner,** der sechsheb. jamb. Reimvers, wurde bereits 1572 von BALTHASAR FROE in einem deutschsprach. Gedicht eingeführt.

Die bedeutendere Lyrik Deutschlands in diesem Jh. tritt aber **in neulat. Sprache** auf. Sie überragt die deutschsprach. Liedproduktion an Qualität und Quantität bei weitem. Alle Autoren deutschsprach. Kunstlieder haben zugleich auch lat. Lyrik geschaffen. SCHEDE MELISSUS etwa müßte mehr als Autor neulat. Gedichte denn als deutschsprach. Dichter gewürdigt werden. Auf eine Besprechung dieses wichtigen literar. Bereichs, in dem es bereits lange vor entspr. deutschsprach. Entwicklungen eine **ausgeprägte Autor-Publikum-Beziehung** gab, muß hier leider verzichtet werden. Es kann auch nur noch pauschal auf die Erscheinung **lat.-dt. Mischgedichte** hingewiesen werden, die eine Art Brücke zwischen den beiden dt. Literaturen darstellt (angesichts der noch lebendigen niederdt. Dichtung, auch auf lyr. Gebiet, müßte korrekterweise sogar von drei dt. Literaturen gesprochen werden!). In der bes. Ausprägung der **"makkaron." Poesie** (s. S. 105) erfährt die Zweisprachigkeit jedoch auch ihre iron. Kommentierung wie etwa im anonymen 'PASQUILLUS UF DEN PROTESTIRENDEN KRIG' (1546): "... *Spes erat in Bauris auflauffos muchere doctis / Protulit ad Spiesos rustica turba feros* ..." (Bei den gelehrten Bauern war die Hoffnung, Aufläufe zu machen. / Die bäuerl. Schar trug es mit wilden Spießen vor).

Vorschein eines neuen literar. Bewußtseins

Die scharfen polit., sozialen und relig. Auseinandersetzungen des 16. Jhs. haben die lange gehegten **Hoffnungen auf eine geist. Einheit des dt. Reiches endgültig zerstört.** Hand in Hand mit dieser Entwicklung ging die Inanspruchnahme der Literatur durch die gegensätzl. Lager. Darin drückte sich aber zugleich auch die Hoffnung auf eine der Literatur innewohnende Kraft aus, wie sie insbes. von den Humanisten, vielfach zwischen den Fronten stehend, grundsätzlich kultiviert wurde. Diese Hoffnung machte es auch möglich, daß schon sehr bald nach den handgreiflichsten Auseinandersetzungen **Literaturpflege zum wichtigen Medium der Verständigung** und der Befriedigung offenbar elementarer menschl. Bedürfnisse, darunter auch der Unterhaltung und Zerstreuung wurde. Es ist sicher kein Zufall, daß das 17. Jh. die Epoche intensivster Versuche um eine systemat. Poetologie wurde (s. S. 113). Daß dabei dt. Autoren lernbereit über Gruppen- und nationale Grenzen schauten, spricht nur für die Überzeugung, daß Literatur mehr sein kann als eine Fortsetzung des Krieges mit anderen Mitteln. Bereits im 16. Jh. kündigt sich ein neues literar. Bewußtsein an, das freilich auf seine Art in Konflikt mit der Macht gerät, ein Konflikt, der sich bis in die Gegenwart immer weiter verschärft hat.

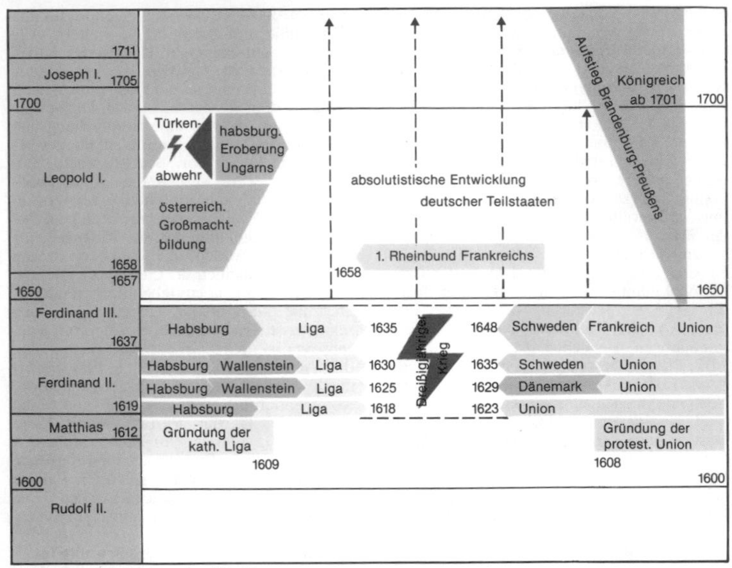

Politische Geschichte des 17. Jhs.

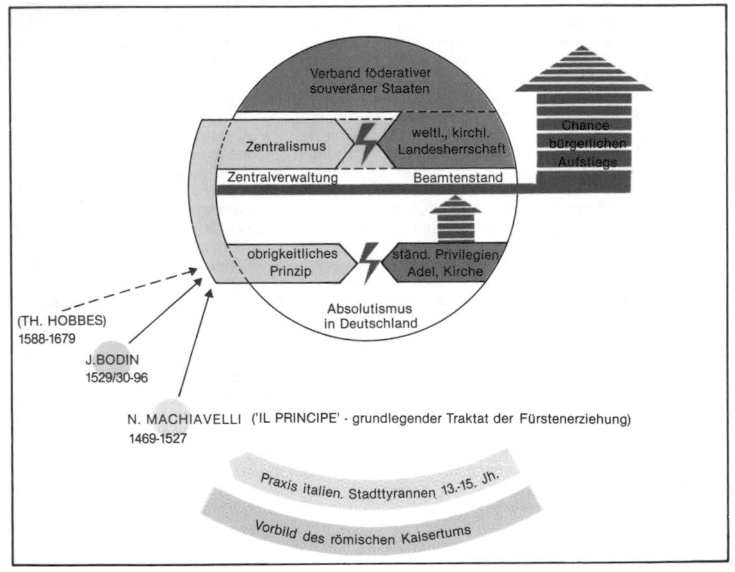

Absolutismus, Wurzeln und Wirkungen

Polit. Geschichte des 17. Jhs.
Daß Deutschland im 17. Jh. Anschluß an weltliterar. Entwicklungen gewinnt, ist wahrlich nicht als Folge glückl. polit. Umstände zu begreifen, im Gegenteil: In der ersten Hälfte dieses Jhs. ringen dt. Dichter um ein neues Sprachgefühl und ein neues literar. Bewußtsein, während gleichzeitig einer der fürchterlichsten Kriege, der **"Dreißigjährige"**, eigentlich eine **Folge von vier Kriegen**, durch die Lande tobt, wobei es zunächst um die Auseinandersetzung zwischen protestant. und kath. Mächten geht, die sich bereits 1608 bzw. 1609 als "Union" und "Liga" für diese Auseinandersetzung formiert hatten. Im Auftreten WALLENSTEINS (ermordet 1634) und seiner sich mehr und mehr verselbständigenden Politik, in der Führerrolle zunächst Dänemarks, dann Schwedens auf protestant. Seite, zuletzt aber im Kriegseintritt des kath.(!) Frankreich gegen die dt. kath. Partei wird die Verdrängung konfessioneller Kriegsziele zugunsten machtpolit. Ambitionen überdeutlich. Das Ergebnis, im **Westfäl. Frieden 1648** sanktioniert, ist ein dt. Scherbenhaufen, die offizielle Etablierung **territorialstaatl. Interessen** gegen eine schon längst fiktive Reichseinheit. Das habsburg. **Österreich**, immer noch nominell kaiserl. Macht, zieht seine Konsequenz im Ausbau einer eigenen Großmachtstellung, wobei der **Niedergang der türk. Macht** nach deren letztem Vorstoß bis Wien (1683) die **Eroberung Ungarns** möglich macht. Aus krieger. Auseinandersetzungen mit Schweden, dem einstigen Alliierten gegen Habsburg, und durch geschicktes Taktieren zwischen Frankreich, Polen und Österreich steigt **Brandenburg-Preußen** unter dem Großen Kurfürsten, FRIEDRICH WILHELM (1640–88), zum neuen mächtigen Territorialstaat, mit stehendem Heer und zentraler Verwaltung, auf (ab 1701 Königreich). Frankreich läßt sich seine Erwerbungen und Eroberungen im Südwesten (Lothringen, Elsaß) bestätigen und bildet 1658 zusammen mit dt. Rheinanliegern einen ersten **"Rheinbund", gegen Habsburg** (2. Rheinbund 1806 unter NAPOLEON). Der Wiederaufbau des verwüsteten Deutschland (in den Hauptzerstörungsgebieten Bevölkerungsverluste bis 70%) lag nun in den Händen dt. Teilstaaten, zwischen denen gleichwohl dt. Künstler geist. Brücken schlugen und in der Pflege der dt. Sprache ein einheitl. **nationales Empfinden** wachhielten.

Absolutismus: Untertanenfeindlichkeit und Chance des Bürgertums
Mit *einer* Gemeinsamkeit konnten, ja mußten die Menschen in allen dt. Staaten rechnen: mit dem Anspruch ihrer Herrscher auf eine unumschränkte Machtfülle in Gesetzgebung und Verwaltung. Dieses "absolutist." Prinzip war freilich eine **gesamteurop. Erscheinung** des 17. und 18. Jhs., in Frankreich die Grundlage einer zentralist. Entwicklung, die sich in Deutschland bei einer bloß fiktiven Reichseinheit nur innerhalb einzelner Territorien durchsetzen konnte (vgl. etwa Preußen) und mit weiterreichenden zentralist. Tendenzen stets in Konflikt geriet.
Zunächst stieß sich hier das **obrigkeitl. Prinzip** mit ausgeprägten **ständ. Privilegien** von Adel und Kirche. Diese Konflikte wurden unterschiedlich gelöst. Vielfach waren sie der Ausgangspunkt für den Aufstieg eines neuen "Dienstadels", den sich die Herrscher vornehmlich aus dem **bürgerl. Beamtenstand** erzogen. In Preußen waren es dagegen mehr die landbesitzenden Adligen, die in wichtige Funktionen der neuen Staatsform einrücken konnten. Am Ende war das dt. Reich nicht mehr als ein **föderativer Verband souveräner Staaten**, die je nach Interessenlage auch ihre eigene, nicht selten gegensätzl. Außenpolitik betrieben (vgl. die wechselnden europ. Koalitionen im 18. Jh., S. 132f.).
Vorbilder des europ. Absolutismus waren das (späte) röm. Kaisertum und die Praxis it. Stadttyrannen der Renaissance, wie sie von NICCOLO MACHIAVELLI in 'IL PRINCIPE' (1513/32) als polit. "Theorie" beschrieben worden war (der republikan. Hintergrund dieser Schrift ist freilich oft übersehen worden!). In Frankreich formulierte JEAN BODIN in seinen 'SIX LIVRES DE LA RÉPUBLIQUE' (1576) für ein über relig. und polit. Parteistandpunkten stehendes Königtum die "soziolog." und jurist. Grundlage der absolutist. Theorie, wonach der Souverän in Übereinstimmung mit den göttl. Geboten und den Naturgesetzen auch gegen den Willen seiner Untertanen regieren könne. Des engl. Philosophen THOMAS HOBBES staatstheoret. Abhandlung 'LEVIATHAN OR THE MATTER, FORM AND POWER OF A COMMONWEALTH ECCLESIASTICAL AND CIVIL' (1651, lat. 1668) mit deutlich antiparlamentar. Tendenzen wird zwar ebenfalls häufig als Stellungnahme für den Absolutismus gewertet, doch war sie in dieser Richtung zuwenig entschieden und von geringerer Bedeutung.
Wer nur die Untertanenfeindlichkeit des Absolutismus sieht, verkennt leicht die für die polit. Gesamtentwicklung progressive Wirkung, die in der **Brechung ständ. Privilegien** lag, durch die das Bürgertum überhaupt erst die Chance eines unmittelbaren Zugangs zur Politik erhielt. Nicht wenige bedeutende Autoren des 17. und 18. Jhs. konnten ihre Fähigkeiten erst in der unmittelbaren Nähe zu ihrem jeweiligen Souverän, in höf. Diensten, entfalten. Insgesamt gesehen ist das 17. Jh. alles andere als eine rückwärts gewandte Epoche. Auf produktive Weise steht es zwischen Renaissance und Aufklärung und eröffnet **wichtige Wege in die Moderne.**

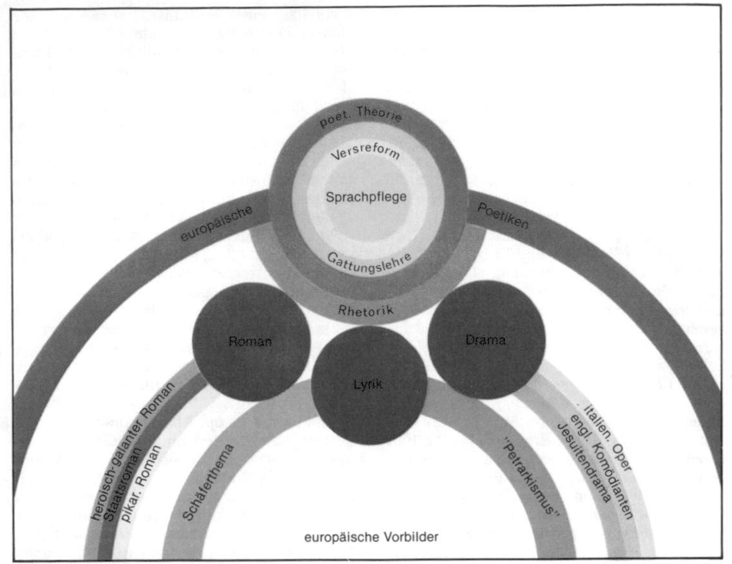

Deutsche Barockliteratur und ihre europäischen Anregungen

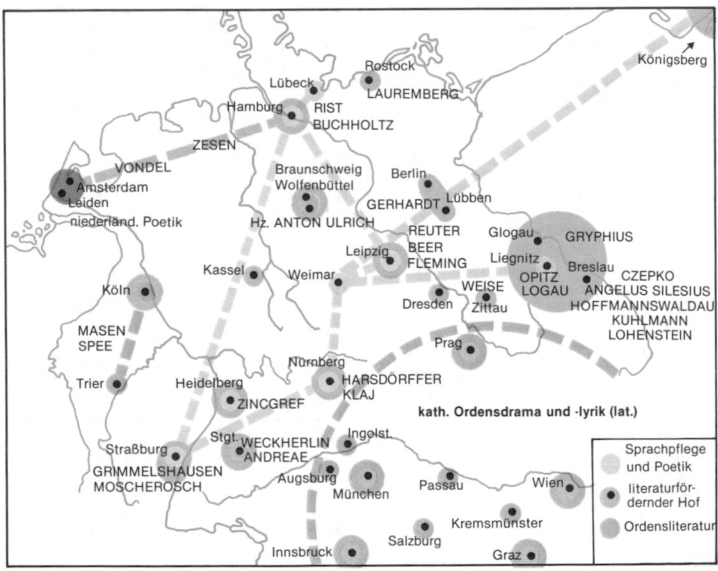

Zentren barocker Literatur

Die Kunstepoche des dt. Barock

In literarhistor. Hinsicht kann das 17. Jh. trotz aller inneren Spannungen und Gegensätze allein deswegen als eine verhältnismäßig geschlossene Epoche angesehen werden, weil in ihm erstmals an sehr versch. Stellen ein einheitl. Wille bemerkbar ist, die der dt. Sprache innewohnenden Kräfte in literar. Produktion so zu steigern, daß ein Vergleich mit den Nachbarliteraturen des Westens und Südens nicht mehr nur negativ ausfällt. Das setzt voraus, daß sich die Nation einer kulturellen Einheit auf der Grundlage gemeinsamer Sprache bewußt wird. Nicht zufällig steht die **Sprachpflege im Mittelpunkt theoret. Bemühungen,** nicht zufällig erfährt eine wiss. Beschäftigung mit der dt. Sprache ihre ersten Höhepunkte, so bei JUSTUS GEORG SCHOTTEL(IUS) ('AUSFÜHRL. ARBEIT VON DER DT. HAUBTSPRACHE', 1663). Das schließt nicht aus, daß wesentl. Anregungen für dieses Innewerden eigener Werte aus den Nachbarnationen stammen, zumal diese ihre polit. Überlegenheit im Dreißigjähr. Krieg mehr als deutlich demonstrieren. Das hat zur Folge, daß unter dem Anspruch einer eigenen theoret. Systematisierung **fremde Vorbilder in der Versreform oder in der Gattungslehre** unversehens zu Normen erhoben werden, von denen man sich erst unter großen Mühen wieder löst.

Was bodenständig war, wird – wo es mit europ. Normen übereinstimmt – gesteigert, so die **Bedeutung der Rhetorik** für die poet. Theorie und Praxis (wozu der missionar. Impetus von Reformation und Gegenreformation entscheidende Kräfte liefert); es wird – wo es der ersten Begeisterung über das Neue mißfällt – zunächst geringgeachtet und verdrängt, so die **volkstüml. Traditionen** aus dem 15. und 16. Jh., die aber in versch. Bereichen bald wieder zu Wort kommen und der Erstarrung theoret. Konstruktionen entgegenwirken können. Ähnliches gilt für die zeitweilig subliterarisch wirkenden **Traditionen myst. Weltbetrachtung,** die vor allem in der geistl. Lyrik neu aufbrechen werden.

Die formalen und inhaltl. Anregungen europ. Vorbilder in den drei Hauptgattungen der Literatur aber bleiben unübersehbar. Mögen die Einstellungen zu ihnen auch gegensätzlich sein: es gibt **erstmals eine breite Kommunikation der Gebildeten,** die den Wert der Anregungen für die volkssprachl. und nicht nur für die lat. (oder eine frz.) Literatur diskutieren läßt. Unter **Führung der Höfe** beteiligen sich mehr und mehr **Bürgerliche** (oft in höf. Diensten stehend) an dieser Diskussion. In Deutschland bildet sich erstmals nach der stauf. Epoche ein **kunstverständ. Publikum,** das sich nicht mehr auf die engen Grenzen der vielen Territorien beschränken läßt.

Man nennt diese Zeit – in Anlehnung an Kategorien der bildenden Kunst – das **Barock,** wobei die Literatur nur im übertragenen Sinn diesen Kategorien entsprechen kann. Doch wirken gemeinsame Erfahrungen auch in der Literatur, die bei aller Vielfalt der Verarbeitung erstmals eine bewußt ästhet. Antwort auf die Probleme der Zeit zu geben versucht, die wichtigste und bleibende Folge theoret. Reflexion des 17. Jhs. Die für die barocken Künste insges. oft als typisch angesehene Überladung der Formen, der "Schwulst", ist in Deutschland eine *späte* Phase der Barockliteratur. Nach dem Theoretiker dieses Stils, dem Italiener G. MARINO (1569–1625) wird sie als "Marinismus" bezeichnet. Die Überkünstelung der Sprache hätte bei den frühen dt. Sprachpflegern noch keine Chance gehabt.

Zunächst behauptete sich, vorwiegend im kath. Süden, noch eine **lat. Literatur,** die aber unmittelbarer als die der früheren Humanisten auf kreatives Verständnis stieß. Auf längere Sicht verhinderte sie zwar einen aktiven Beitrag süddt. Dialekte an der Formierung einer hochdt. Literatursprache (die im Süden später oft als "Diktat" aus dem Norden empfunden wurde), insbes. das lat. Ordensdrama konnte aber zu einer wichtigen Wurzel barocker Dichtungen werden. Dies wird nicht zuletzt an den Wirkungen auf die literar. Landschaft deutlich, die in dieser Zeit geradezu führend wird. **Schlesien.** Hier scheint bereits in den konfessionellen Gegebenheiten die beste Voraussetzung für eine **fruchtbare Mischung versch. Traditionen** gegeben gewesen zu sein. Doch muß auch die **gewachsene Mobilität dt. Autoren,** die durchaus nicht immer freiwillig war, sondern auch durch die polit. Ereignisse erzwungen sein konnte, in Betracht gezogen werden. Insbes. die Anregungen, die von den **Niederlanden** ausgingen, wären ohne die Vielzahl persönl. Kontakte gar nicht denkbar. Spätestens seit Ende des Dreißigjähr. Krieges gewinnt dieser ehemal. Teil des Reiches eine auf allen Gebieten spürbare Unabhängigkeit, die zahlreiche Impulse für Deutschland ermöglichte. Gleichsam an der Grenze zwischen der Reichsgemeinschaft und Selbständigkeit der Niederlande steht JOOST VAN DEN VONDEL (1587–1679), der zeitweilig noch Mitglied einer dt. Sprachgesellschaft war.

Daß nicht nur die Höfe und ihre Beamten die Barockliteratur tragen, wird aus der Entwicklung mancher **städt. Gemeinschaft** ersichtlich, bei der sich – vornehmlich dort, wo wie in Hamburg, Nürnberg und Leipzig Sprachgesellschaften tätig waren – geradezu von einem **"Bürgerbarock"** sprechen läßt.

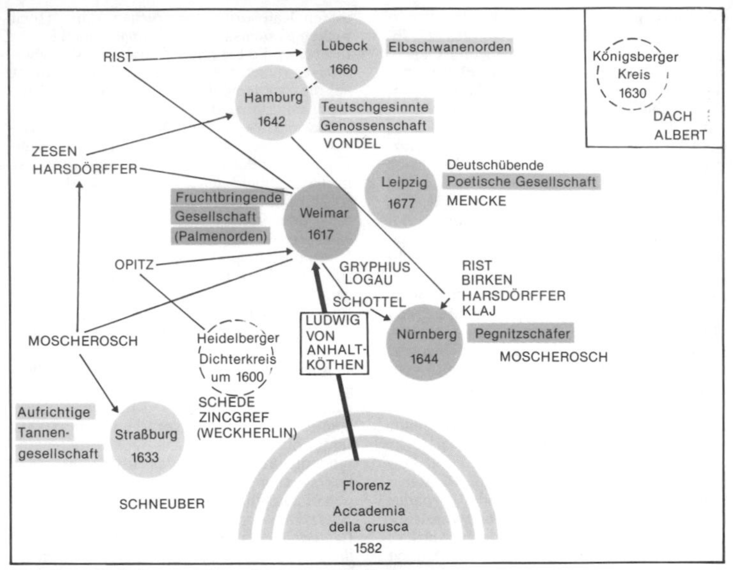

Sprachgesellschaften und ihre wichtigsten Mitglieder

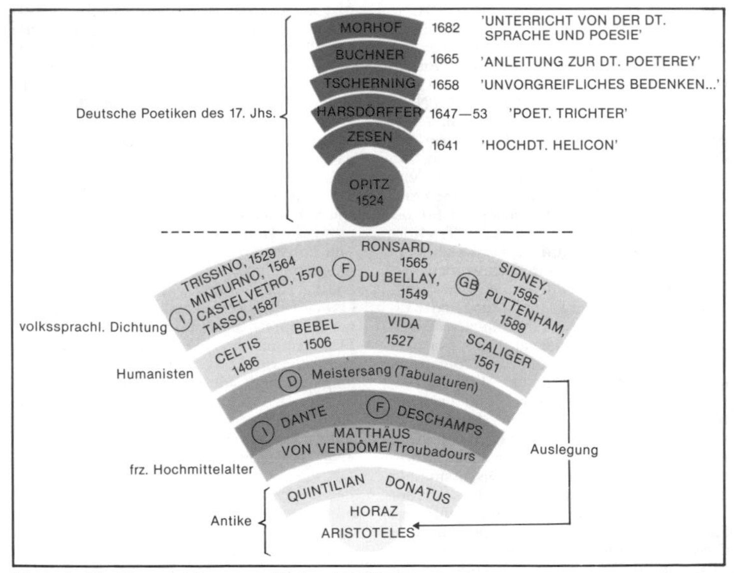

Deutsche Poetiken und ihre europäischen Vorgänger

Dt. Sprachgesellschaften

Ein fruchtbares Zusammenwirken fürstl. Mäzene und bürgerl. Dichter wird in der **Gründung der ersten dt. Sprachgesellschaft 1617 in Weimar** durch LUDWIG VON ANHALT-KÖTHEN sichtbar; an ihrer Arbeit hatten schon früh nichtadlige Mitglieder führenden Anteil. Fürst LUDWIG war 1600 Mitglied der 1582 gegr. Florentiner "Kleie-Akademie" geworden, die "das (sprachl.) Mehl von der Kleie *(crusca)*" säubern wollte. Nach ihrem Vorbild wollte LUDWIG auch in Deutschland eine Institution schaffen, die der **Reinerhaltung der Muttersprache und der Entwicklung einer eigenen Poetik** dienen sollte.

Mit dieser Gründung erfolgte sowohl ein **Anschluß an eine gesamteurop. Bewegung,** wie sie u.a. im Wirken der **frz. Pléjade** (s. S. 107) Mitte des 16. Jhs. (als Vorläufer der 1635 gegr. *Académie française*) sichtbar geworden war, als auch die Grundlegung einer spezifisch dt. Entwicklung. Denn ohne das Wirken des Weimarer "Palmenordens" und der von ihm angeregten weiteren Sprachgesellschaften hätte sich die junge dt. Hochsprache kaum gegen die noch mächtigen Regionalsprachen, die **Dialekte,** sicher aber nicht gegen traditionelle **nichtdt. Literatursprachen,** in erster Linie Latein und nun auch Französisch, durchsetzen können, von der **Sprachverwilderung,** die vom Einfluß der versch. während des Dreißigjähr. Krieges auf dt. Boden kämpfenden ausländ. Streitkräfte (Spanier, Schweden, Franzosen, Kroaten usw.) ausging, ganz zu schweigen.

So sehen wir bedeutende dt. Dichter des 17. Jhs. in versch. Sprachgesellschaften wirken. Der zum Gesetzgeber der dt. Literatur aufsteigende MARTIN OPITZ (s. S. 114f.) nahm während seines Studiums in Heidelberg auch Kontakt zu jenem frühbarocken Dichterkreis auf, in dem PAUL SCHEDE MELISSUS, GEORG RUDOLF WECKHERLIN und JULIUS WILHELM ZINCGREF nach dem Vorbild der Pléjade zusammenarbeiteten. Das Palmenorden-Mitglied JOHANN RIST (1607–67) gründete 1660 in Lübeck den "Elbschwanenorden" und war auch Mitglied in Nürnberg. GEORG PHILIPP HARSDÖRFFER (1607–58) war außer in Weimar auch in den bürgerl. Gesellschaften Hamburgs und Nürnbergs tätig, JOHANN MICHAEL MOSCHEROSCH (1601–69) in Weimar, Straßburg, Hamburg und Nürnberg, JOHANN KLAJ (1616–56) in Hamburg und Nürnberg Mitglied. Zu den tonangebenden poet. Zirkeln des 17. Jhs. muß auch der Königsberger Kreis mit SIMON DACH und HEINRICH ALBERT gerechnet werden, wo man freilich dem Dialekt nicht ganz so abhold war, wie das ostpreuß. Hochzeitslied aus diesem Kreis, 'ANKE VAN THARAU' ('ÄNNCHEN VON TH.'), beweist.

Die zuletzt von OTTO MENCKE gegr. **"Deutschübende Poet. Gesellschaft" in Leipzig** war Vorläuferin der "Deutschen Gesellschaft", in der im 18. Jh. GOTTSCHED führend tätig wird (s. S. 137).

Daß die Bemühungen der Sprachgesellschaften um eine dt. Literatursprache und Dichtungstheorie nicht unbestritten waren, wird in Gegengründungen zugunsten französischsprach. Literatur deutlich, so in der Köthener *"Académie des vrais amants"* und im *"Ordre de la palme d'or"*. Daß der **Sprachpurismus** der dt. Zirkel auch zu Übertreibungen neigte, wird spätestens in der spött. **Kritik** an ihrem Wirken bei GRIMMELSHAUSEN (S. 119) und CHRISTIAN WEISE (S. 123–125) sichtbar.

Ursprünge einer dt. Poetologie

Der Aufschwung eines neuen literar. Bewußtseins wird vor allem in der **Begründung einer dt. Poetologie** spürbar. Außer vereinzelten Aussagen dt. Autoren des MAs, die frühesten bei OTFRIED VON WEISSENBURG (s. S. 31), und der zünftig beschränkten Theorie der Meistersinger, hatte es bis zum 17. Jh. an systemat. Schriften zur Poetik auf dt. Boden nur lat. Abhandlungen von Humanisten, etwa von KONRAD CELTIS und HEINRICH BEBEL gegeben, die wesentlich der Auslegung der antiken Poetik-Klassiker gewidmet waren. Frankreich und seit DANTE auch Italien waren hierin schon sehr viel früher produktiv geworden. Die Wirren des 16. Jhs. verhinderten noch einen dt. Anschluß an die inzwischen europ. Diskussion um die theoret. Fundierung der (volkssprachl.) Literatur, die inzwischen auch die Niederlande und England erfaßt und span. Autoren, hier allerdings zu eigenständigeren Positionen, geführt hatte.

Die Verbindung stellte schließlich der Schlesier **Martin Opitz** mit seinem 'BUCH VON DER DT. POETEREY' (1624) her, eine insges. eklekt. Arbeit, die aber als **erste systemat. Darstellung** mit vielen normbildenden Beispielen und durch ihren hohen Anspruch, die dt. Literatur im europ. Rahmen hoffähig zu machen, von stärkster Wirkung war.

Gleichsam als habe sich in den vorangegangenen Jahrhunderten ein großer Nachholbedarf gestaut, dem OPITZ ein Ventil eröffnet habe, folgte eine große Zahl von Autoren, die freilich nicht selten in starker **Anlehnung an Opitz** schrieben. Mindestens zehn Arbeiten über dt. Versdichtung wurden allein im Zeitraum 1640–45 veröffentlicht!

Die geringste Selbständigkeit gegenüber OPITZ bei den namentlich genannten Autoren beweist ANDREAS TSCHERNING (1611–59), auch in seinen biograph. Anfängen (Bunzlau, Görlitz, Breslau) ein wahrer Nachfolger von OPITZ, während bereits PHILIPP VON ZESEN (1619–89), Gründer der Hamburger Sprachgesellschaft, wie sein Lehrer, AUGUSTUS BUCHNER (1591–1661), sich von wesentl. Normen der OPITZschen Poetik befreiten. GEORG PHILIPP HARSDÖRFFER (1607–58), führendes Mitglied der Nürnberger "Pegnitzschäfer", entwickelte seine Poetik unter star-

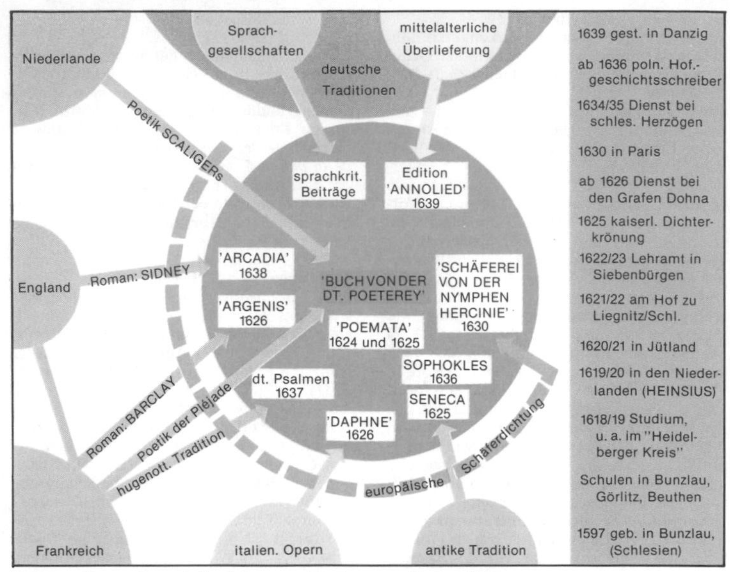

MARTIN OPITZ, literarische Schwerpunkte im europäischen Kontext

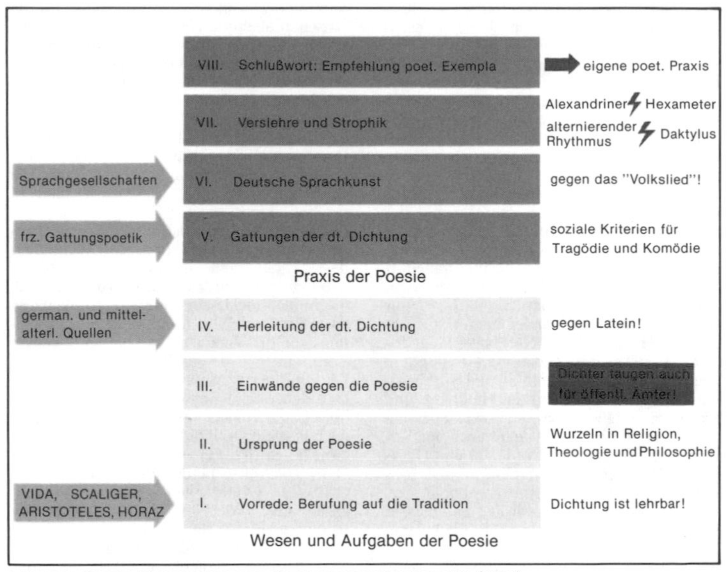

MARTIN OPITZ, 'BUCH VON DER DEUTSCHEN POETEREY' (1624)

kem **Einfluß der it. Dichtung** in Auseinandersetzung mit dem schon verfallenen Meistersang. DANIEL GEORG MORHOF (1639–91), eigentlich ein Schüler TSCHERNINGS, schreibt seinen 'UNTERRICHT' schon mehr als **Vertreter einer frühen Literaturgeschichtsschreibung,** darin auch Autoren Anerkennung zollend, die sich inzwischen weit von OPITZ' Forderungen entfernt hatten.

Martin Opitz (1597–1639)

Nach lat. Anfängen und frühen dt. Versen, die bereits unter dem Einfluß von MELCHIOR GOLDASTS Sammlung **mittelalterl. dt. Quellen** ('PARAENETICA' 1604; vgl. S. 145) nationale Programmatik enthalten, findet der schles. Bürgerssohn MARTIN OPITZ in Heidelberg, dem Vorort des dt. Calvinismus im Westen, Anschluß an einen Kreis, der ihm die durch den **Hugenottenpsalter** (s. S. 106) repräsentierten Formideale einer neuen Lyrik vermittelte. Vor seinem Vorstoß zur Begründung einer dt. Poetik liegen noch Reisen in die Niederlande und nach Jütland sowie gelehrte Arbeiten in Liegnitz und Siebenbürgen. Die in Liegnitz entstehende **geistl. Lyrik** verrät die Heidelberger Anregungen; doch sah OPITZ sich mißverstanden, als zwei Heidelberger Freunde, darunter J. W. ZINCGREF (1591–1635, selbst Dichter in der Tradition der FISCHARTschen Moralsatire), 1624 eine Sammlung seiner Gedichte herausgaben, deren künstler. Kriterien er selbst inzwischen überwunden zu haben glaubte. Von nachhalt. Wirkung auf ihn war nämlich die Begegnung mit dem bedeutenden niederländ. Dichter **Daniel Heinsius** in Leiden gewesen (Übers. von H.s 'LOBGESANG JESU CHRISTI' 1619). Die Distanz zu eigenen früheren Gedichten wird zum Anlaß für sein **'Buch von der Dt. Poeterey',** in dem er die aktuellen poetolog. Anschauungen zusammenzufassen versucht. Es ist bereits angedeutet worden, daß er damit nicht viel mehr bietet als eine **Kompilation** von im außerdt. Raum schon gängigen Lehren, die aber in dieser auf die Lehrbarkeit von Dichtung angelegten Form im bildungsbereiten Deutschland auf größtes Interesse stieß. Seine **Wendung gegen das Latein und gegen volkstüml. Dichtung** deckte sich mit dem Programm der Sprachgesellschaften. Trotz Herleitung der dt. Dichtung aus älteren dt. Quellen, wobei ihm die von GOLDAST zitierten Minnesänger einschl. WALTHERS VON DER VOGELWEIDE Pate stehen müssen, bricht er indes mit heim. Traditionen, etwa des "Volkslieds", oder wenn er unbekümmert in der Aufzählung dt. Gattungen der zeitgenöss **frz. Gattungspoetik** Tür und Tor öffnet. In diesem Punkt wurde der in Holland lehrende **J. C. Scaliger** für OPITZ maßgeblich.
Bezeichnend für sein schwankendes soziales Selbstbewußtsein sind einerseits seine Meinung, daß Dichter (d.h. auch durch poet. Praxis ausgewiesene Bürgerliche) durchaus für öffentl. Ämter taugen, und anderseits seine Reservierung der Tragödie für "adlige" Stoffe ("Ständeklausel", vgl. S. 123; GRYPHIUS wird sich noch 1647 ausdrücklich dafür entschuldigen, daß er das Trauerspiel 'CARDENIO UND CELINDE' im bürgerl. Umkreis spielen läßt!). OPITZ selbst wird ab 1626 in wichtigen höf. Ämtern, u. a. als Diplomat, tätig sein und läßt sich seine Erhebung in den Adelsstand ("OPITZ VON BOBERFELD", 1629) sehr wohl gefallen (vgl. dazu grundsätzlich S. 109).
Die Kapitel VI und VII seiner Poetik enthalten die poet. Empfehlungen, die größte Wirkung erzielen, **gegen das Fremdwort** und für ein gepflegtes, anschaul. Deutsch, für die **natürl. Wortbetonung,** die **Reinheit des Reims** und für einen **alternierenden Rhythmus,** womit er zugleich den **Alexandriner,** d.i. der sechsheb. steigend alternierende Reimvers, zum lange vorherrschenden Versideal machte und dabei den Hexameter und den Daktylus (s. S. 63) zu verdrängen suchte, worin erneut der Einfluß der frz. **Pléjade** (vgl. S. 107) sichtbar wird.
Die abschließende Empfehlung guter poet. Beispiele war auch Ankündigung des eigenen zukünft. dichter. Schaffens, das weniger durch bes. Qualität als durch fleißiges **Abschreiten der zeitgenöss. europ. Literaturtraditionen** besticht, das aber in vielem Vorbildcharakter für die poet. Praxis in Deutschland gewann.
Die Spannweite seiner literar. Arbeit nach der 'POETEREY' reicht von der Lyrik und von Lehrgedichten über antike Dramen, Übersetzungen engl. Romane bis zur Bemühung um mittelalterl. Texte. Im selben Jahr wie seine Poetik veröffentlicht er 150 'TEUTSCHE POEMATA', 1637 folgen seine dt. 'PSALMEN'. Von SENECA übersetzt er die 'TROERINNEN', von SOPHOKLES die 'ANTIGONE'. Durch seine Übersetzung wurde in Deutschland der polit. Schlüsselroman 'ARGENIS' des in Frankreich lebenden Schotten J. BARCLAY, in einer Bearbeitung PH. SIDNEYS 'ARCADIA' bekannt. Ein frühes Zeugnis "altgermanist." Philologie stellt seine Edition des frühmhd. 'ANNOLIEDES' dar (vgl. S. 45). Ferner eröffnet er der it. Oper mit seiner Bearbeitung von RINUCCINIS 'DAPHNE' (1627 von H. SCHÜTZ vertont) die dt. Bühne, mit seiner 'SCHÄFEREI VON DER NYMPHEN HERCINIE' machte er die außerhalb Deutschlands schon blühende Schäferdichtung (s. S. 125) in Deutschland heimisch.

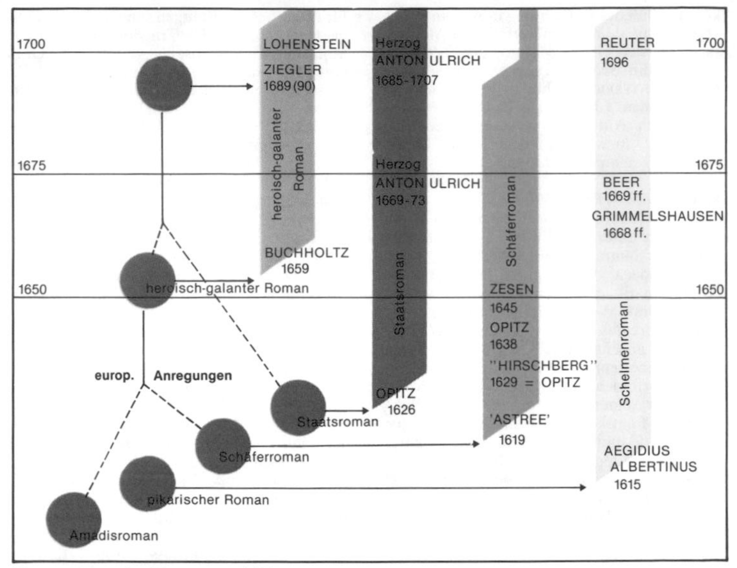

Hauptstränge der Romanentwicklung

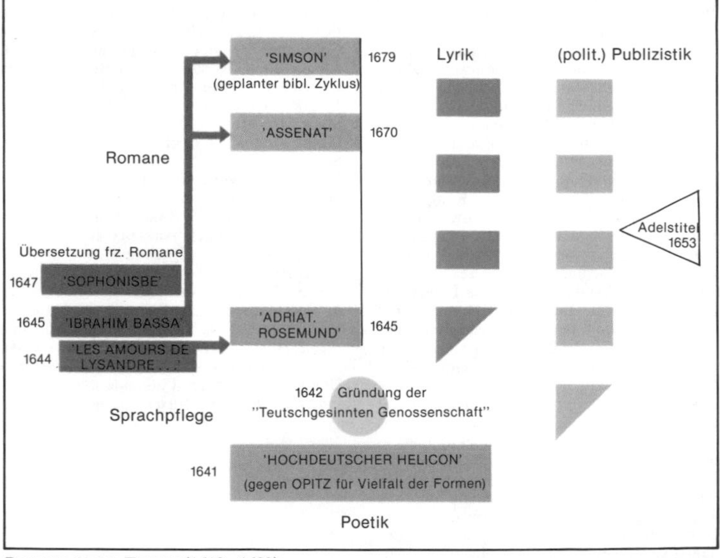

PHILIPP (VON) ZESEN (1619–1689)

Barockroman

Wie sehr das oft einheitlich "barock" genannte Zeitalter (nach portug. *barocco* = 'schiefrunde Perle') in Wahrheit eine von den gegensätzlichsten Naturen gestaltete Kunstepoche war, wird schon an den Zeugnissen eines einzigen Strangs der Romanentwicklung deutlich. Nach der Vermittlung des pikar. Romans nach Deutschland durch AEGIDIUS ALBERTINUS (s. S. 105), der eine Fülle von Übersetzungen folgen ('LAZARILLO DE TORMES' durch N. ULENHART, 1617; PEREZ' 'LA PICARA JUSTINA' als 'LANDSTÖRTZERIN JUSTINA DIETZIN', 1620 usw.), erfährt der **Schelmenroman** in den Gestaltungen GRIMMELSHAUSENS (s. S. 119) nicht zuletzt durch die Einbeziehung realer Erfahrungen aus dem Dreißigjähr. Krieg einen Höhepunkt, der mit OPITZENS Kunstgesetzen wenig zu tun hatte. Ähnliches gilt für die Romane JOHANN BEERS (1655–1700), etwa das 'NARRENSPITAL' (1681), die 'DEUTSCHEN WINTERNÄCHTE' (1682) oder die 'KURZWEILIGEN SOMMER-TÄGE' (1683; Beginn der Abfassung nach 1669), zu denen BEER sich außer durch GRIMMELSHAUSEN auch durch "Volksbücher" hat anregen lassen, was der Distanz von OPITZ zur volkstüml. Literatur schon gar nicht entsprechen konnte. Milieuschilderungen aus dem Leipziger Studentenleben und Persönliches bietet CHRISTIAN REUTER (1665– ca. 1712) in seinem 'SCHELMUFFSKY', der bereits gegen die wuchernden "Simpliziaden" à la GRIMMELSHAUSEN gerichtet ist. Das Schelmenthema hat sich gleichwohl bis ins 20. Jh., zu TH. MANNS 'FELIX KRULL' etwa, halten können.

OPITZ hat dagegen auf die Entwicklung zweier anderer Romantypen einwirken können:

– auf den **Schäferroman** mit zwei Übersetzungen von PHILIP SIDNEYS 'ARCADIA' (Original 1590; erste dt. Übersetzung durch "V. TH. VON HIRSCHBERG" = OPITZ 1629), nachdem dieser Romantyp bereits 1619 mit des Franzosen H. D'URFÉ Schäferroman 'ASTREE' (in einer anonymen Übersetzung) nach Deutschland gebracht worden war;

– auf den **Staatsroman** mit seiner Übersetzung von JOHN BARCLAYS 'ARGENIS'. Aber auch dieser Romantyp wurde nicht allein von OPITZ bestimmt. Man muß dazu auch den **ersten utop. Roman Deutschlands,** die noch lat. 'REI PUBLICAE CHRISTIANOPOLITANAE DESCRIPTIO' des JOHANN VALENTIN ANDREAE von 1619 zählen, die unter dem Einfluß von THOMAS MORUS ('UTOPIA' 1516) und THOMAS CAMPANELLA ('CITTA DEL SOLE', ersch. 1623) steht. Mit zwei umfangreichen Romanen bestimmt später Herzog Anton ULRICH VON BRAUNSCHWEIG-WOLFENBÜTTEL (1633–1714) das Gesicht dieser Gattung: mit der 'DURCHLEUCHTIGEN SYRERIN ARAMENA' (1669ff.), die LEIBNIZ sehr schätzte, und mit 'OCTAVIA, RÖMISCHE GESCHICHTE' (1685ff.; 2. Aufl.: 'DIE RÖMISCHE OCTAVIA' 1712).

Diese drei Gattungen umspannen inhaltlich einen Großteil der geist. und polit. Regungen Deutschlands in und nach den Wirren des großen Krieges: im Schelmenroman Spiegelung des Schicksalspiels mit dem "kleinen Mann", höfisch-galante Flucht in die schäferl. Scheinwelt und polit. (auch theoret.) Analyse und Neugestaltung der "großen" Geschichte. Ein vierter Hauptstrang der Romanentwicklung war aus der frz. Verbindung zwischen Amadis- und Schäferroman, vorbildhaft im 'POLEXANDRE' GOMBERVILLES (1629) und in den Werken LA CALPRENÉDES, hervorgegangen: der **heroisch-galante Roman,** der Heldentum und höf. Lebensart zu integrieren versuchte. ANDREAS HEINRICH BUCHHOLTZ (1607–71) übertrug diesen Romantyp nach Deutschland mit 'DES CHRISTL. TEUTSCHEN GROSSFÜRSTEN HERCULES ... WUNDERGESCHICHTE' (1659, Fortsetzung 1665), freilich in ausdrückl. Abgrenzung gegen den Amadisroman. Damit war bereits eine Spätform des Barockromans, einer **"schwülstigen" Epik,** entwickelt. Die Überladung dieser Kunstform wurde indes noch gesteigert, als sich unter dem Einfluß von MADELEINE DE SCUDÉRY ('CYRUS', 1648–53) der heroisch-galante mit dem Staatsroman verband. Allein das Inhaltsverzeichnis von DANIEL CASPER VON LOHENSTEINS 1689/90 postum erschienenem Schlüsselroman 'ARMINIUS' umfaßt mehr als hundert, der Text selbst über 3000 Folioseiten. Gleichzeitig erschien 'DIE ASIAT. BANISE' von HEINR. ANSELM VON ZIEGLER UND KLIPHAUSEN, die eine Liebesgeschichte in das Dickicht oriental. Abenteuer, darunter eines Staatsstreichs in Hinterindien, verlegte.

Daß sich das Barock nicht im "Schwulst" erschöpfte, wie schon zeitgenössisch der Spätstil dieses Jahrhunderts genannt wurde, zeigt sich im Romanschaffen u.a. an **Philipp (von) Zesen,** dem Gründer der "Teutschgesinnten Genossenschaft" in Hamburg (s. S. 112). Sein Roman 'RITTERHOLDS VON BLAUEN ADRIAT. ROSEMUND' (1645) ist nur grob dem Schäferroman zuzuordnen. Tatsächlich gestaltet ZESEN darin mit durchaus autobiograph. Elementen eine Liebesgeschichte, die im Zwiespalt der Konfessionen tragisch endet. Die bürgerlich-private Thematik dieses Romans in ihrer sensiblen, zugleich aktuellen Ausführung ist die andere Seite des Barocks. Sie ist in diesem Fall auch Reflex von Erfahrungen, die ZESEN vor allem in Bürgerkreisen (vornehmlich in den Niederlanden) gemacht hat. Seine spätere Wendung zu biblisch-histor. Themen folgt nicht einfach einer dt. Mode; schon in seiner Übersetzung des 'IBRAHIM BASSA' hatte sich ZESEN mit einem von M. DE SCUDÉRY gestalteten orientalisch-histor. Stoff auseinandergesetzt.

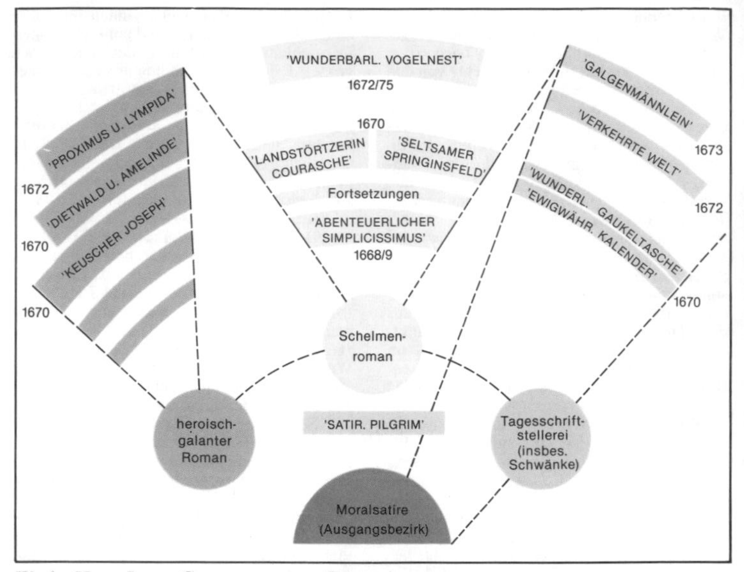

Werke Hans Jakob Christoffel von Grimmelshausens

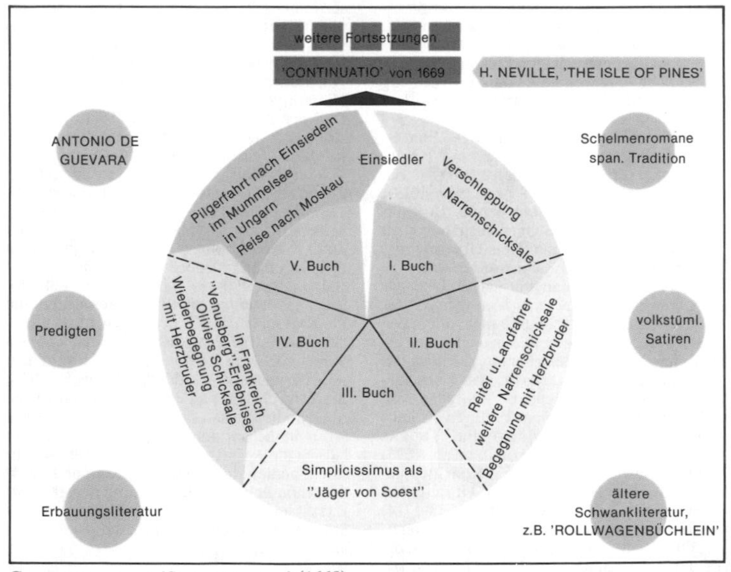

Grimmelshausens 'Simplicissimus' (1668)

Hans Jakob Christoffel von Grimmelshausen (1621/22–76)
Noch heute bekannter und beliebter als jeder andere dt. Barockautor ist wegen seines **'Abenteuerl. Simplicissimus Teutsch'** der durch den Dreißigjähr. Krieg entscheidend geprägte GRIMMELSHAUSEN. Die Schicksale des Simplicissimus vom tölpelhaften Kind über die verschiedensten Stufen des passiven und aktiven Kriegsteilnehmers zum welterfahrenen Erwachsenen lesen sich über weite Strecken **wie eine Autobiographie,** und gewiß hat GRIMMELSHAUSEN viele eigene Erfahrungen darin verarbeitet. Doch ist dieser Roman in jeder Hinsicht ein literar., ein **Kunstprodukt,** das wesentl. Anregungen aus **ep. Traditionen der Zeit,** sehr stark aber auch aus **volkstüml. Überlieferung** empfangen hat und das aus zeitgenöss. Quellen unterschiedlichster Wissensgebiete (z. B. aus der Moskaureise-Beschreibung des ADAM OLEARIUS, im V. Buch; vgl. S. 127) schöpft.
Der **planvolle formale Aufbau des Romans,** der gleichsam kreisförm. Lebensweg des Helden aus seiner Einsiedlererziehung zum eigenen Einsiedlerdasein, zeigen einen bewußt arbeitenden Dichter am Werk, der aber gleichweit entfernt ist von der Prunkkunst der meisten übrigen Barockromane wie von der psycholog. Analyse einer inneren Entwicklung seines Helden. Hier versagen gängige Gattungsbezeichnungen ("erster dt. Entwicklungsroman" o. ä.), selbst "Schelmenroman" reicht zur Charakterisierung nicht aus. Daß auch die Weltabsage des Helden am Ende des V. Buchs (Einfluß des span. Franziskaners ANTONIO DE GUEVARA) nicht unbedingt als programmat. Schlußpunkt verstanden werden mußte, zeigt die Leichtigkeit, mit der GRIMMELSHAUSEN bereits kurz nach dem ersten Erscheinen des 'SIMPLICISSIMUS' (Herbstmesse 1668) eine 'CONTINUATIO' ("Fortsetzung") mit einer bewegten Reihe neuer Abenteuer des Helden anschließen konnte.
Zweifellos spielt bei dieser Fortsetzungsarbeit (die schon 1670 als VI. Buch fungiert) auch der **publizist. Erfolg** eine Rolle, der die Verleger sicher zu weiteren "Simplizian. Schriften" raten ließ, zu Romanen, deren Helden wie die Courasche und der Springinsfeld im Erstling dieser Reihe noch Nebenfiguren waren. Daß GRIMMELSHAUSEN der einträgl. Tagesschriftstellerei nicht abhold war, beweisen einige parallele Stücke der **Unterhaltungsliteratur,** die denselben geist. Ausgangsbezirk wie seine "Schelmenromane" verraten: die **Moralsatire** des 16. Jhs. (besonders deutlich in der Rügedichtung 'VERKEHRTE WELT'). Daß GRIMMELSHAUSEN in der geruhsameren Stellung als Schultheiß von Renchen (ab 1667) nach wilden Kriegserlebnissen in versch. dt. Regionen und nach mühevoller Tätigkeit als Pferdehändler, Weinbauer und Wirt **Kontakt zu aktuellen literar. Ereignissen** hielt, bezeugt seine rasche Aufnahme der ersten **Robinsonade** der Weltliteratur, NEVILLES 'ISLE OF PINES' (1668), in die 'CONTINUATIO' von 1669, beweist aber auch sein (freilich weniger erfolgreiches) Bemühen um den **heroischen Roman** mit drei eigenen Texten.
Der erste, biblisch-heroische Roman müht sich mit einem Thema, das ZESEN (s. S. 116) im 'ASSENAT' bereits bearbeitet hatte und zu dem sich GRIMMELSHAUSEN in krit. Distanz sieht. Auch hier will er wie mit dem 'SIMPLICISSIMUS' im Gegensatz zur gelehrten Arbeit ZESENS volkstümlich sein. Dieses Feld war indes bereits durch andere Autoren besetzt, die GRIMMELSHAUSEN auch mit seinen beiden weiteren heroischen Romanen nicht zum Erfolg kommen ließen.
Mit einem eigenen Beitrag zur **Sprachpflege,** 'DES WELTBERUFENEN SIMPLICISSIMUS PRAHLEREI ...' (1671), versuchte er gleichzeitig, Anschluß an die aktuelle Theorie zu gewinnen und seine eigene, neuerungsfeindl. Position zu behaupten.
GRIMMELSHAUSENS Erfolge zu Lebzeiten und die seit der Wiederentdeckung durch die Romantik anhaltende Nachwirkung des 'SIMPLICISSIMUS' beruhen auf der für das 17. Jh. einzigartigen **Unmittelbarkeit realist. Darstellung,** die sowohl für seine zeitgenöss. Leser wie für heutigen Geschmack als angemessen geltende stilist. Antwort auf die Erfahrungen mit der Katastrophe des Dreißigjähr. Krieges.

Musikerromane
In bemerkenswerter Nachbarschaft zum Aufstieg der dt. Barockmusik entsteht am Ende des 17. Jhs. die Gattung des Musikerromans, der eine heute kaum noch denkbare Brücke zwischen versch. Künsten schlägt, die nicht nur auf persönl. Doppelbegabungen ihrer Autoren, sondern auch auf ästhet. Wechselbeziehungen gründet. Die herausragenden Vertreter dieser neuen Gattung sind WOLFGANG CASPAR PRINTZ (1641–1717) und JOHANN KUHNAU (1660–1722). Beide sind selbst ausübende Musiker (KUHNAU als Leipziger Thomaskantor ist unmittelbarer Vorgänger von J. S. BACH), beide wenden sich ihrer Kunst auch theoretisch zu (PRINTZ schreibt 1690 die erste dt. Musikgeschichte). In Romanform entwerfen sie, teilweise durch krit. Gegenbilder, das Ideal des rechten musicus, der sich als Glied einer neuen, rational geprägten bürgerl. Ordnung verstehen soll: PRINTZ in 'COTALA' (1690), 'PANCALUS' und 'BATTALUS' (1691), KUHNAU in 'DER MUSIKAL. QUACKSALBER' (1700).

Vorschein eines erst durch die Aufklärung sich festigenden Selbstbewußtseins der Juden in Deutschland (vgl. S. 133) ist das um die Wende zum 18. Jh. entst. jidd. Memoirenbuch der **Glückl von Hameln** (1645–1724).

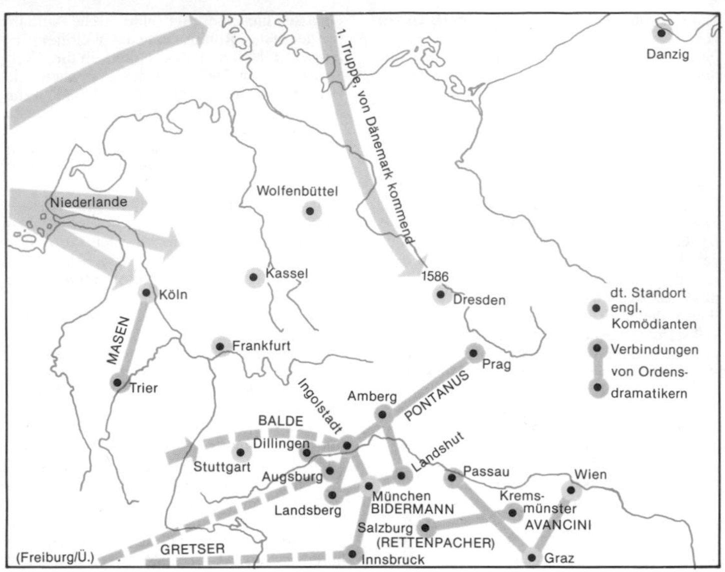

Englische Komödianten und Jesuitendrama

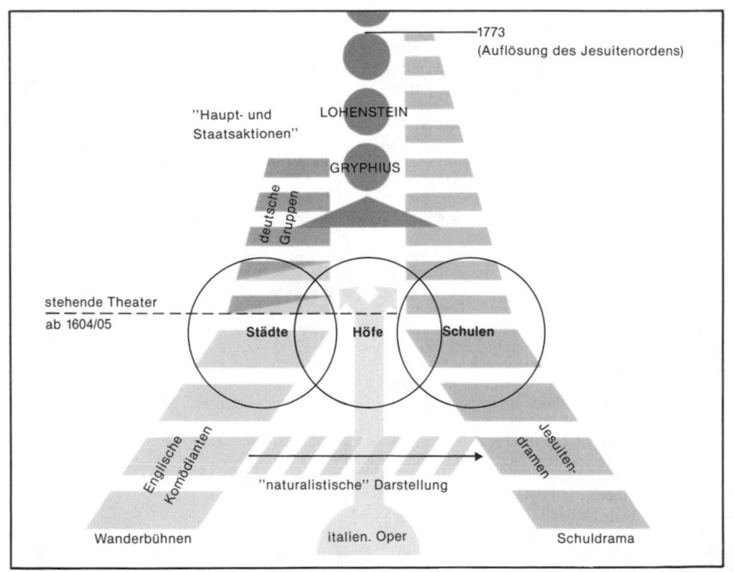

Wanderbühnen und Schuldrama als Wurzeln des Barockdramas

Wurzeln des Barockdramas
Im Drama ist schon grundsätzlich angelegt, was im Barock in allen Künsten intensivste Pflege erfährt: **eine sämtl. Sinne ergreifende Darstellung bedeutender Themen.** Auch und besonders die bildenden Künste, mit denen sich das Drama in dieser Zeit durch eine **neue Theaterarchitektur** wieder verbindet, dienen in ihren mannigfachen relig. und weltl. Bezügen der sinnfäll. Präsentation geist. Inhalte, nicht selten als **Repräsentation polit. und kirchl. Macht.** Die Glaubenspropaganda der kath. Gegenreformation hatte insbes. das Bild einer über alle Zweifel erhabenen, triumphierenden Kirche hervorgebracht, die ihr Selbstbewußtsein aus der sicheren Übereinstimmung mit dem jenseit. Reich bezog, die sie in vielfält. Weise auch sichtbar zu machen suchte (noch der "Prolog im Himmel" in GOETHES 'FAUST' lebt aus dieser Verschränkung von Diesseits und Jenseits).
Im Dienst der **Gegenreformation** stand literarisch vor allem das **lat. Jesuitendrama,** das nach Anfängen in Spanien, Italien und im heut. Belgien seinen natürl. Schwerpunkt im kath. Süden hatte. Die zusammenfassende **Theorie** dieser Gattung lieferte indes ein Jesuit aus dem Rhein-Moselgebiet, JAKOB MASEN (1606–81), der sowohl der aristotel. Tragödiendefinition wie einem Katharsis-(Läuterungs-)begriff anhängt, der mit dem des frz. Klassizismus vergleichbar ist. Nicht zuletzt die Nähe zum Predigt- und Bildungsauftrag des jungen Jesuitenordens sichert in deren dramat. Kunst der **Rhetorik** ein hohes Gewicht.
Aus Schulübungen zur bibl. Geschichte und zur allegorisch gestalteten Glaubensunterweisung entwickelte sich eine Theaterpraxis, die sich auch im **Mittelpunkt höf. Feste** bewähren konnte. Schon das frühe jesuit. Festspiel 'SAMSON' diente der Ausgestaltung einer fürstl. Hochzeit, des Herzogs WILHELM V. in München 1568.
Wichtigste Autoren von Jesuitendramen in Deutschland waren der Böhme JAKOB PONTANUS (1542–1626) und sein Schüler JAKOB BIDERMANN (1578–1639) aus Ehingen, der vornehmlich in München tätig war (besonders bedeutsam sein Drama 'CENODOXUS' von 1609); ferner der Wiener Hofdramatiker NIKOLAUS AVANCINI aus Südtirol (1612–86) mit rd. dreißig Dramen; JAKOB GRETSER, der in Innsbruck, Freiburg/Schweiz und in Ingolstadt wirkte (sein Festspiel 'UDO', 1598 in München uraufgeführt, zeichnet sich durch besonders intensiven Einsatz allegor. Gestalten aus, von denen die christl. Wahrheit am Ende als Siegerin triumphiert); JAKOB BALDE aus dem Oberelsaß, Rhetorikprofessor, Hofprediger und -historiograph in München, hatte seinen literar. Schwerpunkt in lat. Lyrik, die aber auch sein Ingolstädter Drama 'JEPHTIAS' (1637) bestimmte. Auch **Angehörige anderer Orden** wie der Benediktiner SIMON RETTENPACHER (1634–1706) können ihrem dramat. Wirken nach (bei R. vornehmlich in Themen aus der Antike) in die Nähe des "Jesuitendramas" gerückt werden. Das Jesuitendrama bleibt bis zur Auflösung des Jesuitenordens 1773 (Neugründung 1814) lebendig und hat mannigfaltig auf das nichtkath. Drama der Zeit eingewirkt.
Eine andere bedeutende Wurzel des Barockdramas sind die **engl. Komödianten,** Wandertruppen von Berufsschauspielern, die den Kontinent bereisen und Bearbeitungen engl. Dramen (darunter auch SHAKESPEARE und MARLOWE), diese zunächst in engl. Sprache, später auch frz., it. und dt. Stücke, inszenieren; ab 1604/05 bedienen sie sich dabei in Deutschland auch der **Landessprache.** Die erste Truppe, die Deutschland erreicht, reist 1586 von Dänemark ein. Bevorzugte Spielgelegenheiten waren Märkte und Messen, die großen Handelsstädte, mehr aber noch Residenzen die beliebtesten Standorte. Hier begaben sich die Theatergruppen aus naheliegenden Gründen gern unter den **Schutz von Fürsten;** bes. der Kasseler und Wolfenbütteler Hof, aber auch süddt. Residenzen wurden für einzelne Truppen zum längeren Domizil. Kassel erhielt 1604/05 im **"Ottoneum" das erste stehende dt. Theater.** Herzog HEINRICH JULIUS von Braunschweig-Wolfenbüttel (s. S. 103) zeigt sich schon wie der Nürnberger Fastnachtspielautor AYRER (s. S. 81) vom Spiel der engl. Komödianten beeinflußt.
Die anfangs noch fremde Sprache dieser Wanderbühnen gebot eine **Akzentuierung der nichtsprachl. Mittel,** womit ihre Praxis – wenn auch aus ganz anderen Gründen als das Jesuitendrama – der Sinnenfreude des Zeitalters ebenfalls entgegenkam. Im Vordergrund standen ohnedies **komödiant. Themen,** die derb-realistisch ausgespielt wurden. Bezeichnend ist die zentrale Stellung der **Narrenrolle,** deren Darsteller oft auch Prinzipale einer Wandertruppe waren, so R. REYNOLDS (als "Pickelhäring"), TH. SACKVILLE (als "Jan Bouset"), oder JOHN SPENCER (als "Jan Stockfisch"). Ihre Spiele waren in ihrer szen. und mim. Lebendigkeit ein wichtiges Korrektiv für die zur Erstarrung neigende Schuldramenpraxis. Durch Personalergänzung wurden einige Truppen schließlich zu **rein dt. Wanderbühnen.** In drei größeren **Sammlungen** sind wichtige Stücke dieser Tradition noch im 17. Jh. veröffentlicht worden: 'ENGL. COMEDIEN U. TRAGEDIEN' (1620) mit einer Fortsetzung, 'LIEBESKAMPF' (1630), und 'SCHAUBÜHNE ENGL. U. FRZ. COMÖDIANTEN' (1670).

Schwerpunkte der barocken Dramenkunst
Das dramat. Schaffen dt. Autoren neben Jesuitendrama und Wanderbühnenproduktionen vollzieht sich im Barock im wesentl. in den drei **Hauptgattungen Oper, Tragödie und Komödie,** von denen die Komödie als konti-

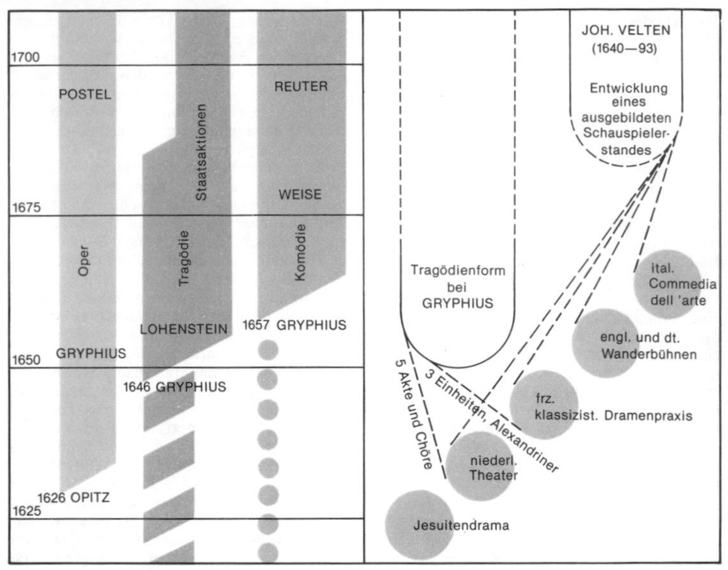

Schwerpunkte der barocken Dramenkunst

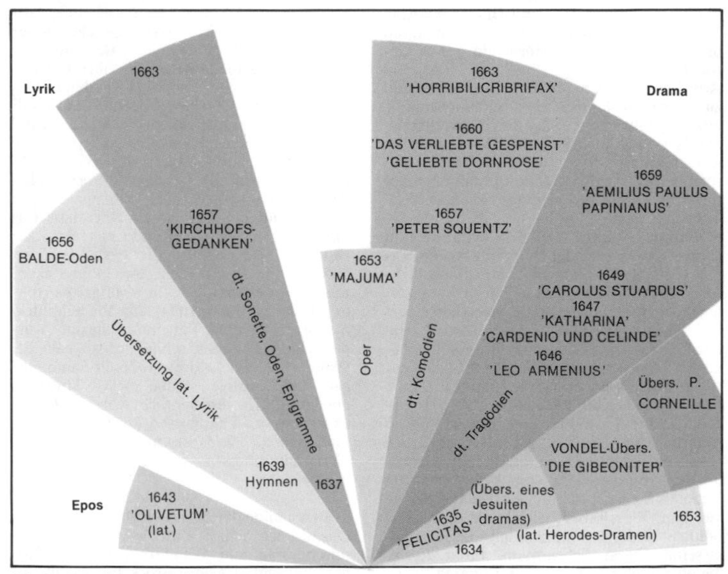

Werke des ANDREAS GRYPHIUS

nuierlich gepflegte Gattung durch GRYPHIUS' dt. Lustspiele in Deutschland überhaupt erst ihren Anfang nimmt. Die **Oper** als die barockem Empfinden am meisten entspr. Integration von Wort, Musik, bildender und darstellender Kunst tritt zwar mit OPITZ' 'DAPHNE' (s. S. 114f.) ebenfalls erstmalig in dt. Gestaltung auf, auch findet sie in 'MAJUMA' (1653) bei GRYPHIUS Beachtung, konkurriert aber – meist unterlegen – mit nichtdt., vor allem **it. Produktionen,** worüber ihr auch nicht die routinierten Bearbeitungen des Hamburger Juristen CHRISTIAN HENRICH POSTEL (1658–1705) hinweghelfen (als Begründer einer **weltl. Kantate** wäre POSTEL eher zu rühmen). Für die Entwicklung der Theaterpraxis bleiben die dt. Bemühungen um diese Gattung indes von großer Wichtigkeit, wie überhaupt die **Ausbildung eines geregelten Theaterwesens** nach der unsteten Organisation und Kunstauffassung der Wanderbühnen auch durch die im einzelnen wenig beachtenswerten Leistungen bleibende Bedeutung erlangt. Hier ist insbes. J. VELTEN und seine "Bande" zu nennen, die in den achtziger Jahren sogar als "kursächs. Komödiengesellschaft" firmieren darf. Mit VELTEN vollziehen Deutschlands Schauspieler den Anschluß an die europ. Entwicklung zum **Berufsstand mit spezif. Ausbildung.**

Auch die **Tragödie** erfährt unter dem Einfluß des Jesuitendramas neue Ansätze, als Gattung hat sie jedoch schon seit dem Schuldrama des 15./16. Jhs. ihren festen Platz in Deutschland, durch OPITZ auch, wenngleich eng formuliert, in der poetolog. Theorie (s. S. 115).

Durch den schles. Protestanten **Andreas Gryphius** (1616–64) fließen der dt. Tragödie alle jene Kräfte zu, die sie erst zum eigentl. Barockdrama machen. In GRYPHIUS' Entwicklung vereinen sich die durch OPITZ geprägten **schles. Traditionen** mit den **kath. Einflüssen** der Ordenslyrik und des Jesuitendramas (vgl. seine Übersetzungen der 'FELICITAS' des N. CAUSINUS und der Oden des J. BALDE), ferner die durch seinen Hollandaufenthalt (1638–43) vermittelte **niederländ. Poetik und Theaterpraxis** sowie Erfahrungen mit dem **frz. Klassizismus,** die er bei einer Reise nach Paris (1644/45) machen konnte. Die Spannweite seines Dichtens umgreift auch lat. Epik und Dramatik. Trotz der Vielfalt der von ihm verarbeiteten Anregungen gewinnen in seinen Werken zwei Motive, die in einem wechselvollen Spannungsverhältnis stehen, zentrale Bedeutung; sie bestimmen zugleich das barocke, d.h. hier das vom Kriegserleben wesentlich geprägte Lebensgefühl: **Fortuna,** das unberechenbare Schicksal, und **Vanitas,** die Hinfälligkeit aller diesseit. Güter.

Schon seine Tragödie 'LEO ARMENIUS' ist – ausdrücklich durch deren Vorrede – auf die Vorführung ird. Vergänglichkeit als Programm festgelegt. Gleichzeitig wird in den Stoffen seiner Trauerspiele das Interesse der Zeit an bedeutsamen polit. Themen aus Bibel und Geschichte, im 'CAROLUS STUARDUS' auch der Zeitgeschichte, sichtbar, die in der späteren Dramenentwicklung freilich zur "Staatsaktion" verkümmern werden.

Diese Entwicklung wird zweifellos durch die bald nach GRYPHIUS einsetzende Reihe von Tragödien des DANIEL CASPER VON LOHENSTEIN (gleichfalls Schlesier; 1635–83) gefördert: 'IBRAHIM BASSA' (1650), 'CLEOPATRA' (1656), 'SOPHONISBE' (1666) und 'IBRAHIM SULTAN' (1673). Auch LOHENSTEINS sog. Frauentragödien 'AGRIPPINA' und 'EPICHARIS' (gedr. 1665) entfernen sich nicht allzuweit von dem historisch-polit. Generalthema; im Mittelpunkt stehen Frauenschicksale aus der röm. Kaiserzeit, die als polit. Epoche den wesentl. Hintergrund des dramat. Geschehens abgeben muß.

Die barocke Tragödie versucht, ganz der schon von Renaissance-Poetiken erhobenen Forderung zu entsprechen, daß die Hauptpersonen von hohem Stand sein sollten (**"Ständeklausel"**; vgl. S. 115). Dabei wird das dramaturg. Axiom der **"Fallhöhe"** entwickelt, nach dem der trag. Fall eines Helden um so intensiver wirke, je höher seine soziale Stellung sei, ein Theorem, das erst von LESSING (s. S. 143) auch theoretisch zurückgewiesen wird.

Trotz der Nähe des vorherrschenden Lebensgefühls zur Tragödie begründet GRYPHIUS auch das neue dt. **Lustspiel,** sicher nicht zufällig erst nach Beendigung des Dreißigjähr. Krieges, wenngleich zeitlich noch von seinen lyr. 'KIRCHHOFSGEDANKEN' begleitet. Der intensiv gepflegte Gedanke ird. Vergänglichkeit schloß im Barock – wie man auch aus vielen anderen, insbes. den künstler. Lebensäußerungen weiß – Lebensfreude nicht aus, im Gegenteil: er konnte sie auf fast blasphem. Weise steigern. In seinen "Scherzspielen" griff GRYPHIUS auf humanist. und volkstüml. Traditionen des 16. Jhs. zurück und gab – gegen OPITZ und die Sprachgesellschaften – auch der **Mundart** einen (freilich begrenzten) Raum, wie er sich schon in 'CARDENIO UND CELINDE' über OPITZsche Vorschriften für Tragödieninhalte hinweggesetzt hatte.

Im letzten Viertel des 17. Jhs. fördern zwei sehr unterschiedl. Autoren das dt. Lustspiel: der Zittauer Rektor **Christian Weise** (1642–1708) und der "ewige Student" **Christian Reuter** (1665–1712?) in Leipzig. Während WEISE an einem modern orientierten Schultheater wirken durfte, das u.a. auch SHAKESPEARES 'DER WIDERSPENSTIGEN ZÄHMUNG' aufführen konnte, waren REUTERS Produktionen im wesentl. Gelegenheitsarbeiten, mit satir. Seitenhieben auf seine Leipziger Verhältnisse (was ihm zweimal die Entfernung von der Hochschule einbrachte), aber auch mit deutl. Einwirkungen der aktu-

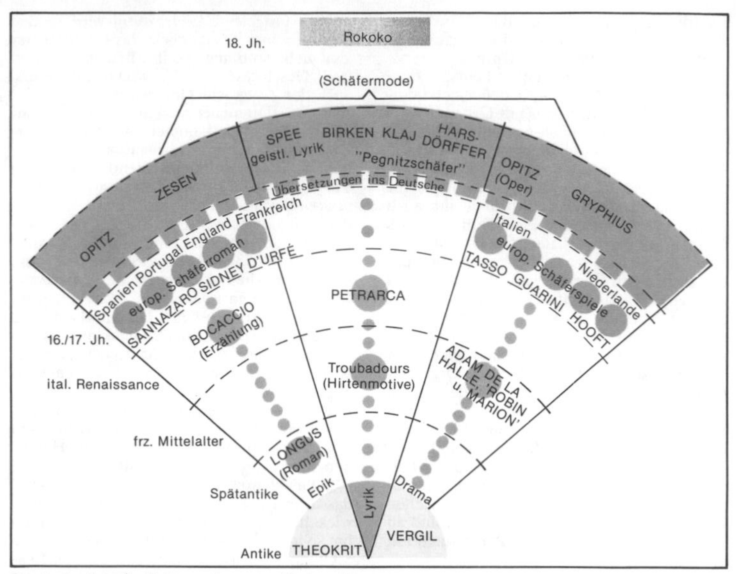

Deutsche Schäferdichtung im europäischen Kontext

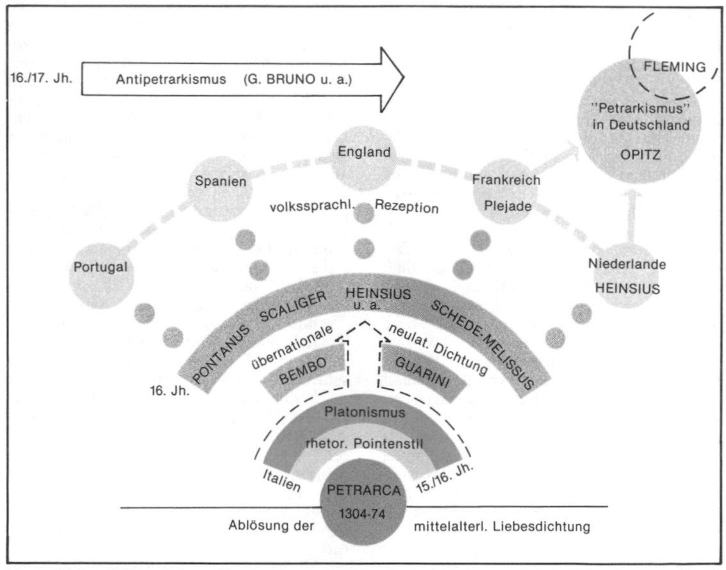

Europäischer "Petrarkismus"

ellen frz. Dramenkunst, darunter auch MOLIÈRES. Bei beiden Autoren steht das dramat. Schaffen in engem Kontakt zu Roman-Produktionen (s. S. 131).
WEISES wichtigste Komödien sind der 'BÄUERISCHE MACHIAVELL' (1679), eine Satire auf mißverstandenen Machiavellismus, 'DIE ZWEYFACHE POETENZUNFT' (1680), die u.a. gegen die Sprachgesellschaften gerichtet ist, und der noch von LESSING gerühmte 'MASANIELLO' (1688).
Auch REUTER liebt die **Satire,** vor allem da er darin mit seinen ungeliebten Wirtsleuten abrechnen konnte: 'L'HONNETE FEMME ODER DIE EHRLICHE FRAU ZU PLISSINE' (1695), 'DER EHRLICHEN FRAU SCHLAMPAMPE KRANKHEIT UND TOD' (1696). 1700 veröffentlichte er den 'GRAFEN EHRENFRIED', in dem er die Hohlheit adliger Lebensweise bei fehlender materieller Basis dem Spott der Zuschauer auslieferte.

Schäferdichtung im 17. Jh.
Die häufige kulturelle Verzögerung in Deutschland gegenuber Entwicklungen bei europ. Nachbarn, die im 16. Jh. noch auf die Reformation zurückgeführt werden mag, macht sich auch in der späten Aufnahme eines literar. Themas bemerkbar, das dann freilich in fast allen formalen Spielarten erprobt wird: die **Schäferidylle.** Die Intensität der Rezeption eines in anderen Ländern fast schon wieder aufgegebenen Themas kann natürlich auch mit der Sehnsucht der vom Dreißigjähr. Krieg Heimgesuchten nach einer heilen Welt erklärt werden.
Hinter der Aufnahme des Themas in versch. Epochen, mit Sicherheit auch schon bei dem Griechen THEOKRIT (3. Jh. v. Chr.) und dem Römer VERGIL (gest. 19 v. Chr.), steht jeweils eine **entwickelte Spätkultur,** wie das **Verlangen nach der Ursprünglichkeit eines ideal gedachten Lebens in der Natur** grundsätzlich eine Reaktion meist intellektueller Kreise auf Phänomene hoher gesellschaftl. und kultureller Ausdifferenzierung ist (vgl. auch ROUSSEAU, die Jugendbewegung oder aktuelle Erscheinungen wie bei den "Grünen"). Die Situation im Deutschland des 17. Jhs. ist für eine solche Erklärung freilich nicht so eindeutig. Bei OPITZ handelt es sich bei der Einführung des Themas wesentlich um die Erfüllung eines poetolog. Programms, das auf möglichst vielen Gebieten Anschluß an europ. Standards suchte. Das gilt für seine Oper 'DAPHNE' wie für seine 'SCHÄFEREI' (s. S. 115). Die Verarbeitung des Themas in ZESENS 'ADRIAT. ROSEMUND' ist bereits deutlich von naiver, unkrit. Übernahme entfernt. In der Lyrik und in GRYPHIUS' 'GELIEBTER DORNROSE' ist noch am ehesten ein modischer Einschlag zu vermuten. Die Nürnberger Sprachgesellschaft der "Pegnitzschäfer" (ab 1644) zeigt denn auch schon deutl. Ansätze des Übergangs eines literar. Motivs in Lebensformen, die als **"Schäfermode" vor allem höf. Kreise** anziehen. Hier erst wäre für Deutschland die Ebene erreicht, auf der eine bestimmte soziale Entwicklung den Rückgriff auf die schäferl. Idyllik als Ausweichen in eine heile (Schein-) Welt plausibel machen könnte. Das aber kommt so spät, daß eine einfache Ableitung des literar. Phänomens aus einer politisch-sozialen Entwicklung abwegig erscheint. Seine **letzte Blüte** erfährt das Thema in der Dichtung des **Rokoko.**

"Petrarkismus" in Deutschland
Bereits in der dt. Lyrik des 16. Jhs. hatten sich Elemente des "Petrarkismus" bemerkbar gemacht, einer Stilform, die insbes. in der dt. Lyrik des Barock wesentlich wird. Auch hier haben wir es mit einer relativ späten Vermittlung eines literar. Phänomens zu tun, das sich – von Italien ausgehend – längst in Süd- und Westeuropa ausgebreitet hatte.
"Petrarkismus" meint **die von Francesco Petrarcas Dichtung angeregte Liebesauffassung und ihren verbindl. Formenkanon,** der nach dem hochmittelalterl. Minnesang das "zweite erot. System der europ. Kultur" genannt werden kann. Frauenpreis und die Klage über die Unerfüllbarkeit der Liebe bis zum Todeswunsch, dargestellt in gedankl. Antithetik und hyperbol. Metaphorik, unter Verwendung mytholog. Elemente, sind der Kern dieses Systems, das vom rhetor. Pointenstil und dem (italien.) Platonismus des 15. Jhs. entwickelt, in der neulat. Dichtung des 16. Jhs. "international" gepflegt und schließlich von Portugal bis zu den Niederlanden auch volkssprachlich gestaltet wurde. PONTANUS wie SCHEDE-MELISSUS hatten bereits in lat. Dichtungen den Petrarkismus auf dt. Boden übertragen, bevor ihm endlich OPITZ unter unmittelbaren Anregungen aus Frankreich und den Niederlanden (HEINSIUS) auch in der dt. Poetik einen festen Platz anwies.
Wie im Minnesang muß man in den "petrarkistisch" bestimmten lyr. Äußerungen zunächst ein **kollektives Empfinden** sehen, das noch wenig Raum für individuelle Offenbarungen ließ. Der Formel- und Formenkanon einer solchen Lyrik kam somit der Überzeugung von der Lehrbarkeit der Dichtung sehr entgegen, wie sie sich gerade bei OPITZ und nachfolgenden Poetologen niederschlug.
Je mehr diese Überzeugung auf Zweifel und auf einen individualisierenden Gestaltungswillen stieß, um so mehr wurde auch die Autorität "petrarkist." Normen fragwürdig. Bereits in der Entwicklung des dt. Lyrikers PAUL FLEMING (1609–40) läßt sich Nachfolge wie Überwindung des "Petrarkismus" feststellen. Auf europ. Ebene kam es schon früh zu ausdrücklich antipetrarkist. Programmen. G. BRUNO (1548–1600) verwarf den Liebesschmerz der "Petrarkisten" als Heuchelei. Zahlreiche Satiren bekämpften diesen Stil mit beißendem Spott.

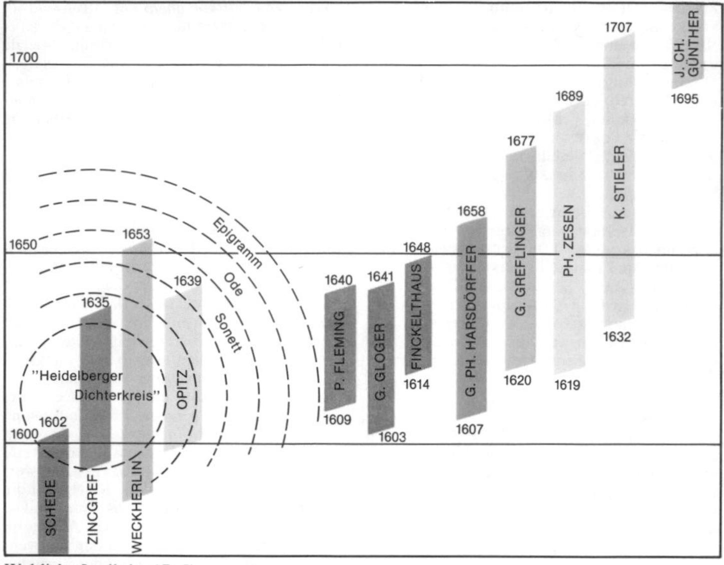

Weltliche Lyrik im 17. Jh.

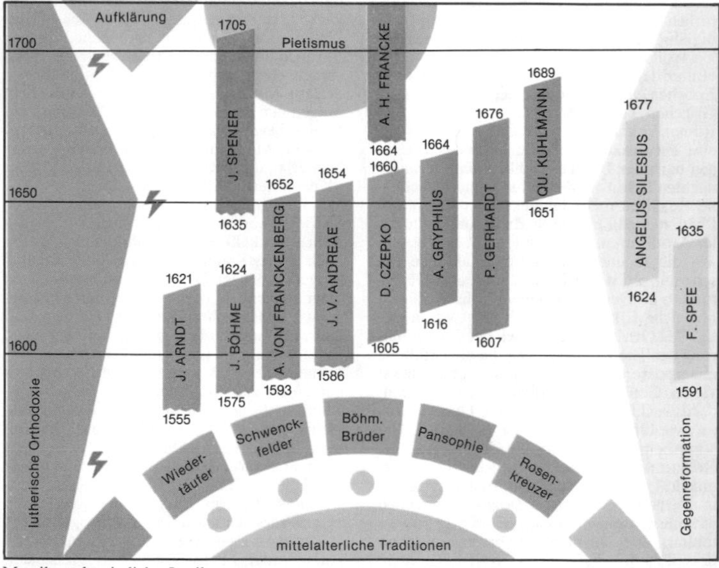

Mystik und geistliche Lyrik

Weltl. Lyrik im 17. Jahrhundert

Die Sprachgesellschaften sind der geradezu institutionelle Ort, wo neben der Theorie auch dichter., einschl. lyr. Praxis geübt wird. Wenn hier einige wenige Lyriker hervorgehoben werden, dann muß dieser Hintergrund bei mehreren Namen mitgedacht werden. Entscheidende Anregungen, die OPITZ zu kanon. Geltung erheben wird, gehen bereits von dem "frühbarocken" **Heidelberger Dichterkreis** aus, vor allem die für das Barock wichtigen Formen des **Sonetts** (bei OPITZ als Alexandriner-Sonett normativ), der **Ode** (von WECKHERLIN endgültig für die dt. Tradition gewonnen) und des **Epigramms** oder "Sinngedichts" (bei OPITZ meist eine kurze Satire mit Endpointe).

Daß die so begründeten Konventionen nicht absolute Fesseln für ein dichter. Ingenium sein mußten, beweist schon der in Norddeutschland und in Reval lebende **Paul Fleming,** der in seiner Lyrik sehr **persönl. Töne** anschlägt, wie sie nach ihm erst wieder bei dem sehr viel späteren GÜNTHER hörbar werden. FLEMING nahm mit ADAM OLEARIUS an jener berühmten Handelsexpedition (1635–39) nach Rußland und Persien teil, von der nicht nur die von GRIMMELSHAUSEN verarbeitete Reisebeschreibung des OLEARIUS zeugt (s. S. 119), sondern auch die **erste Anthologie oriental. Dichtung in dt. Sprache,** 'PERSIAN. ROSENTHAL' (1654 von OLEARIUS ediert). **Leipzig,** wo auch FLEMING studiert hatte, bot seinen Genius loci auch einer Reihe anderer Lyriker, so GEORG GLOGER und GOTTFRIED FINCKELTHAUS. Hier trafen OPITZ' Versreform und die von dem Komponisten J. H. SCHEIN vertretene **it. Tonkunst** zusammen und förderten eine unkonventionelle, d. h. eine von höf. Konventionen freie Produktion von **Trink- und Liebesliedern.**

Harsdörffers Lyrik hingegen ist repräsentativ für die bei den Nürnberger "Pegnitzschäfern" gepflegte **Gesellschaftskunst,** die durch ihn insbes. auf die Beachtung der Reimkunst, als Klangmalerei gepflegt, festgelegt wurde. Seines und JOHANN KLAJS 'PEGNES. SCHÄFERGEDICHT' wurde literar. Ausgangspunkt dieser Sprachgesellschaft. Schon zuvor hatte sich HARSDÖRFFER für seine 'FRAUENZIMMER-GESPRÄCHSSPIELE' (1641), die auch Lyrisches enthalten, von it., span. und frz. Quellen anregen lassen. Der durch die Kriegsereignisse umgetriebene Regensburger **Georg Greflinger,** zeitweilig wohl Mitglied des "Königsberger Kreises", mit Sicherheit später des "Elbschwanenordens" (s. S. 112), läßt sich wiederum kaum auf eins der aktuellen poet. Programme festlegen. Er ist Autor von Gesellschaftsliedern, steht aber auch für einen persönlicheren Stil, in dem er sich von Schäferei und "Petrarkismus" löst.

Daß auch **Zesen** in krit. Distanz zur Schäferei steht, ist bereits bei Erwähnung seines Romans 'ADRIAT. ROSEMUND' bemerkt worden. Aber auch über andere Stilempfehlungen setzte sich ZESEN souverän hinweg. Der in seiner Lyrik anzutreffende **Vorklang der "Empfindsamkeit"** macht eine Zuordnung seiner Gedichte zu "weltl." oder "geistl." Lyrik fast unmöglich.

Vollends dem realen Erleben (eines im Kriegsdienst stehenden Studenten) und nicht den Vorschriften der von vielen Poetiken geforderten Ästhetik hatte sich der ähnlich wie GREFLINGER umhergewirbelte **Kaspar Stieler** in den **Liebes- und Soldatengedichten** der Sammlung 'DIE GEHARNISCHTE VENUS' (1660) verschrieben. 1668 wurde er freilich doch noch Mitglied einer Sprachgesellschaft, des "Palmenordens", und verfaßte 1691 ein sprachtheoretisch-lexikograph. Werk (s. S. 145) und 1697 eine der frühesten Darstellungen des Zeitungswesens, 'ZEITUNGS LUST UND NUTZ'.

Geistl. Lyrik

Sonett, Ode und Epigramm sind auch in der geistl. Lyrik des 17. Jhs. bevorzugte Formen. Die Inhalte aber sind nicht ohne die **Weiterentwicklung und Differenzierung myst. Strömungen** denkbar. Zu den aus der Reformationsgeschichte bekannten Richtungen tritt nun noch die **Pansophie,** eine auf ein "Gesamtwissen" gerichtete relig. Bewegung, der bereits im 16. Jh. u. a. PARACELSUS zugerechnet werden kann. **Jakob Böhme,** Bauernsohn und Schuhmachermeister in Görlitz/Neiße, und sein Schüler ABRAHAM VON FRANCKENBERG sind hier als die wichtigsten, auch literarisch tätigen Zeugen für die Blüte dieser Bewegung im 17. Jh. zu nennen. Eine der vielen **geheimen Bruderschaften,** die eine von den offiziellen Konfessionen getrennte Mystik pflegten, sind die "Rosenkreuzer", die sich auf einen legendären Ritter des 14. Jhs., "CHRISTIANUS ROSENCREUTZ", zurückführen und zu Beginn des 17. Jhs. mit einer Reihe anonymer, wohl aber aus dem Kreis um den württemberg. Theologen ANDREAE (Autor der 'CHYM. HOCHZEIT', 1616 und des ersten utop. Romans in Deutschland; s. S. 117) stammenden Schriften hervortreten und ihre pansoph. Grundtendenz (die bis in die heut. Freimaurerei weiterwirkt) offenbaren. Eine zwischen mittelalterl. Mystik und Luthertum vermittelnde Stellung nahm der Norddeutsche JOHANNES ARNDT ein, der von orthodoxen Anfeindungen aber kaum weniger bedrängt wurde denn die als häretisch verschrienen Pansophen. Über JAKOB SPENER und AUGUST HERMANN FRANCKE mündet ein Teil der neuen Frömmigkeitsbewegung am Ende des 17. Jhs. in den **Pietismus.**

Für die geistl. Barocklyrik, die einen mehr oder weniger deutl. Einfluß der neuen Mystik zu erkennen gibt, mögen hier die Namen CZEPKO, GRYPHIUS und KUHLMANN stehen. Auch kath. Dichter wie SPEE und ANGELUS SILESIUS müssen in diesem Zusammenhang

gesehen werden (letzterer wurde erst 1653 Katholik, nachdem er zuvor engen Kontakt zur protestant. Mystik hatte).
Daniel Czepko von Reigersfeld, ein schles. Adliger mit humanistisch gelehrtem Hintergrund, wählte in seinen lyr. Werken vorwiegend das **Epigramm,** das seiner Lebenseinstellung besonders nahekam, die um vieles nüchterner war als die seiner mystisch beseelten Freunde. Darin wie auch in anderen Gattungen blieb er aber auch formal stärker als andere von OPITZ geprägt.
Gryphius öffnete sich in seiner Lyrik wie im Drama (s. S. 123) nicht nur der myst. Gedankenwelt seiner protestant. Herkunft, sondern auch kath. Ordensdichtung, wie seine Übersetzungen aus dem Kreis der Jesuitenlyrik deutlich offenbaren (vgl. S. 122). Auch im Formalen ließ er sich von der neulat. relig. Lyrik anregen und brach hierin mit OPITZschen Normen, so als er den Alexandrinervers als einzig möglichen verwarf oder als er in seinen Oden freiere Formen ("pindar. Oden") gestaltete. Ein wesentl. Thema auch seiner Lyrik blieb die **Vanitas,** wie schon der Titel einer seiner zykl. Dichtungen belegt: 'KIRCHHOFGEDANKEN' (1657).
Schlesier ist auch **Quirinus Kuhlmann,** der zum trag. Exzentriker der neuen Mystik wurde. Sein lyr. Hauptvermächtnis ist der 'KÜHLPSALTER' von 1684–86, dessen Inhalt er auch zu leben versuchte, bis er nach gescheiterten Bekehrungs- und Erneuerungsversuchen in versch. Ländern schließlich in Moskau als Aufrührer hingerichtet wurde.
Es liegt in der Natur der Sache, daß die in der kath., zumal gegenreformatorisch orientierten Kirche gepflegte Mystik wesentlich verhaltener auftrat als in Bewegungen, die sich von konfessioneller Ordnung befreit hatten. Aber auch andere Bedingungen machten das lyr. Werk des rhein. Jesuiten **Friedrich Spee von Langenfeld** um einiges für die Allgemeinheit sangbarer als manche Dichtungen der neuen Mystiker. Gleichwohl bemühte sich auch SPEE in den Gedichtzyklen von 1649, 'GÜLDENES TUGEND-BUCH' und 'TRUTZNACHTIGALL', um die sprachl. Gestaltung einer myst. Versenkung der Seele in die zentralen Glaubensgeheimnisse. Formal wahrt SPEE gegenüber OPITZ zwar seine Individualität, erstrebt aber dennoch eine **Anverwandlung aktueller literar. Motive,** so der Schäferdichtung, die er im Thema vom geistl. Hirten aufgreift. Geradezu revolutionär tritt SPEE auf einem anderen Gebiet auf: Mit einer lat. Kampfschrift, der 'CAUTIO CRIMINALIS' von 1631, wendet er sich (anonym) an die dt. Obrigkeiten, um **gegen das Unwesen der Hexenprozesse** zu protestieren.
Aus der **schles. Mystik** ist schließlich der zweite große kath. Lyriker des Jahrhunderts, JOHANNES SCHEFFLER, gen. **Angelus Silesius,** hervorgegangen. Die berühmteste Sammlung seiner Lieder wird meist nach dem Titel der Neuaufl. von 1675 'CHERUBIN. WANDERSMANN' benannt. Die mit der Erstaufl. von 1675 gleichzeit. Gedichtsammlung 'HEILIGE SEELENLUST oder GEISTL. HIRTENLIEDER DER IN IHREN JESUM VERLIEBTEN PSYCHE' gibt sowohl ihre Verbindung mit myst. Gedankengut als auch ihren Anschluß an gängige literar. Motive schon im Titel zu erkennen. In formaler wie inhaltl. Hinsicht war CZEPKO prägendes Vorbild für diese Lyrik.
So beliebt die mystisch bestimmte Lyrik zu ihrer Zeit war, einen länger währenden Erfolg erzielte das volkstümlich gestimmte Kirchenlied. Auf protestant. Seite war **Paul Gerhardt** ein solcher Erfolg beschieden. Seine 'GEISTL. ANDACHTEN' von 1667 mit 130 Kirchenliedern (davon über 50 Originalschöpfungen) bilden den **Höhepunkt des evangel. Kirchengesangs** im 17. Jh. GERHARDTS Lieder halten sich von allem Modischen fern, bekunden aber ihre histor. Eigenart in der Betonung des Ichs anstelle des Wir-Stils der älteren luther. Bekenntnislieder.

Emblem, Apophthegma, Bilderlyrik

Zur Kennzeichnung einer Epoche reichen Hinweise auf Besonderheiten in den traditionellen Grundgattungen nicht hin. Deren Manifestationen wären sogar nur unzulänglich aufschließbar, kennte man nicht einen weiteren Horizont der künstler. Erfahrung jener Zeit. Damit sind nicht nur die Wirkungen der bildenden Künste gemeint, sondern ästhetisch-kognitive Zwischenbereiche, wie sie im 17. Jh. vor allem durch die **Emblematik** vertreten werden. Dabei handelt es sich um ein Zeichensystem, das sich seit der Antike zunächst vornehmlich im Rahmen des Kunstgewerbes entwickelt hatte (griech. *émblema* 'das Eingelegte'): **Sinnbilder, die einen abstrakten Gehalt konkretisieren** sollen, oft dem Symbol nahekommend. Den Übergang zum literar. Medium vollzog 1521 der Italiener ALCIATUS (ANDREAS ALCIAT), der in seiner Mustersammlung von Emblemen jedem einzelnen ein Epigramm beifügte und somit die Aufschlüsselung der Bilder sicherte (dt. Ausgaben ab 1531). Die weitere Entwicklung bringt vielfält. **Übergänge des Emblems zur Allegorie, Personifikation, Devise** hervor. Trotz Einbürgerung vieler Embleme im Allgemeinverständnis (noch heute versteht man etwa den Ölzweig als Emblem des Friedens) war bei wachsender Zahl von Emblemen auch der Gebildete bald auf **Nachschlagewerke** angewiesen, die im 16. und 17. Jh. in Westeuropa immer häufiger wurden. Wichtige dt. Sammlungen sind die von J. CAMERARIUS, Nürnberg 1590ff., und G. ROLLENHAGEN, Köln 1611–13. Die **Bildlichkeit der Barockdichtung** ist von der Emblematik aufs stärkste angeregt und teilweise nur mit Hilfe zeitgenöss. Emblemerklärungen interpretierbar. Schon die Bezeichnung der ersten dt. Sprachgesellschaft als "Palmenorden" erschiene ohne die Kenntnis des Emblemgehalts der Palme ('Beständigkeit') bestenfalls exotisch. Dt. Barockdichter wie HARSDÖRFFER, SCHOTTEL und RIST haben Widmungs- und Hochzeitsemblemata geschaffen. Internat. Anregungen aufgreifend bilden dt. Autoren damit auch eine Tradition weiter, die bereits im MA von den Herolds- und Wappendichtern begründet worden war (s. S. 73).

Der gnomische (d.i. sinnspruchhafte) Aspekt der Emblematik tritt noch in einer anderen Kleingattung, die für die Barockzeit typisch ist, deutlich zutage: im **Apophthegma** (griech., 'Ausspruch'). Apophthegmata (oder: Apophthegmen) sind **kurze treffende Sinnsprüche,** die sich zunächst aus der Loslösung einzelner Sätze aus ihrem ursprüngl. Zusammenhang ergaben (vgl. einzelne populär gewordene Zitate aus der Bibel), die im Barock aber schon die Selbständigkeit des späteren **Aphorismus** ahnen lassen, der seine Ausbildung erstmals bei den frz. Moralisten des 17./18. Jhs. erfährt. ZINCGREF und HARSDÖRFFER seien hier stellvertretend für viele barocke Förderer der apophthegmat. Kunst erwähnt.

Die auch in der Emblematik aufscheinende Sinnenfreude des Barock schlägt sich noch in einer weiteren Form literar. Kleinkunst nieder: in der **Bilderlyrik.** Versdichtungen so zu gestalten, daß ihr graph. Äußere eine **symbol. Form** ergibt, ist bereits von antiken Dichtern geübt worden. Diese Praxis blühte noch einmal in karoling. Zeit. Bedeutsam sind dabei die in Kreuzform angelegten Figurentexte des HRABANUS MAURUS (9. Jh.). Danach ging diese Übung wieder unter, bis sie SCALIGER in seiner Poetik (1561) theoretisch erneuerte. Viele Barockpoetiken folgten ihm; doch schon BOILEAU (1669/74), nach ihm MORHOF und CHRISTIAN WEISE, formulierten wiederum Ablehnung.

Die barocke Wiedererweckung der Bilderlyrik hat vor allem die "Pegnitzschäfer" in Nürnberg angeregt. Zur Figuration sind Herzen, Kronen, Säulen, Pyramiden u.v.a.m. gewählt worden, und zwar als Symbolformen. Es ist darum schlicht falsch, diese Praxis nur für eine Spielerei zu halten (zu der sie natürlich auch entarten konnte). Vielmehr äußert sich darin das Bedürfnis nach einer besonders intensiven Verschmelzung von Inhalt und Form. Gemessen an der Gesamtentwicklung der Literatur ist die Bilderlyrik sogar als **konsequente Nutzung des opt. Mediums** anzusehen, in das die Literatur mit der Einführung der Schriftlichkeit vorgestoßen war.

Von der Symbolgläubigkeit früherer Zeiten entfernt, wohl aber noch (oder wieder) der Auffassung verpflichtet, die visualisierte Sprache biete sich als selbständ. Werkstoff an, treten in der Gegenwart Textfigurationen der "konkreten/abstrakten Poesie" auf (vgl. S. 271).

Satire und Zeitkritik

Es liegt im Charakter von Epochenbezeichnungen, daß sie leicht eine Einheitlichkeit vortäuschen, die sich schon bei näherem Zusehen als trügerisch erweist. Nichts wäre falscher, das Barock wegen seiner unbezweifelbar starken höf. Komponente als Zeitalter unkrit. Höflinge in Kunst und Literatur anzusehen. **Distanz zu herrschenden Auffassungen bis zu satir. Selbstkritik** zeichnet nicht zuletzt die Besten auch des 17. Jhs. aus. Die theoret. und dichtungsprakt. Auseinandersetzungen mit OPITZ etwa (s.o.) sind ein unübersehbarer Beleg für die Resistenz vieler Autoren gegen den Versuch, eine durch die relig. und polit. Zersplitterung disparat gewordene Wirklichkeit in kanon. Formen zu pressen.

Satir. Traditionen aus vorbarocker Zeit – vorübergehend verdeckt – machen sich noch im 17. Jh. wieder deutlich bemerkbar wie auch **religiös motivierte Zeitkritik** sich wieder zu Wort meldet. Insbes. bestimmte Auswüchse des barocken Stils riefen Kritiker auf den Plan wie **Hans Michael Moscherosch** aus dem Elsaß, den man der spätestens von S. BRANT begründeten satir. Richtung dieser Literaturlandschaft zuordnen darf. Sie hat vor ihm sowohl den Katholiken MURNER als auch den Protestanten FISCHART wesentlich mitgeprägt. MOSCHEROSCHS Hauptwerk ist eine Moralenzyklopädie in drei Teilen: 'WUNDERL. UND WAHRHAFTIGE GESICHTE (svw. Visionen) PHILANDERS VON SITTEWALD' (1640/43 bzw. 1650), eine Sammlung von Satiren gegen Übertreibungen in der Liebe, Ausschreitungen der Soldateska, Roheit des Adels und gelehrte Spitzfindigkeit. Vor allem in der Wendung gegen die Nachäfferei ausländ. Lebensformen im Alamode-Kehraus macht sich eine **konservative Grundtendenz des Bürgertums** bemerkbar. Der erste Teil der 'GESICHTE' schließt sich noch eng an eine Vorlage des Spaniers QUEVEDO an, im zweiten Teil und in der 'REFORMATION' des dritten Teils (= Anhang zur Neuaufl. von 1650) nimmt sich MOSCHEROSCH auch selbstkritisch aufs Korn. Als unmittelbaren Schüler konnte MOSCHEROSCH in Straßburg CHRISTOPH SCHORER gewinnen, der eine umfangreiche literar., insonderheit satir. Tätigkeit entfaltete.

Von MOSCHEROSCH angeregt wurde auch **Christian Weise,** dessen satir. Tendenz bereits an seinen Komödien zu bemerken war (s. S. 123). In Halle und Weißenfels schrieb er seinen dreiteil. Romanzyklus 'DIE DREI HAUPTVERDERBER IN DEUTSCHLAND' (1671), 'DIE DREI ÄRGSTEN ERZNARREN IN DER GANZEN WELT' (1672), 'DIE DREI KLÜGSTEN LEUTE IN DER GANZEN WELT' (1675), dem er 1678 noch die Moralsatire 'DER POLIT. NÄSCHER' folgen ließ. Schon die Bezeichnungen "Verderber" und "Erznarren" zeigten WEISE in der Nachfolge des Elsässers, dessen 'GESICHTE' auch inhaltlich auf seine Satiren gewirkt haben. In

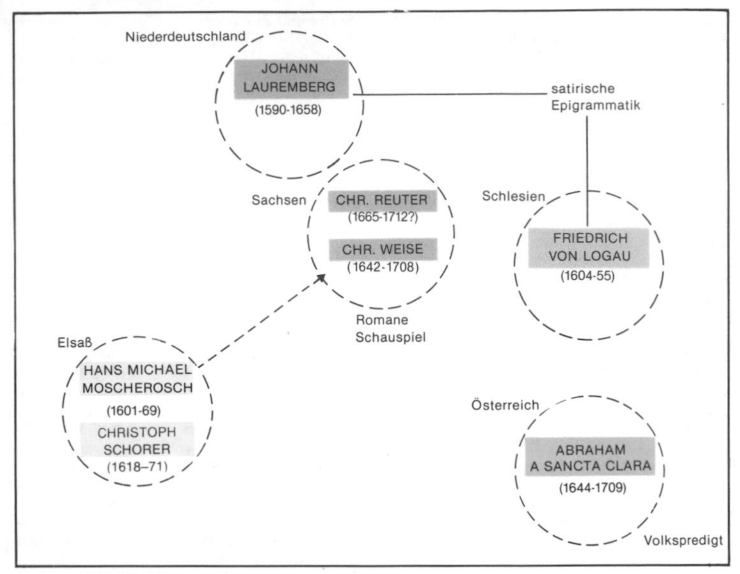

Satire und Zeitkritik

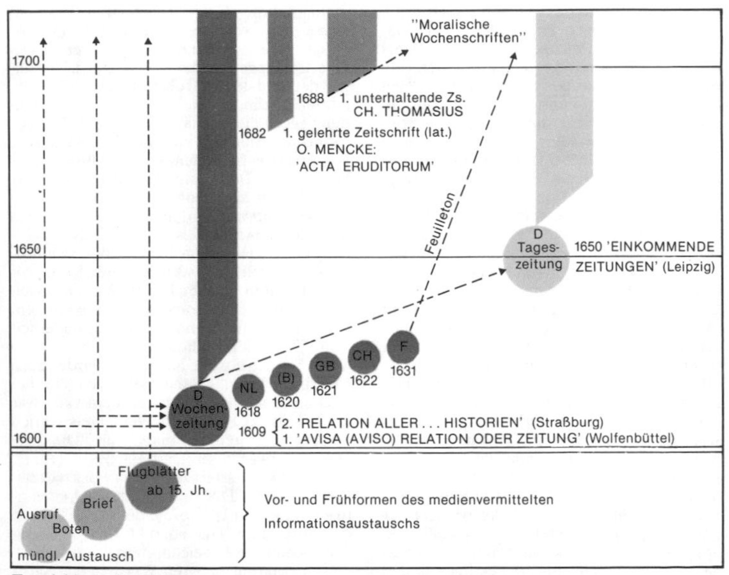

Entwicklung des Zeitungswesens

den 'HAUPTVERDERBERN' erfährt der Autor im Traum die Gründe für den Niedergang des Glaubens, die Verbreitung machiavellist. Arroganz, von Vergnügungssucht und Alamodewesen. Eine Testamentsklausel veranlaßt im zweiten Roman die Suche nach den größten Narren der Welt, die freilich ohne eindeut. Ergebnis bleibt, wie auch in der Fortsetzung absichtlich offenbleibt, wer denn nun die klügsten Leute sind. Bei allem Rückgriff auf die satir. Tradition des 16. Jhs. ist der **Anfang aufklärer. Sicht** in diesen Romanen WEISES unverkennbar.

Im Zusammenhang mit dramatisch gestalteter Satire war auch der Leipziger **Christian Reuter** zu erwähnen (s. S. 123). Als Parodie auf die pikar. Tradition schreibt er seinen Roman 'SCHELMUFFSKY' (1696, überarb. 1696/97), mit dessen **grobian. Lügengeschichten** er den eingebildeten Bürger treffen wollte, der sich neureich, aber ohne Bildung Zutritt zur höf. Welt verschaffen möchte.

Einer literar. Tradition der Satire waren auch der Schlesier **Logau** und der Rostocker **Lauremberg** verpflichtet. Beide nutzen vor allem die **Möglichkeiten des Epigramms,** um ihre Zeitkritik vorzutragen, wobei LAUREMBERG einen letzten Gipfel der bis dahin ungebrochenen Literaturentwicklung in **niederdt. Sprache** darstellt. Seine 'VEER SCHERTZ GEDICHTE' (1652) wenden sich gegen Absonderlichkeiten des menschl. Benehmens, zielen auf die "alamod." Kleidung und auf die zeitgenöss. Sprachmengerei.

Aus der Rhetorik des gesprochenen Wortes in der **Volkspredigt** zog der Augustinermönch **Abraham a Sancta Clara** die Kraft seiner Zeitkritik, die er schließlich auch in literar. Satiren einsetzte. SCHILLER hat diesem "größten Publizisten in dt. Sprache zwischen LUTHER und GÖRRES" noch im 'WALLENSTEIN' ein Denkmal gesetzt. Seine unbezweifelbare Stärke lag mehr im kräftig gezeichneten Einzelbild seiner Sittenschilderung, so daß sein größtes Werk, 'JUDAS DER ERZSCHELM' (4 Bände, 1686), nicht zugleich auch sein bestes ist; zumindest erreicht es nicht die Geschlossenheit eines Sittenromans, der es eigentlich werden sollte.

Zeitungswesen und Feuilleton

Die Literaturgeschichtsschreibung macht mitunter vergessen, daß Literatur zunächst eine entwickelte Form menschl. Kommunikation ist, an deren einfachen Gestaltungen jedermann teilhat. Ohne den Drang, über Bedeutsames zu informieren oder informiert zu werden, gäbe es keine Literatur. Die dt. Literaturgeschichte belegt in ihren Anfängen (wie andere Literaturen auch), daß es des Übergangs von direkter Information zu medienvermittelter Information bedurfte, damit sich über die alltägl. Bedürfnisse hinausweisende Äußerungen bis hin zur bewußt ästhet. Gestaltung eines Themas überhaupt ausbilden konnten. Briefe und Flugblätter, Vorformen des modernen Zeitungswesens, lassen diesen Übergang besonders gut erkennen. Ein auf überregionale Kommunikation angewiesenes Gemeinwesen mußte sich irgendwann zwangsläufig eines regelmäß. Nachrichtenaustauschs unter Verwendung modernster Techniken bedienen. Die techn. Mittel wären schon früher vorhanden gewesen; es waren aber auch die Einsicht – und aufklärer. Mut nötig zuzugestehen, daß es grundsätzlich keine Nachricht gibt, die diskriminierend irgendwem vorenthalten werden müßte. Insofern ist **1609 als Beginn des dt. Zeitungswesens** ein spätes und frühes Datum zugleich. Das Bürgertum (Straßburg) und der Adel (Wolfenbüttel) haben an diesem Beginn gleichen Anteil. Auf quasi-journalist. Arbeiten des Straßburgers JOHANN FISCHART schon im 16. Jh. ist bereits hingewiesen worden (s. S. 105).

Zunächst sind es **wöchentlich erscheinende Zeitungen,** die in den übrigen westeurop. Ländern (B = "Belgien", d.h. Span. Niederlande) in kurzer Folge nachgebildet werden. 1650 erscheint in Leipzig die **erste Tageszeitung** (inzwischen sind im Pressevertrieb der Bundesrep. nicht weniger als 2400 verschiedene Titel!). Für die literar. Entwicklung wichtig sind die in der Frühphase der dt. Aufklärung erstmals erscheinenden **wiss. und unterhaltenden Zeitschriften.** Es sind dies die für die Geistesgeschichte des 18. Jhs. so bedeutsamen 'ACTA ERUDITORUM' (lat., begr. von OTTO MENCKE, Leipzig), die von 1682–1782 erscheinen, und die 'MONATSGESPRÄCHE' (1688–90) des **Christian Thomasius,** der auch als **Begründer des dt. Journalismus** gilt (vgl. S. 134ff). Die period. Publikation philos., moral. und ästhet. Darstellungen wird zu einem Merkmal der Epoche der Aufklärung (s. S. 138ff.). Die moral. Wochenschriften werden zur Wiege jener kleinen Prosaform zwischen Anekdote, Plauderei und Essay, genannt **"Feuilleton"** (frz. 'Blättchen'), die in Deutschland freilich erst so recht im 19. Jh., dann aber sogleich virtuos aufgegriffen wird: von HEINE und BÖRNE, später von FONTANE; im 20. Jh. meisterhaft weiterentwickelt von TUCHOLSKY, ALTENBERG, POLGAR u.a. (s. auch S. 201).

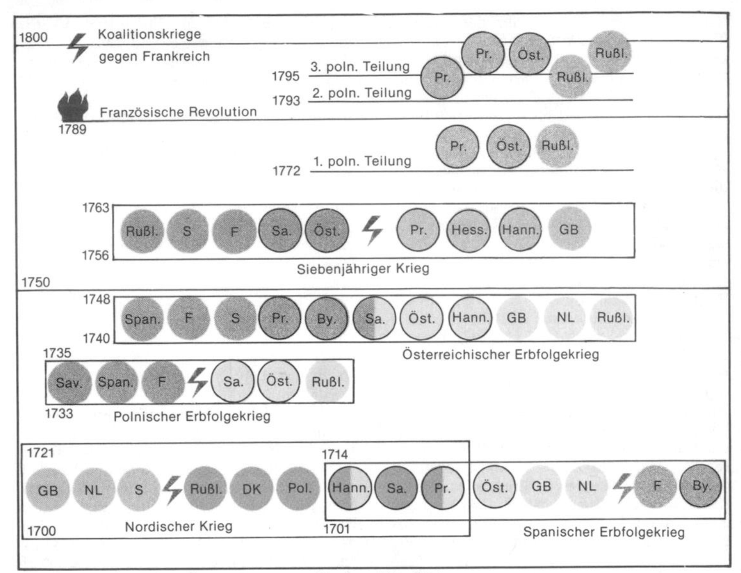

Beteiligung deutscher Staaten an europäischen Konflikten

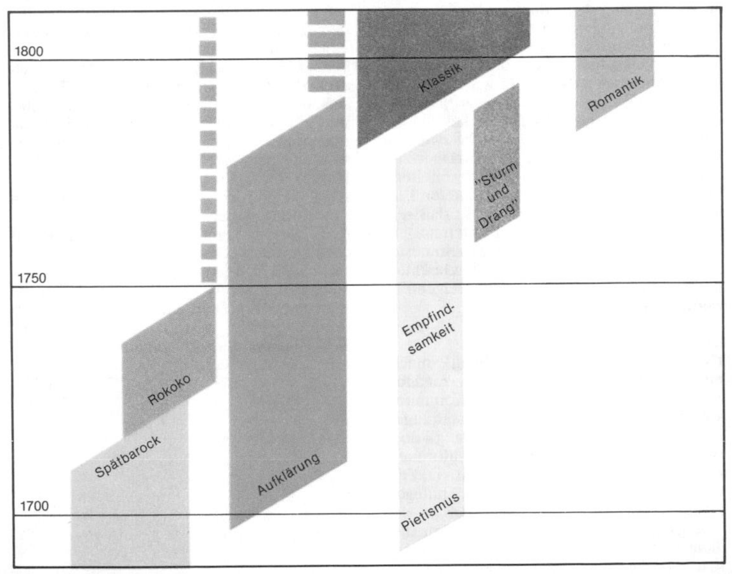

Literarische Epochen im 18. Jh.

Die dt. Staaten im Rahmen der europ. Geschichte

Das 18. Jh. erweist endgültig, daß die Geschicke Deutschlands infolge polit. Zersplitterung eher **Anhängsel gesamteurop. Schicksale** als die Geschichte des einen dt. Reiches sind, obwohl das Reich unter der Oberhoheit der habsburg. Kaiser formell noch weiterexistiert. Der Nord. Krieg, in dem vor allem die Rivalität zwischen Schweden und der aufsteigenden Großmacht Rußland ausgetragen wird, sieht Hannover (Hann.), Sachsen (Sa.) und Preußen (Pr.) auf russ. Seite, während im teilweise gleichzeit. Span. Erbfolgekrieg Hannover und Preußen Österreich (Öst.) gegen Frankreich und einen anderen dt. Staat, Bayern (By.), unterstützen. Im Poln. Erbfolgekrieg stehen wiederum Sachsen und Österreich zusammen. Fünf Jahre danach sieht man die ehemal. Feinde Preußen und Bayern vereint gegen Österreich und Hannover kämpfen; Sachsen unterstützt in diesem Konflikt um die Ansprüche MARIA THERESIAS auf die habsburg. Länder zunächst das frz.-preuß., ab 1742 das österr.-brit. Bündnis. Der Siebenjähr. Krieg endlich ist die Ausdehnung eines Konflikts im Weltmaßstab auf europ. Boden: des brit.-frz. Kolonialkriegs in Nordamerika, Westindien, Westafrika und Indien, wobei Schweden, ungeachtet seiner früheren Rivalität, nun im Einvernehmen mit Rußland Beute in Preußen zu machen versucht. Die Verhältnisse werden nicht zuletzt durch komplizierte dynast. Beziehungen verwirrt, so durch Personalunionen zwischen Hannover und Großbritannien, Sachsen und Polen (Pol.), Habsburg und Ungarn bzw. Böhmen. An der Tragödie Polens, seiner Teilung und schließl. Aufteilung sind Preußen, Österreich und Rußland mit unterschiedl. Gewinn beteiligt.
Diese vor allem durch herrschafts- und familienpolit. Interessen verursachten Wirren fördern nicht gerade die Beziehungen der Untertanen zu den regierenden Häusern und bereiten den Boden für **bürgerl. Freiheitsstrebungen.** Sicherlich nicht zufällig ist diese Bewegung im zentralistisch verwalteten Frankreich am frühesten und nachhaltigsten erfolgreich, während die Zersplitterung Deutschlands auch eine machtvolle Vereinigung antifeudalist. Kräfte verhindert; auch kommen einzelne dt. Herrscher durch **innere Reformen** dem aufstrebenden Bürgertum und seinen Bedürfnissen (i. S. eines **"aufgeklärten Absolutismus"**) oft erstaunlich weit entgegen. Voran gehen FRIEDRICH WILHELM I. von Preußen (1713–40) und sein Sohn, FRIEDRICH II., DER GROSSE (1740–86), an deren Reformen sich sogar die habsburg. Gegnerin MARIA THERESIA (1740–80) orientiert (u. a. Finanzreform, Aufbau des Volksschulwesens).
Das kulturelle Leben Deutschlands erfährt zwar immer noch nicht die Höhe anderer europ. Staaten, vor allem Frankreichs, doch bedeutet das **Fehlen einer eindeut. Metropole** (vgl. Paris) zugleich die Voraussetzung für das **Blühen von Künsten und Wissenschaften an sehr versch. Orten** (vgl. etwa Weimar), die in einem zentralist. Staat sicher "Provinz" geblieben wären.

Literar. Epochen im 18. Jh.

Der Epochenbegriff wird im 18. Jh. eigentlich fragwürdig, da **sehr verschiedenart. Kunstrichtungen oft gleichzeitig nebeneinander** wirken und bedeutende Dichter nacheinander an mehreren Richtungen teilhaben. Das Barock bestimmt noch einen Teil der ersten Jahrhunderthälfte und wirkt noch im Rokoko nach, da bereits Aufklärung und Pietismus, dieser als Vorläufer der Empfindsamkeit, dt. Autoren prägen. LESSING kann ebenso als Vollender wie auch als Überwinder der Aufklärung und ungewollter Wegbereiter des "Sturm und Drang" gelten; dieser empfängt indes noch wichtigere Anregungen aus der "empfindsamen" Dichtung. Auch Klassik und Romantik bedingen und durchdringen sich ebenso gegenseitig, wie schon Pietismus und Aufklärung in einem sich gegenseitig ergänzenden (komplementären) Verhältnis zueinander gesehen werden müssen.
Die Vielfalt signalisiert die **Loslösung der Dichtung aus tradierten weltanschaul. Programmen.** Diese schon mit der Reformation einsetzende **Säkularisation** erhält einen mächtigen Schub durch die Philosophie der **Aufklärung,** die ihren anfängl. Optimismus (s. LEIBNIZ, S. 135) über Religionskritik einerseits und dogmenfeindl. Verinnerlichung des Religiosen im **Pietismus** andererseits bis zum "Nihilismus" eines JEAN PAUL am Ende des Jhs. selbst auflösen wird. An die Stelle der entmachteten Theologie und Metaphysik wird die **Ästhetik** treten mit ihrer Forderung nach **"Autonomie der Kunst"** und ihrer **Suche nach neuer Sinndeutung im Subjekt,** die im "Sturm und Drang" zum Postulat führt, der Künstler sei ein "Originalgenie". Die geistige Emanzipation geht Hand in Hand mit der sozialen **Emanzipation des Bürgertums,** das vor seiner Zulassung zu polit. Macht zunehmend literar. Betätigung als Ausweis seines wachsenden Selbstbewußtseins sucht. Nicht zufällig löst sich in dieser Zeit auch die **hebräische Sprache in Deutschland** von ihrer dogmat. Fixierung auf religiöse Inhalte, während bis dahin weltl. Themen von jüd. Autoren nur in Jiddisch behandelt werden durften (vgl. u. a. S. 119).
Daß sich Wesentliches auch weit abseits von kollektiven Richtungen ereignen kann, beweist das Werk des Schweizer Wollwebers ULRICH BRÄKER (1735–98), der als Autodidakt außer eigenen Zugängen zu SHAKESPEARE auch eine überaus realist. Autobiographie erarbeitete, die nach ihrem Erscheinen 1789 auch kritischste Leser, u. a. NICOLAI in Berlin, faszinierte.

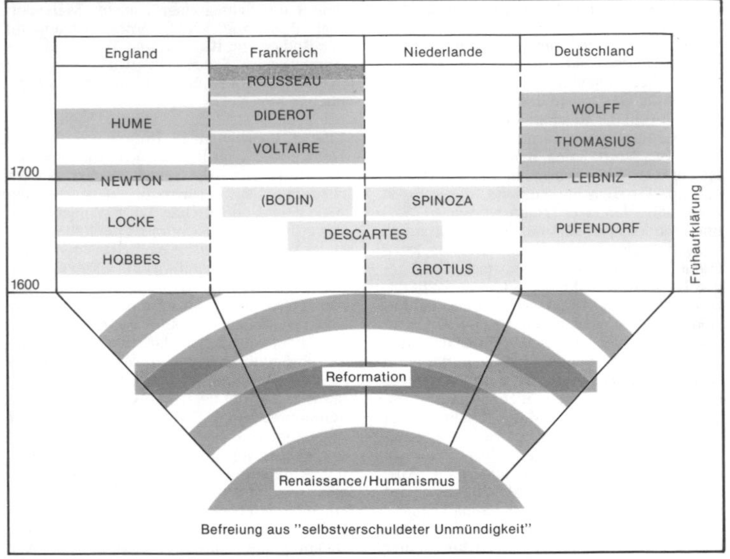

Die Aufklärung in Westeuropa nach ihren Hauptvertretern

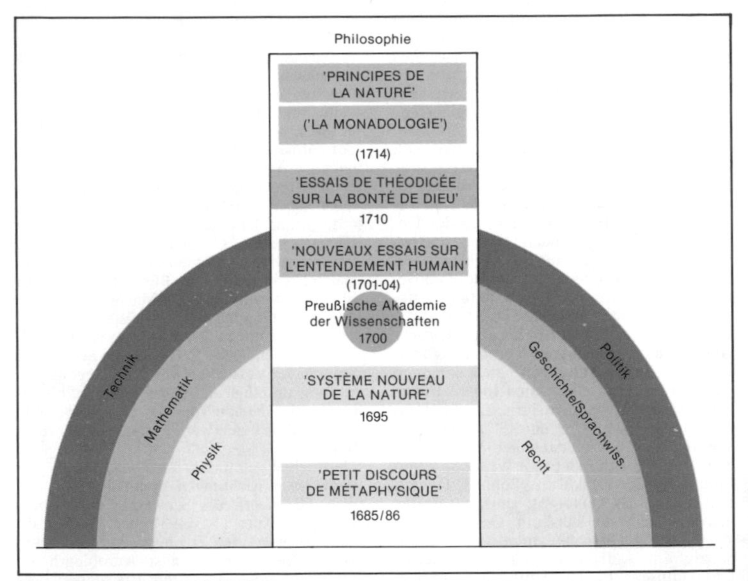

GOTTFRIED WILHELM LEIBNIZ

Europ. Aufklärung

Seit Renaissance und Humanismus bestimmt mit unterschiedl. Intensität und gegen wechselnde Widerstände der Versuch, die Sinnfrage und Organisation des menschl. Lebens ausschließlich aus Vernunftgründen, "rationalistisch" zu klären, die europ. Geistesgeschichte. Den intellektuellen und kulturellen Fortschritt aus dieser rationalist. Wurzel nennt erstmalig WIELAND 1770 "Aufklärung". Als machtvolle, alle Lebensbereiche erfassende Bewegung konnte sich der Rationalismus unter der Voraussetzung kirchl. Toleranz am frühesten in den **Niederlanden** entfalten, wo sie mit Namen wie HUGO GROTIUS (1583–1645), dem Begründer des Völkerrechts, RENÉ DESCARTES (CARTESIUS; 1596–1650), dem hier lange wirkenden Mathematiker und Philosophen der Erkenntniskritik, sowie BARUCH DE SPINOZA (1632–77), dem rationalist. Bibel- und Kirchenkritiker, verbunden ist.

In **England** entwickelten auf der Basis einer mechanist. Naturauffassung THOMAS HOBBES (1588–1679) und JOHN LOCKE (1632–1704) ihre empir. Philosophie und formulierten bürgerlich-liberale Staatstheorien. Die naturwiss. Grundlage baute ISAAC NEWTON (1642–1727) mit einer Fülle mathemat. und physikal. Forschungsergebnisse aus. Der Philosoph DAVID HUME (1711–76) führte schließlich den rationalist. Denkansatz in psychologisch-erkenntniskritischer Richtung weiter.

Der (engl.) Deismus, die Lehre, daß Gott nach dem Schöpfungsakt keinen weiteren Einfluß mehr auf die Welt nehme, war für VOLTAIRE (= F. M. AROUET, 1694–1778) wesentl. Anregung für seine Forderung nach relig. Toleranz, die sich bis zu kämpfer. Ablehnung der (kath.) Kirche und des Christentums überhaupt steigerte. In **Frankreich** folgten ihm darin vor allem die "Enzyklopädisten", die von DENIS DIDEROT (1713–84) angeführt und unter VOLTAIRES Mitwirkung in der 28bänd. 'ENZYKLOPÄDIE' (1751–72) eine Zusammenfassung aller autoritäts-, staats- und kirchenkrit. Tendenzen bieten wollten. JEAN JACQUES ROUSSEAU (1712–78) arbeitete zwar ebenfalls an dieser Sammlung mit, entfernte sich jedoch sehr bald in seiner Kulturkritik, vor allem mit seiner Forderung des "Rechts auf Leidenschaft", von der rationalist. Grundhaltung.

Gottfried Wilhelm Leibniz (1646–1716)

Angesichts der Bedeutung, die LEIBNIZ für die europ. Philosophie hat, soll dieser Philosoph hier kurz vorgestellt werden, obwohl **seine wichtigsten Werke** nicht in dt., sondern **in frz. oder lat. Sprache** abgefaßt sind. LEIBNIZ bezeugt damit die im 17. und 18. Jh. noch äußerst schwierige und bedrängte Position der dt. Sprache, auf die etwa die von ihm 1700 als "Societät der Wissenschaften" angeregte Preuß. Akademie noch am Ende des 18. Jhs. zugunsten des Frz. verzichten zu können glaubte.

Von umfangreichen histor. Quellensammlungen abgesehen hat LEIBNIZ nur ein größeres Werk veröffentlicht, die 'THEODICEE' ('ESSAIS DE TH.', 1710), die aber größte Verbreitung erlangte und zu einem Hauptwerk der dt. Aufklärung wurde. Außerdem hat er viele Beiträge als kleinere Abhandlungen und in wiss. Zeitschriften publiziert und einen regen Briefwechsel mit Freunden und Gönnern geführt, wodurch er einen äußerst intensiven geist. Austausch mit den Größen seiner Zeit erreichte.

LEIBNIZ' Philosophie gründet auf der **Lehre von der "prästabilierten Harmonie"**, einer vorherbestimmten Übereinstimmung zwischen körperl. und seel. Geschehen (anstelle der bis dahin geltenden Wechselwirkung von Leib und Seele). Diesen Grundgedanken stellte er bereits im 'PETIT DISCOURS' dar. Die Abhandlung 'SYSTÈME NOUVEAU' sowie zahlreiche Briefe führen den Gedanken fort. Die 'NOUVEAUX ESSAIS', eine erst 1765 ersch. Auseinandersetzung mit J. LOCKE, entwickeln seine **Erkenntnistheorie,** in der er zwischen (notwendigen) Vernunfttatsachen und (zufälligen) Tatsachenwahrheiten unterscheidet. Als umfassende Darstellung seiner **Metaphysik** war die 'THEODICEE' angelegt, deren Überfüllung mit Exkursen LEIBNIZ in den beiden 1714 geschriebenen Schriften auf ein lesbares Maß zu reduzieren suchte (beide erst postum erschienen). Im Mittelpunkt seiner Lehre steht die **Monadologie,** die Definition unteilbarer Mikrokosmen, "Monaden", aus denen die Weltsubstanz zusammengesetzt ist, die jede für sich – unterschieden nach dem Grad der in ihnen verwirklichten Vorstellung – das ganze Universum spiegeln. LEIBNIZ ist davon überzeugt, daß Gott **die beste aller mögl. Welten** geschaffen hat. Sein Optimismus spiegelt sich ganz entschieden in dem Versuch, jeder Form des Seins, selbstverständlich auch dem Menschen als Vernunftwesen, einen angemessenen Ort im Rahmen einer so eingeschätzten Schöpfung zukommen zu lassen. Damit führt er die wahrnehmbaren Gegensätze und Widersprüche zu einer Synthese, die seine Philosophie sowohl für die Fürsten, denen er selbst tätig verbunden war (u. a. 40 Jahre als Rat und Bibliothekar der Herzöge von Braunschweig-Lüneburg in Hannover), wie auch für das sich emanzipierende Bürgertum wichtig werden ließ. Das Bild LEIBNIZens wäre verkürzt, wollte man nicht die bei ihm letztmalig zu beobachtende grandiose Verbindung philosoph. Spekulation mit einer Fülle eigener Arbeiten auf versch. wiss. Feldern, insbes. der **Mathematik** (u. a. Entwicklung der Infinitesimalrechnung), im Bereich der **Technik** (erste Rechenmaschine) und der **Politik** beachten.

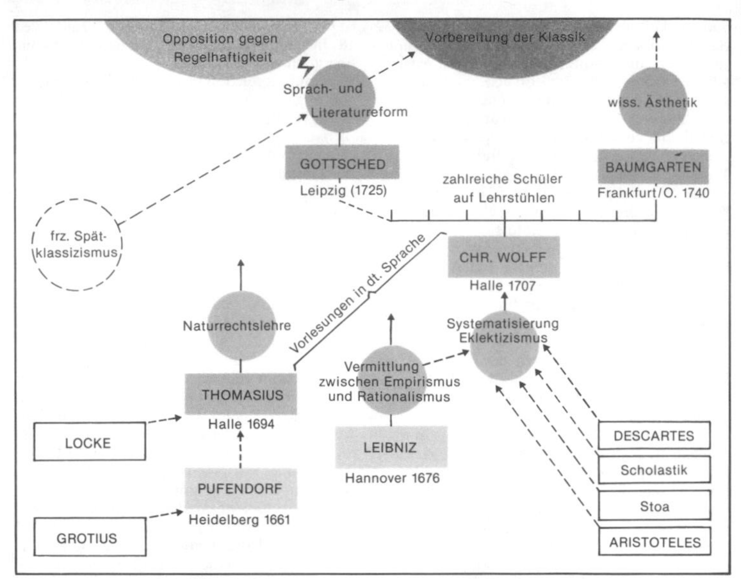

Philosophische und poetologische Akzente der deutschen Aufklärung

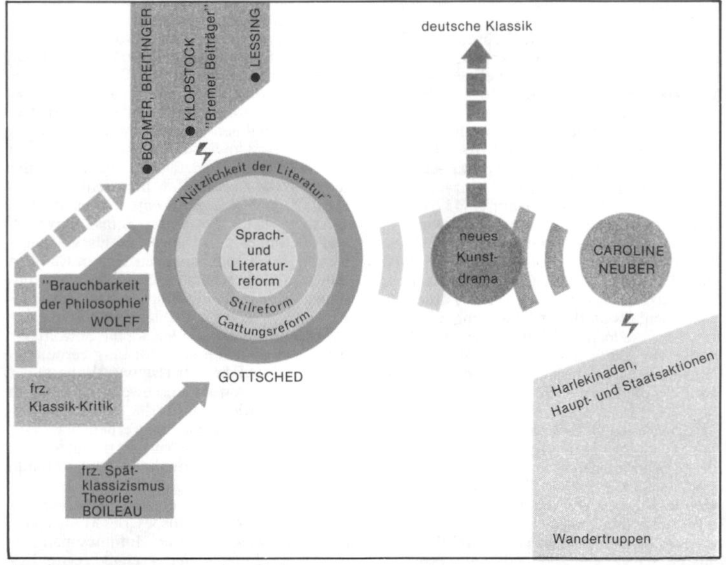

Aspekte der GOTTSCHEDschen Reform

Die unmittelbare Wirkung von LEIBNIZ auf die philosoph. Entwicklung Deutschlands ist vergleichsweise gering gewesen. Die Aufarbeitung seines Nachlasses ist noch heute nicht abgeschlossen. Eine führende Stellung in der akadem. Welt konnte sich dagegen **Christian Wolff** (1679–1754) erringen, der durch seine **eklekt. Systematisierung der rationalist. Philosophie** gerade zentrale Positionen der LEIBNIZschen Theorie wieder abschwächte. Vor allem ersetzte er die Lehre von den Monaden wieder durch einen (traditionellen) Dualismus von Leib und Seele, übernahm aber gleichwohl die Lehre von der prästabilierten Harmonie. Mit **Schülern auf fast allen philosoph. Lehrstühlen des protestant. Deutschland** setzte er sein System natürlich leichter durch, als es LEIBNIZens Philosophie je vergönnt gewesen wäre, deren Einfluß sich erst bei Späteren, so bei LESSING und HERDER und in der klass. Dichtung GOETHES, wieder bemerkbar macht. WOLFFS theolog. Schüler trugen aber auch zur **Überwindung des protestant. Dogmatismus** bei. Ähnlich wie zuvor schon THOMASIUS errang WOLFF durch seine Vorlesungen der dt. Sprache gegen Lat. und Frz. neue Erfolge. Viele dt. Fachtermini der Mathematik und Philosophie gehen auf seinen Gebrauch im Lehrbetrieb zurück, darunter *Begriff, Bewußtsein, Verständnis* ...

Einer der bedeutendsten Schüler des Hallenser Philosophen war **A. G. Baumgarten** (1714–62), der zum **Begründer einer wiss. Ästhetik** wurde, da er erstmals philosophisch aufzuarbeiten versuchte, was der Theorie des Schönen seit der Antike und dem Mittelalter durch den Verlust sinnl. Anschauung abhanden gekommen war. Seine 'AESTHETICA ACROAMATICA'(1750–58) behandeln in ihrem 2. Teil ausdrücklich auch die Dichtung, von der er eine möglichst große Klarheit und Individualisierung der Vorstellung erwartet.

Von bes. Wirkung auf die dt. Literarästhetik war die Übersetzung der 'TRAITÉ SUR LES BEAUX-ARTS ...' von Ch. BATTEUX durch JOH. AD. SCHLEGEL, den Vater der Romantiker (1751).

Johann Christoph Gottsched (1700–1766)

GOTTSCHED, in Ostpreußen geb. und dort, in Königsberg, akademisch ausgebildet in Theologie und Philosophie, hielt ab 1725 in Leipzig, wohin er vor preuß. Soldatenwerbern geflohen war, Vorlesungen über Philosophie und Dichtkunst. 1734 wurde er daselbst ordentl. Prof. für Logik und Metaphysik. Seine literar. und sprachpfleger. Neigungen waren nicht zuletzt durch seine frühe Verbindung mit J. B. MENCKE (2. Hg. der bedeutenden wiss. Zeitschrift 'ACTA ERUDITORUM' 1682–1782; s. S. 130f.) und mit der "Deutschübenden Poet. Gesellschaft" (s. S. 112f.) gefördert worden, deren Leiter er schon 1727 wurde und die er in **"Dt. Gesellschaft in Leipzig"** umbenannte.

Vom prakt. Willen wie vom theoret. Programm her läßt sich GOTTSCHED durchaus mit MARTIN OPITZ (s. S. 115) vergleichen. Beide sind von der **Lehrbarkeit der Dichtung** mit Hilfe eines Regelkanons überzeugt. Bei GOTTSCHED ist diese Überzeugung dem aufklärer. Postulat der "Brauchbarkeit der Philosophie" durch die These von der **"Nützlichkeit der Literatur"** anverwandelt. GOTTSCHED kämpft wie OPITZ gegen Sprachverwilderung, schließt sich aber in seiner Stil- und Gattungsreform noch deutlicher und dogmatischer frz. Vorbildern an. Hier wird der **frz. Spätklassizismus** maßgeblich, und das zu einer Zeit, als in Frankreich selbst bereits die Klassikkritik blüht, auf die sich dann auch sehr schnell die Gegner GOTTSCHEDS beziehen werden.

In Deutschland war indessen noch eine krit. **Auseinandersetzung mit dem Barock** zu leisten, die GOTTSCHED in seinem 'VERSUCH EINER CRIT. DICHTKUNST VOR DIE DEUTSCHEN' (1730) unternimmt. Dabei wirkt des Franzosen N. BOILEAU 'L'ART POÉTIQUE' von 1674 kräftig nach. Dies gilt insbes. für den 2. Teil der GOTTSCHEDschen Poetik, in dem die Gattungen ganz nach der Lehre des Franzosen abgehandelt werden. GOTTSCHED beharrt für die Tragödie auf der engen Definition von Handlung, Zeit und (Stand-)Ort (= "**drei Einheiten**"), die die frz. Klassik als von ARISTOTELES begründet ausgegeben hatte. Die Tragödie – noch immer an die schon barocke **"Ständeklausel"** (s. S. 123) gebunden – soll an einem histor. Beispiel einen moral. Satz exemplifizieren, wie eine **nützl. Wahrheit überhaupt das Zentrum aller Dichtkunst** sei. Die Komödie soll durch die Lächerlichkeit dargestellter Laster belehren.

Im Sinne der Aufklärung werden **dichter. Begabung als intellektuelle Fähigkeit** und **guter Geschmack als Aufgabe der Erziehung** gesehen. Die Phantasie sei durch "gesunde Vernunft" zu mäßigen. Die Vollkommenheit eines schönen Gegenstands gebe die Regeln, mit denen der urteilende Verstand übereinzustimmen habe. Der Stil sei klar, natürlich und der Hochsprache verpflichtet.

Wie OPITZ, auf den er sich in der 'CRIT. DICHTKUNST' ausdrücklich beruft, bleibt GOTTSCHED nicht bei der Theorie stehen. Bereits 1731 vollendet er eine **erste "regelmäßige" dt. Tragödie in gereimten Alexandrinern** i. S. seiner Forderungen, den 'STERBENDEN CATO'. Weitere eigene Dramen und Produktionen seiner Frau wie seiner Schüler vereinigte er 1742–45 mit 16 Übersetzungen von Dramen CORNEILLES, RACINES, VOLTAIRES, MOLIÈRES sowie des Dänen HOLBERG in einer sechsbänd. **dramat. Mustersammlung,** 'DIE DT. SCHAUBÜHNE NACH DEN REGELN UND EXEMPELN DER ALTEN...'. Mit 'HELDEN- UND EHRENLIEDERN' betätigte er sich auch auf lyr. Gebiet, in der "Dt. Gesellschaft" trat er als **Prosaredner** auf.

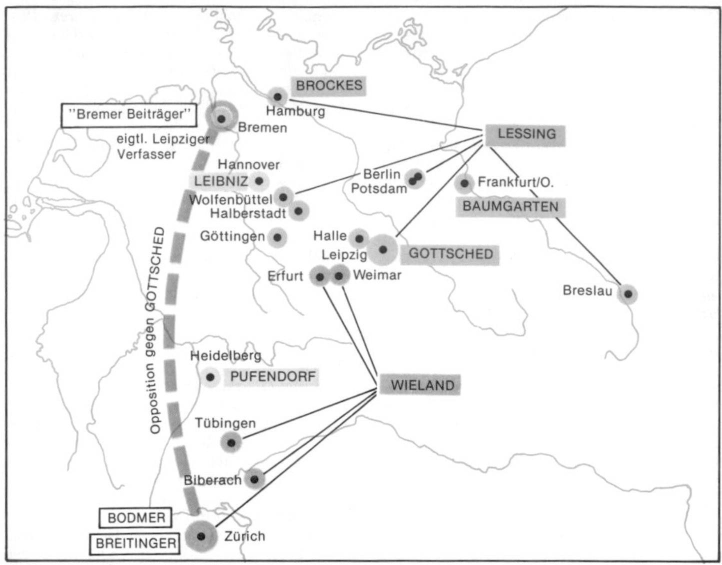

Zentren der deutschen Aufklärung

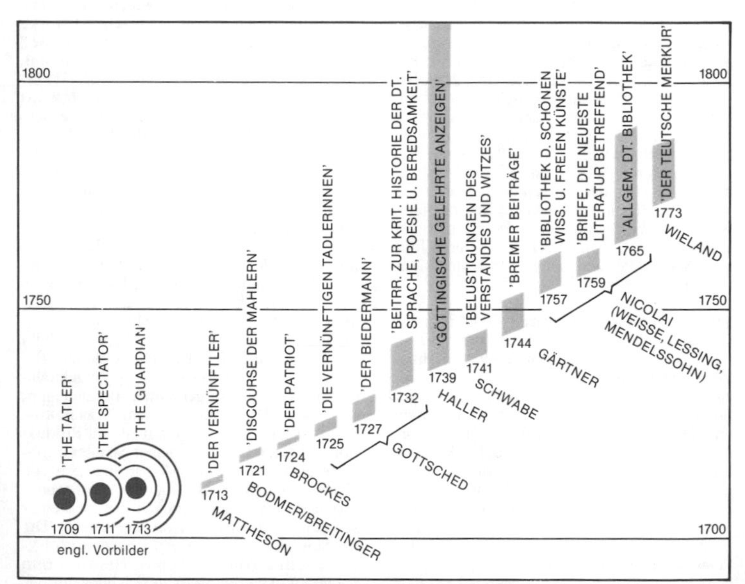

Moralische Wochenschriften, kritische und literarische Zeitschriften

In der Dramenreform trifft er sich mit den Bestrebungen der **Leipziger Schauspielergesellschaft um Caroline Neuber,** die einen heftigen Kampf gegen die Ausläufer des spätbarocken Dramas, vor allem gegen die "Haupt- und Staatsaktionen" der Wandertruppen führte. In einem unfreiwillig kom. öfftl. Akt verbannte die "Neuberin" 1737 die Hauptfigur der Wandertruppenkomödie, den Hanswurst (Harlekin) von der dt. Bühne. (Zeitlich parallel kämpfte in Italien, später in Frankreich Carlo Goldoni, 1707–93, gegen Plattheiten der Commedia dell'arte, blieb dabei freilich um eine volkstüml. und realist. Gestaltung bemüht.) Trotz aller Kritik und Anfeindung, die das so begründete neue dt. Kunstdrama in der Folgezeit erfährt, wird es doch zur **Wurzel des klass. dt. Dramas,** das – wenn auch mit eigener Bedeutung und Ausprägung, so doch bezeichnend für die grundsätzl. "Verspätung" der dt. Kultur – erst über hundert Jahre nach der klass. Periode der frz. Literatur zum Zuge kommen wird.
Für Gottscheds Erfolge ist sein **Wirkungsort Leipzig entscheidend,** eine Stadt, die im 18. Jh. als wirtschaftl. Zentrum auch zur kulturellen Metropole Deutschlands aufsteigt („das dt. Paris"; vgl. etwa J. S. Bach, der 1723–50 hier als Thomaskantor wirkt). Nicht zuletzt durch seine **Arbeiten in wichtigen "Moral. Wochenschriften"**, in denen er – darin ein Begründer literar. Frauenemanzipation – u. a. Moralsatiren als von Frauen geschrieben ausgibt, prägt Gottsched das geist. Leben seiner Zeit.
1748 läßt er seine 'Dt. Sprachkunst nach den Mustern der besten Schriftsteller' folgen, in der er die **obersächsisch-meißn. Literatursprache zur Norm gegen die Mundarten** erhebt und damit eine jahrhundertelange Bemühung um die theoret. und prakt. Regelung einer dt. Gemeinsprache zusammenfaßt.

So wichtig Gottscheds Arbeit für eine neue dt. Sprache und literar. Entwicklung auch war, ihm wurde zum Verhängnis, daß er mit **dogmat. Eifer** auch über Kleinigkeiten seiner Regelungen wachte und sich in **Streitereien um Detailfragen** einließ, die ihn trotz seines umsicht. Engagements auf vielen Gebieten (so auch der Bemühung um mittelalterl. dt. Handschriften) schließlich auch bei seiner zahlreichen Anhängerschaft als engstirn. Eigenbrötler in Verruf geraten ließen. So wehrte er sich in der 2. Aufl. seiner 'Crit. Dichtkunst' (1737) nachdrücklich gegen des Engländers J. Miltons Epos 'Paradise lost' (1667–74), das J. J. Bodmer 1732 in einer dt. Fassung, 'Verlust des Paradieses', herausgegeben hatte und das von da an zum stilist. Vorbild bedeutender dt. Dichter, u. a. Klopstocks (s. S. 149), wurde. Der Bruch mit den Zürchern Bodmer und Breitinger wurde so unvermeidbar (vgl. S. 144ff.).

Zentren und Periodika der Aufklärung
Nicht zuletzt durch Gottsched wurde **Leipzig** auch zu einem Zentrum der dt. Aufklärung, das noch Lessing mehrfach anziehen sollte. **Heidelberg** und **Hannover** waren wesentlich durch Pufendorf und Leibniz dem Rationalismus verbunden worden. In **Halle** wirkte Wolff, der seine zahlreichen Schüler auf weitere Lehrstühle bringen konnte (s. S. 136f.). **Die literar. Führung lag insges. in dieser Zeit bei den protestant. Staaten und Gemeinwesen.**
In **Hamburgs Bürgertum,** wo bereits das Barock eine spezif. Ausprägung erfahren hatte (s. S. 111), konnte die Aufklärung ebenfalls Fuß fassen. Hier erschien nach engl. Vorbildern, von Johann Mattheson herausgegeben, die **erste dt. moral. Wochenschrift,** 'Der Vernünftler'. Haupt aufklärerisch bestimmter Dichter wurde hier Barthold Hinr. Brockes (1680–1747), dessen 'Irdisches Vergnügen in Gott' (1721/48) zu neuer Naturbeobachtung anleiten will, durch die die göttl. Vernunft auch in den kleinsten Naturerscheinungen erkennbar werden sollte. Brockes gibt 1724 die 2. hamburg. moral. Wochenschrift heraus ('Der Patriot').
Wie schon bei Gottsched bemerkt, wirkte die Aufklärung insges. stark durch "journalist." Mittel, durch die nun immer zahlreicher werdenden moral. Wochenschriften (insges. mehr als 500!) sowie weitere krit. und literar. Zeitschriften. Noch vor Gottsched und Brockes waren in **Zürich** Joh. Jak. Bodmer und Joh. Jak. Breitinger mit ihren 'Discoursen' über Moral, Kunsttheorie, Philosophie und Literatur hervorgetreten (wobei die Beiträger ihre Pseudonyme den Namen berühmter Maler entlehnten). Auch die Abgrenzung gegen Gottscheds Literaturnormierung vollzog sich wesentlich in period. Publikationen. Gegen die Gottsched-Gefolgschaft Joh. Joachim Schwabes in den 'Belustigungen' (1741ff.) grenzten sich vormal. Gottsched-Jünger in den Bremer 'Neuen Beiträgen zum Vergnügen des Verstandes und Witzes' ab. Die sog. **Bremer Beiträger** K. Ch. Gärtner (Hg.), J. A. Cramer, G. W. Rabener, F. W. Zachariae u. a. stehen schließlich wie Klopstock und die Zürcher in Opposition **gegen den Leipziger "Literaturpapst".** Die dauerhafteste, bis heute arbeitende wiss. Zeitschrift begründet Albrecht (von) Haller, ein Berner Arzt und Botaniker, in **Göttingen,** für die er selbst mehr als 1000 Rezensionen schrieb. Haller ist auch der Begründer und erste Leiter der Göttinger "Societät der Wissenschaften" gewesen.
Zu einem Zentrum der Aufklärung wird schließlich auch **Berlin** sowie der **Potsdamer Hof,** dieser unter Friedrich d. Gr. (1740–86), der 1750–53 Voltaire in seinen Kreis ziehen konnte. Der aktive Teil des Berliner Bürgertums sieht sich in den von Friedrich Nicolai (1733–1811; s. S. 157) begr.

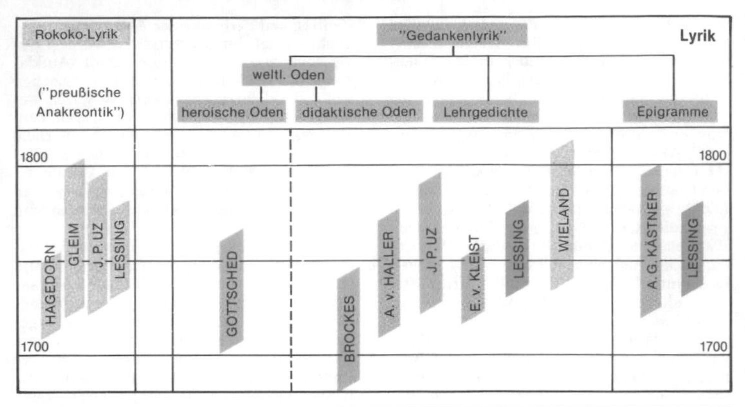

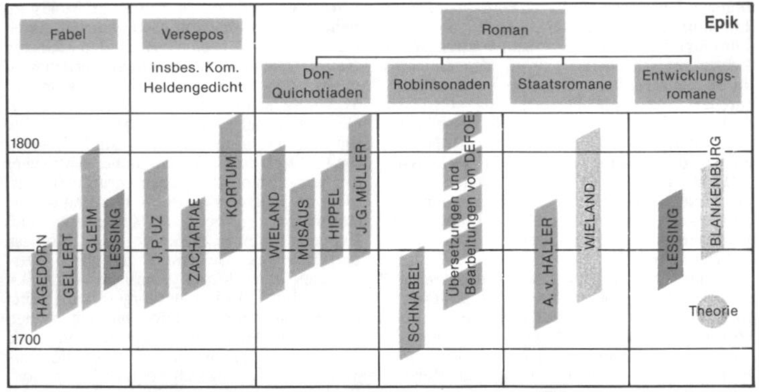

Drama

Tragödie
klassizist. Tragödie
bürgerl. Trauerspiel
Komödie
Tragikomödie/ "Rührstück"
Typen-/ Charakterkomödie
1800
1700
GOTTSCHED
J. E. SCHLEGEL
'EMILIA GALOTTI'
'SARA SAMPSON'
LESSING
'NATHAN'
'MINNA'
LESSING
Jugend-dramen
LESSING
J. E. SCHLEGEL
GOTTSCHED
(tragédie classique)
CHR. WEISE GRYPHIUS
engl. Drama und Roman
(comédie larmoyante)
(comédie sérieuse)

Gattungen der Aufklärungszeit und ihre wichtigsten Vertreter

Zeitschriften repräsentiert, die ihr Gewicht vor allem der Tätigkeit CHRISTIAN FELIX WEISSES, MOSES MENDELSSOHNS und LESSINGS verdankten. (Zu WIELANDS Zss. s. S. 151.)
Mit den aufgeführten Namen sind bereits so viele versch. Positionen und Richtungen angedeutet, daß es sich von selbst verbietet, die literar. Aufklärung in Deutschland auf ein einheitl. Programm, gar auf das GOTTSCHEDS festzulegen. Dennoch verbindet alle ursprünglich mehr oder weniger der optimist. Glaube an eine verstandesmäß. Ergründbarkeit und Gestaltung des menschl. Lebens. Der Zweifel am herkömml. Offenbarungsglauben ist keineswegs die Grenze zu der mitten in der Aufklärungszeit aufbrechenden Gefühlskultur, die dem theolog. Dogmatismus ebenfalls weitere Niederlagen bereitet (vgl. S. 147ff.).

Gattungen der Aufklärungszeit und ihre wichtigsten Vertreter
Daß Dichter der Aufklärungszeit zunächst auch noch an älteren Stilrichtungen teilhaben können, wird schlaglichtartig an LESSINGS **Rokoko-Lyrik** deutlich. FRIEDR. VON HAGEDORN (1708–54) hatte eine nach dem griech. Lyriker **Anakreon** (6. Jh. v. Chr.) benannte heitere Richtung der frz. Lyrik, die um die Themen "Liebe", "Wein" und "Geselligkeit" kreist, in Deutschland eingeführt. Hier wurde sie insbes. von dem Halleschen Freundeskreis um WILH. LUDW. GLEIM (1719–1803) und JOH. PETER UZ (1720–96) gepflegt. Gelegentlich wird sie auch "preuß. Anakreontik" genannt. Der junge GOETHE lernte sie noch in Leipzig kennen und dichtete dort in ihrer Art.
Im Mittelpunkt der "Lyrik" (vgl. S. 15) der dt. Aufklärung aber steht in Übereinstimmung mit dem rationalist. Fundament der Epoche die **"Gedankenlyrik"**, wobei unter den weltl. Gedichten die lehrhaften den Ton angeben. Die Oden wie die Epigramme sind noch ein Erbe des Barock. Für GOTTSCHED war die Ode indes mehr durch ihren Gebrauch bei den frz. Klassikern geadelt. Auf seine 'HELDEN- UND EHRENLIEDER' ist bereits hingewiesen worden (s. S. 137). Neben oft nüchtern-trockenen Tönen, bei ALBRECHT (VON) HALLER (1708–77), EWALD CHRISTIAN VON KLEIST (1715–59), J. P. UZ u. a., finden sich aber auch hymn. Klänge wie etwa in CHRISTIAN FÜRCHTEGOTT GELLERTS (1715–69) 'DIE HIMMEL RÜHMEN' (von BEETHOVEN vertont). Auch erfährt der Gebrauch der Ode für relig. Themen (etwa für Psalmenbearbeitungen) durch die Aufklärung keine Unterbrechung. Daß die Odenform schließlich für alle mögl. Themen herhalten mußte, beweist KARL WILH. RAMLER in seiner Sammlung von 1767. – Im Epigramm brillieren ABR. GOTTH. KÄSTNER (1719–1800) und nicht zuletzt LESSING, der in den 'ZERSTREUTEN ANMERKUNGEN...' von 1771 zur Theorie dieser Gattung beiträgt.
Zumeist konventionelle Widmungs- und Gelegenheitslyrik schrieb die erste dt. Berufsautorin ANNA LOUISA KARSCH (die "KARSCHIN", 1722–91; GLEIM nennt sie gleichwohl eine "dt. Sappho").
Auch in der **Epik** nehmen die **Gattungen mit belehrender Tendenz** eine hervorragende Stellung ein. Das gilt vor allem für die Fabel, in der bereits vorgestellte Lyriker als Autoren wiederbegegnen. Das gilt auch für Romantypen, in denen der Bildungsaspekt im engeren und weiteren Sinn hervortritt: für Entwicklungs- wie Staatsromane, seit DANIEL DEFOES 'ROBINSON CRUSOE' (1719) für die zahlreichen dt. Robinsonaden (vgl. S. 119) einschl. des später als 'INSEL FELSENBURG' bekanntgewordenen Abenteuerromans JOH. GOTTFR. SCHNABELS (1692–ca. 1752).
Erstmals widmet sich ein Autor auch einer philosophisch untermauerten **Theorie des Romans:** CHRISTIAN FRIEDR. VON BLANKENBURG in seinem 'VERSUCH ÜBER DEN ROMAN' (anonym 1774). Danach soll die Entwicklung des "inneren Menschen", und zwar vornehmlich des "Bürgers", im Vordergrund der Romandarstellung stehen.
Diese Theorie setzt bereits WIELANDS Romanschaffen voraus (s. S. 151); die beliebten Don-Quichotiaden, jene Abenteuerromane nach CERVANTES' namengebendem Werk von 1605/15, mit denen u. a. WIELAND wie JOH. K. A. MUSÄUS (1743–1828, auch als Herausgeber der 'VOLKSMÄRCHEN' bekannt), ferner THEODOR GOTTL. VON HIPPEL (1741–96) und JOH. GOTTWERTH MÜLLER (1743–1828) hervortraten, waren nicht unbedingt einem rationalist. Bildungsgedanken verpflichtet. Ähnliches gilt für das Versepos, hier insbes. für das kom. Heldengedicht als Typensatire bei J. P. UZ, FRIEDR. WILH. ZACHARIAE (1726–77) und KARL ARNOLD KORTUM (1745–1824), bei diesem freilich schon als Parodie des Bildungsromans ('LEBEN... VON HIERONIMUS JOBS', 1784).
Die Grundlagen des **Aufklärungsdramas** sind zunächst im wesentl. die Typen des klassizist. frz. Dramas, an denen sich GOTTSCHED und sein Kreis orientieren. Die Innovationen LESSINGS (s. S. 142ff.) sind dagegen stark engl. Anregungen, insbes. SHAKESPEARE, verpflichtet; im bürgerl. Trauerspiel zeigt sich eine Fortentwicklung von Ansätzen, die schon GRYPHIUS und CHR. WEISE (s. S. 123) vorgeführt hatten. In seinen Jugenddramen war LESSING freilich noch der Typen- oder Charakterkomödie verbunden. (Die Zuordnung des 'NATHAN' erfolgt hier nur unter historisch-formalem Aspekt; vgl. S. 144.)
Eine folgenreiche Neuerung war CHRISTIAN FELIX WEISSES Sing- und Zauberposse 'DIE VERWANDELTEN WEIBER' von 1752, weil mit ihr das **dt. Singspiel,** die **Kom. Oper** und die **Operette** begründet wurden.

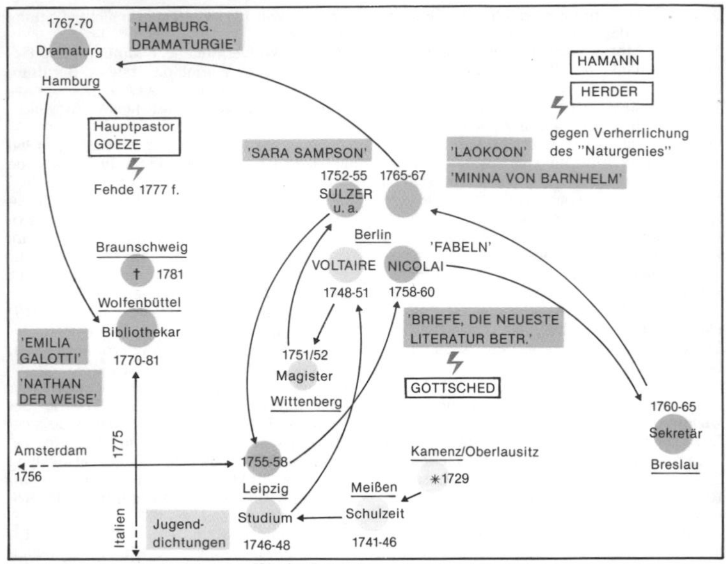

Lebensstationen und wichtigste Werke LESSINGs

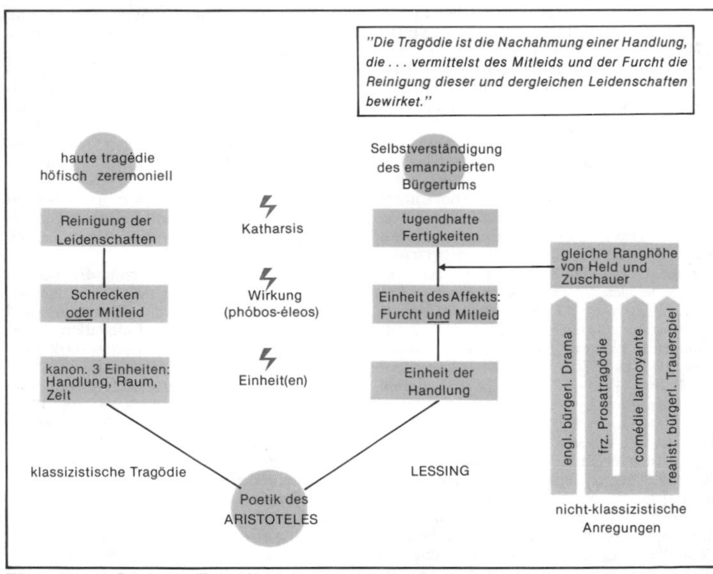

Elemente von LESSINGs Tragödienkonzeption

Gotthold Ephraim Lessing (1729–81)
Ihre Vollendung und Überwindung fand die dt. Aufklärungsliteratur in LESSING; ihre Vollendung, weil dieser Autor – vom Geist der Epoche zutiefst geprägt – ihre poet. Möglichkeiten voll ausschöpfte; ihre Überwindung, weil er zugleich die mit dem Vorbild des frz. Klassizismus übernommenen Fesseln abstreifte und damit – ungewollt – auch dem extremsten Gegensatz zum Klassizismus, dem dt. "Sturm und Drang", den Weg ebnete.
Seine erste, kreative Berührung mit dem zeitgenöss. Literaturideal hatte LESSING in Leipzig. Seine **frühe Lyrik** (anakreont. Gedichte und Epigramme, 'KLEINIGKEITEN' 1751) und seine **Jugenddramen,** darunter 'DER JUNGE GELEHRTE' (1748 von der NEUBERIN aufgeführt), legen davon Zeugnis ab. In Berlin begegnete er 1750 VOLTAIRE, mit dem er sich später kritisch auseinandersetzen wird. Sein 2. Berlinaufenthalt – nach Erwerb des Magistergrads in Wittenberg – bringt ihm die Bekanntschaft J. G. SULZERS und K. W. RAMLERS, beide vor allem auf dem Gebiet der ästhet. Theorie tätig. LESSING selbst machte sich hier einen Namen durch zahlreiche **krit. Rezensionen,** vollendete aber auch seine erste größere dramat. Arbeit, die 'MISS SARA SAMPSON', die zugleich eine **neue Entwicklung des bürgerl. Trauerspiels** einleitet und die Abkehr von frz. Vorbildern dokumentiert. Vorbild war des Engländers G. LILLO 'KAUFMANN VON LONDON' (1731). Bereits hier führt er, gegen die *haute tragédie* der Franzosen, die gleiche Ranghöhe von Held und Zuschauer vor, die seine später auch theoretisch untermauerte neue Auffassung von der Katharsis (Läuterung) des Zuschauers durch Identifikation mit dem Helden vorbereitet (vgl. S. 123).
Eine von Leipzig aus geplante Weltreise mußte wegen des Siebenjähr. Kriegs in Amsterdam abgebrochen werden. Ein 3. Berlinaufenthalt und die dabei gepflegten intensiven Kontakte mit F. NICOLAI und M. MENDELSSOHN regen LESSING zu neuen dramat. Arbeiten an. Bedeutsamer noch aber werden seine theoret. Ausführungen in den 'BRIEFEN, DIE NEUESTE LITERATUR BETREFFEND', deren 17. eine erste **scharfe Wendung gegen Gottsched** (vgl. S. 137) und seine Verdienste um das dt. Drama bringt. Darin behauptet LESSING – folgenreich für sein Tragödienverständnis – die viel größere Nähe SHAKESPEARES zum antiken Drama, als sie jemals bei den antikisierenden Franzosen gegeben gewesen sei. Auch teilt er in den 'BRIEFEN' zum Beweis der Artverwandtschaft von dt. und engl. Drama als "Volksdrama" das Fragment eines DOKTOR FAUST mit, das indes aus seiner eigenen Feder stammt. Ebenfalls Frucht dieser Berliner Zeit sind drei Bände **'Fabeln'** mit einer Abhandlung zur Theorie dieser Gattung (1759).

Die Hauptwerke des 4. Berlinaufenthalts hatte LESSING als Sekretär des preuß. Kommandanten von Breslau vorbereitet: das "klass." dt. Lustspiel 'MINNA VON BARNHELM' (1767) und die kunsttheoret. Schrift 'LAOKOON ODER ÜBER DIE GRENZEN DER MALEREI UND POESIE' (1766). In der 'MINNA' vollzieht LESSING den **Schritt von der Typen- zur Charakterkomödie** und stellt erstmals einen aus zeitgenöss. Erleben (Siebenjähr. Krieg) verständl. Konflikt – preuß. Ehrgefühl contra Liebe – und seine humane Auflösung dar (preuß. Einspruch führte zur Absetzung des Stücks vom Hamburger Spielplan!). Im 'LAOKOON' geht es LESSING – gegen die zeitgenöss. Auffassung von HORAZ' *ut pictura poesis* – um die **Abgrenzung von Dichtung und bildender Kunst:** Diese hat in räuml. Gleichzeitigkeit, jene im zeitl. Nacheinander ihr Prinzip.
Eine Fülle weiterer **literatur- und kunsttheoret. Schriften** bereiten die Quasi-Systematisierung seiner Poetik in der 'HAMBURG. DRAMATURGIE' (1767–69) vor. Außer seiner Frontstellung gegen GOTTSCHED und dessen Jünger als Vertreter des frz. Klassizismus auf dt. Boden wendet sich LESSING schon früh gegen ein Mißverständnis seiner Opposition zur Überbetonung formaler Regelhaftigkeit. Wenn LESSING für das Recht des "inneren Gesetzes" und des schöpfer. "Genies" eintritt, so will er doch nichts gemein haben mit der Verherrlichung des "Naturgenies", wie sie die Theoretiker des "Sturm und Drang", HAMANN und HERDER, zum Programm erheben. Hier muß LESSING – insofern noch ganz vom Vernunftglauben der Aufklärung beseelt – eine neue Front eröffnen, die freilich den Geniekult der Jüngeren nicht mehr verhindern kann.
Finanzielle Schwierigkeiten haben ihn zur Annahme einer Dramaturgenstelle an dem in Hamburg eröffneten "Dt. Nationaltheater" bewogen, einer bürgerl. Stiftung, die freilich bereits 1768 wieder zusammenbricht. Ergebnis seiner theaterprakt. und -theoret. Arbeit ist die 'HAMBURG. DRAMATURGIE', eine **Sammlung von Theaterkritiken,** in der LESSING zugleich sein **neues Tragödienverständnis** auf der Grundlage einer von frz. Mißverständnissen gereinigten ARISTOTELES-Deutung vorträgt. So entdeckt LESSING bei ARISTOTELES keinen Anhalt für die bei den Franzosen (seit D'AUBIGNAC und CORNEILLE) kanon. Forderung der "drei Einheiten" in der Tragödie, sondern nur das Gebot einer einheitl. Handlung. Die aristotel. Begriffe *phóbos* und *éleos* versteht er nicht mehr als alternativ einsetzbare Wirkungen der Tragödie, sondern als Einheit, wobei er *phóbos* zuletzt nicht mehr als 'Schrecken', sondern als 'Furcht' *für* den Helden und *éleos* als entspr. 'Mitleid' interpretiert. Gegen den höfisch zeremoniellen Charakter der "hohen Tragödie" der Franzosen setzt er die **Selbstverständigung des Bürgers,** gelangt hier freilich zu

einem neuen, ARISTOTELES fremden Dualismus, da bei ihm letztlich ästhet. Form und die moralisch zu nutzende Wirkung, die Anleitung zu "tugendhaften Fertigkeiten", auseinandertreten.
1770 wird LESSING Bibliothekar an der Bibl. in Wolfenbüttel, aus deren Schätzen er **historisch und literarisch wichtige Quellen ediert.** 1771/72 vollendet er seine zweite große Tragödie, 'EMILIA GALOTTI'. Anerkennung der Ordnung und der Wille zu unbedingter Sittlichkeit sind die Pole eines Konflikts, der – wiederum in bürgerl. Umgebung angesiedelt – tragisch endet, weil die handelnden Personen als "Mittelcharaktere", ohne Zugang zu einer konfliktlösenden Macht, mit sich allein gelassen sind. Das aufgezeigte moral. Problem kann durchaus als Folge sozialer Konstellationen und des Widerspruchs von Theorie und Wirklichkeit des Absolutismus, in den die Handelnden verwickelt sind, gedeutet werden.
Als Prinzenbegleiter unternimmt LESSING 1775 eine Italienreise, die freilich ohne größeren geist. Ertrag bleibt. Bedeutsamer werden die Auseinandersetzungen, die der **Erschütterung durch den frühen Tod seines Sohnes und seiner Frau,** EVA KÖNIG (1777/78), folgen. Wegen der 1774 von ihm herausgegebenen 'FRAGMENTE EINES UNGENANNTEN' aus der Feder seines Freundes H. S. REIMARUS und ihrer rationalistisch-deist. Grundhaltung kommt es zu einer längeren **Fehde mit dem Hamburger Hauptpastor J. M. Goeze,** in der sich LESSING mit einer Reihe von Streitschriften ('ANTI-GOEZE' 1778) engagiert. Sein dramat. Gedicht 'NATHAN DER WEISE' von 1779 wird ein eindringl. **Bekenntnis zur Toleranz** und zum Gebot der Humanität über alle Konfessionsgrenzen hinweg. Auch in formaler Hinsicht setzt LESSING mit diesem Drama Zeichen: Nach der Prosa früherer Stücke erhält der sog. Blankvers, fünffüß. reimlose Jamben, im engl. Drama (vor allem bei SHAKESPEARE) kontinuierlich gepflegt, durch dieses Schauspiel einen sicheren Platz im dt. Drama (zuvor schon bei J. W. v. BRAWE, S. GRYNAEUS, WIELAND und in eigenen Entwürfen, 1757/58, praktiziert).
Der "ganze LESSING" ist mit diesen Hinweisen auf die wichtigsten Stationen seines Lebens und Wirkens auch nicht annähernd vorgestellt. Der "Vollender" der dt. Aufklärungsliteratur hat sehr viel Unvollendetes, Fragmentarisches hinterlassen, das sein **ständiges Ringen um eine neue dt. Literatur** eindrucksvoll bezeugt, das aber auch Dokument eines materiell oft gefährdeten und geistig angefochtenen Lebens ist, das auch nicht frei von ungerechten und gelegentlich sogar opportunist. Urteilen über die Mitstreiter war. Um so bedeutsamer erscheint die Kraft, mit der sich dieser Dichter aus aktueller Publizistik zu Werken weltliterar. Qualität erheben konnte. Voraussetzung war freilich auch ein **weitgezogener Kreis eigener Bemühungen um die Weltliteratur,** philolog., übersetzer. und kommentierender Art.

Die Zürcher Opposition gegen Gottsched: Bodmer und Breitinger

Eine entscheidende Schwächung seiner theoret. wie dichtungsprakt. Positionen erfuhr GOTTSCHED noch vor LESSINGs deutl. Abgrenzungen durch die Zürcher Literaturtheoretiker JOHANN JAKOB BODMER (1698–1783) und JOHANN JAKOB BREITINGER (1701–76). Beide waren beruflich, durch ihr Lehramt am Zürcher Gymnasium, wie auch persönlich einander aufs engste verbunden und haben (BODMER mehr als Anreger, BREITINGER stärker als Systematiker) ihre von GOTTSCHED abweichende Literaturtheorie gemeinsam entwikkelt. Die **Begrenzung von Gottscheds Geltung** war um so wirksamer, als sich die Zürcher zunächst wie GOTTSCHED einer Reform der dt. Literatur auf der philosoph. Grundlage von WOLFF verpflichtet fühlten. Doch bereits in den 'DISCOURSEN' der Zürcher Ges. "Cotterie der Mahler" (vgl. dazu S. 139) ergaben sich Differenzierungen der gemeinsamen Basis, auf die GOTTSCHED ob der Einschränkung seiner normativen Stellung für die dt. Dichtung immer mißtrauischer reagierte.
Die Zürcher Schrift über die **Einbildungskraft** von 1727 (s. Tafel S. 146) geht noch ganz von Grundsätzen einer "gelehrten" Dichtung aus. Gefühlswerte spielen darin noch so gut wie keine Rolle. Erst die weitere Theoriediskussion ließ BODMER und BREITINGER von dem mit GOTTSCHED zunächst geteilten Vorbild der klassizist. Poetik des Franzosen BOILEAU (vgl. S. 137) abrücken.
Einschneidend war die **Zuwendung Bodmers zu John Miltons 'Verlorenem Paradies'** (engl. 1667 bzw. 1674), einem bibl. Großepos, das GOTTSCHED als Rückfall in den von ihm gerade bekämpften spätbarocken Schwulst erschien. Die weitere Auseinandersetzung um dieses Werk und seine Geltung für die dt. Literatur spaltete die Literaturtheoretiker gleichsam in eine frz. Fraktion (um GOTTSCHED) und eine engl. (um die beiden Zürcher). Als Rechtfertigung der MILTONschen Kunst, ihrer bewußt stilisierten Sprache, der Fülle mytholog. Vergleiche, der intensiven Detailbeschreibungen, schrieb BODMER 1740 seine 'CRIT. ABHANDLUNG VON DEM WUNDERBAREN IN DER POESIE' und ein Jahr später die 'CRIT. BETRACHTUNGEN ÜBER DIE POET. GEMÄHLDE DER DICHTER', was ihm eine satir. Streitschrift GOTTSCHEDS, den 'DICHTERKRIEG', eintrug, auf die BODMER poetisch nur schwach antwortete.
BODMER erhob mit seinen Abhandlungen die **Phantasie** unter Einschluß des "Wunderbaren" zu einer poet. Grundkraft, setzte beiden aber – rationalist. Grundhaltung gemäß – die **Wahrscheinlichkeit** als Grenze. BREITINGER

flankierte diese theoret. Ausweitung poet. Möglichkeiten durch seine 'CRIT. DICHTKUNST' mit einem Vorstoß **gegen das Dogma, daß die Dichtung einer getreuen Nachahmung der Natur zu dienen habe,** wie es zuvor auch von ihm und BODMER gelehrt worden war; ferner mit der 'CRIT. ABHANDLUNG VON DER NATUR, DEN ABSICHTEN UND DEM GEBRAUCH DER GLEICHNISSE', in der er von einem starren Naturbegriff fortführte. Die Zürcher sahen nun *"das Kunstwerk in der Schwebe zwischen der Wirklichkeit und einer nur in Gedanken vorhandenen Natur im Bereich der Kunst"* (R. NEWALD). Der **(Wieder-)Entdekkung des Künstlers als eines (zweiten) Schöpfers** war damit der Weg geebnet. Der kreative Umgang mit Literatur blieb bei den beiden Zürchern, die – bei aller Distanzierung – gleich GOTTSCHED sich noch als berufene Richter über die Kunst fühlten, nur schwach entwickelt. BODMERS relig. Epen und polit. Schauspielen war ein Erfolg versagt. Auch gelang den beiden auf Dauer kein Konsens mit Autoren, die gleich ihnen etwa von MILTON angezogen waren, diese Begegnung aber wie KLOPSTOCK selbständig verarbeiteten. Sowohl KLOPSTOCK als auch WIELAND, die beide auch die persönl. Nähe der "Kunstrichter" in Zürich suchten, erfuhren dort einen eklatanten Mangel an Verständnis für ihre dichter. Haltung (vgl. S. 149ff.).

Wirkungslos blieb auch ihre Bemühung um eine **Inthronisierung des Alemannischen als dt. Literatursprache** gegen GOTTSCHEDS Erfolg mit seiner obersächsisch-meißn. Sprachnorm. Bedeutsamer war dagegen die **Wiederbelebung mittelalterl. dt. Texte** in den Ausgaben 'PROBEN DER ALTEN SCHWÄB. POESIE', 1748, 'CHRIEMHILDEN RACHE UND DIE KLAGE', 1757, und die 'SAMMLUNG VON MINNESINGERN', 1757–58. Sie gelten als Meilenstein der Entwicklung zu einer Wissenschaft von der dt. Sprache und Literatur.

Zur Vor- und Frühgeschichte der Germanistik

Die ersten Anstöße zu einer wiss. Beschäftigung mit dt. Sprache und Literatur (dt. Philologie/Germanistik) gingen von Humanisten aus. 1455 wurde nach planmäß. Suche die 'GERMANIA' des TACITUS als wichtige Quelle zur german. Frühzeit entdeckt. Schon 1500 hielt K. CELTIS Vorlesungen über sie. **Wiederauffindung bzw. Publikation früher Textzeugnisse** schufen die Voraussetzungen für ein histor. Bild von der Entwicklung der dt. Sprache und Literatur: HROTSVIT VON GANDERSHEIM durch CELTIS (1501); die got. WULFILA-BIBEL durch G. CASSANDER Mitte des 16. Jhs.; OTFRIEDS 'EVANGELIENBUCH' durch JOH. TRITHEMIUS 1486, veröfftl. durch MATTHIAS FLACIUS ILLYRICUS 1571; Runenschriften, weitere ahd. und frühmhd. Texte durch BONAVENTURA VULCANIUS 1597; das 'ANNOLIED' durch OPITZ 1693 u.a. Gerade OPITZ' Umgang mit GOLDASTS Quellensammlung von 1604 (s. S. 115) belegt aber auch, wie aktuell zweckgebunden die Funde zunächst noch interpretiert werden. Und auch GOTTSCHEDS und BODMERS literaturhistor. Bemühungen stehen ganz **im Dienst aktueller Literatur- und Sprachpolitik.** Das 'NIBELUNGENLIED' (1755 von J. H. OBERREIT entdeckt) gilt zeitweilig sogar als rechtshistor. Quelle.

Die frühen **sprachwiss. Bemühungen** dienen zunächst vor allem dem **Nachweis und der Ausbildung einer überregionalen dt. Verkehrssprache:** so u. a. F. FRANGKS 'ORTHOGRAPHIA' 1531, V. ICKELSAMERS 'TEUTSCHE GRAMMATICA' 1534, die Arbeiten der Sprachgesellschaften des 17. und 18. Jhs., insbes. aber SCHOTTELS und STIELERS Abhandlungen (s. S. 111 u. 127), schließlich GOTTSCHEDS Normgrammatik und die Arbeiten von BODMER und BREITINGER. Erst **Herder und die Romantiker** erkennen ganz den Eigenwert histor. Sprach- und Literaturzeugnisse an und eröffnen damit eine im modernen Sinne wiss. Betrachtung, bei der die subjektiven Faktoren der Erkenntnis so wenig wie möglich ins Spiel kommen dürfen (vgl. S. 181). Die **Entdeckung nationaler Besonderheiten** in der kulturellen Entwicklung der Völker war zunächst noch von der Überzeugung geprägt, daß solche Eigenarten von einer **universellen Humanität** überwölbt seien. HERDER, die SCHLEGELS, W. VON HUMBOLDT und die GRIMMS trugen in dieser Überzeugung sehr viel zur Entdeckung auch nichtdt. Nationalkulturen bei, weswegen sie noch heute in sehr verschiedenen Kulturkreisen (die GRIMMS etwa im slaw. Raum) hoch geschätzt sind. Sie hatten jedoch insgesamt zuwenig mit der **Gefahr polit. Instrumentalisierung** ihrer Ideen gerechnet, wozu sich insbes. in Deutschland die Hoffnung eignete, über die Erforschung und Pflege sprachl. und literar. Traditionen eine politisch verwehrte nationale Identität aller Deutschen zu gewinnen. Frühe Höhepunkte einer um **histor. Sachgerechtigkeit** bemühten Philologie sind die sprach- und literarhistor. Forschungen der Brüder JACOB und WILHELM GRIMM sowie die textkrit. und editor. Leistungen KARL LACHMANNS und F. H. VON DER HAGENS in der ersten Hälfte des 19. Jhs.

Bis auf wenige Ausnahmen ergaben sich dt. Germanisten in der Folge mehr und mehr nationalist. bis nationalsozialist. Wunschträumen (vgl. S. 247 und die Beteiligung an Bücherverbrennungen 1933, S. 255), aus denen die Germanistik teilweise erst in den 60er Jahren des 20. Jhs. erwachte, dann jedoch vielfach zu einer neuen polit. Wendung, die ebenfalls oft nur wenig Realitätssinn, geschweige denn einen neuen, fruchtbringenden Universalismus verriet. Uneingeschränkt anerkennenswert ist dagegen eine eher stille Leistung jüngster Zeit: die anspruchsvolle **Neuedition der meisten dt. Texte.**

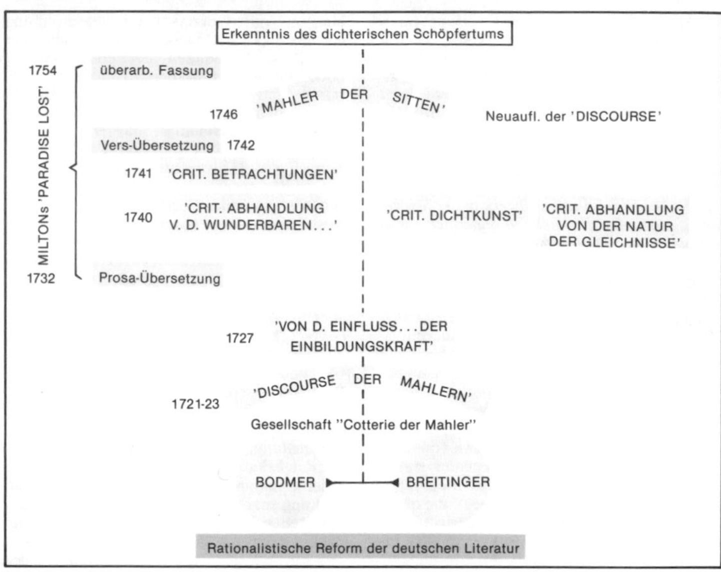

Literaturtheoretische Schriften von BODMER und BREITINGER

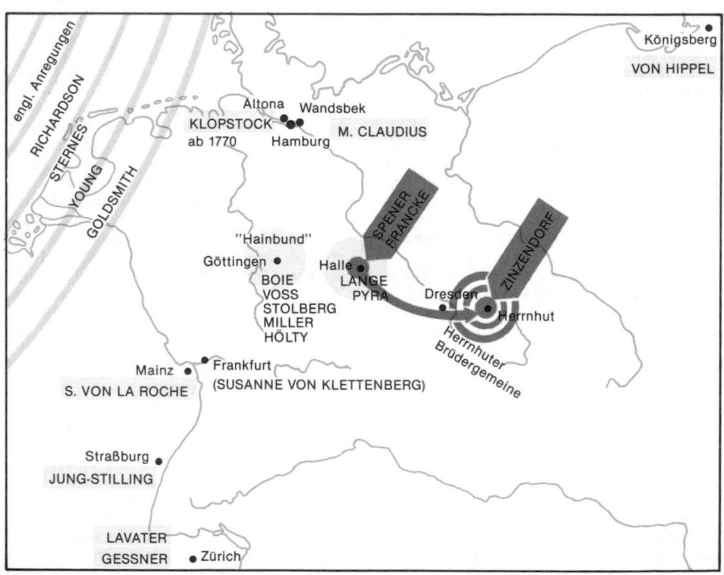

Vertreter und Zentren der Empfindsamkeit

Vertreter und Zentren der Empfindsamkeit

Engl. Vorbilder werden maßgeblich für die literar. Erscheinungen einer Bewegung, die ihren eigtl. Grund in einer relig. Erneuerung hat, im **Pietismus,** der hier bereits in seinen frühen Begründern SPENER und FRANCKE begegnet ist (s. S. 127). In FRANCKES Hallenser Pädagogium wurde auch NIK. LUDW. VON ZINZENDORF (1700–60) in pietist. Geist erzogen, der ab 1722 Böhm. Brüder um sich versammelte und eine evangel. Gemeinschaft, die **"Herrnhuter Brüdergemeine",** gründete, die nach starken Widerständen (Ausweisung ZINZENDORFS aus Kursachsen 1738–47) als Augsburg. "Konfessionsverwandte" offizielles Glied der sächs. Landeskirche wurde und im In- und Ausland i.S. einer gefühlsbetonten Christologie missionarisch hervortrat. ZINZENDORF selbst wirkte 1742 in Pennsylvania, 1751–55 in London. Die pietist., insbes. herrnhut. Religiosität war **Traditionen der spätmittelalterl. Mystik** verbunden, in denen das persönl. Verhältnis zu Gott eine hervorragende Rolle spielte, was wiederum Voraussetzung für die **Entwicklung eines Bewußtseins unaustauschbarer Individualität** des einzelnen Menschen war (vgl. S. 133). Hierin liegt die bes. Bedeutung des Pietismus für die geist. Kultur des 18. Jhs., die nach den rationalist. Zweifeln an kollektiven Maßstäben traditioneller (im theolog. Bereich: orthodoxer) Prägung dieser Ergänzung bedurfte.

In der **Gefühlsbetontheit** trafen sich dt. Autoren mit engl. Anregungen, für die die moral. Wochenschriften und BODMER durch seine MILTON-Rezeption gegen die "frz." GOTTSCHED-Normen bereits grundsätzlich den Boden bereitet hatten. SAMUEL RICHARDSONS Tugend- und Familienromane, LAURENCE STERNES "sentimental." ('empfindsame') Dichtungen, OLIVER GOLDSMITHS 'VICAR OF WAKEFIELD' und EDWARD YOUNGS 'NIGHT THOUGHTS ON LIFE, DEATH AND IMMORTALITY' (1754 ins Dt. übers.) setzten die Maßstäbe für eine neue dt. Richtung, die in Halle, im Göttinger "Hainbund" und nicht zuletzt in (bzw. bei) Hamburg durch KLOPSTOCK und MATTHIAS CLAUDIUS (1740–1815) gepflegt wurde. Im Sinne des ursprüngl. Pietismus, der **"Stillen im Lande",** wirkten in Frankfurt SUSANNE VON KLETTENBERG (1723–74; s. S. 159) und in Zürich JOH. KASPAR LAVATER (1741–1801; 'PHYSIOGNOM. FRAGMENTE', 1775/78).

Bereits 1725 erschien als erstes Zeugnis einer neuen relig. Lyrik ZINZENDORFS 'SAMMLUNG GEISTL. UND LIEBL. LIEDER'. Der **Freundschaftskult** empfindsamer Dichter wurde erstmalig in 'THIRSIS' UND DAMONS FREUNDSCHAFTL. LIEDERN' von IMMANUEL JAK. PYRA (1715–1744) und SAMUEL GOTTH. LANGE (1711–81) gefeiert, das sind religiös gestimmte, meist reimlose Gedichte, die trotz traditioneller Elemente durchaus Erlebnislyrik sind. Von PYRA ist der junge **Klopstock** beeindruckt, der mit seinen ersten drei Gesängen des 'MESSIAS' (s. S. 148f.) 1748 die **Brücke zwischen Milton und der neuen Empfindsamkeit** schlägt und seinerseits den Göttinger Freundesbund auch namengebend (mit der Ode 'DER HÜGEL UND DER HAIN') beeinflußt. Hier wirken zusammen HEINR. CHR. BOIE (1744–1806), Begründer des 'GÖTTINGER MUSENALMANACHS', der viele Nachahmungen findet; JOH. HEINR. VOSS (1751–1826), der Übersetzer von HOMERS 'ODYSSEE' und 'ILIAS' in dt. Hexameter, denen er damit zum Durchbruch verhilft; die gräfl. Brüder STOLBERG (CHRISTIAN, 1748–1821, FRIEDRICH LEOPOLD, 1750–1819); JOH. MARTIN MILLER (1750–1814), ein rührsel. Erzähler und als Lyriker Nachahmer des Minnesangs; schließlich LUDW. CHRISTOPH HEINR. HÖLTY (1748–76), ebenfalls minnesangbegeisterter Lyriker, dessen Idyllen, Lieder, Oden und Hymnen 1783 postum von F. L. STOLBERG und VOSS herausgegeben werden.

Die Tradition der **Idylle,** des kleinen ep. oder dialog. Gedichts, meist mit lyr. Einlagen, wurde von dem Zürcher SALOMON GESSNER (1730–88) um Stilbezirke der Empfindsamkeit erweitert (1756 und 1772).

Eine für diese Stilepoche wichtige Gattung ist der **Roman.** Noch versch. Einflüssen offen, aber mit deutlich pietist. Ansätzen ist der Familienroman GELLERTS, 'DAS LEBEN DER SCHWED. GRÄFIN VON G...' (1747/48). Unter dem bes. Einfluß von RICHARDSON und GOLDSMITH wird die 'GESCHICHTE DES FRÄULEINS VON STERNHEIM' (1771) der SOPHIE VON LA ROCHE (1731–1807) stehen, die auch als **erste dt. Unterhaltungsschriftstellerin** gilt. Sie vertritt den mit der bürgerl. Emanzipation einhergehenden Aufstieg von Frauen als aktive Kulturträger. Einen weiteren Roman, 'ROSALIENS BRIEFE' (1776) widmet sie dem Thema "Aufgaben der Frau".

Autobiographisch angelegt waren die von GOETHE geförderten Romane HEINR. JUNG-STILLINGS (1740–1817) 'HEINR. STILLINGS JUGEND' und 'H. St. JÜNGLINGS-JAHRE UND WANDERSCHAFT' (1777/78). Darin ist der dt. Pietismus als Lebensgrundlage eines gottgeführten, bescheidenen Lebens besonders deutlich zu spüren. JUNG-STILLINGS relig. Position ist geradezu der Gegenpol zur aufgeklärten protestant. Theologie.

KLOPSTOCKS 'MESSIAS' (s. S. 148f.) und VOSS' 'LUISE' (1783/84) repräsentieren das **Versepos** als weitere charakterist. Gattung der Empfindsamkeit.

Auf dramat. Gebiet setzte GELLERT (s. S. 141) schon 1745 mit seinem Lustspiel 'DIE BETSCHWESTER' i.S. der *comédie larmoyante* einen der Empfindsamkeit gemäßen moralisch-didakt. Akzent.

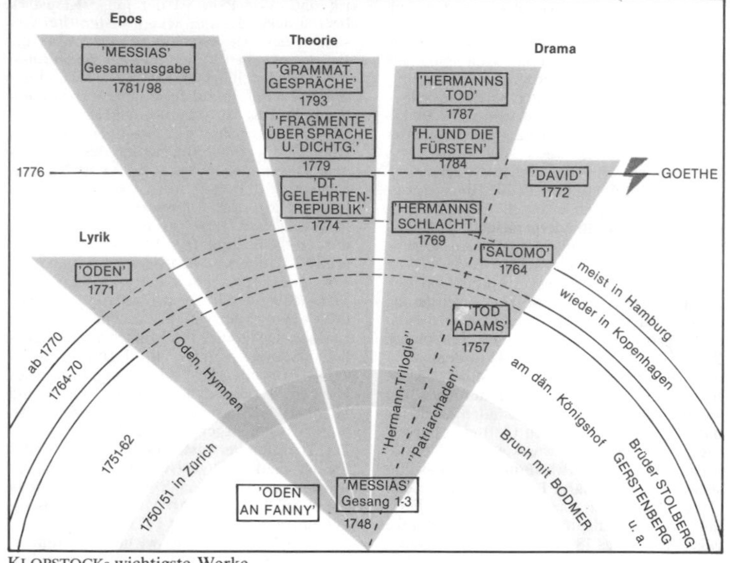

KLOPSTOCKs wichtigste Werke

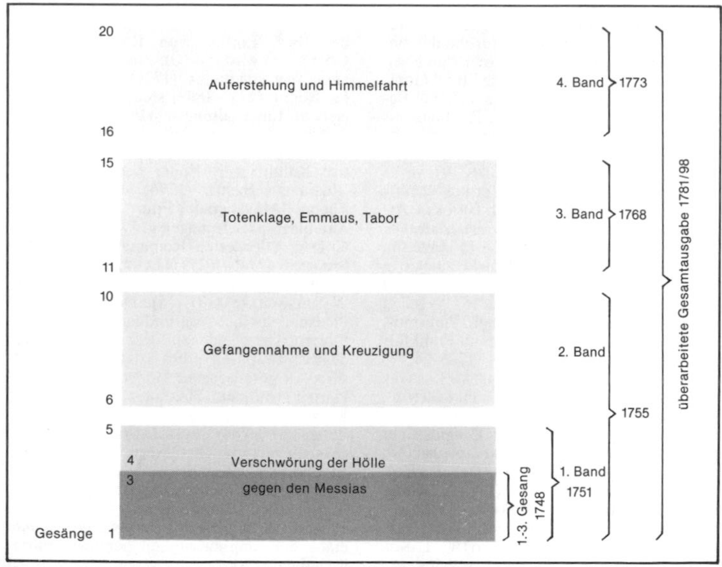

KLOPSTOCKs 'MESSIAS', Aufbau und Veröffentlichungsstufen

Friedrich Gottlieb Klopstock (1724–1803)
In (Schul-)Pforta/Thüringen, einer berühmten Fürstenschule, in der später auch FICHTE, RANKE und NIETZSCHE unterrichtet werden, wurde der in Quedlinburg geborene KLOPSTOCK für **antike Sprachen und Dichtung** interessiert. Doch auch die **dt. Vergangenheit** fesselte den Schüler, der schon in seiner Jugend ein "patriot. Epos" dichten wollte, das aber bald zugunsten anderer Pläne zurücktrat, in den **dramat. "Bardieten"** um HERMANN DEN CHERUSKER, der "Hermann-Trilogie", und in anderen vaterländ. Gedichten (Oden) jedoch noch durchscheint. Bald schon wurde **Miltons Einfluß** bestimmender, dessen 'PARADISE LOST' (vgl. S. 144) in ihm das Bewußtsein, zu "heiliger Poesie" berufen zu sein, weckte.
Ein Aufenthalt in Leipzig, 1746, brachte ihn den "Bremer Beiträgern" näher (s. S. 139), die 1748 die ersten drei Gesänge seines **Christus-Epos 'Der Messias'** abdruckten. Damit war er endgültig für GOTTSCHEDS Literaturnormierung verloren und erschien den Zürcher Antipoden um so willkommener. BODMER lud ihn 1750 aus Begeisterung über KLOPSTOCKS ernste Liebes- und Freundschaftslyrik auf unbegrenzte Zeit nach **Zürich,** doch trafen sich die beiderseit. Erwartungen nicht, da KLOPSTOCKS Dichtung im Gegensatz zu BODMERS humanistisch gelehrter Grundhaltung in persönl. Ergriffenheit wurzelte. Das gegenseit. Mißverständnis führte bald zum Bruch. Schon Anfang 1751 verließ KLOPSTOCK Zürich.
Anschließend wurde er vom dän. König FRIEDRICH V. an den **Kopenhagener Hof** geholt, der ihm und anderen dt. Dichtern und Gelehrten ein geist. Zentrum bot, wie es auf dt. Boden erst später Weimar werden sollte. Hier konnte er – nach lähmender Unterbrechung seiner Arbeit in Zürich – sehr bald den 1. Band seines 'MESSIAS' vollenden. 1755 erschien das inzwischen auf zwei Bände angewachsene Werk in der sog. Kopenhagener Ausgabe. Und auch die erste seiner **"Patriarchaden"**, d. s. dramat. Dichtungen um Hauptfiguren des Alten Testaments, fand hier ihre Vollendung: 'DER TOD ADAMS', der zur wichtigen **Anregung für die Dichter des "Sturm und Drang"** wurde.
Nach einem Deutschlandaufenthalt 1762–64 kehrte er noch einmal nach Kopenhagen zurück, wo MATTHIAS CLAUDIUS (1740–1815) ihm erstmals begegnete, woraus eine lebenslange Verbindung erwuchs. 1768 brachte KLOPSTOCK hier auch den 3. Band des 'MESSIAS' heraus. 1770 siedelte er nach **Hamburg** über, wo er endlich auch den 'MESSIAS' abschloß und 1781 bzw. 98 noch einmal in einer gründlich überarbeiteten Fassung vorlegte.
50 Jahre Arbeit an einem Epos verraten einen unbeirrbaren Gestaltungswillen, der sich an der scheinbaren Spontaneität der **explosiven Sprache** dieses Werks nicht unmittelbar ablesen läßt. Die exzessiv ausgeschöpften Möglichkeiten der dt. Syntax, die extrem **gesteigerte Bildlichkeit,** die Vorliebe für die Stilfigur des Paradoxons sind gemäß seiner schon jugendl. HOMER-Verehrung zwar der **Form des Hexameters** untergeordnet, doch entstehen daraus neue, **freie Rhythmen,** ein "emphat. Stammeln", das gleichwohl eine spezif. Form des "Denkens" in erkennbarem Anschluß an Grundforderungen des dt. Rationalismus sein wollte und somit noch nicht identisch mit dem Irrationalismus des "Sturm und Drang" sein kann. Dennoch entgeht KLOPSTOCK angesichts des Umfangs seiner Dichtung auch nicht der Gefahr einer gewissen Eintönigkeit, die bald auch Wohlwollende nur verteidigen, Kritiker hingegen scharf geißeln konnten (so noch D. GRABBE). Unbestritten ist aber die durch KLOPSTOCK bewirkte grandiose **Erweiterung sprachl. Möglichkeiten in der dt. Dichtung.**
In bewußter Abgrenzung zum "hohen Stil" des 'MESSIAS', seiner Oden und Hymnen wählt KLOPSTOCK in der **Prosa** seiner theoret. Schriften den "niederen Stil" schlichterer Gestaltung. Schon in früheren poetolog. Arbeiten, so in der Einleitung zum 2. Band des 'MESSIAS', kündigte sich ein **kulturpolit. Gedankengebäude** an, das KLOPSTOCK 1774 in der 'DEUTSCHEN GELEHRTENREPUBLIK' zusammenfaßte. Hierin fordert er – angeregt durch die 'GELEHRTE REPUBLIK' des Spaniers DIEGO SAAVEDRA FAJARDO (1649; dt. 1748 und 1771) – ein Staatswesen, das nicht mehr wie bei LEIBNIZ auf einer abendländ. Geisteselite, sondern auf einem nationalen dt. Fundament gründen soll. Dieses Staatswesen ist nicht sozial gegliedert, sondern Maß und Stoff des Wissens entscheiden über die Funktionen der Bürger. Originalität anstelle von Nachahmung werden zum Programm erhoben und bereiten die Geniebewegung vor.
KLOPSTOCKS Ansehen, das auch Fürsten wie den Markgrafen von Baden bewog, im Sinne seiner Utopie zu wirken (Plan einer "Dt. Gesellschaft" mit HERDER und JOHS. VON MÜLLER), sank, als er sich 1776 zu einer **Fehde mit Goethe** hinreißen ließ. Von geringerem Einfluß blieben denn auch weitere Schriften über Sprache und Dichtung. Seine germanisierenden Dichtungen fanden hingegen reichlich Nachahmer (die sog. Barden). KLOPSTOCKS Begräbnis 1803 in Ottensen/Hamburg führte seine Verehrer noch einmal zu einer kaum überbietbaren Huldigungsfeier zusammen.

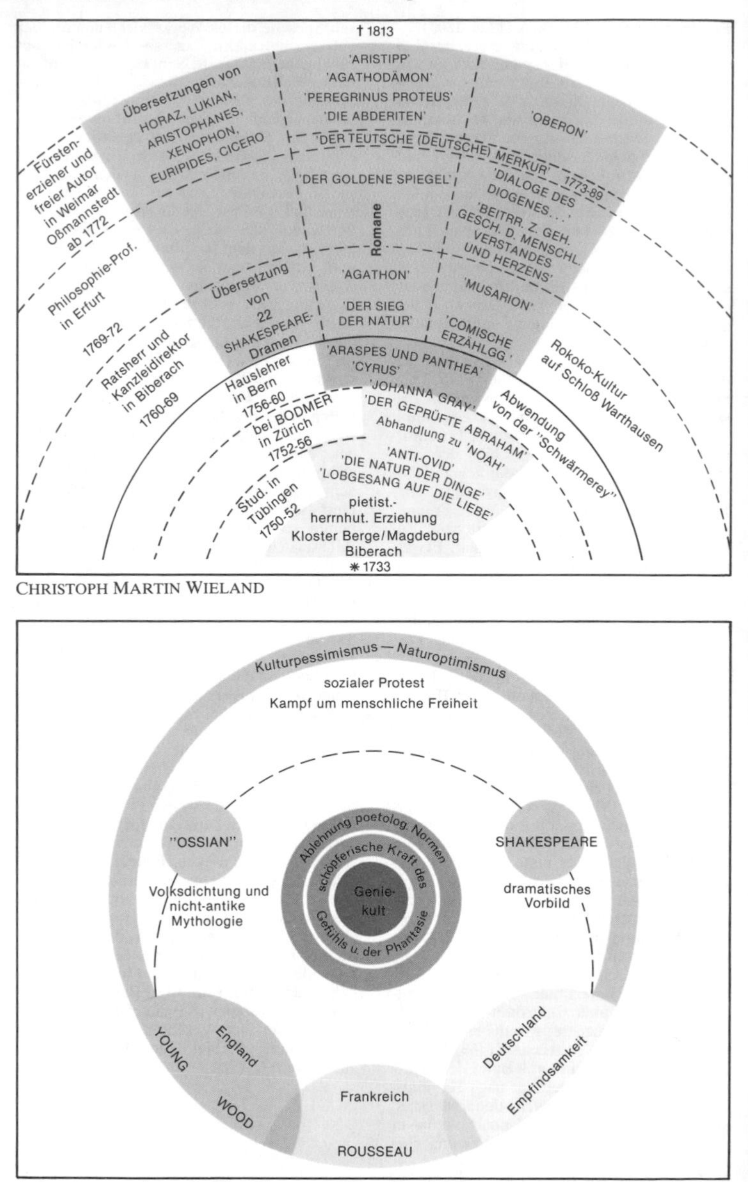

CHRISTOPH MARTIN WIELAND

Anregungen und Aspekte des ''Sturm und Drang''

Christoph Martin Wieland (1733–1813)
Eine quer zu literar. Moden verlaufende Entwicklung nahm WIELAND, nachdem er sich von BODMER gelöst hatte. Seine Jugenddichtungen ließen den Zürcher in ihm den künft. "seraph. Sänger" erwarten. Das pietist. Elternhaus in Biberach und die herrnhut. Erziehung im Kloster Berge hatten ihn zu **schwärmerisch-empfindsamer Religiosität** geführt, die sich auch in seinen Anschauungen von Liebe und Freundschaft niederschlug. In **Zürich** umwarb er BODMER zunächst, u.a. mit einer 'ABHANDLUNG VON DEN SCHÖNHEITEN DES EPISCHEN GEDICHTS "DER NOAH"' (von BODMER) und einer eigenen "Patriarchade", 'DER GEPRÜFTE ABRAHAM'. Wie bei KLOPSTOCK trafen sich aber auch diesmal die gegenseit. Erwartungen von Gastgeber und Gast nicht (vgl. S. 149). Schon 1754 verließ WIELAND BODMERS Haus, 1756 sogar Zürich ganz. Frucht der Zürcher Zeit war u.a. das bürgerl. Trauerspiel 'LADY JOHANNA GRAY' (1758). Seine **Berner Zeit,** in die auch die Verlobung mit ROUSSEAUS späterer Freundin JULIE BONDELI fällt, brachte die **Abwendung von der emphat. Schwärmerei,** wie das ep. Fragment 'CYRUS' (1759) und die Dialogerzählung 'ARASPES' (1760) bezeugen. Zu einer eigenen Lebensform und eigenem literar. Stil fand WIELAND indes erst während seiner **Biberacher Amtszeit,** die ihn in engen Kontakt mit der frz. bestimmten Rokoko-Kultur des Grafen v. STADION auf Schloß Warthausen brachte. Das **Rokoko** wurde fortan zu einer prägenden Kraft seiner Werke. Programmatisch der Titel seines 1764 vollendeten Romans 'DER SIEG DER NATUR ÜBER DIE SCHWÄRMEREY ODER DIE ABENTHEUER DES DON SYLVIO VON ROSALVA'. In den 'COM. ERZÄHLUNGEN' von 1765 travestiert er sogar in witziger Weise die griech. Mythologie.
Der **Roman** wird zur zentralen Gattung seines Schaffens. 'DIE GESCHICHTE DES AGATHON' (anonym ersch. 1766/67) bedeutet den **Beginn des dt. Bildungs- und Erziehungsromans.** Die Anregungen und Einflüsse von RICHARDSON, STERNE und FIELDING sind unverkennbar. 'DER GOLDENE SPIEGEL' von 1772, ein politisch-satir. Roman, konnte als **Fürstenspiegel i.S. des aufgeklärten Absolutismus** verstanden werden. Er empfahl WIELAND für die Stelle eines Prinzenerziehers am herzogl. **Hof zu Weimar** (bis 1775). 'DIE ABDERITEN' von 1774 richteten sich satirisch gegen das Spießbürgertum an seinen bisher. Wirkungsstätten. Von seinen **Altersromanen** sei noch der Fragment gebliebene Briefroman 'ARISTIPP UND EINIGE SEINER ZEITGENOSSEN' von 1800/01 erwähnt; familiäre und wirtschaftl. Schwierigkeiten zwangen WIELAND zur Unterbrechung seiner Arbeit an diesem Roman, den er selbst gegen alle fremden Urteile für die "schönste Blüte" seines Alters hielt. Unbestritten ist die Geltung seines Versepos 'OBERON' (erstmals 1780 veröffentl.), eine Erzählung von der Prüfung und Bewährung eines Liebespaares in einer Sagen- und Märchenwelt (u.a. stand SHAKESPEARES 'SOMMERNACHTSTRAUM' Pate).
Ein weiterer Schwerpunkt von WIELANDS Schaffen sind seine **Übersetzungen.** In der Biberacher Zeit entstanden allein Prosaübersetzungen von 22 Stücken **Shakespeares,** die zur **Grundlage der dt. Rezeption** des engl. Klassikers wurden. Seine Übersetzungen von antiken Autoren veröffentlichte er in der von ihm gegr. Zeitschrift 'ATTISCHES MUSEUM' (1796–1803), wie zuvor schon seine Monatsschrift 'DER TEUTSCHE MERKUR' der Erstveröffentlichung vieler seiner originalen Dichtungen diente (vgl. S. 138).
Nachdem sich WIELAND von der Schwärmerei seiner Jugend gelöst hatte, hielt er auch gegen "Sturm und Drang", beginnende Klassik und Romantik konstant an dem einmal entdeckten Formideal fest, das vielfach als reinste Ausprägung des dt. Rokoko gewertet wird. Das geradezu ausgewogene Verhältnis von Wertschätzung und Kritik sowohl bei LESSING wie bei GOETHE ist ein Hinweis auf die in sich ruhende Sicherheit der literar. Entwicklung WIELANDS.

"Sturm und Drang"
SHAKESPEARE, nicht zuletzt durch WIELAND einem breiteren Publikum zugänglich gemacht, ist geradezu einer der Schlachtrufe, mit denen sich eine junge Generation von Dichtern in der zweiten Jahrhunderthälfte Gehör und Anerkennung sichern will. "Sturm und Drang", der **Name dieser neuen "Epoche",** war zunächst nur die von dem Schweizer CHR. KAUFMANN gewählte Umbenennung des KLINGER-Dramas 'WIRRWARR' (s. S. 155), trifft aber die **Aufbruchstimmung** der ganzen Richtung sehr genau. In bewußter Abkehr von einer extremen Vernunftherrschaft in der Aufklärung sucht man, der **schöpfer. Kraft des Gefühls und der Phantasie** einen Weg zu bahnen. (Dennoch muß auch der "Sturm und Drang" als Phänomen der Gesamtepoche der Aufklärung gesehen werden!) Das **"Originalgenie",** der aus seinen Gemütskräften schöpfende Künstler wird kultisch gefeiert (**"Geniezeit").** Was nicht aus der Freiheit des Gefühls, der Ahnung, des Triebs hervorgebracht wird, hat keinen Anspruch auf Anerkennung. Äußerlich gesetzte Normen werden abgelehnt. Das gilt für die Ästhetik wie für die Gesellschaftsordnung. Den "Stürmern und Drängern" geht es indes nicht nur um künstler. Freiheit, sie kämpfen um Freiheiten wesentlich auch im sozialen und polit. Bereich.
Ihre **Impulse** erhalten die "Stürmer und Dränger" sowohl aus dt. wie aus westeurop. Entwicklungen. Das selbstverantwortl. Individuum ist eine **Erbschaft des Pietismus** und der Empfindsamkeit, die bereits mit **Bewegungen in England und Frankreich** einig ging.

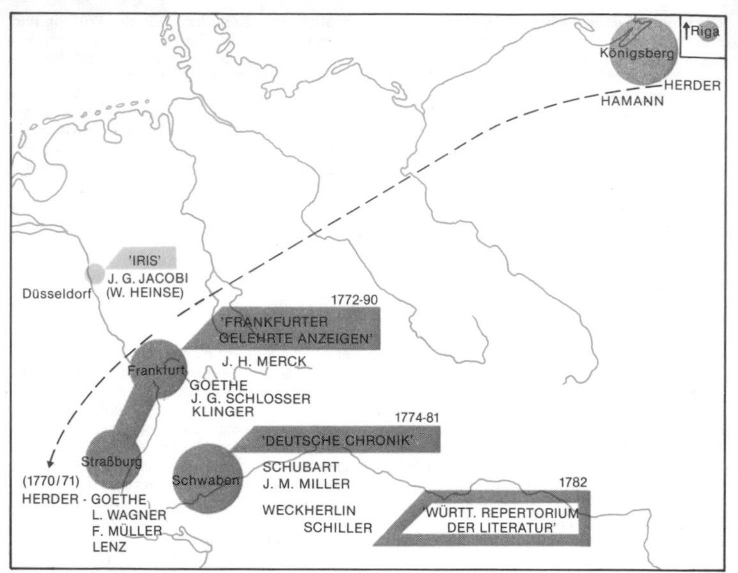

Zentren des "Sturm und Drang"

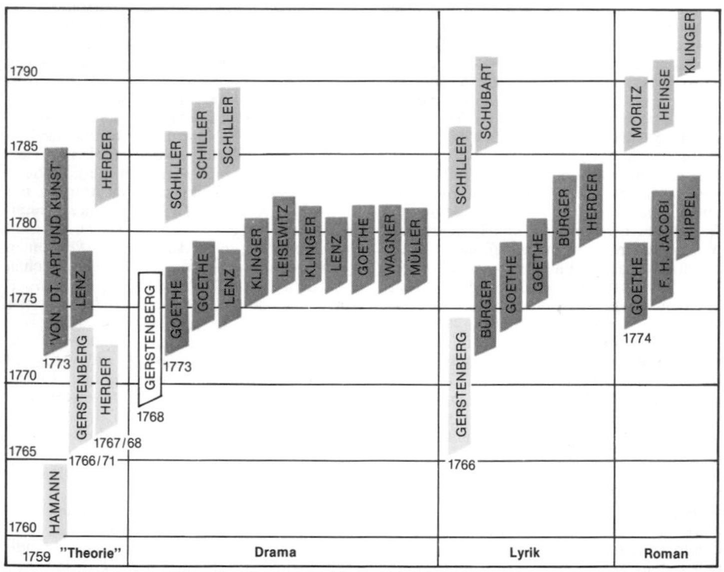

Literarische Schwerpunkte des "Sturm und Drang"

E. YOUNGS 'CONJECTURES ON ORIGINAL COMPOSITION' (1759) und R. WOODS 'ESSAY ON THE ORIGINAL GENIUS' (1769) werden zu Schlüsseltexten der jungen Deutschen. J. J. ROUSSEAUS Verherrlichung der Natur läßt jenen **Naturoptimismus** entstehen, der sich bis heute immer wieder in bes. Weise mit **Kultur-/Zivilisationspessimismus** paart. Die Erfolglosigkeit der Bemühungen um eine "natürl.", zwangfreie Gesellschaftsordnung beschränkte allerdings bereits die "Stürmer und Dränger" mehr und mehr auf theoret. und literar. Bereiche.
Aus England wuchs der neuen Richtung neben SHAKESPEARE noch ein anderes literar. Vorbild zu: die **"Volksdichtung"**, die mit einer grandiosen Fälschung eingeführt wurde. 1760–63 gab der Schotte J. MACPHERSON angeblich alte Dichtungen aus den Highlands heraus, die nach einer Hauptfigur **"Ossianische" Dichtungen** genannt wurden. Was die Neuerer an diesen Texten faszinierte, war die Empfindungswelt der Dichtungen, wie sie insbes. in den Naturbildern zum Ausdruck kam. **Elemente der nord. Mythologie** traten an die Stelle der bis dahin allein gült. antiken Mythologie.

Die Entwicklung des "Sturm und Drang"
Bevor es zu Veröffentlichungen kam, mit denen sich die "Stürmer und Dränger" als Gruppe identifizieren konnten, kündigten sich die leitenden Ideen bereits in Schriften einzelner an. Am Anfang stehen die Arbeiten des Königsbergers JOHANN GEORG HAMANN (1730–88), die in bewußt eigenwill. Sprache (die ihm den Beinamen "Magus im Norden" einträgt) die Irrationalität des realen Lebens betonen. 1759 erscheinen die 'SOKRAT. DENKWÜRDIGKEITEN', in denen er sich mit dem Aufklärungsoptimismus kritisch auseinandersetzt und die Bedeutung des Genies hervorhebt. Drei Jahre später veröffentlicht er in den 'KREUZZÜGEN DES PHILOLOGEN' seine 'AESTHETICA IN NUCE', in der er **die Poesie zur "Muttersprache des Menschengeschlechts" erklärt** und eine Zuwendung zur "natürl." Sprache des gläub. Menschen der Vorzeit, wie sie insbes. die Bibel überliefert, fordert (Ablehnung der griech. Mythologie).
"OSSIAN" zeigt 1766 seine dt. Wirkung im 'GEDICHT EINES SKALDEN' **Heinrich Wilh. von Gerstenbergs,** des lange Jahre in dän. Diensten stehenden Nordschleswigers (1737–1823), der sich in dieser Dichtung auch von der Bardendichtung KLOPSTOCKS, mit dem er zu jener Zeit in Kopenhagen verkehrte (vgl. S. 148f.), beeinflußt zeigt. Als Theoretiker feiert er in den 'BRIEFEN ÜBER MERKWÜRDIGKEITEN DER LITERATUR' (auch 'SCHLESWIGSCHE LITERATURBRIEFE' gen.) SHAKESPEARE als dramat. Vorbild, verurteilt aber gleichzeitig die WIELANDschen Übersetzungen (s. S. 151). Sein eigenes Drama 'UGOLINO' von 1768 ist indes noch ein nur vorsicht. Tasten in die Expressivität der neuen Richtung (Wahrung der "drei Einheiten").
Mit JOHANN GOTTFRIED HERDER (1744–1803) erwuchs der Geniebewegung der zweite, bestimmende Theoretiker aus Ostpreußen. Seine 'FRAGMENTE ÜBER DIE NEUERE DT. LITERATUR', die 1767/68 in Riga erscheinen, wohin HERDER 1764 als Lehrer und Geistlicher übergesiedelt war, können als Startzeichen der "Epoche" gelten. HERDER geht von LESSINGS 'LITERATURBRIEFEN' aus und versucht eine eigene Deutung der zeitgenöss. Literatur, für die auch er (ähnlich HAMANN) die **Rückkehr zur "natürl." Sprache** ("Gesang der Natur") und **nationale Originalität** fordert. Auch in den 'KRIT. WÄLDERN' (1768/69) nimmt HERDER LESSINGsche Ansichten zum Ausgangspunkt für eigene Betrachtungen des Verhältnisses von bildender Kunst und Poesie. Seine endgült. Distanz zur Aufklärung brachte eine Reise nach Paris, die er in dem erst postum veröfftl. 'JOURNAL MEINER REISE I.J. 1769' deutet. Das 'JOURNAL' enthält schon den Kern fast aller späteren Äußerungen HERDERS.
Als Reisebegleiter eines Prinzen begegnete HERDER 1770 in Darmstadt CAROLINE FLACHSLAND, seiner späteren Frau, in **Straßburg** dem damals 21jähr. GOETHE, den er für die Ideen der Geniebewegung begeistern und zu größter Produktivität i. S. des "Sturm und Drang" anregen konnte (s. S. 158).
Frucht des Zusammenwirkens und **erstes Manifest der Geniedichter als Gruppe** ist die 1773 veröfftl. Sammlung 'VON DT. ART UND KUNST', die HERDERS wichtige "OSSIAN"- und SHAKESPEARE-Aufsätze, GOETHES Preis des Straßburger Münsters 'VON DT. BAUKUNST' und die Abhandlung über 'DEUTSCHE GESCHICHTE' des Osnabrücker Politikers und Publizisten JUSTUS MÖSER (1720–94) enthält. Darin kündigt HERDER auch GOETHES 'GÖTZ VON BERLICHINGEN' an, der die erste reine Ausprägung des "Sturm und Drang"-Dramas (1773) wird.
In Straßburg wirken ferner MICHAEL REINH. LENZ, LEOPOLD WAGNER und FRIEDR. MÜLLER ("MALER MÜLLER") i. S. der neuen Richtung. Erst ab 1772 hat man in Frankfurt ein periodisch erscheinendes Organ, das JOH. HEINR. MERCK redigiert und in dem auch GOETHES Schwager JOH. GEORG SCHLOSSER publiziert. Aber auch die "Frauenzeitschrift" 'IRIS' des J. G. JACOBI (Bruder des F. H. JACOBI) veröffentlicht Texte des "Sturm und Drang" (vgl. S. 169). 1774 kommt es in Düsseldorf zur Zusammenarbeit zwischen JACOBI und WILH. HEINSE.
Eine **jüngere Gruppe** der Geniebewegung sammelte sich **in Schwaben** um SCHUBART, W. L. WECKHERLIN (WEKHRLIN) und SCHILLER. CHRISTIAN FRIEDR. DANIEL SCHUBART (1739–91) begründete die 'DT. CHRONIK', die nach seiner willkürl. Verhaftung und Festset-

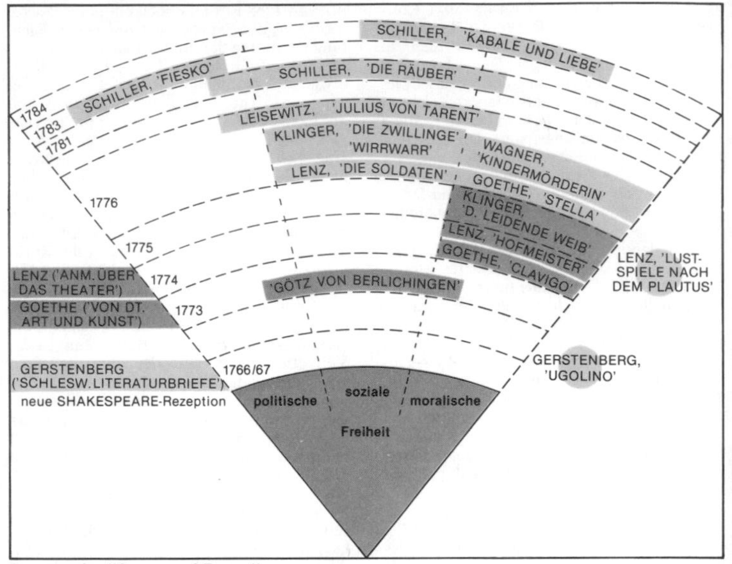

Dramen des "Sturm und Drang"

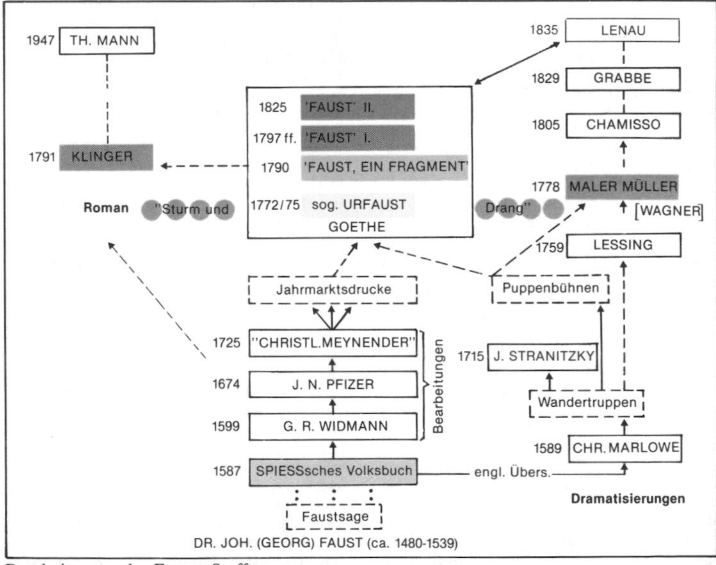

Bearbeitungen des FAUST-Stoffs

zung auf dem Hohenasperg (1777) von JOH. MARTIN MILLER weiter herausgegeben wurde (vgl. S. 156). SCHILLERS Versuch mit einer eigenen Zeitschrift, in der er seine Werke anzeigte, war nur ein kurzes Leben beschieden.

Zum Drama des "Sturm und Drang"

Wesentl. Gattung der Geniebewegung ist das Drama. In ihm manifestiert sich am deutlichsten der über das Literarische hinausstrebende **Wille zu radikalen Veränderungen der moral. und gesellschaftl. Normen.** Dem Drama ist auch eine Reihe von theoret. Überlegungen gewidmet, angefangen bei GERSTENBERGS 'SCHLESWIGSCHEN LITERATURBRIEFEN', die die **neue Shakespeare-Rezeption** begründen, bis zu SCHILLERS 'SCHAUBÜHNE ALS MORAL. ANSTALT' von 1784, in der das Theater sogar zum "Supplement" ('Ergänzung') der Gesetze und der Religion erklärt wird. Zentrale Idee des neuen Dramas ist der Kampf um die Freiheit des "Naturmenschen" gegen die Zwänge der vorfindl. polit., sozialen und moral. Situation.

Ein histor. Exemplar der urwüchs. Persönlichkeit führt bereits GOETHES erstes Drama, der 'GÖTZ' (1773; Urfassung 1771), vor. Seinen Helden läßt der Autor allerdings nicht zuletzt an einer anderen Kraftnatur, an Adelheid von Walldorf, und ihren skrupellosen Ränken scheitern, womit die Tragik der gesamten Bewegung schon umrissen wird. Mit der Behandlung von Sprache und dramat. Form (Verzicht auf jegl. Stilisierung; Volkstümlichkeit, sozial gemischtes Personal, rascher Szenenwechsel ...) vollzog GOETHE einen radikalen Bruch mit dem klassizist. Dramenschema. Der 'GÖTZ' begründete zugleich eine Tradition von Dramatisierungen dt. Geschichte.

Mit den Dramen 'CLAVIGO' und 'STELLA' thematisiert GOETHE den Anspruch des Genies auf eine Ausnahmestellung im Moralischen, hier gegenüber den Normen der Ehe. Auch 'CLAVIGO' endet tragisch, während 'STELLA' in der urspr. Fassung noch eine optimist. Lösung vorführt (Umarbeitung 1803).

Um 1775 galt der aus Livland stammende JAK. MICH. REINH. LENZ (1751–92) neben GOETHE als der bedeutendste Dramatiker. In seinen 'ANMERKUNGEN ÜBER DAS THEATER' hatte er bereits programmatisch die Normen des frz. Theaters verworfen und eine anti-aristotel. Tradition begründet. In seinen "Komödien" von 1774 und 76 problematisiert auch er das Thema moral. und gesellschaftl. Freiheit. Schon im 'HOFMEISTER' (Bearbeitung von B. BRECHT 1950) greift er über das Motiv vom "gefallenen Mädchen" weit hinaus, wenn er ausdrücklich anstelle des Hauslehrertums öffentl. Schulen fordert; in den 'SOLDATEN' kritisiert er die Großmannssucht des Bürgertums wie die Skruppellosigkeit des Adels. LENZ' eigenes Leben endete tragisch. Die Geschichte seiner geist. Verwirrung hat BÜCHNER in seiner Novelle 'LENZ' in eindringl. Weise gestaltet. LENZ starb in Rußland in klägl. Verhältnissen.

Unter dem Einfluß von LENZ, aber auch von LESSINGS 'EMILIA GALOTTI' schrieb 1775 FRIEDR. MAXIMILIAN KLINGER (1752–1831) die Ehebruchstragödie 'DAS LEIDENDE WEIB', die sich ebenfalls gegen ständ. Diskriminierung wendet. Der Zwist zwischen Brüdern, der nicht nur als familiengeschichtl., sondern als gesellschaftl. Thema behandelt wurde, stand im Mittelpunkt gleich mehrerer Dramen dieser Jahre: in KLINGERS 'ZWILLINGEN', in LEISEWITZ' 'JULIUS VON TARENT' und schließlich in SCHILLERS 'RÄUBERN'. KLINGERS Drama wurde in einem Theaterwettbewerb dem des JOH. ANTON LEISEWITZ (1752–1806) vorgezogen; dieser Mißerfolg mit einem Drama, das ganz den Empfehlungen der LESSINGschen Dramaturgie entsprechen sollte, nahm LEISEWITZ den Mut zu weiterem dramat. Schaffen. KLINGERS 'WIRRWARR', auf amerikan. Boden vor dem Hintergrund des Unabhängigkeitskrieges spielend, ist mehr durch seinen späteren Titel, 'STURM UND DRANG' (s. S. 151), als durch seinen Inhalt, einen rührsel. Familienzwist, bedeutsam.

Gegen die Tragödie des Straßburgers HEINR. LEOPOLD WAGNER (1747–79) 'DIE KINDERMÖRDERIN', die das Gretchenschicksal behandelt, erhob GOETHE den Vorwurf des Plagiats, da er WAGNER seinen 'FAUST'-Plan anvertraut hatte; doch waren die Motive zu diesem Stück auch schon in anderen Dichtungen der Zeit zu finden.

Zu einer Zeit, da GOETHE bereits an 'IPHIGENIE' und 'WILHELM MEISTER' arbeitet, tritt der um zehn Jahre jüngere SCHILLER mit seinen "Sturm- und Drang"-Dramen hervor, in denen noch einmal das ganze Spektrum der Freiheitsidee der Geniebewegung aufscheint: Sowohl die 'RÄUBER' als auch 'KABALE UND LIEBE' (urspr. Titel: 'LUISE MILLERIN') entwickelten den in ihnen verhandelten Fall zur exemplar. Abrechnung mit der Ungerechtigkeit der zeitgenöss. Gesellschaftsordnung: in den 'RÄUBERN' als Rebellion aus "sittl. Verzweiflung", in 'KABALE' als tragisch wirkungsloser Protest gegen den Absolutismus. 'DIE VERSCHWÖRUNG DES FIESKO ZU GENUA' stellt mit ihrer Verkörperung eines republikan. Freiheitsideals in dem Aristokraten Fiesko und seinem Kampf gegen eine entartete Diktatur gleichsam eine Vorstufe dar zur reinsten Ausprägung des bürgerl. Ethos in 'KABALE UND LIEBE'.

Als Idealfigur des genialisch strebenden Menschen mußte den "Stürmern und Drängern" die Figur erscheinen, die zudem durch ihre Überlieferung der Suche nach volkstümlich-urwüchs. Quellen der Kultur in der eigenen Vergangenheit sehr entgegenkam: **Faust,** der Held des "Volksbuchs" von 1587 (s. S. 88f.). Schon LESSING hatte in seinem FAUST-Fragment ein dt. "Volksdrama" vorführen wollen (s. S. 143). Die "Stürmer und Dränger" spürten in der FAUST-Geschichte das Dämonisch-Titanische auf. GOETHE lernte den Stoff durch Spätformen der FAUST-Tradition kennen: durch Jahrmarktsdrucke auf der Basis der letzten Bearbeitung des "Volksbuchs" durch den Anonymus "CHRISTLICH MEYNENDER" und durch Puppenspiele, die die Tradition der Wandertruppen nach den einschneidenden Theaterreformen (s. S. 137ff.) weiterführten. Zwischen 1772 und 75 entstand sein 'URFAUST' (erst 1887 entdeckt), aus dem er u.a. auch WAGNER vorlas, woraus er dann jenen Plagiatsvorwurf (s.o.) ableitete. 1778 schrieb F. MÜLLER ("MALER M.") das dramat. Fragment 'FAUSTS LEBEN', dem er 1823 mit der Rettung von Fausts Seele einen neuen Schluß gab. Die ep. Überlieferung griff KLINGER auf, als er 1791, da bereits das GOETHESche Fragment vorlag, den Stoff als Roman, 'FAUSTS LEBEN, TATEN UND HÖLLENFAHRT', gestaltete. GOETHE selbst arbeitete an dem Thema bis zu seinem Lebensende (s. S. 188ff.). Es regte bis in die jüngste Vergangenheit Dramatiker wie Epiker zu immer neuen Bearbeitungen an.

Zur Lyrik des "Sturm und Drang"

Im Bereich der Lyrik gewinnt durch die "Stürmer und Dränger" nach Vorläufern im Spätbarock und in der Empfindsamkeit die **persönl. Gefühls- und Erlebnisdichtung** endgültig die Oberhand. Ihre Hauptform ist das **Lied,** in Sprache und Rhythmus individuell gestaltet und – von archaisierenden Stilisierungen (Nachahmung von Minnesang und HANS-SACHS-Versen) abgesehen – stets um die "Naturform" der gesprochenen Sprache und um die Übereinstimmung der äußeren Form mit dem Gehalt bemüht. Der poet. Gehalt aber sollte nach GOETHE "der Gehalt des eigenen Lebens" sein.

Von großem Einfluß wurde **histor. Liedgut,** vor allem das "Volkslied", dessen Ansehen durch die Vermittlung des "OSSIAN" (s. S. 153) und die 'RELIQUES OF ANCIENT ENGLISH POETRY' des TH. PERCY (1765) wieder stark gestiegen war. **Herder** hat den **Begriff "Volkslied"** 1771 als Lehnübersetzung von engl. *popular song* eingeführt und 1778 eine erste Sammlung so bezeichneter Lieder der verschiedensten Herkunft ediert (1807 als 'STIMMEN DER VÖLKER IN LIEDERN' neu hg.). Diese Sammlung wurde Vorbild zahlreicher weiterer Sammlungen, vor allem der Romantiker (s. S. 181f.). Zu HERDERS Ausgabe trugen GOETHE, LESSING, LAVATER u. a. bei.

Als histor. Form gewann insbes. die spätmittelalterl. **Ballade** an Bedeutung. Der Ruhm, die Balladenform für die Kunstlyrik entdeckt zu haben, gebührt dem "Hainbund"-Mitglied CHRISTOPH HEINR. HÖLTY (1748–76; 'ADELSTAN' und ‚DIE NONNE' 1772/73). Vorbildcharakter erhielt die Ballade 'LENORE' (1773) des GOTTFR. AUG. BÜRGER (1747–94), der indes noch mehr für seine revolutionären Texte, lange vor der Frz. Revolution, zu würdigen wäre (nach einem von SCHILLER zu verantwortenden Vergessen, erst von HEINE in 'DIE ROMANT. SCHULE' wiederentdeckt).

Hymnen und **Oden** werden aus ihrer rationalist. Bestimmung als Gedankenlyrik befreit und ebenfalls gefühlsbetonten Inhalten gewidmet. **Goethe** setzt hierin 1774 mit 'MAHOMETS GESANG' und 'ADLER UND TAUBE' Zeichen (seine "Sturm- und Drang"-Hymnen 'WANDERERS STURMLIED', 'GANYMED', 'PROMETHEUS' und 'SCHWAGER KRONOS', 1772–74 entst., werden erst ab 1785 veröfftl.). SCHILLERS Jugendgedichte, die er selbst in der 'ANTHOLOGIE AUF DAS JAHR 1782' herausgibt, hauptsächlich der Odenform verpflichtet, lassen seinen Weg vom Ideal KLOPSTOCKscher Lyrik zum "Sturm und Drang" erkennen.

Die **Ode als polit. Dichtung** gestaltet **Schubart.** Tyrannenhaß und Freiheitsdrang dokumentieren 1785/87 seine 'SÄMTL. GEDICHTE MIT VORBERICHT AUF DER FESTE ASPERG' (wo SCHUBART gefangengehalten war; s. S. 153).

Ein Höhepunkt der Erlebnislyrik des "Sturm- und Drang" sind zweifellos **Goethes "Friederiken-Lieder"** 1770/71, die aus der Liebe des Straßburger Studenten zu FRIEDERIKE BRION im Pfarrhaus zu Sesenheim entstanden (u.a. 'ES SCHLUG MEIN HERZ, GESCHWIND ZU PFERDE' und 'MAILIED').

Romanschaffen "zwischen" den Epochen

Mit **Klingers 'Faust'-Roman** von 1791 (s.o.) ist bereits der Endpunkt des Romanschaffens der "Stürmer und Dränger" bezeichnet, das keineswegs (wie deren dramat. Kunst) zu einer "Epoche" wurde. Schon über die Zuordnung von **Goethes Briefroman 'Die Leiden des jungen Werthers'** (1774, 2. Fassung 1787), läßt sich streiten, da er neben Gesellschaftskritik und Natursehnsucht auch eine Steigerung der "Empfindsamkeit" begründet, die geradezu epidem. Folgen für die nationale wie europ. Kultur hatte ("Wertherismus": Werther-Mode, Selbstmordwelle; zahlreiche Nachdichtungen, Parodien). Als "Zwillingsbruder Werthers" ist die Titelfigur von **Friedr. Heinr. Jacobis** Romanfragmenten von 1775/76, 'AUS EDUARD ALLWILLS PAPIEREN', bezeichnet worden, da er wie Werther zum Verkünder von ROUSSEAUS Naturglauben wird (der vollendete Roman erschien 1792). Auch JACOBIS zweiten Roman, 'WOLDEMAR' (1776), durchziehen Anschauungen der Geniekultur, doch steht am Ende eine um Harmonie bemühte Seelenerkenntnis.

Mit einigem Vorbehalt kann man im Bereich des Romanschaffens noch JOH. JAK. WILH. HEINSE (1746–1803) als "Stürmer und Dränger" ansehen, da er in seinen Werken die Emanzipation des Sinnengenusses preist, was ihm den Vorwurf des "ästhet. Immoralismus" eintrug. HEINSE ist zeitweilig Mither-

ausgeber der Zs. 'Iris' (s.o.), ab 1786 Vorleser und Bibliothekar des Erzbischofs und Kurfürsten von Mainz. Sein 'Laïdion' von 1774 steht noch unter dem Einfluß Wielands. Zentralfigur seines Hauptwerks 'Ardinghello' (1787 nach einer Italienreise geschrieben) ist ein Renaissancemensch des 16. Jhs. Heinse entwirft eine an der griech. Polis orientierte utop. Gesellschaft, in der sich die erotisch geprägten Ideale der Kraft und Schönheit verwirklichen sollen.
Trotz geist. Nähe ihres Autors zu Herder und Hamann überwiegen in den Romanen des Ostpreußen Theodor Gottl. von Hippel (1741–96) pietist. Elemente und didakt. und satir. Absichten, letztere gleichsam eine Vorwegnahme der romant. Ironie. Sterne ist literar. Vorbild für Hippels Hauptwerk, 'Lebensläufe nach aufsteigender Linie' (1778–81), das um das Thema von Tod und Vergänglichkeit kreist. Sein Beitrag zu den Don-Quichotiaden ist bereits erwähnt worden (s. S. 141): 'Kreuz- und Querzüge des Ritters A bis Z' von 1793/94. Eine psycholog. Analyse der Geniekultur, die bereits deutl. Distanzierung und eigene Ansätze zu klass. Literatur enthält, ist der autobiograph. Roman 'Anton Reiser' (1785–90) des Pädagogen und Professors für Ästhetik Karl Philipp Moritz (1756–93).
Dem Romanschaffen Moritz Aug. von Thümmels (1738–1817), Joh. Karl Wezels (1747–1819), Gottfr. Aug. Bürgers (1747–94) und Joh. Jak. Engels (1741–1802) wird man schon gar nicht gerecht, wenn man sie allein einer Stilrichtung zuweist. **Thümmel** tritt bereits 1764 mit einem Werk, 'Willhelmine', hervor, das sowohl idyll. wie auch iron. Neigungen verrät. Auch sein überaus populärer Roman 'Reise in die mittägl. Provinzen von Frankreich' (10 Bde; 1791–1805), nimmt sehr versch. Anregungen auf: Rokoko, Aufklärung, Empfindsamkeit und klass. Elemente haben hier ihre Spur hinterlassen. Komik und soziales Interesse (am Bauernstand) vereinen sich in **Wezels** 'Hermann und Ulrike' (1780). Im wesentl. eine bearbeitete Übersetzung aus dem Engl. sind **Bürgers** Lügengeschichten von den 'Wunderbaren Reisen ... des Freyherrn von Münchhausen' (1786).

Widerstand gegen Empfindsamkeit und Geniekult: Ch. F. Nicolai und G. Ch. Lichtenberg

Wie sehr sich die literar. Entwicklung des 18. Jhs. differenziert, wie wenig sich die "Epochen" noch in chronolog. Folge ausprägen, wird am **Nebeneinander der Stilrichtungen und Programme** und an der Teilhabe manchen Autors an unterschiedl. Entwicklungen offenbar. Gleichzeitig mit der Blüte der Empfindsamkeit schreibt Lessing seine wichtigsten Werke. Das Rokoko als letztes Aufleuchten des Barocks bestimmt die frühen Schaffensphasen Lessings wie Goethes und wird für Wieland nach dessen Abwendung von Bodmer bestimmend (s. S. 151). Ungewollt gaben Lessing wie Klopstock wichtige Impulse für die Entstehung des "Sturm und Drang".
Die Aufklärung ist mit dem Aufkommen von Empfindsamkeit und "Sturm und Drang" keineswegs am Ende. Exemplarisch für den Versuch, eine rationalistisch fundierte Position gegen sehr verschiedenart. Strebungen zu behaupten, ist das Wirken **Christoph Friedr. Nicolais** (1733–1811), Verlagsbuchhändler und Schriftsteller in Berlin. Nicolai hatte in seinen 'Briefen über den itzigen Zustand der schönen Wissenschaften in Deutschland' (1755) ein abschließendes Urteil zum Literaturstreit zwischen Leipzig und Zürich fällen wollen, in denen er auch zusammenfaßte, was sich ihm, nicht zuletzt durch die enge **Zusammenarbeit mit Lessing und Moses Mendelssohn** angeregt, als Hauptaufgaben der Literaturkritik darstellte: Hebung des Geschmacks, Entlarvung anmaßenden Unvermögens, vorurteilsfreie Vermittlung der poet. Qualitäten des jeweils besprochenen Werks. Nicolai konnte sich für Klopstocks Dichtungen nicht begeistern, lehnte sie aber auch nicht rundweg ab. **Gegen die Schwärmerei des Pietismus** bezog er jedoch deutlich Stellung, **gegen die Intoleranz der orthodoxen Theologie** zog er kräftig zu Felde. In drei Bänden legte er 1773–76 seinen religionskrit. Roman 'Das Leben und die Meinungen des Herrn Mag. Sebaldus Nothanker' vor, der ihm nunmehr den Widerstand der Pietisten einbrachte, gefolgt von Angriffen der "Stürmer und Dränger", die sich gegen seinen Anspruch auf das Amt eines neuen Kunstrichters wehrten. So lag er bald in heftiger Fehde sowohl mit Jung-Stilling, Friedr. Heinr. Jacobi und Lavater als auch mit Herder, Goethe, Bürger und Voss. Empfindsamkeit und Geniekult waren für ihn bald untrennbar eins, das zu bekämpfen war.
Nicolai vergleichbar im Kampf **gegen Empfindsamkeit und Geniekult** ist der Naturwissenschaftler und Göttinger Professor Georg Christoph Lichtenberg (1742–99), Herausgeber u.a. des 'Göttinger Taschenkalenders'. Die von ihm zu dt. Blüte gebrachte literar. Form ist der bis heute beliebte **Aphorismus** (vor allem in seinen 'Sudelbüchern' = Tagebücher).
Das Bild des 18. Jhs. wirkt aber auch dadurch sehr facettenreich, daß landschaftl. und individuelle Sonderentwicklungen **Phasenverschiebungen** bedingen, die die Darstellung einer einzelnen Stilrichtung komplizieren. So blüht etwa die Anakreontik, die um die Jahrhundertmitte allgemein in Mode war, mit J. G. Jacobi (1740–1814) und J. A. Ittner (1754–1815) im Breisgau noch zu Beginn des 19. Jhs.

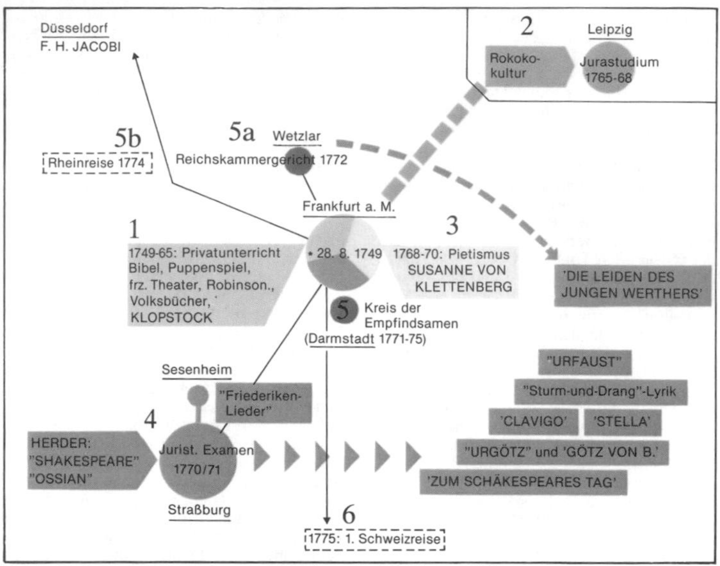

GOETHEs Lebensstationen bis zur Einladung nach Weimar (1775)

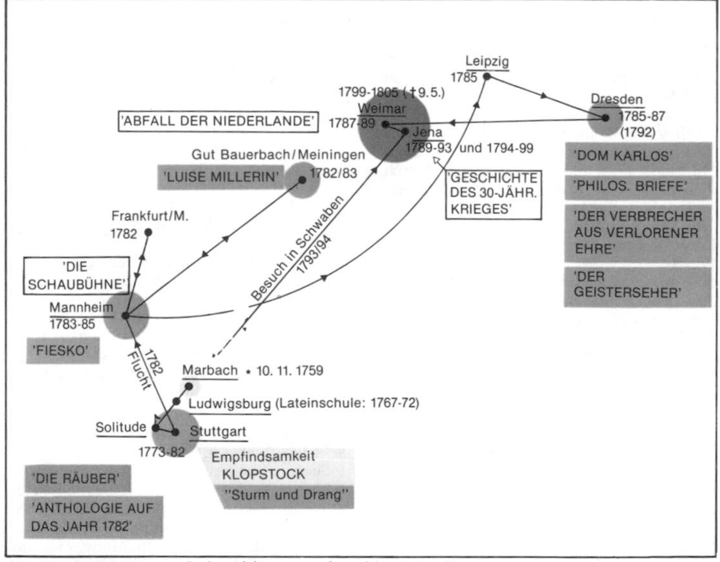

FRIEDRICH SCHILLERs Lebensitinerar und vorklassische Werke

Zu Goethes Leben vor der Weimarer Zeit

GOETHE (vgl. auch S. 153ff.) hatte vor seiner Einladung nach Weimar durch den Herzog KARL AUGUST, dem er 1774 erstmals noch als Erbprinzen, in Frankfurt begegnet war, die konkurrierenden Stilrichtungen des Jahrhunderts kennengelernt und zumindest den "Sturm und Drang" maßgeblich beeinflußt. Wesentlich für seine literar. Entwicklung wurde die schon in frühester Jugend entwikkelte **hohe Empfänglichkeit für geist. Anregungen.** So mußte fast zwangsläufig schon die kulturträcht. Atmosphäre des Studienorts Leipzig, hier insbes. das **Rokoko,** für ihn bedeutsam werden. In Leipzig entstanden u. a. das Schäferspiel 'DIE LAUNE DES VERLIEBTEN', Oden an seinen Freund E. W. BEHRISCH und die 'NEUEN LIEDER'. Hier begann auch seine Verehrung für den Entdecker der **griech. Klassik,** WINCKELMANN (s. S. 163). Eine schwere Erkrankung, von der er sich in Frankfurt nur langsam erholte, brachte auch den Abschied vom Leipziger Rokokostil, wonach er sich, durch den Umgang mit SUSANNE VON KLETTENBERG, einer Herrnhuterin (Urbild der "schönen Seele" im 'WILHELM MEISTER'; vgl. S. 147) angeregt, mit **Naturphilosophie und Mystik** beschäftigte. Dabei entstanden schon 1769 zwei Fassungen des Lustspiels 'DIE MITSCHULDIGEN', das ein Gegenstück zu seinem Leipziger Schäferspiel werden sollte und an dem er noch in Weimar weiterarbeitete. Intensive Kontakte zu empfindsamen Kreisen pflegte GOETHE noch nach seiner Straßburger **Begegnung mit Herder,** der ihn für den **"Sturm und Drang"** gewann: in Darmstadt, wo er zwischen 1771 und 1775 häufig die "Gemeinschaft der Heiligen" aufsuchte. Sein **jurist. Praktikum** absolvierte er in Wetzlar, wo ihm die Vorbilder für seinen 'WERTHER' begegneten, CHARLOTTE ("Lotte") BUFF, der er in Liebe zugetan war, und der nach GOETHES Abreise durch Selbstmord endende C. W. JERUSALEM. In die Jahre 1774/75 fallen Begegnungen mit Menschen, die eine breite Skala geist. und künstler. Möglichkeiten repräsentieren: GOETHE reist mit LAVATER und dem Pädagogen BASEDOW zu F. H. JACOBI, er besucht JUNG-STILLING in Elberfeld, er trifft HEINSE, er befreundet sich mit F. M. KLINGER und wird von KLOPSTOCK besucht.

Auf seiner Schweizreise mit den Brüdern STOLBERG stattet er schließlich auch BODMER einen Besuch ab. Schon hier sehen wir GOETHE als den vielfältige persönl. und geist. Beziehungen nutzenden wie stiftenden Geist. Seine Verbindung mit LILI SCHÖNEMANN (Verlobung und Entlobung 1775) dokumentiert er dichterisch in den 'LILI-LIEDERN'. Sein Zürichbesuch schlägt sich u.a. in dem Gedicht 'DER ZÜRCHER SEE' nieder.

Noch vor seiner Abreise nach Weimar beginnt GOETHE die Arbeit am 'EGMONT' (s. weiter S. 163).

Schillers Lebensphasen

SCHILLERS "Verspätung" in der aktiven Teilhabe am "Sturm und Drang" (s. S. 153ff.) ist nicht allein auf den Altersunterschied zur Avantgarde dieser literar. Bewegung zurückzuführen. SCHILLER mußte sich lange den Anschluß an das literar. Leben hart erkämpfen, schon im Kasernenleben der herzogl. **Karlsschule** auf der Solitude und in Stuttgart, wo er zunächst **Jura,** dann **Medizin** studierte (1780 konnte er Regimentsmedicus werden). Gegen alle Verbote lasen die Karlsschüler Werke von A. v. HALLER, UZ, E. v. KLEIST, KLOPSTOCK, GOETHE und anderer "Stürmer und Dränger". Zur Uraufführung seiner 'RÄUBER' am **Mannheimer Nationaltheater** (1779 gegr.) mußte SCHILLER Stuttgart heimlich verlassen. Im selben Jahr, 1782, floh er endgültig ins kurpfälz. "Ausland" und mußte vorübergehend sogar nach Frankfurt ausweichen. Die Mutter eines Stuttgarter Freundes, HENRIETTE VON WOLZOGEN, nahm ihn dann auf ihrem **Gut Bauerbach** auf, wodurch er vor einem seel. und materiellen Ruin bewahrt blieb. Hier arbeitete er im wesentl. an der 'LUISE MILLERIN' (die für die – erfolgreiche – Mannheimer Aufführung 1784 von IFFLAND in 'KABALE UND LIEBE' umbenannt wurde).

1783 konnte er eine Stelle als **Theaterdichter in Mannheim** antreten. Den hier schon einmal bei einer Lesung erfolglos gebliebenen 'FIESKO' arbeitete er um. 1784 wurde er in die bedeutsame kurfürstl. "Dt. Gesellschaft" aufgenommen, vor der er seine wichtige theater- und dramentheoret. Rede hielt, die er letztgültig unter dem Titel 'DIE SCHAUBÜHNE ALS MORAL. ANSTALT' veröffentlichte (1802, vgl. S. 155).

Seine wachsenden materiellen Sorgen zwangen ihn 1785 zur Übersiedelung nach **Dresden,** wo ihn ein Freundeskreis aufnahm. Zuvor hatte er in Leipzig G. J. GÖSCHEN als neuen Verleger gewinnen können. Trotz lähmender Einsicht in seine materielle Abhängigkeit von Freunden entstanden in Dresden neben dem 'DOM KARLOS' ('DON KARLOS' 1801; heute meist 'DON CARLOS') und den 'PHILOSOPH. BRIEFEN' sowie ep. Werken ('DER VERBRECHER AUS VERLORENER EHRE' und das Romanfragment 'DER GEISTERSEHER') auch die Hymne 'AN DIE FREUDE'. Eine unglückl. Liebe gab den letzten Anstoß, Dresden wieder zu verlassen.

1787 zog SCHILLER zum ersten Mal nach **Weimar,** wo er mit **Wieland** und **Herder,** nicht aber mit GOETHE engere Kontakte pflegte (ein Treffen mit diesem in Rudolstadt 1788 blieb folgenlos). Seine in Weimar aufgenommenen **histor. Untersuchungen,** denen die 'GESCHICHTE DES ABFALLS DER VEREINIGTEN NIEDERLANDE' entsprang (1788), empfahlen ihn für eine **Geschichtsprofessur in Jena,** wo er ab 1789 wirkte. Hauptwerk seiner Jenaer historiograph. Bemühungen wurde die 'GE-

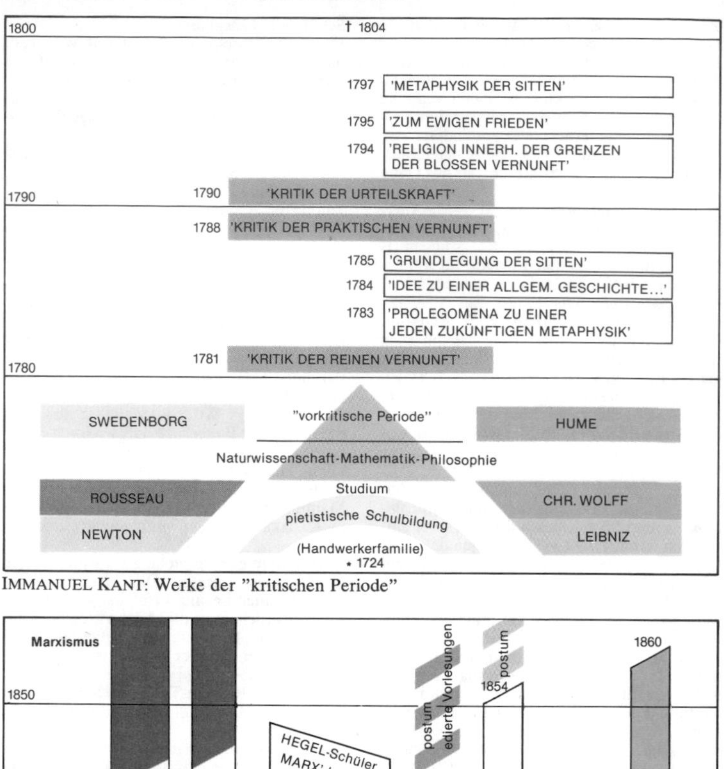

IMMANUEL KANT: Werke der "kritischen Periode"

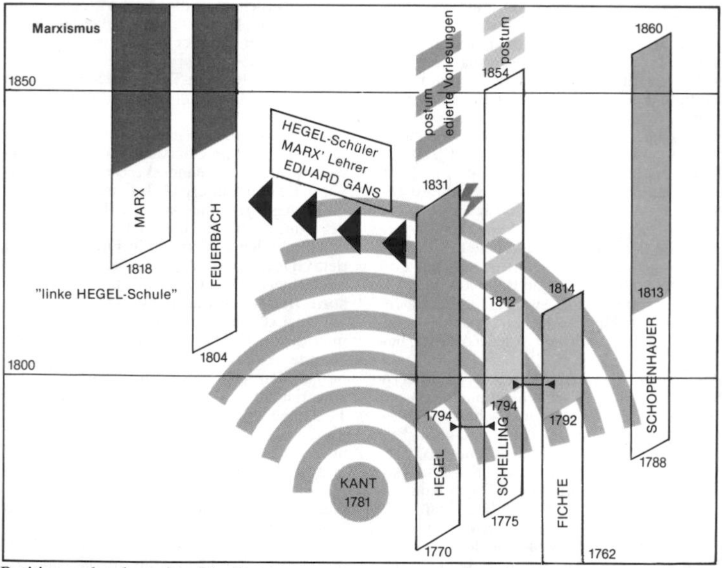

Marxismus
1850
1800
MARX
1818
"linke HEGEL-Schule"
FEUERBACH
1804
HEGEL-Schüler MARX' Lehrer EDUARD GANS
postum edierte Vorlesungen
1831
HEGEL
1794
1770
postum
1854
1812
SCHELLING
1794
1775
1814
1792
FICHTE
1762
1860
1813
SCHOPENHAUER
1788
KANT 1781

Positionen des deutschen Idealismus

SCHICHTE DES DREISSIGJÄHR. KRIEGES' (1790–92).
1790 heiratete er CHARLOTTE VON LENGEFELD. Ein Jahr später erkrankte er lebensgefährlich, wovon er sich nie mehr ganz erholte. Um so gewaltiger muß das Arbeitspensum erscheinen, das er sich noch bis zu seinem Tode zumutete (s. S. 166f.)! 1792/93 widmete er sich der **krit. Auseinandersetzung mit der Ethik und Ästhetik Kants.** Seinen Aufenthalt in Jena unterbrach er für einen längeren Besuch in seiner schwäb. Heimat. In der zweiten Jenaer Phase trat SCHILLER in **enge Beziehung zu Wilh. v. Humboldt.** 1794 bahnte sich endlich die für die dt. Klassik so bedeutsame Freundschaft mit GOETHE an. 1799 zog er endgültig nach Weimar um (s. weiter S. 163ff.).

Immanuel Kant (1724–1804)
Die tiefgreifende **Erneuerung der dt. Philosophie** durch den Königsberger IMMANUEL KANT kann in diesem Rahmen natürlich höchstens angedeutet werden. Ihre zumindest zweifache **literaturgeschichtl. Bedeutung** macht diese Andeutung aber erforderlich. Zum einen muß **Kant als Schriftsteller** gewürdigt werden, der in einer Zeit, da nicht wenige Gebildete es noch immer für unmöglich hielten, daß **in dt. Sprache** wesentl. Themen gestaltet werden könnten (erinnert sei an FRIEDRICHS D. GR. Verdammungsurteil in 'DE LA LITTERATURE ALLEMANDE', 1780, und MÖSERS Verteidigungsschrift 'ÜBER DIE DT. SPRACHE UND LITERATUR', 1781), die Fülle seiner bahnbrechenden Arbeiten in eben dieser "inferioren" Sprache schrieb. Zum andern sei der für die weitere literaturtheoret. wie -prakt. Entwicklung bedeutsamen **Grundlegung des Subjektivismus** gedacht, jener "kopernikan. Wendung" der Philosophie, nach der *"alle unsere Anschauung nichts als die Vorstellung von Erscheinung sei: daß die Dinge, die wir anschauen, nicht das an sich selbst sind, wofür wir sie anschauen ..., und daß, wenn wir unser Subjekt oder auch nur die subjektive Beschaffenheit der Sinne überhaupt aufheben, alle die Beschaffenheit, alle Verhältnisse der Objekte ..., verschwinden würden, und als Erscheinungen nicht an sich selbst, sondern nur in uns existieren können"*.
In seiner sog. **vorkrit. Periode,** d.h. in dem Schaffenszeitraum vor seinen drei großen "Kritiken", steht KANT zunächst noch unter dem Einfluß der NEWTONschen Physik, des Menschenbilds ROUSSEAUS und der Aufklärungsphilosophie von LEIBNIZ und WOLFF. In den sechziger Jahren gewinnt die Auseinandersetzung mit D. HUME und E. SWEDENBORG an Bedeutung, durch die er sich zu seiner eigenen **Transzendentalphilosophie** durchringt, in der er vom Apriori (dem Vorgegebensein) unserer Erkenntnisart ausgeht. Seine 'KRITIK DER REINEN VERNUNFT' wurde zum Ausgangspunkt des dt. Idealismus, insofern er die **Ideen als richtungweisende ("regulative") Vernunftbegriffe** definierte. Seele, Welt, Gott seien die höchsten theoret., Unsterblichkeit, Freiheit, absolute Persönlichkeit die höchsten prakt. (eth.) Ideen.
Mit seiner 'KRITIK DER URTEILSKRAFT' begründet KANT schließlich die **subjektive Ästhetik,** wonach das Geschmacksurteil nur das Wohlgefallen des Subjekts, nicht eine Eigenschaft des Objekts ausdrückt.

Der dt. Idealismus
Joh. Gottl. Fichte schloß sich als erster der KANTschen Erkenntnistheorie an. Seine 1792 anonym erschienene Schrift 'VERSUCH EINER KRITIK ALLER OFFENBARUNG' war dem Denken des Königsbergers noch so verwandt, daß sie zunächst für ein Werk KANTS gehalten wurde. 1794–95 erschienen seine grundlegenden Arbeiten über die "Wissenschaftslehre", d.i. die Lehre vom Wesen des Wissens, in der er für das erkennende Subjekt, das Ich, die Spontaneität, die Freiheit reklamiert, auch den zu erkennenden Stoff zu setzen: *"Die Wissenschaftslehre leitet sonach ohne alle Rücksicht auf Wahrnehmung, a priori ab, was ihr zufolge eben in der Wahrnehmung, also a posteriori* (im nachhinein), *vorkommen soll."* Damit begründete FICHTE den **absoluten Idealismus,** in dem der Geist alles ist ("Geistphilosophie").
1799 mußte er seine Professur in Jena wegen des Vorwurfs des Atheismus verlassen, er ging nach Berlin, wo er zum Mittelpunkt des dortigen Romantikerkreises wurde (s. S. 179). Im Widerstand der dt. Intellektuellen gegen NAPOLEON übernahm er eine führende Rolle. 1807/08 verfaßte er seine patriot. 'REDEN AN DIE DT. NATION'. 1810 wurde er der erste Rektor der neugegründeten Universität Berlin.
In Jena haben auch HEGEL und SCHELLING ihre Dozentenlaufbahn begonnen. Doch kannten sich beide bereits von ihrem theolog. Studium am Tübinger Stift, wo HÖLDERLIN der Dritte im Bunde war (s. S. 169ff.). **Friedr. Wilh. Jos. v. Schellings** Frühschriften, deren zweite den bezeichnenden Titel trägt 'VOM ICH ALS PRINZIP DER PHILOSOPHIE' (1795), stehen FICHTE sehr nahe. Auch sein 'SYSTEM DES TRANSZENDENTALEN IDEALISMUS' (1800) fußte noch auf FICHTES Lehre vom Ich. Allerdings war SCHELLING zugleich **Naturphilosoph,** was auch ihn den Romantikern eng verband: 'IDEEN ZU EINER PHILOSOPHIE DER NATUR' (1797), 'VON DER WELTSEELE' (1798) und 'ERSTER ENTWURF EINES SYSTEMS DER NATURPHILOSOPHIE' (1799). Die Synthese seiner zweifachen, gegensätzl. Ableitung des Weltganzen aus der Natur und aus dem Bewußtsein suchte er zeitweilig in der **Kunst,** dem *"einzig wahren und ewigen Organon der Philosophie"*. ('PHILOSOPHIE DER KUNST', Vorlesung 1802/03). Sein "Identitätssystem"

beschrieb er auch als "Indifferenz von Natur und Geist", nach der die Natur der sichtbare Geist und der Geist die unsichtbare Natur sein konnte.
SCHELLINGS Denken wandte sich schließlich einer pansophisch bestimmten **Religionsphilosophie** zu, z.B. in 'PHILOSOPHIE UND RELIGION' (1804). Nach 1812 hat er kaum noch etwas veröffentlicht. Seine großen Spätschriften 'PHILOSOPHIE DER MYTHOLOGIE' und 'PHILOSOPHIE DER OFFENBARUNG' wurden postum gedruckt. Bereits in den zwanziger Jahren hat er sich **kritisch mit Hegel auseinandergesetzt,** dessen Philosophie er Negativität und Rückzug auf bloße Logik vorwarf.
Tatsächlich ist das **Werk Georg Wilh. Friedr. Hegels** von dem Anspruch gekennzeichnet, alle Erscheinungen des Natur- und Geisteslebens systematisch zu erfassen, ein **Universalitätsanspruch,** der kaum ohne Vergewaltigung der zu systematisierenden Fülle der Erscheinungen einzulösen war und den der Marxismus über die Vermittlung der "linken HEGEL-Schule", wenn auch mit antiidealist. Tendenz, geerbt hat.
Zeitgleich mit SCHELLING begann HEGEL seine philosoph. Publikationstätigkeit, mit den 'FRAGMENTEN ÜBER VOLKSRELIGION UND CHRISTENTUM' (1794), die noch einen starken unmittelbaren Einfluß KANTischer Gedankengänge bezeugen. In dem gemeinsam mit SCHELLING herausgegebenen 'KRIT. JOURNAL DER PHILOSOPHIE' (1802/03) distanziert er sich jedoch schon von Einseitigkeiten KANTS, nachdem er 1801 bereits die 'DIFFERENZ DES FICHTESCHEN UND SCHELLINGSCHEN SYSTEMS DER PHILOSOPHIE' analysiert hatte. Sein erstes Hauptwerk wurde die 'PHÄNOMENOLOGIE DES GEISTES' (1806/07), in deren Vorrede er sich auch von SCHELLING lossagt. Seine 'WISSENSCHAFT DER LOGIK' (1812ff.) entstand in Nürnberg, wo er das dort. Gymnasium leitete. Als Professor in Heidelberg brachte er 1817 in erster Ausgabe seine 'ENZYKLOPÄDIE' als Grundriß seines philosoph. Systems heraus (vermehrte Neuausgaben 1827 und 1830). Ab 1818 lehrte er an der Universität von Berlin, wo er bis zu seinem Tod blieb.
Um das Denken vor einer nur subjektiven Setzung von Realität zu bewahren und dem Sein außerhalb unseres Bewußtseins sein Eigenrecht zukommen zu lassen, was er durch den *"platten Idealismus, der sich nicht auf den Inhalt einläßt"*, verhindert sah, mußte HEGEL das Denken des Menschen, das Wahrheit sein soll, zum **Denken des "Weltgeistes"** selbst erklären. Dieser aber tritt als Werden und Entwicklung des Absoluten in notwendigen Denkschritten hervor. Damit bewahrte HEGEL grundsätzlich einen Entwicklungsgedanken, den schon FICHTE ausgeprägt hatte, faßte ihn aber als **notwendige Bewegung des Absoluten,** das seine Einheit auch über Widersprüche hinweg wahren kann, indem es in einem **dialekt. Dreischritt** immer wieder zu sich selbst findet: in These, Antithese und einer Synthese, die die beiden ersten Schritte in mehrfachem Sinne des Wortes "aufhebt" ('bewahrt', 'auflöst', 'steigert').
In dieser Weise hat HEGEL auf bis zum heut. Tage nachwirkende Weise auch **Geschichte, Ästhetik, Religion und Philosophiegeschichte** zu erklären versucht. Seine Vorlesungen über diese Bereiche sind allerdings erst nach seinem Tod veröffentlicht worden.
Als Rechtfertigungsschrift des preuß. Staates ist seine 'RECHTS- UND STAATSPHILOSOPHIE' von 1821, nach der **der Staat die höchste Form des objektiven Geistes** ist, oft kritisiert worden. In der Tat liegen im HEGELschen Denken die geist. Wurzeln all jener polit. Theorien, die dem Staat wenn nicht die Pflicht, so zumindest das Recht einräumen, alle Angelegenheiten seiner Bürger letztgültig zu regeln, was eine sicher **ungewollte Perversion der histor. Anstöße des dt. Idealismus** als einer Bewegung der Emanzipation aus "selbstverschuldeter Unmündigkeit" ist.
Die Epoche des dt. Idealismus endet mit dem Tod **Arthur Schopenhauers,** der unter der Wirkung der SCHELLINGschen Philosophie die Lehre KANTS zu einer letzten Konsequenz trieb. Schon in seiner Dissertation von 1813 formuliert er den "Satz des Grundes" neu. Von den Kategorien KANTS ließ er nur die der Kausalität gelten und distanzierte sich sogar von den Anschauungsformen von Raum und Zeit. So konnte er schließlich – zugleich seine Lehre schon im Titel des Hauptwerks von 1819 zusammenfassend – **"die Welt als Wille und Vorstellung"** des Subjekts begreifen. Der Wille aber wird als blinder Daseinsdrang gefaßt, von dem sich der Mensch dauerhaft nur durch Selbsttötung (ein buddhist. Motiv) befreien kann. Eine (allerdings nur zeitweil.) Befreiung vermag auch die **Kunst** zu gewähren, in der das Genie des Künstlers die ewig gleichen Gestalten der Welt, die Ideen, zur Anschauung bringt. Mit dieser Interpretation des Kantianismus begründet SCHOPENHAUER einen die Kultur des späten 19. und beginnenden 20. Jhs. stark beeindruckenden **philosoph. Pessimismus,** der als Konsequenz der idealist. Anfänge ebenfalls nicht vorhersehbar war. Als Stilist überragt SCHOPENHAUER zweifellos die schwerfällige Kompliziertheit KANTS und HEGELS. Als einzigem Philosophen seiner Zeit sind bezeichnenderweise ihm auch einige lyr. Texte gelungen (etwa 'AUF DIE SIXTIN. MADONNA' 1815), die gleichwohl in enger Verbindung mit seinem philos. Denken blieben. (Seine Mutter, JOHANNA SCHOPENHAUER, war eine erfolgreiche Schriftstellerin, die sogar von GOETHE geschätzt wurde; ab 1806 in Weimar.)

Weimarer Klassik: Voraussetzungen und Grundbedingungen

Der philosoph. Idealismus ist eine der wesentl. Komponenten der literar. Klassik, wie sie in Weimar im Schaffen GOETHES und SCHILLERS entstand und wozu auch das Werk JEAN PAULS, FRIEDRICH HÖLDERLINS und HEINRICH VON KLEISTS gezählt werden muß. Die zeitgenöss. Philosophie schenkte der Literatur eine **neue, tiefere Auffassung von der Bedeutung der Persönlichkeit,** nachdem sie das Subjekt in den Mittelpunkt der Erkenntnismöglichkeit gerückt hatte. Sie vermittelte einen neuen Begriff sittl. Ordnung, der auf der Einsicht in das Wesen der Sittlichkeit, frei vom Zwang vorgegebener Gebote beruhte. *"Handle so, daß die Maxime deines Willens jederzeit zugleich als Prinzip einer allgem. Gesetzgebung gelten könnte",* lautete die Forderung des "kategor. Imperativs" IMMANUEL KANTS. So wurde der Idealismus zu einem **Eckstein eines neuen Humanitätsideals.** SCHILLER ist es, der sich am unmittelbarsten mit KANTS Anregungen auseinandersetzt und dabei seinen eigenen **"Vernunftidealismus"** formuliert.

"Klassik" aber war und ist zunächst einmal nur ein formaler Begriff, der die Vorbildlichkeit einer künstler. Erscheinung benennen soll. In diesem Sinne kannte schon die Antike den *classicus scriptor,* wie GELLIUS (ca. 170 n. Chr.) den herausragenden, vorbildl. Autor, unabhängig von einer Epochenzugehörigkeit, nannte. Im übertragenen Sinne wird hier eine soziale Kategorie, die Zugehörigkeit zur höchsten (röm.) Steuer-/Vermögensklasse, ins Spiel gebracht. In der weiteren Entwicklung wurde der Begriff des "Klassischen" mehr und mehr inhaltlich auf die Antike zurückbezogen, auf die **Vorbildlichkeit antiker Kunst und Kultur,** die die europ. Geistesgeschichte immer wieder angeregt hat. Rezeption, Anverwandlung antiker Vorbilder wurde zu einem entscheidenden Kriterium der Bezeichnung "klassisch" für eine nichtantike Kulturphase, die freilich selbst wieder Vorbildcharakter erlangen mußte. In diesem Sinne ist die dt., die **"Weimarer" Klassik ein ausgesprochenes Spätprodukt,** nachdem die roman. Literaturen und auch die engl. längst ihre klass. Phasen hinter sich hatten.

Italien brachte die erste, auch theoretisch reflektierte Rückwendung zur Antike hervor, die gleichsam zur Mutter aller westeurop. "Klassiken" wurde: die **Renaissance,** den Versuch einer "Wiedergeburt" der antiken Klassik. Er wirkte über drei Jahrhunderte, von DANTE (1265–1321) bis TASSO (1544–95). **Spanien** erlebte seine klass. Periode im 16./17. Jahrhundert, repräsentiert durch die Namen CERVANTES (1547–1616) und CALDERON (1600–81). Für **England** brachte das **"Elisabethan. Zeitalter"** in der zweiten Hälfte des 16. Jhs. eine klass. Literatur hervor, in deren Mittelpunkt das Schaffen SHAKESPEARES (1564–1616) steht. **Frankreichs Klassik** ereignet sich im 17. Jh. Für sie können die Namen CORNEILLE (1606–84) und RACINE (1639–99) stehen. Ihre Nachahmung in Deutschland unter GOTTSCHED bewirkte keine Klassik; hierfür bedurfte es offenbar selbständ. Rückbesinnung auf die von der Antike vorgebildeten Wesenszüge der Kunst. Die frz. Klassik konnte hingegen eine andere, lange im Schatten ihrer eigenen Vergangenheit stehende Literatur fruchtbar anregen: die **russ.,** die im 18. und zu Beginn des 19. Jhs. ihren **Klassizismus** ausprägte.

Dem nichtdt. Betrachter mag es zu Recht als Anmaßung erscheinen, wenn die dt. Germanistik, Einsichten in die Weimarer Klassik rückwärts verlängernd, für die dt. Literatur noch eine zweite klass. Epoche reklamiert: die **"stauf. Klassik"** um 1200. Natürlich hat auch diese Epoche ein gut Stück Anverwandlung der Antike geleistet, aber sicher nicht in dem umfassenden Sinn, wie es die Renaissance oder die klass. Epochen europ. Literaturen seit der Renaissance bewirkt haben. Die "Klassik" der mhd. Literatur sollte also bescheidener als Umschreibung einer Blütezeit mit unzweifelhaft vorbildl. ("klass.") Produktionen verstanden werden. (Des seinerzeit einflußreichen Germanisten W. SCHERER, 1841–86, Behauptung period. Wiederkehr klass. Höhepunkte der dt. Literatur hat sich durch die Rückverlängerung der fiktiven Linie 1800–1200 in die vorliterar. Zeit um 600 inzwischen selbst gerichtet.)

Die **Weimarer Klassik** wäre in ihrer Besonderheit kaum denkbar ohne eine Wendung im Verhältnis zur Antike, die auf das Wirken des Archäologen **Johann Joachim Winckelmann** (1717–68) zurückzuführen ist. WINCKELMANN, seit 1755 als Bibliothekar, ab 1763 auch als Verwalter der Altertümer in Rom, Florenz und Neapel tätig, lenkte den Blick der Kunstwissenschaft nach jahrhundertelanger Konzentration auf die röm. Antike nun auf die **Kunst des griech. Altertums,** in der er ein zeitloses Schönheitsideal verwirklicht sah. WINCKELMANN war darin freilich bereits älteren Anschauungen verpflichtet, die jedoch erst durch ihn ins allgem. Bewußtsein drangen: 'GEDANKEN ÜBER DIE NACHAHMUNG DER GRIECH. WERKE' (1755), 'SENDSCHREIBEN VON DEN HERKULAN. ENTDECKUNGEN' (1762), 'GESCHICHTE DER KUNST DES ALTERTUMS' (1764) sind nur einige seiner zahlreichen Schriften, in denen er seine Grundanschauungen entfaltete. Die neue Auffassung von der Antike verband sich dadurch so sehr mit seinem Namen, daß ihm noch heute die Kernformulierung des klass. Schönheitsideals als *"edle Einfalt und stille Größe"* in den Mund gelegt wird, die in Wahrheit von ADAM FRIEDR. OESER (1717–99) stammt, der sowohl auf WINCKELMANN wie auf GOETHE großen Einfluß hatte. Die durch WINCKELMANN differenzierte Sicht

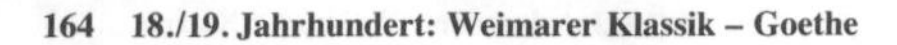

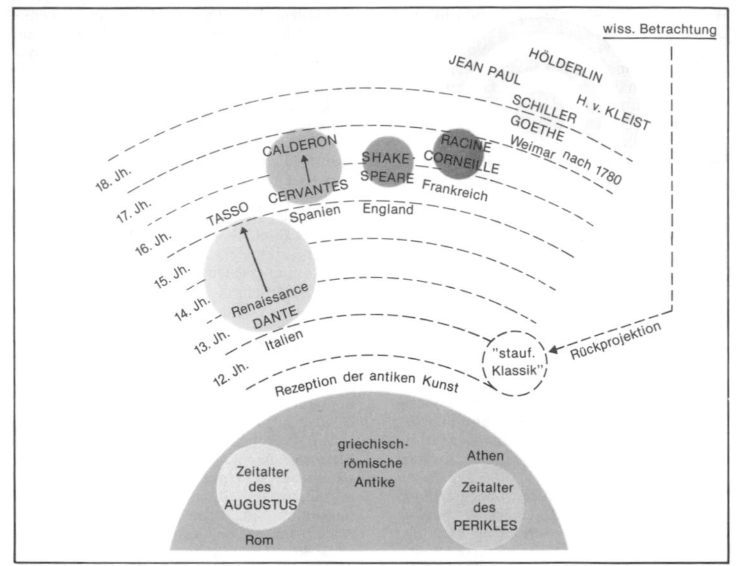

Klassische Epochen europäischer Literaturen

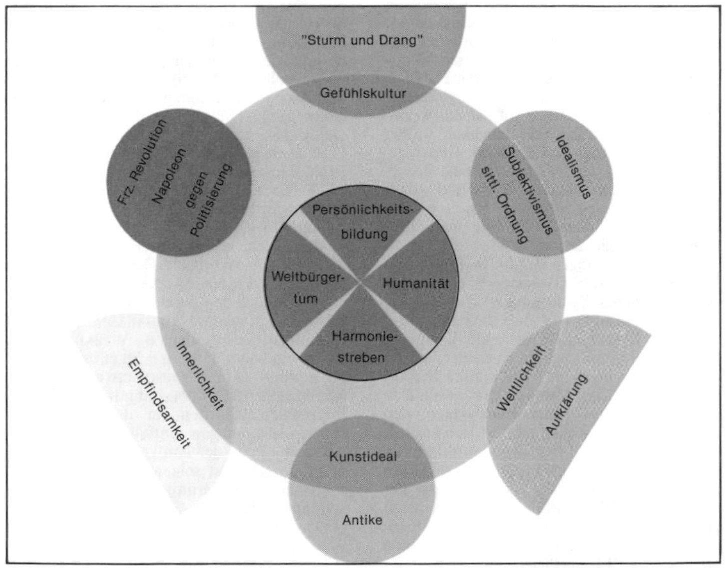

Grundkräfte der Weimarer Klassik

der Antike (er gilt als Begründer der modernen Archäologie und vergleichenden Kunstwissenschaft) ließ schließlich auch in der Antike versch. klass. Epochen hervortreten: eine griech., das Zeitalter des PERIKLES (5. Jh. v. Chr.), eine röm. unter Kaiser AUGUSTUS (um Christi Geburt).
Wie wenig sich gerade die Weimarer Klassik monokausal erklären läßt (GOETHE etwa nach BÖRNE als "Fürstenknecht" zu sehen, war auch in der DDR nur eine vorübergehende Blickverengung), wird nicht zuletzt aus ihrer Verflechtung mit unterschiedl. geist. Strömungen des 18. Jhs. ersichtlich. Der Subjektivismus der idealist. Philosophie hat seine vielfält. Verwandten in Grundpositionen der pietistisch bestimmten Empfindsamkeit und deren exzessiver Steigerung im "Sturm und Drang". Der Wandel GOETHES vom "Stürmer und Dränger" zum Autor der Klassik läßt sich als **Bändigung des Gefühlskults zur Gefühlskultur** beschreiben, an dessen Ende das als antik gedeutete **Ideal einer harmon. Persönlichkeit** steht. Wie wichtig gerade für GOETHE persönl. Beziehungen waren, ist bereits angedeutet worden. Auch für seinen Läuterungsprozeß zum klass. Dichter waren mitmenschl. Bezüge entscheidend: so die Freundschaft des Herzogs KARL AUGUST, die ihm in Weimar einen Lebensraum schenkte, in dem sich seine Anlagen voll entfalten konnten; so auch die von seiner Ankunft in Weimar an langjähr. Verbindung mit CHARLOTTE VON STEIN, die für GOETHE zu einer unschätzbaren Erziehung zu Maß und Form wurde. Daß das durch diese Einflüsse gewonnene In-sich-Ruhen des Klassikers auch ein durchaus gefährdetes, mit Mühe bewahrtes Gleichgewicht war, bezeugt die Schroffheit, mit der GOETHE so manche seinem Ideal fremde Kraft von sich fernhielt, indem er auch enthusiast. Bewunderer von sich stieß, oder die Vorsicht, mit der er manche neue Beziehung reifen ließ, wofür das Verhältnis zu SCHILLER ein deutl. Beleg ist (s. S. 159). Auch die Beziehungen zu HERDER, den GOETHE schon 1776 von Bückeburg als Generalsuperintendenten nach Weimar bestellen ließ, blieben nicht ohne Probleme.
Einer aktuellen Entwicklung hat sich GOETHE bis an sein Lebensende widersetzt und darin eine klare Trennlinie zwischen Klassik und einer wesentl. Tendenz der Romantik gezogen: der im Gefolge der NAPOLEONischen Kriege (ab 1803) um sich greifenden Politisierung des Denkens i. S. des neuen Nationalismus. In dieser Hinsicht vertrat GOETHE (wie SCHILLER) das **Ideal eines Weltbürgertums,** was um so erstaunlicher erscheinen mag, als dies aus der Position eines Beamten geschah, der die Enge dt. Kleinstaaterei genau kannte, aber vielleicht gerade deswegen jeder neuen Begrenzung, auch wenn sie größere Einheiten schuf, mißtraute.
Bei der gemeinsamen Arbeit, die die Weimarer Klassik begründet, ergänzten sich GOETHE und SCHILLER in fruchtbarer Spannung, weil sie von sehr versch. Voraussetzungen aus dachten. Auf SCHILLERS "Vernunftidealismus" als Folge seiner Auseinandersetzung mit KANT ist schon verwiesen worden. Demgegenüber könnte man GOETHES Grundhaltung der Einbettung allen Geschehens, auch des tragisch gedeuteten Menschenlebens, in den harmon. Ausgleich kosm. Gesetze eher als "Naturidealismus" bezeichnen. SCHILLER hielt am Dualismus seines Menschenbildes fest, den er als Polarität von Freiheit und Form, als dynam. und lebenserhöhende Spannung oft größter Gegensätze faßte.

Goethe in Weimar
Die geist. Fülle der klass. Dichtung GOETHES ist wesentlich aus seiner **fast alle Lebensbereiche umspannenden Tätigkeit** in Weimar zu begreifen, die ihn weit über einen "Hofdichter" erhebt. Schon 1776 nimmt er im Rahmen seiner Verwaltung des Kupfer- und Silberbergwerks Ilmenau **geolog. und mineralog. Studien** auf (Abh. über den Granit 1784). Seit 1776 ist er **Mitglied des Geheimen Consiliums.** 1779 wird er Leiter der **Weimarer Kriegskommission und der Straßenbauverwaltung.** 1781 beginnt er **anatom. Studien,** im Verlauf derer er drei Jahre später den menschl. Zwischenkieferknochen entdeckt. 1782 wird ihm die Leitung der obersten **Finanzbehörde** übertragen. Erst 1788 läßt er sich weitgehend von Amtspflichten entbinden.
Ab 1785 widmet er sich auch **botan. Studien,** die zu Schriften über die "Metamorphose der Pflanzen" (1790 und 98) führen. Bezeichnenderweise entdecken GOETHE und SCHILLER 1794 bei einem Gespräch über die "Urpflanze" ihre gemeinsamen Interessen. Fast zwei Jahrzehnte befaßt sich GOETHE mit einer neuen **Farbenlehre** (Aufsätze und Schriften ab 1793). Er pflegt intensive **Kontakte zu bildenden Künstlern,** so zu CHODOWIECKI und TISCHBEIN. 1803 erhält er die **Leitung der Bibliothek und der naturwissenschaftl. Universitätsinstitute in Jena.**
Für die literar. Entwicklung im engeren Sinne wichtig wird die **Direktion des Weimarer Hoftheaters,** die GOETHE 1791–1817 innehat. Nach seiner Erneuerung wird dieses Theater 1799 mit der Aufführung von SCHILLERS 'WALLENSTEIN' eingeweiht, in ihm läßt GOETHE aber auch durch eine ungeschickte Inszenierung KLEISTS 'ZERBROCHENEN KRUG' gründlich scheitern (1808).
Die Weimarer Zeit bis zu SCHILLERS Tod ist aber auch vielfältig unterbrochen durch **Reisen Goethes,** von denen manche politisch-histor. wie geistesgeschichtl. Wendepunkte markieren. 1777 besucht GOETHE J. G. JACOBI in Düsseldorf, nachdem er dort drei Jahre zuvor dessen Bruder aufgesucht hatte (s. S. 158f.). Im gleichen Jahr unternimmt er

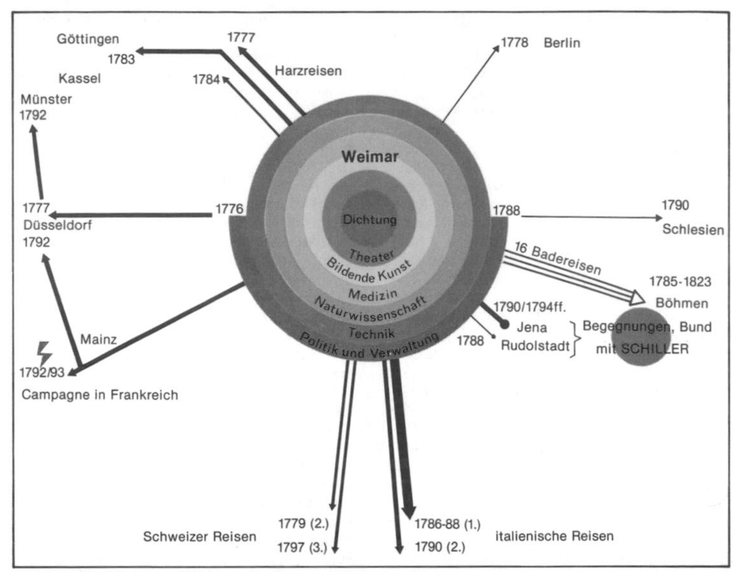

GOETHE in Weimar: Wirkungskreise und Reisen

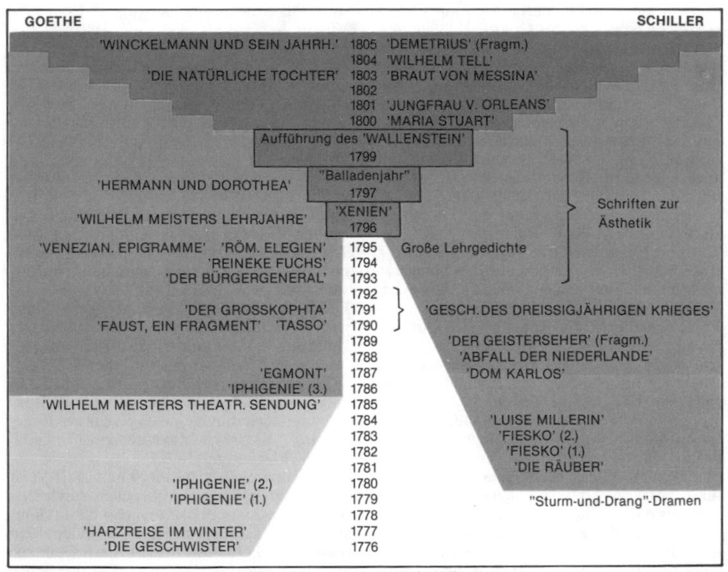

Werke der Weimarer Klassik bis zu SCHILLERs Tod (1805)

seine 1. Harzreise, wovon die 'HARZREISE IM WINTER' zeugt. 1779 reist er zum zweiten Mal in die Schweiz (1. Schweizreise 1775; s. S. 158f.), wobei es u.a. zu erneuter Begegnung mit BODMER und LAVATER kommt. 1783 verlängert er eine 2. Reise in den Harz nach Göttingen und Kassel; dabei ergeben sich Treffen mit GLEIM und LICHTENBERG.
1786–88 tut GOETHE seine wohl folgenreichste Reise: über Verona, Padua, Venedig nach Rom, weiter nach Neapel (mit einer Vesuvbesteigung) und zurück über Florenz. Auf dieser Reise nimmt er die **Antike** unmittelbar wahr und läßt sie endgültig zum bestimmenden Moment seines Schaffens werden. Noch auf der Reise arbeitet er die 1779 in Prosa, 1780 in freien Rhythmen geschriebene **'Iphigenie'** in Jambenverse um, vollendet den **'Egmont'**, beginnt ein Odysseus-Drama ('NAUSIKAA'-Fragment) und schreibt den 'RÖM. KARNEVAL'. Heimgekehrt läßt er die **italien. Anregungen** mächtig weiterwirken: 1790 schließt er den **'Tasso'** ab, dichtet seine **'Röm. Elegien'** und – nach einer kürzeren 2. Italienreise – die **'Venezian. Epigramme'** (1795/96 veröfftl.). Seine stetige Arbeit am "Faust"-Thema dokumentiert sich in der ersten von ihm hg. Formung, in 'FAUST, EIN FRAGMENT'.
1792, zu Beginn des 1. Koalitionskrieges Preußens und Österreichs gegen das revolutionäre Frankreich, begleitet GOETHE den Herzog auf der **"Campagne in Frankreich":** Er wird selbst über das Feldlager bei Longwy und die Kanonade von Valmy berichten, auch über die Belagerung von Mainz. Dazwischen aber fand er noch Gelegenheit, über Düsseldorf nach Münster zur **Fürstin Gallitzin** zu reisen, dem Mittelpunkt eines sehr aktiven kath. Zirkels, der sich der Auseinandersetzung mit den zeitgenöss. philosoph., relig. und literar. Entwicklungen widmete (F. VON FÜRSTENBERG, F. L. ZU STOLBERG; selbst HAMANN wurde noch angezogen; Verbindungen zum niederländ. Philosophen HEMSTERHUIS und zu M. CLAUDIUS; vgl. S. 168f.). Die unmittelbare Begegnung mit Auswirkungen der Frz. Revolution schlug sich bei GOETHE in den Dramen 'DER GROSSKOPHTA' und 'DER BÜRGERGENERAL' nieder. Das erste knüpft an einen äußeren Anlaß der Revolution an, die sog. Halsbandaffäre, das zweite will einen bramarbasierenden Revolutionsdilettanten schmähen.

Der Freundschaftsbund mit Schiller

1794 kommt es in Jena zu jener denkwürd. Begegnung mit SCHILLER, die den Freundschaftsbund bis zu dessen Tod begründet. Sie regt GOETHE zum Abschluß von 'WILHELM MEISTERS LEHRJAHREN' und zur Fortsetzung seiner Arbeit am FAUST-Thema an. Es entstehen das Epos 'REINEKE FUCHS' und die Novellen unter dem Titel 'UNTERHALTUNGEN DEUTSCHER AUSGEWANDERTEN'. J. H. VOSS und HÖLDERLIN besuchen ihn, 1795 beginnt die Freundschaft mit WILHELM VON HUMBOLDT.
1796 wird das Jahr, in dem GOETHE und SCHILLER erstmalig gemeinsam literarisch tätig sind, mit den 'XENIEN', d.s. satir. Distichen, Doppelverse gegen literar. Gegner (*X.* griech., 'Gastgeschenke', zuerst bei MARTIAL im 1. Jh. n. Chr. als literar. Titel verwendet).
1797 geht als **"Balladenjahr"** in die Literaturgeschichte ein: GOETHE wie SCHILLER dichten ihre schönsten Balladen, darunter 'DER ZAUBERLEHRLING' (GOETHE) und 'DIE KRANICHE DES IBYKUS' (SCHILLER). 'XENIEN' wie Balladen werden jeweils ein Jahr später in SCHILLERS 'MUSENALMANACH' veröffentlicht, nach der 'THALIA' und den 'HOREN' SCHILLERS drittes Periodikum, das für die Dichtung und Theorie der Klassik bedeutsam wurde (auf sein kurzleb. 'WÜRTTEMBERG. REPERTORIUM' ist bereits früher hingewiesen worden; s. S. 152f.). GOETHE wie SCHILLER haben aber auch wichtige Beiträge in der 'ALLGEM. LITERATURZEITUNG' publiziert, die 1804 auf GOETHES Anregung hin neugestaltet wird. BERTUCHS und KRAUS' 'JOURNAL' spielt insofern eine bes. Rolle, als es sich bewußt an die wachsende Zahl gebildeter Frauen wendet. 1807 gründen GOETHE und H. MEYER, ein schweizer. Maler und Kunstschriftsteller, 'DIE PROPYLÄEN', die hauptsächlich der bildenden Kunst gewidmet sind. Eine Fortsetzung veranstalten beide Herausgeber 1816 mit der Zeitschrift 'ÜBER KUNST UND ALTERTUM' (bis 1832).
Schiller hatte sich dem klass. Ideal durch eine Reihe **theoret. Schriften** genähert. In der 'NEUEN THALIA' war 1793 seine ästhet. Abhandlung 'ÜBER ANMUT UND WÜRDE' erschienen. 1795 veröffentlichte er in den 'HOREN' 'ÜBER DIE ÄSTHET. ERZIEHUNG DES MENSCHEN . . .', 1795/96 'ÜBER NAIVE UND SENTIMENTAL. DICHTUNG' gleichzeitig mit seinen großen Lehrgedichten **("Gedankenlyrik")**, darunter 'DAS IDEAL UND DAS LEBEN'.
1797 unternahm GOETHE seine 3. Schweizreise. Unterdessen war auch sein Epos in Hexametern 'HERMANN UND DOROTHEA' vollendet. SCHILLER hingegen rang seiner Krankheit fast Jahr für Jahr ein neues Drama ab, bis ihm der Tod über der Arbeit am 'DEMETRIUS' die Feder aus der Hand nahm. Im Mittelpunkt seiner **klass. Schauspiele** stehen histor. Personen (auch die fiktiven Gestalten der 'BRAUT VON MESSINA' sind vor einen histor. Hintergrund gestellt), deren Charakter und Schicksal der **Idee der Freiheit** untergeordnet werden, die auch im Untergang der Person triumphiert und die Tragik überwindet **("Ideendramen").** Wie GOETHES Tragödie 'DIE NATÜRL. TOCHTER' aus dieser Zeit sind SCHILLERS Dramen in Jamben gedichtet. In der 'BRAUT VON MESSINA' versucht er, den antiken Chor, der die Handlung reflektierend begleitet, wiedereinzuführen.

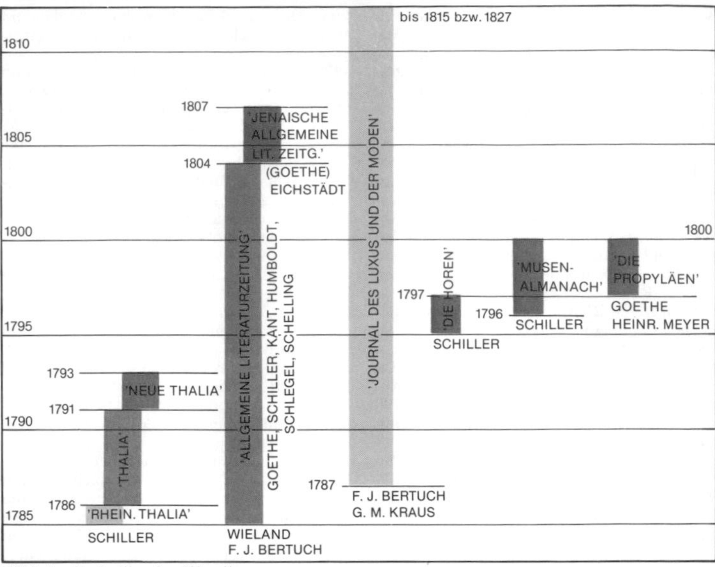

Wichtige Periodika der Klassik

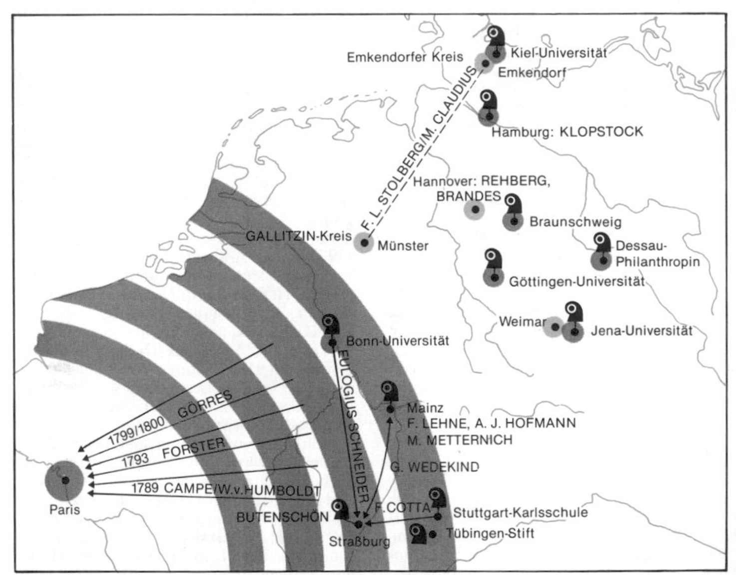

Deutsche Reaktionen auf die Französische Revolution

Am Ende der gemeinsamen Zeit kann **Goethe** seine Sammlung **'Winckelmann und sein Jahrhundert'** abschließen, in der er eigene und fremde Urteile über WINCKELMANN nebst Briefen des wichtigen Anregers der Klassik als **Manifest der Epoche** zusammenfaßt (s. weiter S. 188ff.).

Dt. Reaktionen auf die Französ. Revolution

Die extremste **Ablehnung** erfuhr die Französ. Revolution durch H. JUNG-STILLING (S. 147), der sie als bibl. Apokalypse deutete. GOETHES Abwehrhaltung wurde schließlich auch von HERDER und WIELAND geteilt, der nach anfängl. Sympathie zuletzt von einer "Revolution ohne Vernunft" sprach. Damit stimmte auch der kath. Münsteraner Kreis um die Fürstin GALLITZIN und sein pietist. Pendant auf Schloß Emkendorf überein, das stark von M. CLAUDIUS beeinflußt war.

Begeisterung für die Revolution entstand hingegen an vielen Universitäten und an aufklärungsorientierten Bildungsanstalten wie der in Braunschweig und Dessau. Despot. Druck sorgte auch an der Stuttgarter Karlsschule und im Tübinger Stift für eine **revolutionäre Stimmung.** Dort hat SCHILLER wichtige Impulse für sein Freiheitsideal empfangen. In Tübingen verbanden sich HEGEL, SCHELLING und HÖLDERLIN in schwärmer. Begeisterung für die Revolution. In Bonn veröffentlichte der Prof. der schönen Wissenschaften E. SCHNEIDER (1756–94), ein ehem. Franziskaner, ein Gedicht auf die Erstürmung der Bastille und agitierte bald auch persönlich im Elsaß für die Revolution. In Mainz entstand unter frz. Besatzung ein "Jacobiner-Club", der für den Anschluß an Frankreich arbeitete. GEORG FORSTER, der Begründer der künstler. Reisebeschreibung ('ANSICHTEN VOM NIEDERRHEIN ... UND FRANKREICH' 1790) hielt sich 1793 als Abgeordneter der Mainzer Republikaner zu Anschlußverhandlungen in Paris auf. 1799/1800 war der Publizist JOH. JOS. VON GÖRRES (1776–1848) als Mitglied einer Deputation in Paris, um für den Anschluß einer "Rhein. Republik" an das revolutionäre Frankreich zu werben. Als einer der ersten unzähl. **"Pilger der Freiheit"** war schon 1789 der Sprachforscher, Pädagoge und Jugendbuchautor (u.a. 'ROBINSON DER JÜNGERE') JOACHIM HEINR. CAMPE (1746–1818) zusammen mit WILH. VON HUMBOLDT nach Paris gereist. 1792 erhielt er wie andere dt. Revolutionsanhänger den frz. Ehrenbürgerbrief. Die positiven Berichte, die durch diese Kontakte nach Deutschland gelangten, führten an vielen Orten zu **Revolutionskundgebungen,** so in Hamburg, wo sich u.a. auch KLOPSTOCK, der Arzt J. A. H. REIMARUS (Sohn des berühmten HERMANN SAMUEL R.), SIEVEKING und HENNINGS beteiligten. Zum besonders radikalen Verkünder revolutionärer Ideen wurde der fränk. Publizist J. A. G. F. REBMANN (1768–1824), der 1796 sogar nach Frankreich emigrierte, später aber als Beamter wieder in der bayer. Pfalz tätig war. Größte Schmähungen wegen seiner revolutionären Begeisterung mußte ADOLPH FRHR. VON KNIGGE (1752–96) über sich ergehen lassen.

Nicht erst die Französ. Revolution begründete in Deutschland ein neues polit. Bewußtsein. Oft wird der **Einfluß der "amerikan. Revolution"**, die in mancher Hinsicht eine Vorläuferin der frz. war, völlig übersehen. Enthusiastisch hatten u.a. SCHUBART in der 'DT. CHRONIK' und J. G. JACOBI in seiner 'IRIS' (s. S. 153) die Erfolge der republikanisch bestimmten Abkehr der nordamerikan. Kolonien vom brit. Königreich nach der Unabhängigkeitserklärung von 1776 gefeiert.

Eine sehr differenzierte Haltung zu den revolutionären Bewegungen nahm AUGUST LUDWIG SCHLÖZER (1735–1809) ein. Sein journalist. Wirken trug ihm den Ehrentitel "Vater der Publizistik" ein.

Die **Entartungen der Französ. Revolution,** nicht zuletzt aber der Imperialismus NAPOLEONS, stimmten viele Revolutionssympathisanten um. GÖRRES beispielsweise zog sich schon 1801 angewidert zurück und bekämpfte später leidenschaftlich die Annexionspolitik des Franzosenkaisers. Ein glühender Anhänger von Freiheitsbestrebungen mit deutl. **Gegnerschaft gegen die napoleon. Herrschaft** über Deutschland war auch JOH. GOTTFR. SEUME (1763–1810), der als hessisch-brit. Soldat nach Nordamerika verschleppt worden war und durch Schilderungen seiner späteren ausgedehnten Wanderungen durch Europa (u.a. 'SPAZIERGANG NACH SYRAKUS' 1803) berühmt wurde. Der Gesinnungswandel von revolutionärer Begeisterung zu antinapoleonisch-nationalist. Einstellung wird wohl am deutlichsten bei FICHTE (vgl. S. 181), der noch 1793 die 'ZURÜCKFORDERUNG DER DENKFREIHEIT VON DEN FÜRSTEN EUROPAS, DIE SIE BISHER UNTERDRÜCKTEN' und die 'BEITRÄGE ZUR BERICHTIGUNG DER URTEILE DES PUBLIKUMS ÜBER DIE FRANZÖS. REVOLUTION' geschrieben hatte.

Bedeutsam für eine **antirevolutionäre Bewegung** wurde die Übersetzung von E. BURKES 'REFLEXIONS ON THE REVOLUTION IN FRANCE' durch den KANT-Schüler F. GENTZ (1793), in deren Sinne u.a. A. W. REHBERG (1757–1836) und E. BRANDES (1758–1810) in Hannover wirkten. Die bald aufkommende **Restauration** verfolgte freilich nicht selten sowohl Revolutionsanhänger wie auch deren engagierte Gegner!

Friedrich Hölderlin (1770–1843)

An den Klosterschulen von Denkendorf und Maulbronn, nicht zuletzt aber am Tübinger Stift, wo HÖLDERLIN **Theologie** studierte, waren es die durch ROUSSEAU-Lektüre vorbereiteten **Ideen der Französ. Revolution,** die den Schüler und Studenten im Verein mit seinen

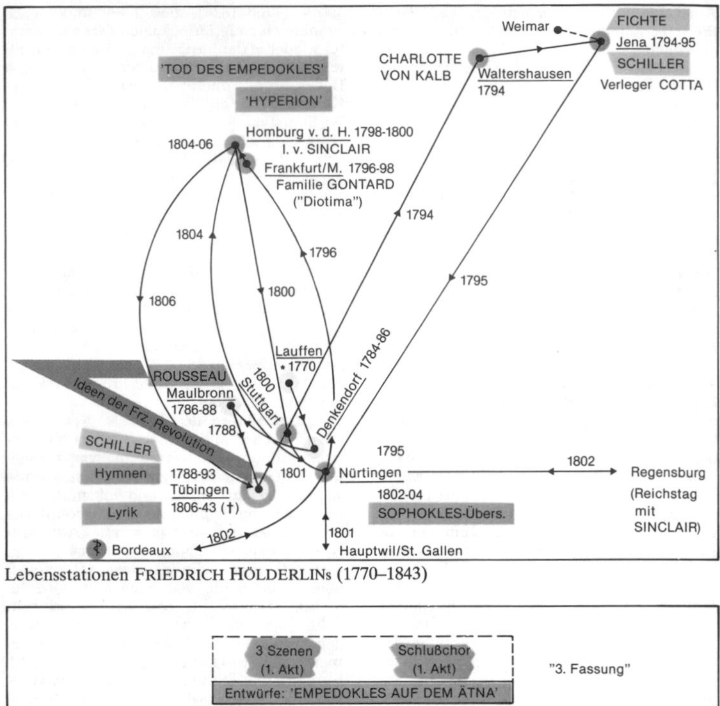

Lebensstationen FRIEDRICH HÖLDERLINs (1770–1843)

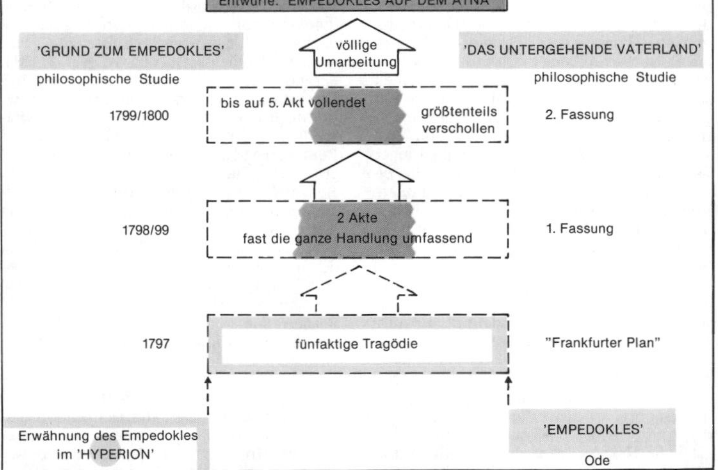

Entstehungsgeschichte und Überlieferung von HÖLDERLINs 'TOD DES EMPEDOKLES'

Freunden (zunächst L. NEUFFER und R. MAGENAU, dann HEGEL und SCHELLING) über die Enge der klösterl. Disziplin hinausdenken ließen. KLOPSTOCK-Oden, später Hymnen SCHILLERS regten zu eigenen lyr. Arbeiten an. Die Ode 'MÄNNERJUBEL' kündete bereits 1788, also noch vor dem Ausbruch der Revolution in Paris, von **Revolutionsbegeisterung.** Die 1793 erworbene Befähigung zum geistl. Amt ließ HÖLDERLIN aus Opposition gegen den geist. Zwang seiner Ausbildung ungenutzt, vielmehr nahm er – von SCHILLER vermittelt – bei CHARLOTTE VON KALB in Waltershausen/Meiningen eine Hofmeisterstelle an. Sie fuhrte ihn noch im selben Jahr nach Jena, wo er **Fichte** hörte und Kontakte zu dem Verleger COTTA aufnahm, der für den Plan des Briefromans 'HYPERION' interessiert werden konnte.

Schon 1794 hatte SCHILLER in seiner 'THALIA' ein erstes Fragment des **'Hyperion'** veröffentlicht, in dem HÖLDERLIN seine Berufung zum prophet. Dichter zu begründen suchte. Unter dem Einfluß von FICHTE erfolgte eine erste Umarbeitung, die sog. metr. Fassung, in der HÖLDERLIN den Gegensatz zwischen dem nach seinem eigenen Mittelpunkt strebenden Ich und der "Natur" verschärfte, jedoch bald – mit einer Wendung gegen FICHTE – in der beglückenden Schönheit auszugleichen suchte, die er, durch die Begegnung mit **Susette Gontard** in Frankfurt angeregt, in der Gestalt der Braut Hyperions, Diotima, verkörperte. Die Handlung des 'HYPERION', die in Briefen gespiegelt wird, greift auf die Erhebung der Griechen gegen die Türken 1770 zurück und beschreibt exemplarisch den (scheiternden) Versuch eines griech. Jünglings, diese Erhebung als **innere Wiedergeburt seines Volkes** zu bewirken. Die mittelbaren und unmittelbaren Bezüge zur dt. Situation sind unübersehbar. Der Briefpartner Bellarmin vereinigt in Namen und Funktion den **Widerspruch von dt. Ideal und dt. Wirklichkeit:** der "schöne Arminius" ist ein Schweiger, Hyperions Briefe bleiben unbeantwortet! Das *"Nächstens mehr!"* am Ende des 2. Bandes, zugleich der Schluß der endgült. Veröffentlichung 1799, konnte weder aus inneren noch aus äußeren Gründen eingelöst werden; philosoph. Ansatz wie polit. Realität boten keine Lösung mehr.

Die Beziehung zu SUSETTE GONTARD verursachte ein Zerwürfnis mit ihrem Mann und HÖLDERLINS Brotgeber in Frankfurt. Der Freund **Isaac von Sinclair** nahm ihn vorübergehend in Homburg v.d.H. auf: SINCLAIR kümmerte sich auch um HÖLDERLIN, als die ersten Anzeichen seiner Erkrankung aufgetreten waren: er nahm ihn mit auf eine Reise nach Regensburg, holte ihn 1804 noch einmal zu sich und beschäftigte ihn als Bibliothekar.

Noch in Frankfurt hatte HÖLDERLIN die Arbeit an einem **'Empedokles'**-Drama aufgenommen, in dem noch einmal die **Fremdheit eines Helden,** des Philosophen und Dichter-Sehers Empedokles, **in seinem gottlosen Volk** thematisiert werden sollte. Der Frankfurter Plan sah eine fünfakt. Tragödie vor. Eine erste Fassung (2 Akte) entstand vermutlich 1798/99. Eine zweite Fassung von 1799/1800 ist größtenteils verschollen. Die dritte Fassung konzentriert die Handlung auf den freiwill. "Tod des Empedokles" (so der offizielle Titel des Fragment gebliebenen Werks, 1826 veröfftl.), da sich der griech. Philosoph aus Einsicht in die Unmöglichkeit, seine Heilslehre anders zu offenbaren, durch seinen Sturz in den Ätna opfern will. Unverkennbar auch hier die Auseinandersetzung mit den polit. Verhältnissen, die eine realist. Veränderung i.S. republikanisch-demokrat. Ideen nicht erlauben. Unüberhörbar der **Aufruf zur Revolution** *"Gebt das Wort und teilt das Gut . . ., jeder sei wie alle!"* Mehrfach hat sich der Dichter auch theoretisch zu diesem Werk geäußert, so in der Studie 'GRUND ZUM EMPEDOKLES' (1799).

Zu HÖLDERLINS Versuchen auf dramat. Gebiet müssen auch seine **Sophokles-Übersetzungen** gezählt werden; von der geplanten Gesamtübers. erschienen 1804 allerdings nur zwei Stücke: 'OEDIPUS DER TYRANN' und 'ANTIGONÄ'.

HÖLDERLIN war aber vor allem Lyriker, wovon auch die Sprache seines Romans und des Dramenfragments zeugt. Ihm gelang in seiner Lyrik eine **Anwendung der antiken Metrik,** die den Besonderheiten der dt. Sprache auf vorbildl. Weise gerecht wurde. Thematisch blieb auch in seiner Lyrik, in seinen großen Elegien und in Hymnen, die Hoffnung auf ein Zeitalter, in dem die im klass. Griechenland schon einmal verwirklichten Ideale wieder gelten würden. Er ersehnte ein **"neues Griechenland",** wiedergeboren von der "Jungfrau Germanien". So umspannt er die lebendig erlebte antike Tradition wie die aktuellen patriot. Themen, die freilich mehr und mehr ins Zeitlos-Mythische gesteigert werden.

Unübersehbare Zeichen seiner geist. **Erkrankung** traten 1802 bei HÖLDERLINS Rückkehr von Bordeaux auf, wo er – wie 1801 in Hauptwil – noch einmal eine Hofmeisterstelle wahrgenommen hatte. Sein Zustand verschlimmerte sich im Laufe der nächsten Jahre so, daß er sich 1806 für ein Jahr einer Behandlung in einer Tübinger Anstalt unterziehen mußte. Seine zweite Lebenshälfte brachte er bei einem Tübinger Schreiner zu, der sich seiner annahm. Neuere Forschungen (P. BERTAUX) wollen die bisher eindeut. medizin. Diagnose der Schizophrenie als einen mehr oder weniger freiwill. **Rückzug des Dichters aus menschl. Alltagskommunikation** relativieren, wie er im freiwill. Tod des Empedokles poetisch vorgebildet erscheint. Damit ist freilich die psychiatr. Grundsatzfrage nach der "Normalität" berührt.

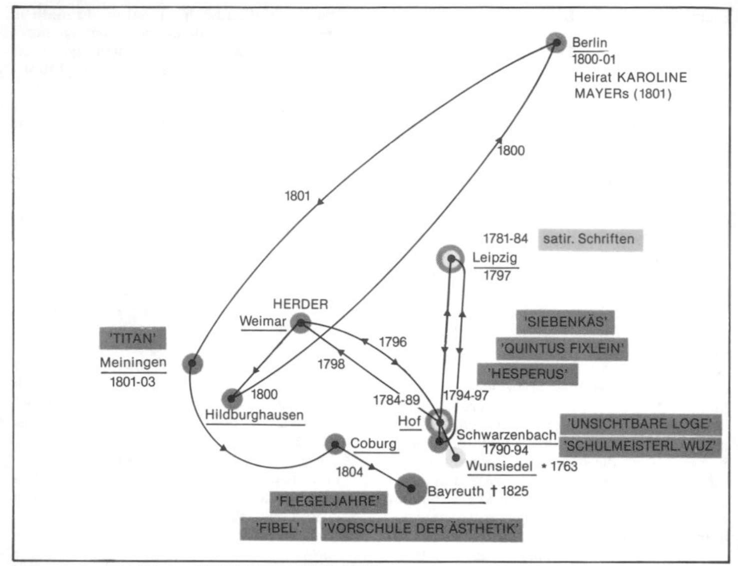

Lebensweg und Werke JEAN PAULs (1763–1825)

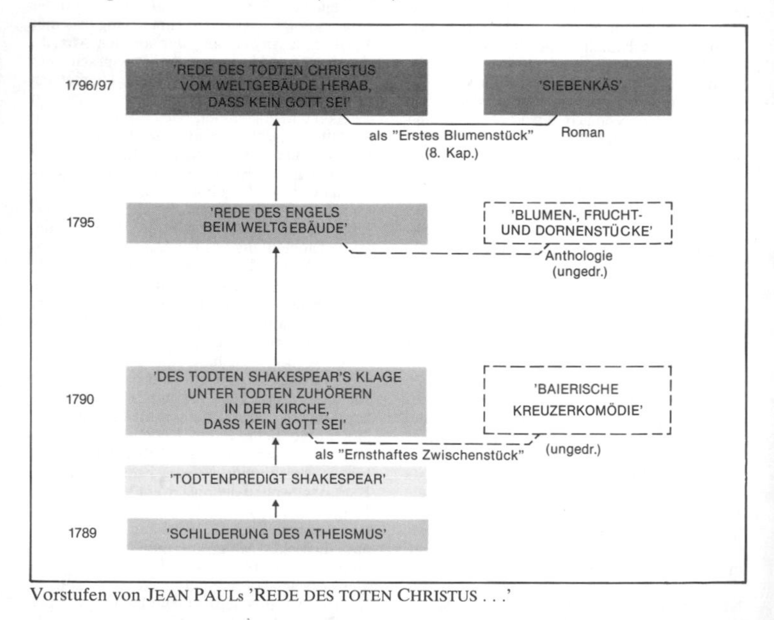

Vorstufen von JEAN PAULs 'REDE DES TOTEN CHRISTUS ...'

Jean Paul (1763–1825)
Theologiestudium (das aus Armut abgebrochen werden mußte) und Hauslehreramt bestimmen auch die Anfänge von JEAN PAUL (eigtl. JEAN PAUL FRIEDRICH RICHTER), der aber eine gänzlich andere Haltung zur zeitgenöss. Geistesrichtung als HÖLDERLIN entwikkelt: **gegen die Verabsolutierung des Ichs,** das im Denken die Welt konstituieren soll, **gegen die Annahme der Autonomie der Persönlichkeit** bei den Klassikern, doch ebenso **gegen den Subjektivismus der Romantiker.** Aber auch bei JEAN PAUL zunächst begeisterte **Zustimmung zur Französ. Revolution,** vorbereitet durch das Studium ROUSSEAUS, und fortwirkendes Engagement für die Unterdrückten, für Freiheit und Gerechtigkeit, angeregt durch die **Pädagogik Basedows und Pestalozzis.**
Schon bei seinem Leipziger Studienaufenthalt übte er sich in der **Satire** (u.a. 'GRÖNLÄND. PROZESSE' 1783), die, wenn auch zunächst erfolglos, doch ein Grundton seiner Dichtung blieb. Skurrile Komik und breit dokumentierte Belesenheit sind schon früh zu bemerken. Sie werden zu wichtigen Momenten, mit denen er den **Gegensatz von Idealität und Trivialität des tägl. Lebens** zu gestalten und zu überwinden sucht. Die engl. Satire im Stile J. SWIFTS, J. ARBUTHNOTS und A. POPES steht hier Pate.
1790–94 leitet er eine Privatschule in Schwarzenbach (südl. Hof). Während dieser Zeit entsteht das **'Leben des vergnügten Schulmeisterleins Maria Wuz in Auenthal'.** Der heiter klingende Titel dieses Romans täuscht leicht über die eigentl. Schwermut, mit der JEAN PAUL das Schulmeisterleben erzählt. Der Tod zweier Jugendfreunde und die Vision des eigenen Todes (1789/90) hatten JEAN PAUL die Unbekümmertheit seiner Jugendsatiren genommen. Die "Idylle" bietet nun den Rahmen zugleich für iron. Distanzierung vom kleinen Glück eines Sonderlings und seiner mitleidig-liebevollen Anerkennung.
Schulmeister stehen auch im Mittelpunkt der Romane **'Leben des Quintus Fixlein'**, 1796 ersch., als JEAN PAUL zum zweiten Mal, bis zum Tod seiner Mutter, in Hof lebte, **'Flegeljahre'**, 1804/05 während der Bayreuther Zeit veröfftl., und **'Leben Fibels'**, 1811. Die Gegensätze zeitgenöss. Erziehungsprogramme, herrnhut. Enge und ROUSSEAUsche Bewahrung vor Welteinflüssen, militär. Strenge im Kadettenhaus und seine eigene musisch orientierte Pädagogik (er tritt in diesem Roman selbst auf) thematisiert JEAN PAUL schon in der Fragment gebliebenen **'Unsichtbaren Loge'** (1793).
Einen überwältigenden Erfolg erzielte der Autor 1795 mit dem Roman **'Hesperus, oder 45 Hundsposttage'**, ein Erfolg, der nur noch mit dem des 'WERTHER' vergleichbar ist (vgl. S. 156). Darin hatte er die Intrigenerzählung, eine seinerzeit äußerst publikumswirksame Form, mit der des Erziehungsromans verbunden. Aber auch die sonst bei JEAN PAUL seltene Gefühlsschwelgerei in der sprachl. Gestaltung scheint zum Erfolg des 'HESPERUS' beigetragen zu haben.
1796 hält sich JEAN PAUL auf Einladung CHARLOTTE VON KALBS erstmals in Weimar auf, wo er in freundschaftl. Beziehung zu HERDER tritt.
Den Kampf des idealisch gestimmten Helden mit der Banalität des Alltags schildert JEAN PAUL vor allem in dem meistgedruckten seiner Romane, **'Blumen-, Frucht- und Dornenstücke oder Ehestand, Tod und Hochzeit des Armenadvokaten F. St. Siebenkäs'** (1796/97). Nur ungefähr trifft diese humorist. Erzählung vom nervtötenden Ehestand, dem Siebenkäs nur durch seinen Scheintod entrinnen kann (um dann unter falschem Namen ein zweites Mal zu heiraten!), die Bezeichnung "erster dt. realist. Eheroman", weil gerade die zweite Ehe den intensiv vorgeführten grundsätzl. Zweifel am Eheglück wieder aufhebt und Hoffnung auf die Zukunft eröffnet. Eine Traumvision dieses Romans, die **'Rede des todten Christus vom Weltgebäude herab, daß kein Gott sei'**, nach selbständ. Vorstufen durchaus integraler Bestandteil des Romans, ist sehr bald aus dem Romanganzen wieder isoliert worden und hat als **Plädoyer für den Atheismus** eigene Bedeutung erlangt, so etwa in der Rezeption bei MADAME DE STAËL (vgl. S. 177).
Als "Kardinalroman" war der **'Titan'** geplant, der mit seinen 1800–03 erscheinenden vier Bänden tatsächlich ein Mammutwerk wurde, an dem JEAN PAUL auch insges. zehn Jahre gearbeitet hatte, der aber in der Aufnahme auch seiner wohlwollenden Leser nicht den erwarteten Erfolg hatte. Ursprünglich vorgesehen war eine Kritik des bürgerl. Genies, die sich aber im Verlauf der Arbeit in eine **Kritik der höf. Bildung,** insbes. als Orientierungspunkt des bürgerl. Bewußtseins, wandelte: *"die ganze idealistische Welt* (kann) *nur vom innern, nicht vom äußern Menschen betreten werden"* (J. P.). Im "Titanismus" des philosoph. Egoismus, selbstzerstörer. Empfindsamkeit und eines übersteigerten Emanzipationsinteresses scheitern zentrale Figuren dieses Romans.
Authent. Einsichten in JEAN PAULS **Poetik** gewährt die 'VORSCHULE DER ÄSTHETIK' (3 Tle. 1804), die vor allem Form und Wesen seines Humors offenlegt. Für die Interpretation der **polit. und pädagog. Dimension seiner Romane** sind bedeutsam die Erziehungslehre 'LEVANA' von 1807 und die 'POLIT. FASTENPREDIGTEN' von 1817.

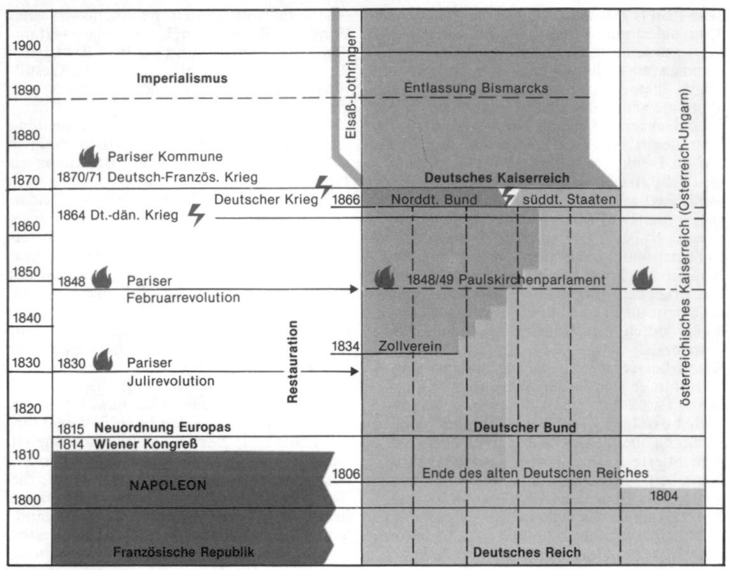

Politische Geschichte im 19. Jh.

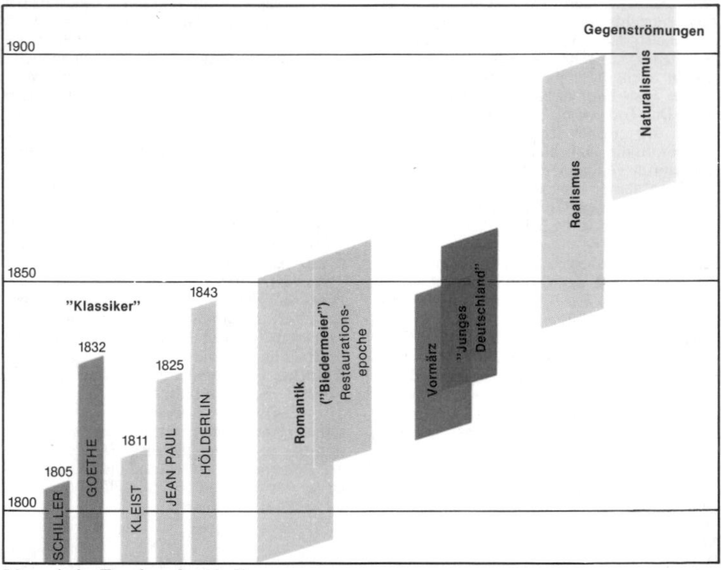

Literarische Epochen des 19. Jhs.

Zur polit. Geschichte des 19. Jhs.
Die Französ. Revolution und ihr (im doppelten Sinne des Wortes) Vollstrecker **Napoleon,** ab 1804 "Kaiser der Franzosen", gestalten binnen zweier Jahrzehnte das alte Europa völlig um. **1806 zerbricht, nun auch formell, das "Heilige röm. Reich dt. Nation"**; bereits ab 1804 nennt sich der letzte Kaiser des alten Reiches, FRANZ II., "Kaiser von Österreich" (= FRANZ I.). Erst der gemeinsame **Widerstand der alten Mächte, beflügelt von zahlreichen Volkserhebungen gegen die frz. Herrschaft,** führt 1813 zum Zusammenbruch NAPOLEONS (Völkerschlacht bei Leipzig; der Versuch einer Rückkehr an die Macht scheitert bei Waterloo 1815). Der **Wiener Kongreß 1814/15** versucht eine Wiederherstellung der vorrevolutionären Ordnung (u. a. Wiedereinsetzung der Bourbonen in Frankreich), die liberalen Kräfte und der neue durch das frz. Beispiel angeregte nationale Geist lassen sich aber nicht mehr auslöschen, nur noch muhsam niederhalten. Kennzeichnend für die Innenpolitik der meisten seit 1815 im Deutschen Bund zusammengeschlossenen 39 souveränen Einzelstaaten wird die **Restauration,** ihr Theoretiker ist der schweizer. konservative C. L. v. HALLER, ihr polit. Kopf Fürst METTERNICH. Erste größere Demonstration des Strebens nach Freiheit und dt. Einheit ist 1817 das **Wartburgfest** der Dt. Burschenschaft. Die Verfolgung liberaler Kräfte führt 1819 auch zum **Abbruch des** noch unter NAPOLEON als Versuch innerer Befreiung begonnenen **preuß. Reformwerks** (unter Reichsfreiherrn VOM STEIN: 1807 Aufhebung der Erbuntertänigkeit der Bauern, 1808 Einführung der kommunalen Selbstverwaltung, Neuordnung der Staatsverwaltung; unter Fürst HARDENBERG: 1812 Judenemanzipation, Einführung der Gewerbefreiheit; Heeresreform durch SCHARNHORST und GNEISENAU). Unter dem Einfluß der Umwälzungen zu Beginn des Jahrhunderts engagiert sich ein Teil der Romantiker auch politisch i. S. eines nationalen Gemeinschaftsbewußtseins. Die Spätromantik ist, insbes. wenn man ihr das sog. Biedermeier zurechnet, hingegen gerade durch polit. Enthaltsamkeit gekennzeichnet, was auch als Erfolg der Restauration angesehen werden kann.

1830 erhebt sich das **Pariser Bürgertum gegen den Bourbonen Karl X.** Dieser Aufstand hat in ganz Europa Auswirkungen. Auch in Deutschland belebt er die liberale und nationale Bewegung. 1832 vereinen sich die demokrat. Kräfte auf dem **Hambacher Fest,** 1833 stürmen Aufständ. die Hauptwache in Frankfurt a. M. Doch die Regierungen behalten die Oberhand und verschärfen die **"Demagogenverfolgung".** Die demokratisch orientierte polit. dt. Literatur, für die Zeit von 1815 bis zur Märzrevolution 1848 "Vormärz" genannt, erhält nach 1830 mit den Dichtern des "Jungen Deutschland" einen bes. Akzent.
1834 beginnt eine neue Phase dt. Politik: der Versuch, über den dt. Zollverein vor der polit. die ökonom. Einigung zu bewirken. Diese Entwicklung führt mehr und mehr zur **Isolierung Österreichs und zur Vormachtstellung Preußens.** Einschneidend jedoch wird das Jahr 1848. Es ist das Jahr von KARL MARX' und FRIEDR. ENGELS' 'KOMMUNIST. MANIFEST' und neuer Aufstände im Gefolge der **Pariser Februarrevolution,** durch die in Frankreich die Zweite Republik bewirkt wird. In den meisten dt. Staaten kommt es zu Unruhen, zur **"Märzrevolution",** die insbes. in Wien und Berlin zu opferreichen Kämpfen führt. Unter diesem Druck lassen die Regierungen den Zusammentritt einer **dt. Nationalversammlung (Frankfurter Paulskirche)** zu, enthalten diesem Parlament aber entscheidende Machtbefugnisse vor, so daß der Beschluß einer Reichsverfassung und die Wahl eines dt. Kaisers wirkungslos bleiben. Nach wenigen Monaten wird dieses Parlament wieder aufgelöst. Schon 1851 ist der alte Deutsche Bund wiederhergestellt. Der Krieg 1864 gegen Dänemark um Schleswig-Holstein führt Preußen und Österreich noch einmal zusammen, schafft aber zugleich die Voraussetzungen für den endgült. **Kampf um die Vorherrschaft in Deutschland,** der 1866 entbrennt und Preußen zum Sieger macht. Unter Preußens Führung entsteht der **Norddt. Bund** (Bundeskanzler wird BISMARCK, preuß. Ministerpräsident seit 1862), eine Spaltung Deutschlands in Nord und Süd scheint kaum abwendbar. Da gelingt es BISMARCK, auch die süddt. Staaten auf preuß.-dt. Seite in den **Krieg gegen Frankreich** zu ziehen. Am 18. 1. 1871 wird König WILHELM I. von Preußen in Versailles zum Deutschen Kaiser ausgerufen. **Die dt. Einheit ist damit endgültig als "kleindt. Lösung" (ohne Österreich) geschaffen.**
Die inneren Spannungen des neuen Staatsgebildes werden vorübergehend durch den siegbedingten **wirtschaftl. Aufschwung ("Gründerzeit")** nur überdeckt. Doch schon 1872 bricht der sog. **Kulturkampf** zwischen dem preuß. Staat und der kath. Kirche aus. Die **beschleunigte Industrialisierung** verschlechtert die Lage der Arbeiter. Die dt. **Arbeiterbewegung** formiert sich mit marxist. Programmen unter AUG. BEBEL, W. LIEBKNECHT und F. LASSALLE. Bismarck, nun Reichskanzler, bekämpft die Sozialdemokratie (Sozialistengesetz, gültig von 1878 bis 1890), anderseits legt er auch den Grundstein für eine zukunftweisende Sozialgesetzgebung (Kranken-, Unfall-, Alters- und Invalidenversicherung, 1883–89). Außenpolitisch versteht er es, den Dauerkonflikt mit Frankreich seit der Annexion von Elsaß-Lothringen unter Kontrolle zu halten. Seine Entlassung durch Kaiser WILHELM II. macht die dt. Politik labil. Sie

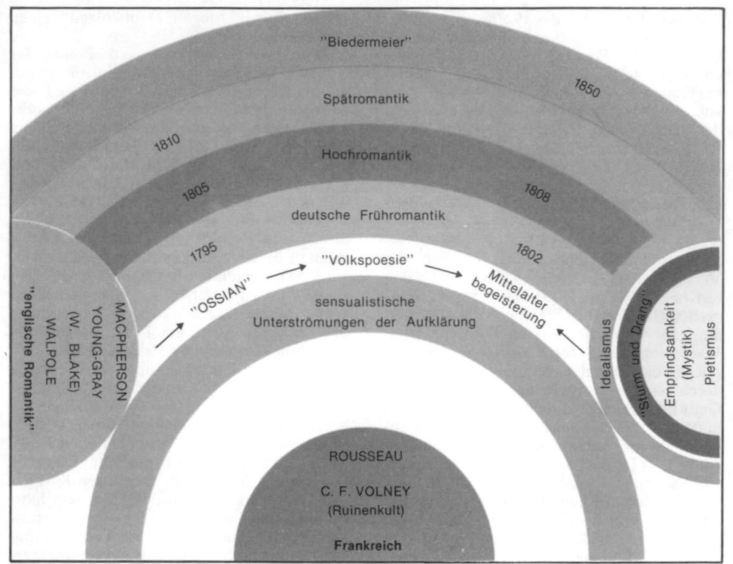

Historische Wurzeln und die Phasen der Romantik

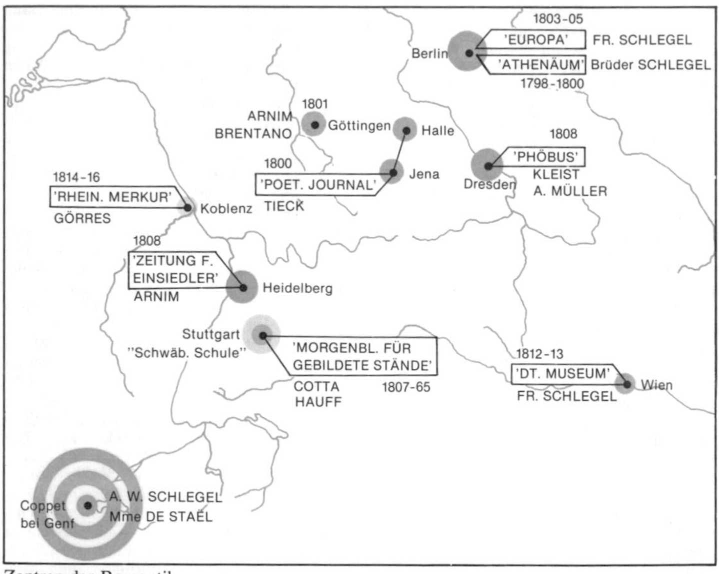

Zentren der Romantik

gleitet langsam aber sicher in ihre offen **imperialist. Phase,** begünstigt durch die **Folgen einer "verspäteten“ Nationwerdung.** Bedrohl. Anzeichen einer latenten Aggressionshaltung ist etwa die Flottenbaupolitik seit 1898, durch die Deutschland in bewußte Konkurrenz zur traditionellen brit. Seemacht tritt.

Phasen und Zentren der Romantik

Die dt. Romantik wird erst im Verlauf ihrer histor. Ausprägung eine zur dt. Klassik konkurrierende Bewegung. In ihren Wurzeln hat sie **mit der geist. Herkunft der Weimarer Klassik vieles gemeinsam.** Philosoph. Grundlage ist auch für die Romantik der dt. Idealismus, freilich in der spezif. Wendung, die vor allem Fichte und Schelling, nicht zuletzt unter dem Einfluß der polit. Entwicklung, nehmen, unter Wiederaufnahme der sensualist., d.h. die Erkenntnis durch sinnl. Erfahrung betonenden Unterströmungen der Aufklärung. Hier hatte sich nach der (durch die Reformation mitangeregten) Betonung des Verstandes (Rationalismus) offenbar ein immenses Nachholbedürfnis entwickelt. Es ist darum kein Zufall, daß **vor allem protestant. Kreise** sich der Romantik anschließen und nicht selten in der kath. Kirche und ihren sinnliches Erleben wahrenden Riten eine neue Heimat suchen (man denke an den spektakulären Konfessionswechsel, die Konversion zum kath. Glauben von Friedr. Leopold von Stolberg 1800, Friedr. und Dorothea Schlegel 1808, an die teilweise selbstquäler. Annäherung Brentanos an kath. Frömmigkeit nach 1817 (vgl. S. 193f.) und vor allem an die zahlreichen "kath.“ Themen romant. Dichtung überhaupt).

In der Propagierung der **"Volkspoesie“ als Urgrund der Dichtung** bedeutet die dt. Romantik eine Fortsetzung von Ansätzen des "Sturm und Drang“ und seines Anschlusses an die romant. Bewegung in England, von wo auch die **Wiederentdeckung der Gotik** sowohl als architekton. Erscheinung wie auch als poet. Stilprinzip ausgeht (H. Walpoles Roman 'Castle of Otranto' von 1764 nennt sich ausdrücklich eine "got. Dichtung“). Eine bes. Note bekommt diese Zuwendung zum Mittelalter durch den **Ruinenkult,** der in Frankreich vor allem von Volney ('Les Ruines ...' 1791, dt. 1792) gefeiert wurde. Die Brücke zu den poetolog. Anregungen des "Sturm und Drang“ schlug **Herder,** der auch die Entwicklung des geschichtl. Denkens in der dt. Romantik maßgeblich beeinflußte: 'Ideen zur Philosophie der Geschichte der Menschheit', ein Werk, das nach zwischenzeitl. Trübung der Beziehungen in der Phase neuer Freundschaft und Zusammenarbeit mit Goethe entstand (1784–91). In der **Bevorzugung "nord.“ Themen** gegen die Vorbilder der griech. Antike und in der **Wendung zu einer nationalen Geschichtsbetrachtung** anstelle einer kosmopolit. Weltsicht löst sich jedoch bald die Romantik aus ihrer geist. Verwandtschaft mit der Klassik.

Als eine Bewegung, die die traditionellen poet. Definitionen und das aus einem Harmoniestreben geborene geist. System der Klassik bewußt sprengte, läßt sich die Romantik kaum auf eine einfache theoret. Formel bringen. Zwar steht **an ihrem Anfang ein starkes programmat. Interesse,** das vor allem durch den frühromant. Berliner Kreis um die Brüder August Wilhelm und Friedrich Schlegel und die Kreise in Halle und Jena artikuliert wurde (hierzu zählen neben den Frauen der Schlegels auch Tieck, Wackenroder, Novalis sowie die Wortführer einer spekulativen Weiterentwicklung der Philosophie Kants, Schelling und Fichte, ferner der Theologe Schleiermacher; vgl. S. 178ff.); bestimmend für diese Phase wurde auch die Begegnung Arnims und Brentanos in Göttingen. **Die Hochromantik hingegen wird schon weniger durch philosoph. Spekulation als durch mannigfalt. dichter. Versuche gekennzeichnet.** Ihre Mitglieder sammeln sich in Heidelberg um Arnims 'Zeitung für Einsiedler' (unter dem Buchtitel 'Trösteinsamkeit' 1808 erneut hg.). Ihre Mitarbeiter waren wiederum die Brüder Schlegel, Tieck, auch Fouqué, die Brüder Grimm, Uhland und Kerner. In Heidelberg hielt Görres die erste germanist. Vorlesung (1806). Bedeutsame Mitglieder des Heidelberger Kreises waren neben ihm und Arnim Brentano und Eichendorff.

1804 war A. W. Schlegel von Berlin aus der frz. Schriftstellerin Madame (Germaine) de Staël (1766–1817), die schon Goethe fasziniert hatte, zu einem längeren Aufenthalt nach **Coppet am Genfer See** gefolgt, das durch die Anziehungskraft dieser Frau zu einem geist. Zentrum Europas wurde (1810 veröffentlichte Madame de Staël ihr Werk 'De l'Allemagne', das zu einer wichtigen Anregung für die frz. Romantik werden sollte). Gleichsam ein Nebenzentrum der Romantik war 1808 **Dresden,** wo Kleist und Adam Müller ihre Zeitschrift 'Phöbus' herausgaben (s. S. 186ff.).

Wichtigster Sammelpunkt der **Spätromantik** wurde wieder **Berlin** mit seinen versch. Zirkeln, darunter die "Christlich-dt. Tischgesellschaft“, von Arnim gegr. (Kleist, Eichendorff, Chamisso, Fouqué, Brentano, Adam Müller).

Als **"Schwäb. Schule“** bezeichnet man den württemberg. Dichterkreis um Ludwig Uhland, Gustav Schwab und Justinus Kerner, der stark von der Heidelberger Romantik angeregt und vor allem den Zeugnissen der dt. Vergangenheit zugetan war. Nach anfängl. Mitwirkung von Romantikern an Cottas und Wilhelm Hauffs 'Morgenblatt' entstand bald eine Opposition gegen diese im Grunde aufklärerisch orientierte Zeitschrift, die sich bereits 1807 in einer handschriftl. Pa-

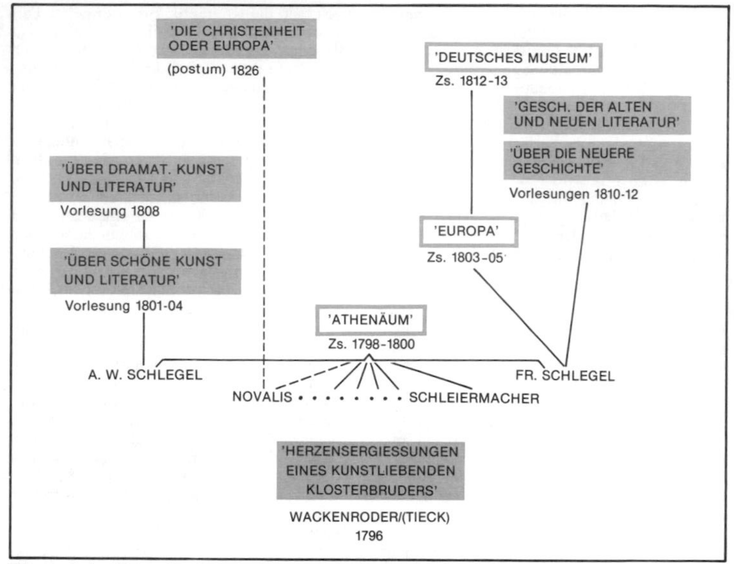

Theoretische Texte der Romantik

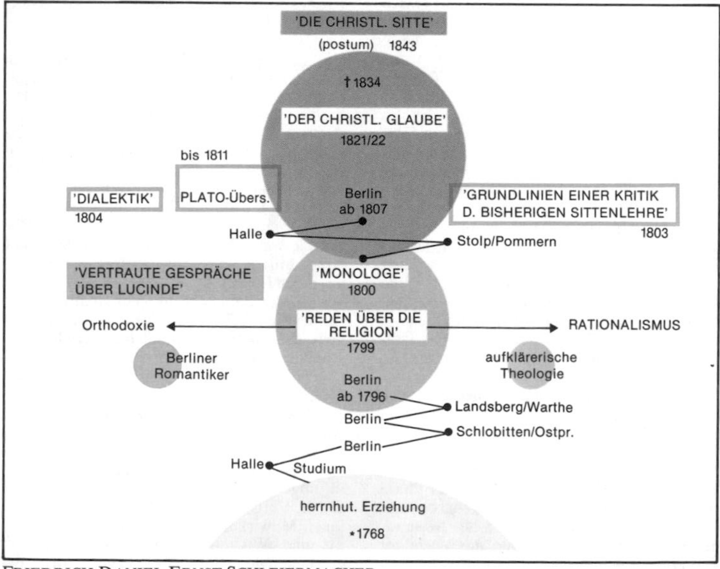

FRIEDRICH DANIEL ERNST SCHLEIERMACHER

rodie, im 'SONNTAGSBLATT FÜR UNGEBILDETE STÄNDE', niederschlug. Später schloß sich HAUFF, aber auch EDUARD MÖRIKE der "Schwäb. Schule" an, zu der auch NIKOLAUS LENAU in Beziehung trat.
Der 1808 kath. gewordene und nach Wien übergesiedelte FRIEDRICH SCHLEGEL gab 1812–13 das 'DEUTSCHE MUSEUM' heraus, in dem auch sein Bruder sowie ADAM MÜLLER, GÖRRES und FOUQUÉ veröffentlichten.
Mit MÖRIKE und LENAU sind Dichter genannt, die gelegentlich einer eigenen Epoche, dem "Biedermeier", zugeordnet werden, das aber durchaus als eine Entwicklungsphase der Romantik, die auch in ihren übrigen Phasen keine strenge Einheitlichkeit kennt, gewertet werden kann (vgl. S. 193).

Zur romant. Theorie
Mit einem einzigen zu seinen Lebzeiten erschienenen Werk, den 'HERZENSERGIESSUNGEN', gab WILH. HEINR. WACKENRODER (Berlin 1773–98) ein erstes Zeugnis für das romant. Lebensgefühl und seine künstler. Theorie. In versch. Künstlerporträts versetzt sich ein Geistlicher als fiktiver Autor in die Vergangenheit und empfiehlt die Vorbilder mittelalterl., vor allem altdt. Kunst (z. B. DÜRER). Die Musik wird als "Kunst der Künste" gefeiert (das Porträt des Komponisten Jos. Berglinger trägt kaum verhüllte autobiograph. Züge!). Mit seinen Ansichten zur Malerei und Musik nimmt WACKENRODER wesentl. Aspekte der romant. Malerschule (RUNGE, Nazarener) und E. T. A. HOFFMANNS (s. S. 184f.) vorweg. Letzte Absicht dieser Kunsttheorie war die **Verschmelzung von Kunst und Religion.** Herausgegeben wurde diese Schrift von WACKENRODERS Freund LUDWIG TIECK, der sie überarbeitete und mit Zusätzen versah.
Hauptorgan der frühromant. Theorie wurde die Zeitschrift 'ATHENÄUM' der Brüder SCHLEGEL, in deren 116. Fragment FRIEDR. SCHLEGEL verkündete: *"Die romant. Poesie ist eine progressive Universalpoesie. Ihre Bestimmung ist nicht bloß, alle getrennten Gattungen der Poesie wieder zu vereinigen ... Sie soll auch Poesie und Prosa, Genialität und Kritik, Kunstpoesie und Naturpoesie bald vermischen, bald verschmelzen."* Aus diesem Programm ergab sich jene für die Romantik typ. **Auflösung traditioneller Gattungen** und die **Aufhebung der Grenzen zwischen den versch. Künsten.** Für das 'ATHENÄUM' hatte NOVALIS (d. i. FRIEDRICH VON HARDENBERG, 1772–1801) auch seinen Aufsatz 'DIE CHRISTENHEIT ODER EUROPA' geschrieben, der aber auf GOETHES Einspruch hin nicht veröffentlicht wurde, sondern erst postum erscheinen konnte. NOVALIS kontrastiert darin den geist. Universalismus des Mittelalters unter Führung der einen Kirche und die Spaltung des Abendlands durch Reformation und Rationalismus.

Wichtig für die Entfaltung der romant. Theorie wurden sodann die Vorlesungen der Brüder SCHLEGEL. AUGUST WILHELM war 1798 Professor in Jena geworden, wo er TIECK, NOVALIS, SCHELLING und SCHLEIERMACHER kennenlernte. 1801 ging er nach Berlin, wo seine Vorlesungen eine **europ. Literatur und Geistesgeschichte im herderschen Geiste** entwarfen. Sein Bruder FRIEDRICH hielt 1802–04 in Paris und Köln (Freundschaft mit S. BOISSERÉE) literatur- und geschichtsphilosoph. Vorlesungen. Bedeutsamer aber wurde FRIEDRICHS Wiener Lehrtätigkeit (1810–12), in der er **Geschichte als Selbstvergewisserung eines Volkes in seiner Vergangenheit** und **Literatur als Zentrum seiner geist. Existenz** darstellte.
Bezeichnend für den universellen Anspruch der romant. Theorie ist der Themenkreis der Zeitschrift 'EUROPA', in der wiederum beide SCHLEGELS sowie FRIEDRICHS Frau DOROTHEA (Heirat 1804) zusammenwirkten: Diese Zeitschrift war allen Künsten, nicht nur der Literatur gewidmet. FRIEDRICHS Wiener Zeitschrift, das 'DT. MUSEUM' hingegen wollte insbes. die **altdt. Kultur** propagieren. Die spätere Wendung FRIEDRICHS zu konfessionell-restaurativen Ideen (ZS. 'CONCORDIA' 1820–23) führte zum Bruch mit seinem Bruder.
Bereits 1799 verkehrte FICHTE nach seinem "Atheismusstreit" (s. S. 161) in Berliner Romantikerkreisen, wo er auch Privatvorlesungen hielt. 1806 folgte er – nach einer Professur in Erlangen – der preuß. Regierung nach Königsberg. In diese Zeit fällt auch seine für die Romantik wesentl. **Wendung zu Themen der Mystik** ('ANWEISUNG ZUM SELIGEN LEBEN') und einer **"dt. Nationalerziehung",** wovon die 'REDEN AN DIE DT. NATION' (1807/08) die nachhaltigste Wirkung hatten (vgl. S. 181). Etwa zur gleichen Zeit vollzog SCHELLINGS Philosophie eine ähnl. Wandlung. 1806 vermittelte ihm in München F. v. BAADER die Kenntnis des Mystikers J. BÖHME (s. S. 127), die ihn zu einer intensiven Beschäftigung mit der Religionsphilosophie anregte. Seine persönl. Nähe zur Romantik wurde jedoch schon in seiner Jenaer Zeit (ab 1798) begründet. Hier lernte er auch seine Frau, den genialen Mittelpunkt des frühromant. Kreises, CAROLINE, kennen, die 1796–1803 mit A. W. SCHLEGEL verheiratet war (s. unten).
Einer der bedeutendsten Jenaer Schüler SCHELLINGS war K. W. F. SOLGER (1780–1819), auf dessen Philosophie u. a. die **Idee der "romant. Ironie"** zurückgeht, die allerdings auch schon in FICHTES 'WISSENSCHAFTSLEHRE' (s. S. 161) grundgelegt ist. Aus der Erkenntnis des Zwiespalts zwischen Ideal und Wirklichkeit entsteht diese Form der subjektiven Ironie als Erhebung über die eigene Unfähigkeit. Sie bestimmt als literar. Prinzip vor allem die Dichtungen TIECKS,

BRENTANOS und E.T.A. HOFFMANNS und wirkt als satir. Auflösung von Empfindungen u.a. noch bei HEINE, WILH. BUSCH, RINGELNATZ und ERICH KÄSTNER.
Zu den Theoretikern der Romantik muß auch der Theologe SCHLEIERMACHER (1768–1834) gezählt werden. 1796 erhielt er als Prediger an der Charité enge Kontakte zum Berliner romant. Kreis um die SCHLEGELS, für deren 'ATHENÄUM' er Beiträge schrieb, stand gleichzeitig aber auch noch unter dem Einfluß einer gemäßigten aufklärer. Theologie. In den 'REDEN ÜBER DIE RELIGION' setzte er sich allerdings, gegen Orthodoxie und Rationalismus, für eine **persönl. relig. Erfahrung** als notwend. Ergänzung von relig. Denken und Handeln ein. Seine Beziehung zur romant. Dichtung fand 1800 in den 'VERTRAUTEN GESPRÄCHEN' über F. SCHLEGELS Roman 'LUCINDE' von 1799 beredten Ausdruck. Darin verteidigte SCHLEIERMACHER das vielfach mißverstandene Werk (vgl. S. 185). In seinen Hallenser Predigten sowie in Vorträgen auf zahlreichen Reisen nach 1807 engagierte er sich ähnlich wie FICHTE angesichts der napoleon. Unterdrückung Deutschlands für eine **nationale Erneuerung.**
Die Romantik ist oft **fälschlicherweise in absolutem Gegensatz zum Rationalismus des 18. Jhs. gesehen** worden. Trotz ihrer Suche nach einer "neuen Mythologie" und ihrer Wertschätzung der poet. Einbildungskraft hält sie insges. an der **aufklärer. Kritik überspannter Phantasietätigkeit** fest und ist um eine **Vermittlung zwischen Begriff und Anschauung, Vernunft und Poesie** bemüht.

Salons und die Frauen der Romantik

Die Entfaltung und Verbreitung des Lebensgefühls und der Theorie der Romantik ist ohne die Wirksamkeit einer kulturellen "Institution" kaum denkbar, die nach frz. Vorbildern gerade zu dieser Zeit in Deutschland aufblüht: der Salon, ein Intellektuellenzirkel, den eine meist schöngeistig, nicht selten auch politisch interessierte Dame in einem Privathaus um sich versammelt. In Frankreich florierten Salons schon im 17./18. Jh. als kulturelle Zentren neben Hof und Theater. **Gegen Ende des 18. Jhs. gewann die Frau in Deutschland eine durch die Aufklärung vorbereitete aktivere Rolle im kulturellen Leben,** und es spricht für die progressive und universelle Grundhaltung der Romantik, daß in ihr der Frau – zumindest der bürgerl. Oberschicht – ein bis heute kaum wieder erreichter Anteil an der Formulierung und Erprobung eines kulturellen Programms eingeräumt wurde.
Madame de Staël und ihre Bedeutung für die Ausbreitung romant. Ideen in Westeuropa sind bereits erwähnt worden (s. S. 177). Auch andere wichtige Mittlerinnen der Romantik sind schon genannt worden. **Caroline Schlegel** (1763–1809), mit A.W. SCHLEGEL bis 1803 verheiratet, danach SCHELLINGS Frau, bot in ihrem Jenaer Haus nach abenteuerreichen Jahren (Sympathisantin der Frz. Revolution und Festungshaft) als wohl genialste Frau der Epoche dem frühromant. Kreis einen unschätzbaren Mittelpunkt. Das Pendant in der Spätromantik bildete der Berliner Salon der **Rahel Varnhagen,** Tochter eines jüd. Kaufmanns, die 1814 zum Christentum übergetreten war. Ihrem Wirken ist die Vermittlung zwischen der durch die Romantik kaum gebrochenen GOETHE-Begeisterung und neueren Tendenzen, zuletzt des "Jungen Deutschland" zu danken. Während CAROLINE SCHLEGEL (wie die VARNHAGEN) mehr anregend tätig war, galt die Schwester von LUDWIG TIECK, SOPHIE (1775–1803), als die begabteste Dichterin der Frühromantik.
Zahlreiche weitere Frauen bereicherten die Diskussion der romant. Zirkel. HENRIETTE HERZ und ELEONORE GRUNOW gehörten neben den SCHLEGELS etwa zu SCHLEIERMACHERS Berliner romant. Umgang. Zwei selbst produktive Dichterinnen beeinflußten den Lebensweg BRENTANOS, seine Frau SOPHIE MEREAU (1770–1806) und die von ihm später vergeblich umworbene LUISE HENSEL (1798–1876). Nachhalt. Wirkung durch literar. Leistungen erzielten DOROTHEA SCHLEGEL, die GÜNDERODE und BETTINA VON ARNIM.
Auch **Dorothea Schlegel** (1763–1839). Frau F. SCHLEGELS, ist gelegentlich ihrer Mitwirkung an der Zeitschrift 'EUROPA' schon genannt worden (s.o.). Sie schrieb auch einen (unvollendeten) Roman, 'FLORENTIN' (1801), bearbeitete altfrz. Ritterromane und übersetzte den Roman 'CORINNE OU L'ITALIE' der Madame DE STAËL (1807/08). Die Frankfurter Stiftsdame und Freundin der BRENTANOS, **Karoline von Günderode** (1780–1806), veröffentlichte unter dem Pseudonym TIAN 1804 'GEDICHTE UND PHANTASIEN' und 1805, kurz bevor sie den Freitod suchte, die 'POET. FRAGMENTE'. **Bettina (Elisabeth) von Arnim** (1785–1859), Schwester BRENTANOS und Frau von dessen Freund ACHIM VON ARNIM, entspricht an Genialität am ehesten der CAROLINE SCHLEGEL, übertrifft sie aber bei weitem durch literar. Produktivität. Zu ihren Hauptwerken zählen 'GOETHES BRIEFWECHSEL MIT EINEM KINDE' (1835; 1806 hatte sie GOETHES Mutter kennengelernt, deren Erinnerungen an den Sohn, dem sie 1807 selbst begegnete, sie aufzeichnete), 'DIE GÜNDERODE', das erste größere poet. Denkmal für die Freundin (1840), 'DIES BUCH GEHÖRT DEM KÖNIG' (1843) mit stark sozialkrit. Engagement wie auch ihr 'ARMENBUCH' zum Weberaufstand 1844 (postum 1969), 'CLEMENS BRENTANOS FRÜHLINGSKRANZ' (1844) und 'GESPRÄCHE MIT DÄMONEN' (1852). – Die in Mode gekommene Vereinnahmung der romant. Autorinnen für einen modernen Feminismus trägt teilweise horrend ahistor. Züge!

Polit. Literatur im Kampf gegen Napoleon

Am deutlichsten entfernte sich die romant. Literatur von einer mit der Klassik gemeinsamen Basis, wo sie kosmopolit. Haltungen zugunsten nationaler Ziele aufgab. Der agressive Eingriff NAPOLEONS in die polit. Ordnung Europas und Deutschlands, dem katastrophale dt. Niederlagen gegen den "Kaiser der Franzosen" folgten (1805 Besetzung Wiens, Schlacht bei Austerlitz, 1806 Doppelschlacht bei Jena und Auerstedt, Besetzung Berlins, 1807 Schlacht von Friedland, Besetzung Königsbergs; 2. Rheinbund dt. Fürsten unter NAPOLEONS Protektorat ab 1806), dieser Eingriff zwang zu polit. Stellungnahme, die beispielsweise GOETHE nur mühsam umging (vgl. auch S. 169). Am ehesten faßte **eine gegen den frz. Imperialismus gerichtete nationale Erneuerung** in der romant. Bewegung Fuß, wobei diese Richtung allerdings auch seltsame, nur aus der krieger. Auseinandersetzung begreifl. Blüten trieb und einen bis zur NS-Zeit wirksamen **Franzosenhaß** ("Erbfeindschaft") begründete, obwohl die Romantik ihrem Wesen nach bereit sein mußte und in ihren besten Vertretern auch bereit war, jedem Volk die ihm gemäße Entfaltung seines "Volksgeistes" zuzugestehen (man lese hierzu etwa die Ausführungen von GÖRRES in seiner Einleitung zur Ausgabe der 'TEUTSCHEN VOLKSBÜCHER' von 1807).

Zum Begründer einer **"Deutschtumsphilosophie"** wurde FICHTE mit seinen 'REDEN AN DIE DT. NATION' (1807/08). Schlimme, haßerfüllte Töne schlug HEINRICH VON KLEIST (s. S. 186ff.) u.a. in seinem 'KATECHISMUS DER DEUTSCHEN'((1809) und in anderen polit. Schriften an. Der **Katechismus,** eine der christl. Glaubenslehre entlehnte Form, mußte noch öfters herhalten, **Haß zu predigen:** 'KATECHISMUS FÜR TEUTSCHE SOLDATEN' von E. M. ARNDT (1812), 'KATECHISMUS FÜR DEN DT. KRIEGS- UND WEHRMANN' von F. RÜCKERT (1814). ARNDT, RÜCKERT, TH. KÖRNER und MAX VON SCHENKENDORF schrieben eine Reihe populär gewordener **polit. Lieder.** 1814 erschienen RÜCKERTS 'GEHARNISCHTE SONETTE FÜR DEUTSCHE' und (postum) KÖRNERS 'LEYER UND SCHWERT'. ARNDT hatte 1813 seine für die künftigen dt.-frz. Auseinandersetzungen noch programmat. Schrift 'DER RHEIN, DEUTSCHLANDS STROM, ABER NICHT DEUTSCHLANDS GRENZE' herausgegeben.

In dieser Zeit erschien eine Fülle von **Zeitungen und Zeitschriften mit nationalem Programm,** von denen allerdings nur wenige das Niveau der 'BERLINER ABENDBLÄTTER' KLEISTS (1810–11) oder des 'RHEIN. MERKUR' von GÖRRES (1814–16) erreichten.

Daß nach der Niederwerfung NAPOLEONS diese Form der Unterstützung den neueingesetzten alten Mächten als Keimzelle weitergehender polit. Umwälzung suspekt wurde, mußte mancher patriot. Autor erfahren. Beispielhaft ist der Verdacht, in den F. L. JAHN, der Begründer der Turnkunst ("TURNVATER JAHN"), mit seiner Schrift über 'DT. VOLKSTUM' von 1810 geriet. Aus diplomat. Gründen erzwang die preuß. Regierung auch die Einstellung des 'RHEIN. MERKUR', an dessen Begründung sie zunächst positiv mitgewirkt hatte.

Zunächst Mitstreiter gegen NAPOLEON, dann jedoch Feind liberaler und patriot. Bestrebungen war der mit über 200 Dramen überaus erfolgreiche Bühnenautor AUGUST VON KOTZEBUE (geb. 1761), der 1819 von einem fanat. Burschenschaftler ermordet wurde.

Die Erfahrungen der napoleon. Kriege wurden zur prakt. Grundlage einer **klass. Kriegslehre** von weltliterar. Rang, der Schrift 'VOM KRIEGE' CARL VON CLAUSEWITZ' (1780–1831; postum 1832), deren Auswertung u.a. auch LENINS Theorie des revolutionären Kampfes noch förderte.

Romantik und "Volkspoesie"

In der Begeisterung für die sog. Volkspoesie schließt sich die Romantik eng an den "Sturm und Drang" an, der hierin die Anregungen der engl. Romantik aufgegriffen hat (vgl. S. 153). Bereits HERDER hatte 1778 mit der Sammlung und Edition von "Volksliedern" begonnen; die Romantiker entwickelten den **Begriff der Volksdichtung** weiter, indem sie als Ursprung für die mündlich überlieferten oder volkstümlich gebrauchten Texte eine nicht weiter definierbare dichtende Volksseele annahmen, während man heute entschieden davon ausgehen muß, daß auch die anonyme, populär ("volksläufig") gewordene Überlieferung in Lied, Sage, Märchen, Epos auf gestaltende Dichterindividualitäten zurückgeht. Die Vorstellung vom dichtenden Kollektiv war für "Sturm und Drang" und Romantik nicht zuletzt deswegen so attraktiv, weil beide Bewegungen **in Opposition gegen die Erstarrung poet. Regelhaftigkeit auf der Suche nach ursprüngl., "Naturformen" der Dichtung** waren, die sie in der ungekünstelt und archaisch erscheinenden mündl. Überlieferung zu entdecken glaubten. Bereits der "OSSIAN" aber war eine Mystifikation, und die Romantiker selbst widerlegen ihren Glauben an den natürl. Ursprung der von ihnen als volkstümlich ausgegebenen Texte, wenn sie – wie nicht selten geschehen – das Überlieferte i.S. ihrer Wunschvorstellungen bearbeiteten. Es sei aber nicht vergessen, daß dabei auch bereits in der Aufklärung virulente Tendenzen weiterwirkten. LESSING hatte sein 'FAUST'-Fragment als "Volksdrama" ausgegeben (s. S. 143), und vor allen romant. Märchensammlungen steht die Sammlung des MUSÄUS, die noch im Geist der Aufklärung erfolgte (s. S. 141).

1797 gibt **Ludwig Tieck** (1773–1853), nachdem er schon mit eigenen Dichtungen hervorgetreten war und WACKENRODERS 'HERZENSERGIESSUNGEN' veröffentlicht hatte, un-

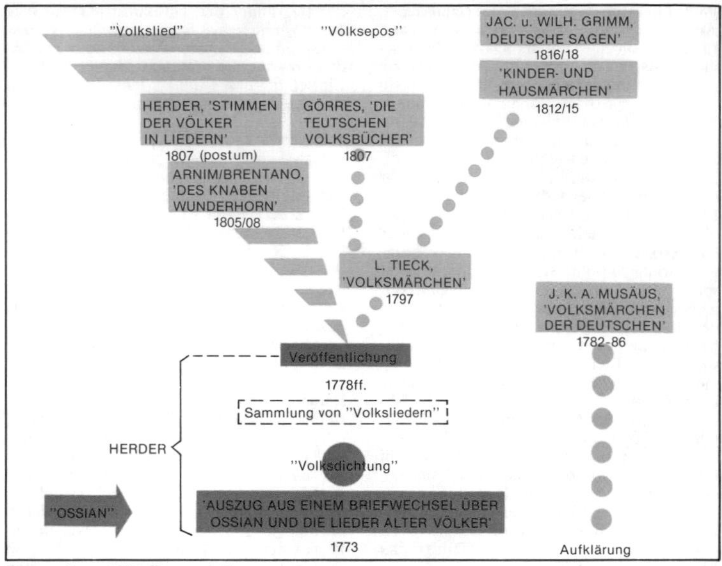

Romantik und "Volkspoesie"

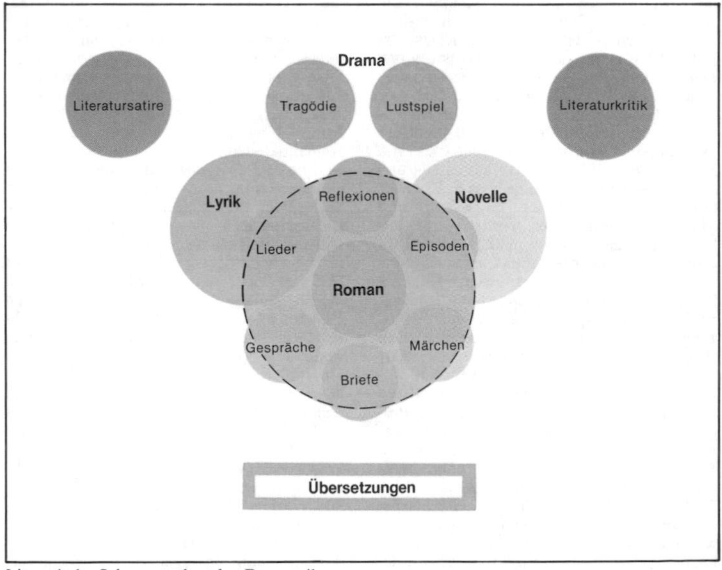

Literarische Schwerpunkte der Romantik

ter dem Pseudonym PETER LEBERECHT seine 'VOLKSMÄRCHEN' heraus. Schon darin befinden sich selbsterfundene Märchen und Dramatisierungen alter Märchenmotive, so der 'GESTIEFELTE KATER'. Keineswegs nur Originale, sondern vielfach bearbeitete Texte enthält auch **die wohl berühmteste romant. Sammlung von "Volksliedern", 'Des Knaben Wunderhorn'**, in zwei Bänden (1805/08), die die seit ihrer Göttinger Studienzeit befreundeten ACHIM VON ARNIM (1781–1831) und CLEMENS BRENTANO (1778–1842) in Heidelberg und Kassel aus alten (schriftl.) Quellen zusammengestellt haben. Diese Sammlung war GOETHE gewidmet, der sie enthusiastisch rezensierte. Von ihr gingen wesentl. Einflüsse auf die Kunstlyrik (bis zu HEINE und MÖRIKE), die Musik (Vertonungen von SCHUBERT, SCHUMANN, BRAHMS und WOLF) und die frühe germanist. Wissenschaft aus. Bezeichnend für die Geistesverwandtschaft der Romantik mit HERDER ist die 2. Aufl. von dessen Volksliedveröffentlichungen, die 1807, vier Jahre nach seinem Tod, unter dem Titel **'Stimmen der Völker in Liedern'** erschien (vgl. S. 156). Im gleichen Jahr edierte **Görres** 49 alte Texte (darunter auch Gebrauchstexte wie Arzneibücher!) als **'Teutsche Volksbücher'**, womit er erst eigentlich der romant. Bewegung nahetrat (vgl. S. 89). Die wichtigste Märchensammlung der Romantik stammt von den **Brüdern Grimm,** die ihre Aufzeichnungen mündl. Überlieferungen aber ebenfalls nicht unbearbeitet ließen. Diese Edition, die auf Betreiben von ARNIM und BRENTANO erschien, sowie die Ausgabe der 'DEUTSCHEN SAGEN' (1816–18) wurden zu wichtigen Stationen in der Entwicklung der Germanistik und einer dt. Volkskunde (vgl. S. 145 u. 202).

Zu den literar. Schwerpunkten der Romantik

Die Epochenbezeichnung selbst stammt von einer Kunstgattung, dem Roman. Bereits am Ende des 17. Jhs. findet sich ein erster Beleg für das Wort *romantisch*, nach engl. *romantic* (abgeleitet von *romant* 'Roman'). 1801 erst grenzte A. W. SCHLEGEL die neue literar. Bewegung mit diesem Wort gegen das Klassische ab.

Tatsächlich steht der **Roman im Zentrum des Schaffens der Romantiker,** freilich – wie schon angedeutet – als oft zerfließende, nicht selten auch fragmentar. Form. (Die Frühromantik verleiht dem **Fragment,** der absichtlich unvollendeten, offenen Form als Ausdruck der Unendlichkeit eines Stoffs, geradezu Gattungsqualität.) Viele Romane der Romantiker integrieren eine Fülle ursprünglich nichtromanhafter Elemente, wodurch etwa die Grenzen zur Lyrik oder zur Novelle, den Gattungen, in denen die Romantik auch eigene Gipfelleistungen erbringt, fließend werden.

Das **Drama** hingegen ist **merkwürdig unterentwickelt.** Hier macht sich der quasi-programmat. Verzicht auf traditionelle Formstrenge bemerkbar. Auch verdrängen hier ältere Vorbilder vielfach neuere Ansätze. Die Brüder SCHLEGEL etwa schreiben Dramen mit deutlich antikisierender Tendenz (A. W. SCHLEGEL, 'ION'; F. SCHLEGEL, 'ALARCOS', beide 1802). ZACHARIAS WERNER (1768–1823) steht zunächst noch unter SCHILLERschem Einfluß (z. B. in 'MARTIN LUTHER' 1806), nähert sich später aber auch dem barocken Drama. Sein '24. FEBRUAR' von 1809, der einzige Versuch einer strengen dramat. Gestaltung, gilt als **erste Schicksalstragödie,** die bald zur Modegattung wird (bei A. MÜLLNER, E. V. HOUWALD, GRILLPARZER, PLATEN). TIECKS Dramen mischen nicht selten, mit durchaus theatral. Effekt, Komik und Tragik (u. a. 'RITTER BLAUBART', 'DER GESTIEFELTE KATER') oder lassen auch ins Drama nichtdramat. Elemente einfließen (wie in der 'GENOVEVA'). Mehr Epiker als Dramatiker ist ARNIM in 'HALLE UND JERUSALEM'. Zweifellos ein einsamer Höhepunkt romant. Theaterschaffens ist BRENTANOS Intrigenkomödie 'PONCE DE LEON' von 1804. Das hohe sprachl. Niveau dieses Stücks, sein reicher Wortwitz lassen es freilich mehr als Lesedrama denn als theatral. Aktion genießen.

Wiewohl räumlich wie zeitlich äußerst nahe, läßt sich KLEISTS Schaffen nicht als romant. Literatur werten (s. S. 186ff.).

Eine wesentl. Grundlage der romant. Literatur, zugleich ein Bereich anverwandelnder Produktivität war die kaum übersehbare **Fülle übersetzer. Bemühungen. Shakespeare** steht wie im "Sturm und Drang" als Erzvater dramat. Poesie obenan. Ihn übersetzten erneut A. W. SCHLEGEL (1797–1810) und, das Werk fortsetzend, TIECK gemeinsam mit seiner Tochter DOROTHEA und WOLF GRAF BAUDISSIN (1825–40). Auch **Dichtungen aus Italien, Spanien und Portugal** übertrug SCHLEGEL ('BLUMENSTRÄUSSE' 1804). TIECK nahm sich zuvor schon des 'DON QUICHOTE' VON CERVANTES an (1804), er übersetzte ferner altspan. und altengl. Dramen. W. GRIMM machte altnord. Texte, darunter die 'EDDA', dt. Lesern zugänglich. **Schleiermachers 'Plato'-Übersetzung** ist schon erwähnt worden (s. S. 178). **F. Schlegel** wurde mit seinem Werk 'ÜBER DIE SPRACHE UND WEISHEIT DER INDIER' (1808) zum **Begründer der Indologie und der indoeurop. Sprachwissenschaft,** womit er nicht nur den Bruder zu seinen altind. Forschungen anregte, sondern auch Übersetzungen oriental. und ind. Poesie (durch G. F. DAUMER und F. RÜCKERT) vorarbeitete.

Daß eine so weit ausgreifende literar. Bewegung, die sich zudem permanent ihrer Eigenart in Auseinandersetzung mit konkurrierenden literar. Erscheinungen vergewissern mußte, auf den Gebieten der **Literaturkritik** und der **literar. Satire** aktiv war, versteht sich beinahe von selbst.

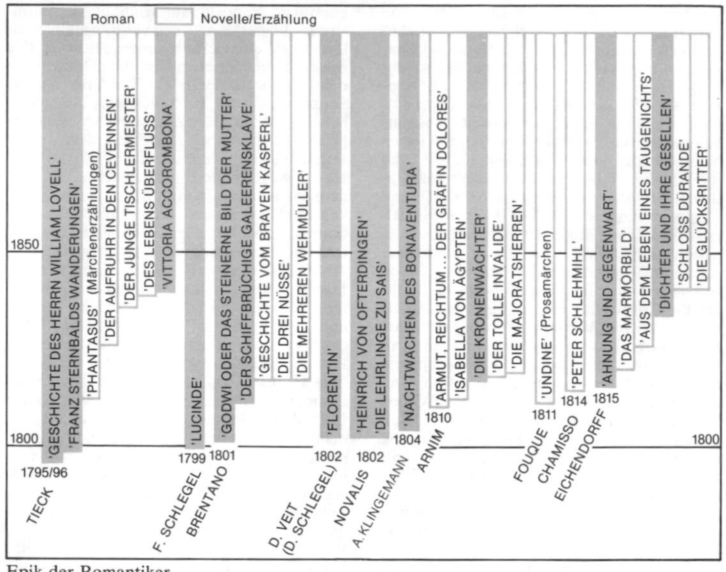

Epik der Romantiker

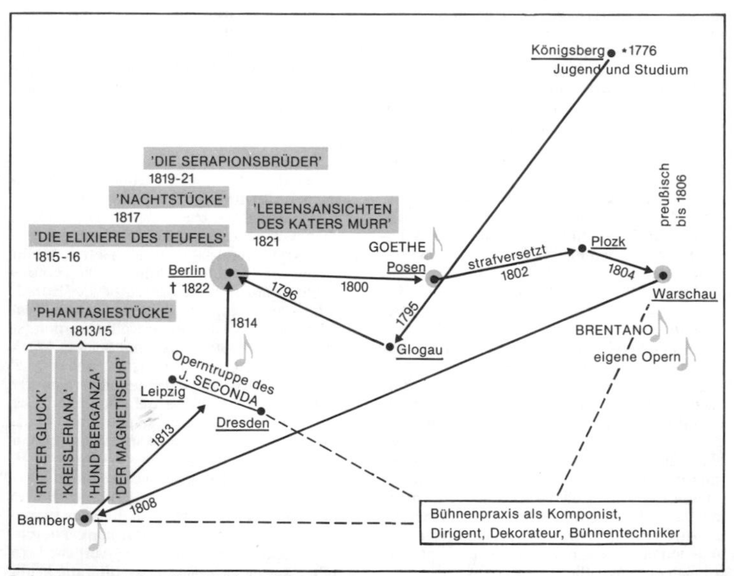

Lebensweg und Schaffen E. T. A. HOFFMANNs

Zur romant. Lyrik

Die Lyrik der Romantik in ihrer **Konzentration auf sprachl. Musikalität** und auf die aus den Anregungen des "Volkslieds" gewonnene **Volkstümlichkeit und Schlichtheit der sprachl. Mittel** hat lange Zeit als der Inbegriff dieser Gattung gegolten. Tatsächlich ist in dt. Sprache kaum je die **Liedhaftigkeit** dieser schon ursprünglich dem Gesang nächststehenden Literaturform so wie von den romant. Lyrikern erreicht worden, was sich nicht zuletzt an der Vielzahl von (auch populär gewordenen) Vertonungen belegen läßt. Auch in der Ballade kehrt die Romantik nach der Ideenbefrachtung dieser Gattung in der Klassik zur volkstüml. und damit auch sangbaren Form zurück.

Die Theorie, daß die romant. Lyrik in idealer Weise bezeuge, daß die Lyrik die "subjektivste" der literar. Hauptgattungen sei, weil sie am unmittelbarsten seel. Bewegungen zum Ausdruck bringe, arbeitet indes mit einem allzu vagen Begriff "Subjektivität". Sie verkennt zum einen grundsätzlich die Bedeutung der Subjektivität für jegliche literar. Gestaltung, zum andern das hohe Maß an bewußter formkünstler. Bemühung auch der romant. Lyriker. Inzwischen ist etwa für HEINE, in mancher Hinsicht den "Vollender der Romantik" (s. S. 190ff.), nachgewiesen, wie stark sich gerade die schlichtesten seiner Töne angestrengter Formarbeit verdanken, so daß man BENNS Wort, ein Gedicht werde "gemacht", auch auf diese Lyrikepoche anwenden darf. Doch soll damit nicht die bes. Leistung verkannt werden, die gerade im scheinbar mühelosen Treffen des "richtigen Tons", der unmittelbar anrührt, liegt.

Auch darf nicht übergangen werden, daß die **romant. Lyrik keine einheitl. Erscheinung** ist, sondern eine Entwicklung durchläuft von einer stark religiös und ideell bestimmten Phase in der Frühromantik (etwa bei NOVALIS, 'HYMNEN AN DIE NACHT') über eine gefühlsintensive Stimmungslyrik in der Hochromantik (bei ARNIM, BRENTANO, EICHENDORFF u.a.) zu wieder vordrängender Gedanklichkeit in der Spätromantik (u.a. bei MÖRIKE und RÜKKERT).

Zum ep. Schaffen der Romantiker

Bleibende Leistungen hat die Romantik auch auf ep. Gebiet geschaffen, wobei die **Novellendichtung** ebenfalls oft als zeitlos vorbildlich anerkannt wird. Der klass. Novellendichter dieser Zeit ist freilich selbst kein "Romantiker": KLEIST (s. S. 187). Seine Kleinepik gilt aber schon den Romantikern durchaus als Norm. Der Formstrenge KLEISTS eifert am meisten ACHIM VON ARNIM nach. Freier zu ihr verhalten sich TIECK, BRENTANO, EICHENDORFF. Noch auf WILH. HAUFF (1802–27; 'DIE BETTLERIN VOM PONT DES ARTS', 'JUD SÜSS') und MÖRIKE (s. S. 195ff.) wirkt dieses Vorbild. Eine bes. Bedeutung erlangt in dieser Epoche das **Kunstmärchen,** das nicht immer scharf von den Novellen abzugrenzen ist.

Der **Roman,** wie angedeutet die Hauptgattung der Romantik, steht unter dem Einfluß vorangegangener Entwicklungsromane, vor allem des selbst schon romant. Tendenzen offenen 'WILHELM MEISTER' von GOETHE (s. S. 188ff.), aber auch HEINSES (insbes. seines 'ARDINGHELLO') und JEAN PAULS (s. S. 173). TIECKS frühe Romane gehen auf fremde Quellen zurück, sein Briefroman 'WILLIAM LOVELL' auf ein frz. Werk, das er um die psycholog. Analyse seines Helden, Prototyp des "unglückl. Zerrissenen", bereichert; 'FRANZ STERNBALD' fußt auf einem Plan seines Freundes WACKENRODER, den er nach dessen frühem Tod ausführt.

F. SCHLEGELS Roman 'LUCINDE' war als erster Teil eines Fragment gebliebenen Werks gedacht. Es wurde wegen "Obszönität" und seiner scheinbar wirren Struktur heftig kritisiert, weswegen sich SCHLEIERMACHER zu einer Verteidigung des Werks aufgerufen sah (s. S. 180). Tatsächlich kann dieses Werk in seiner offenen, nichtepische Elemente in reicher Fülle integrierenden Form als **Umsetzung von Schlegels Romantheorie** verstanden werden. Er hatte auch 'FLORENTIN', den anonym veröffentlichten Roman seiner späteren Frau DOROTHEA (VEIT), bearbeitet.

Bildungsroman, außer von GOETHE, HEINSE und JEAN PAUL schon auch von TIECK und F. SCHLEGEL beeinflußt, ist BRENTANOS 'GODWI', der sich ebenfalls durch ein eigenwill. Spiel mit unterschiedl. Formen auszeichnet.

Dem Mittelalter wendet sich der 'HEINRICH VON OFTERDINGEN' des NOVALIS zu, in dessen Mittelpunkt ein legendärer Minnesänger (s. S. 91) steht. Zum Dingsymbol für die romant. Sehnsucht nach einer heilen Welt wird die in diesem Roman eingeführte **"Blaue Blume".** Von bes. Bedeutung aber sind die poetolog. Ausführungen über den Dichter als wahren Erlöser. Fragment blieb NOVALIS' naturmyst. Roman 'DIE LEHRLINGE ZU SAIS'.

Lange umstritten war die Autorschaft des mystisch-phantast. Romans '(DIE) NACHTWACHEN DES/VON BONAVENTURA' (anonym 1804). Inzwischen ist eindeutig AUGUST KLINGEMANN (1777–1831) als Autor identifiziert (Theaterdirektor in Braunschweig; 1. dt. Aufführung von GOETHES 'FAUST' 1829; weitere Texte in der 'ZEITSCHR. FÜR DIE ELEGANTE WELT'). Der Roman wirft ein Schlaglicht auf die **skept.-pessimist. Tendenzen der Romantik,** die den Zwiespalt zwischen ihren Idealen und der polit. und soz. Realität nie ganz zu überbrücken vermochte.

An dieser Stelle ist von dem international wohl bedeutendsten Vertreter der dt. Romantik zu sprechen, von **Ernst Theodor Wilhelm (Amadeus) Hoffmann** (1776–1822). BALZAC, BYRON, DICKENS u.v.a. haben sich mit ihm auseinandergesetzt. Nach jurist.

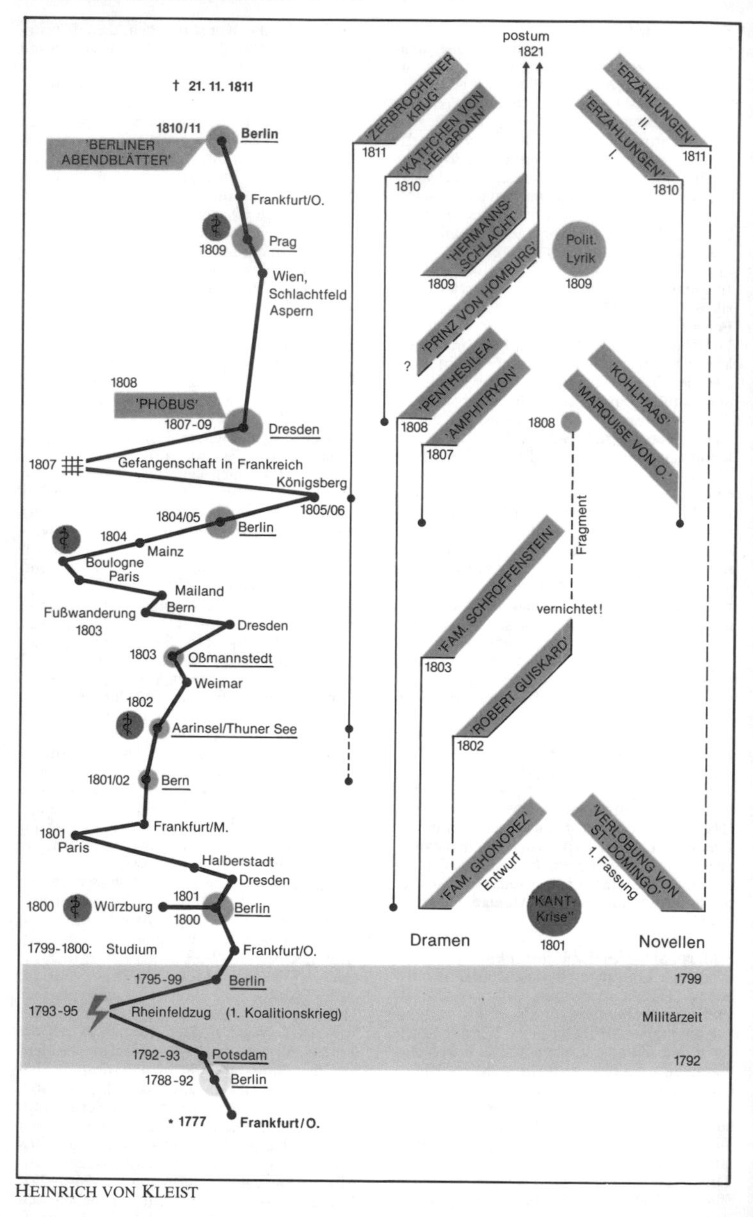

HEINRICH VON KLEIST

Ausbildung und erster Tätigkeit im Verwaltungswesen zog es den begabten Zeichner (wegen einer Karikaturenfolge wurde er strafversetzt), Maler und Musiker an versch. Bühnen. Schon in Posen vertonte er ein Singspiel GOETHES, in Warschau BRENTANOS 'LUSTIGE MUSIKANTEN', in Bamberg MALER MÜLLERS 'GENOVEVA'. Er schrieb eine Fülle eigener Kompositionen und gehört damit wie mit seinem musiktheoret. Schrifttum zu den Vorläufern der musikal. Romantik.
In Bamberg begann HOFFMANN sein dichter. Werk, dem zunächst die vierbänd. 'PHANTASIESTÜCKE NACH CALLOTS MANIER' entsprangen, Abhandlungen und Erzählungen, die einem Kapellmeister Kreisler in den Mund gelegt werden. In den letzten acht Lebensjahren, die er wieder in Berlin (als Beamter) verbrachte, schrieb er den Roman 'DIE ELIXIERE DES TEUFELS' sowie eine Reihe von Erzählungen, die er als 'NACHTSTÜCKE' und unter dem Titel 'DIE SERAPIONSBRÜDER' herausgab. Alle diese Werke sind wie die 'NACHTWACHEN DES BONAVENTURA' (vgl. S. 185) gleichsam **der "Nachtseite" des Lebens, zerstörer. Leidenschaft, Dämonie und Tragik gewidmet.** HOFFMANN entwickelt in seiner Poesie zunächst einen schönen Schein, den er dann um so wirkungsvoller als Illusion entlarvt und zerstört. Dieser Kontrast bestimmt auch strukturell die Fragment gebliebenen 'LEBENSANSICHTEN DES KATERS MURR', der als eine Art Doppelroman den traditionellen Bildungsroman satirisch auflöst. Mit seinen Kriminal- und Spukerzählungen (u. a. 'DAS FRÄULEIN VON SCUDÉRI' aus den 'SERAPIONSBRÜDERN') wurde HOFFMANN zum **Begründer der literar. Detektiv- und der modernen Kurzgeschichte.**
Neben der Gestaltung eigener hat sich HOFFMANN (als Komponist) auch fremder **Kunstmärchen** angenommen. Die 'UNDINE' des FRIEDRICH DE LA MOTTE FOUQUÉ (1777–1843) hat er zum Vorwurf für eine Oper genommen. Was ihn an diesem Stoff zweifellos anzog, war wiederum das Dämonische, hier des Wassers, aus dem sich die Nymphe Undine vergeblich zu befreien versucht. Auch die nächste weltliterarisch bedeutsam gewordene Märchennovelle, 'PETER SCHLEMIHLS WUNDERSAME GESCHICHTE' des ADELBERT VON CHAMISSO (Sohn frz. Revolutionsflüchtlinge; 1781–1838), lebt von dem Motiv dämon. Einwirkung auf das menschl. Leben: Schlemihl hat seinen Schatten dem Bösen verkauft und wird ob dieses Mangels aus der menschl. Gesellschaft ausgeschlossen.
Kehren wir aber zu den Romanen zurück, von denen EICHENDORFFS 'AHNUNG UND GEGENWART' wie ARNIMS 'KRONENWÄCHTER' auf je eigene Weise das **problemat. Verhältnis der Romantiker zu ihrer Gegenwart** belegen. EICHENDORFFS Held sucht seine Ruhe angesichts der wirren Verhältnisse in seiner Umwelt in einem Kloster. ARNIMS Roman wendet sich mit historisch-patriot. Tendenz sehnsuchtsvoll ins 16. Jh. zurück, in dem ein geheimnisvoller Bund die Kaiserkrone für den zukünft., "von Gott begnadeten" Führer bewacht. Von vier geplanten Bänden ist nur der erste vollendet, von einem zweiten liegen Skizzen vor.

Heinrich von Kleist (1777–1811)
"Heinrich von Kleist ist der Dichter der Wende vom Weltbild der dt. Klassik zur Gegenwart." (C. HOHOFF) Es ist in KLEISTS Fall nicht nur Verlegenheit, einen Epochenübergang zu konstatieren; denn der dritte "Einzelganger der dt. Klassik" neben HÖLDERLIN und JEAN PAUL ist durch Schicksal und Werk, die sich hier aufs innigste verflechten, in eine Sonderrolle geraten, die fortan charakteristisch für die Existenz eines modernen Dichters ist: nicht mehr eingebunden zu sein in eine den einzelnen noch tragende soziale Gruppe oder geist. Bewegung, sondern in stetiger krit. Auseinandersetzung mit seiner Umwelt und mit sich selbst befindlich. Natürlich spielen hier persönlichste Bedingungen eine Rolle, so die frühe Todessehnsucht, die ihn schließlich zum systematisch geplanten Freitod treibt. Daß solche Bedingungen überhaupt so mächtig werden konnten, markiert jedoch die grundsätzl. Wende.
KLEIST gibt 1799 den Soldatenberuf auf und lebt von nun an, trotz einiger kraftloser Versuche, im preuß. Staatsdienst Fuß zu fassen, ganz seiner dichter. Berufung, Werk für Werk seiner permanenten Lebenskrise abringend, auf der ruhelosen Suche nach einem Halt, den ihm weder seine Mitmenschen noch die Philosophie bieten konnten. 1801 erfährt er die **tiefste Erschütterung,** als er durch das **Studium Kants** erkannt zu haben glaubt, daß im Diesseits keine Wahrheit zu finden sei. Schon sein dramat. Erstling, 'DIE FAMILIE SCHROFFENSTEIN' (urspr. 'GHONOREZ') bezeugt seinen tiefen **Pessimismus,** mit dem er seine Personen als Opfer eines unbegreifl. Schicksals zeichnet. Den 'ROBERT GUISKARD', an dem er in der bäuerl. Scheinwelt seines Aareinselaufenthalts verzweifelt gearbeitet hatte, verbrannte er selbst 1803 in Paris (das Fragment im 'PHÖBUS' von 1808 stellte er aus dem Gedächtnis wieder her). Die Komödie 'AMPHITRYON' führt die Verwirrung vor, die die **Täuschung des Gefühls** als Grundlage der Existenz auf Menschen- wie auf Götterseite hervorrufen kann. In der 'PENTHESILEA' treibt KLEIST diese Verwirrung auf die Spitze, indem er die Amazonenkönigin Penthesilea zur Mörderin des Geliebten, Achill, werden läßt. Der 'PRINZ VON HOMBURG' bietet ein geradezu **makabres Spiel mit der Todesfurcht** und der schließl. Ergebung des Helden in das Todesurteil, da diese Selbstaufgabe als Einsicht in den höheren Sinn eines Befehls zur Ursache der Begnadigung und höchsten Ehrung gemacht wird. Gemildert erscheint solcher

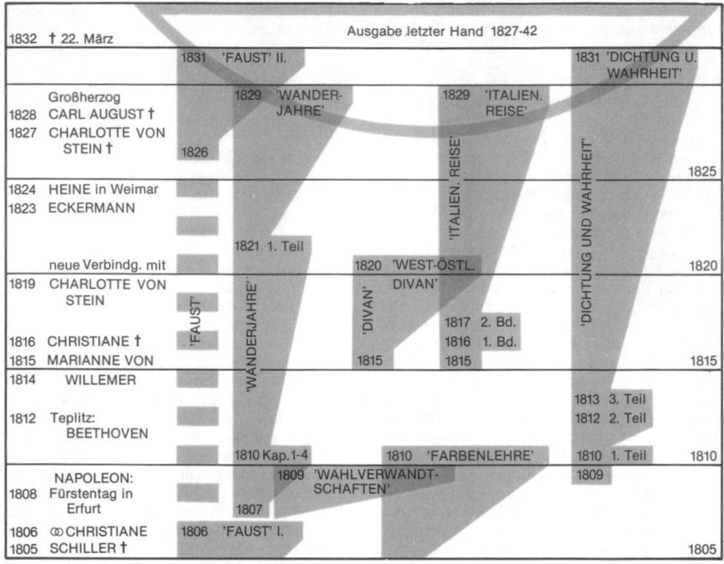

Die großen Werke aus GOETHEs Altersepoche (1805–32)

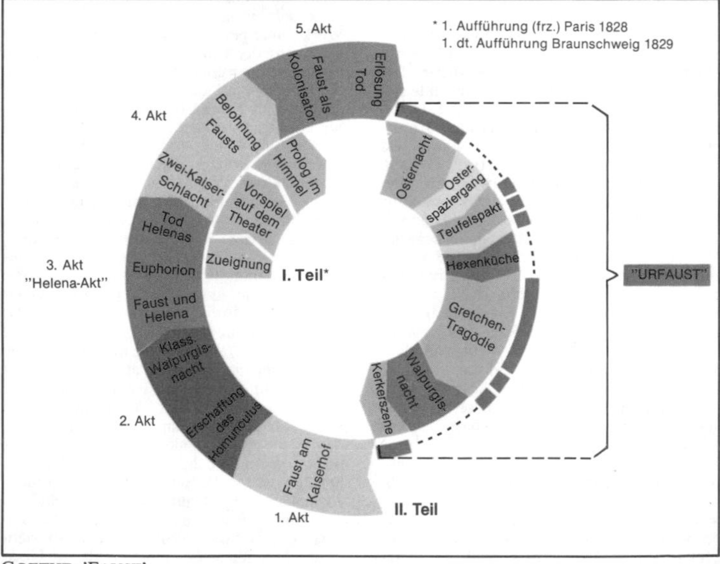

GOETHEs 'FAUST'

Radikalismus der Gefühlskritik im 'KÄTHCHEN VON HEILBRONN', das gleichsam die "Kehrseite der 'PENTHESILEA'" ist, sowie im 'ZERBROCHENEN KRUG', obwohl auch diese Komödie eine geradezu diabol. Lust an der konsequenten **Enthüllung menschl. Unzulänglichkeit** erkennen läßt. 'DIE HERMANNSSCHLACHT' gehört in den Kontext antifranzös. Tendenzdichtung, in der sich KLEISTS Kompromißlosigkeit gegen sich selbst und andere zum lodernden Haß steigert (vgl. S. 181).
Ein Zeugnis für KLEISTS Genialität ist die Tatsache, daß er, der zeitlebens keine einzige Aufführung seiner Dramen erlebte, dafür aber vom Durchfall seines 'ZERBROCHENEN KRUGS' in Weimar (infolge einer unangemessenen Inszenierung durch GOETHE; vgl. S. 165) hören mußte, Dramen geschaffen hat, die noch heute ihre **Bühnenwirksamkeit** unter Beweis stellen (der 'ZERBROCHENE KRUG' war noch in jüngster Zeit sogar das meistgespielte dt. Theaterstück).
Extreme Lebenssituationen und ihre dramat. Auflösung kennzeichnen auch die wegen ihrer Formstrenge und ihres sachl., zugleich dynam. Berichtstils vorbildhaft gewordenen KLEISTschen **Novellen.** Schon im Mittelpunkt der 'VERLOBUNG IN ST. DOMINGO' steht das Motiv der Gefühls-(Vertrauens-)krise. Die 'MARQUISE VON O.' demonstriert die innere Standhaftigkeit einer in Bewußtlosigkeit geschwängerten Frau, die zur Annahme der Schwangerschaft und zu liebender Vergebung führt. Selbstzerstörer. Kompromißlosigkeit, hier in der Verfechtung eines Rechtsstandpunkts, ist die treibende Kraft im 'MICHAEL KOHLHAAS'. Das erzähler. Genie KLEISTS kommt auch in der Kleinform seiner **Anekdoten** zur Geltung, die er in den 'BERLINER ABENDBLÄTTERN' veröffentlichte.
Ein Schlüsseltext für die Deutung von KLEISTS dichter. Selbstverständnis ist der Aufsatz **'Über das Marionettentheater',** der 1810 ebenfalls in KLEISTS Berliner Zeitung erschien. Die Marionette wird darin als Gegenbild der durch Reflexion zerstörten Anmut und Grazie gedeutet. Grazie ist nur noch ohne Bewußtsein (wie bei der Marionette) oder nach Durchgang der Erkenntnis durch die Unendlichkeit, also in Gott, möglich. Diese Alternative deckt sich freilich nicht mehr mit traditionellen christl. Heilserwartungen.

Goethes Altersepoche

Bei SCHILLERS Tod ist GOETHE knapp 56 Jahre alt, er selbst wird im 83. Lebensjahr sterben. In dieser nicht geringen Zeitspanne, die angesichts der ungebrochenen Schaffensfreude des Dichters durchaus mißverständlich seine "Altersepoche" genannt wird, vollendet er eine Fülle wichtiger Werke, die seinen Ruf als Klassiker über jeden Zweifel erhaben machen. Bei aller Konzentration auf sein eigenes künstler. Programm nimmt er doch weiterhin regen, oft krit. Anteil an den gleichzeit. neuen Strebungen der Literatur, Anregungen gebend wie auch empfangend. 1827 formuliert er den Maßstab, an dem sich seitdem die Produktionen auch dt. Autoren messen lassen müssen, vor dem seine eigenen Werke durchweg bestehen: *"Nationalliteratur will jetzt nicht viel sagen, die Epoche der Weltliteratur ist an der Zeit."* (Tagebuch 15.1.)
Im gleichen Jahr, in dem er nach schon langjähr. Verbindung die bis heute vielfach unterschätzte CHRISTIANE VULPIUS heiratet, schließt GOETHE die Arbeit am I. Teil des **'Faust'** ab (vgl. S. 154ff.). Den "Sturm-und-Drang"-Entwurf des 'URFAUST' hat er wesentlich erweitert: Die "Zueignung" schlägt die geist. Brücke zu seinem Jugendwerk, das "Vorspiel" bezeichnet den gesellschaftl. Rahmen, in dem GOETHE sein Drama wirken lassen möchte, erst der "Prolog" bietet die Exposition des Werks: die Wette zwischen Mephisto und Gott um Faust. Der "Osterspaziergang" markiert die Gespaltenheit Fausts, dem die naiv feiernde Bürgerwelt fremd geworden ist, die (romant.) "Walpurgisnacht", in der Faust verjüngt wird, bietet die nicht zuletzt für den II. Teil bedeutsame Helena-Vision, die sich für Faust aber zunächst in der Begegnung mit Gretchen konkretisiert. In die Gretchen-Tragödie hat GOETHE die "romant. Walpurgisnacht" eingefügt, der im II. Teil die (zahlreiche Gestalten der griech. Mythologie einbeziehende) "klass. Walpurgisnacht" gegenübergestellt wird.
Der II. Teil, dessen Bearbeitung GOETHE auf der Grundlage schon früherer Bruchstücke unter ECKERMANNS Anregung ab 1825 intensivierte (Abschluß des "Helena-Aktes" 1826), zeigt im 1. Akt einen von tiefer Erschütterung zu tätigem Leben aufsteigenden Faust, der gleichwohl dem Drang nach absoluter Erkenntnis und Vereinigung von Ideal und Wirklichkeit, Kunst und Leben verpflichtet geblieben ist (Beschwörung der "Urbilder", aber auch Einsicht in die Unmöglichkeit, die Vollkommenheit der antiken Ideale in der Gegenwart neu zu beleben). Im 2. Akt gelingt Fausts früherem Famulus die Erschaffung des Homunculus, der Faust den Weg zur "klass. Walpurgisnacht" zeigt. Die Erscheinung griech. Mythengestalten gipfelt in der Rückkehr Helenas nach Griechenland (3. Akt). In der Begegnung Fausts mit ihr vereinigen sich "romant. Norden" und "klass. Süden"; dieser Vereinigung entspringt Euphorion als Genius der Poesie, dem aber nur ein kurzes Leben beschieden ist (GOETHE spielt damit auf den früh vollendeten engl. Dichter LORD BYRON, gest. 1824, an), Helena folgt ihrem Kind in den Tod. Faust kehrt, von Tatendrang erfüllt, in die reale Welt zurück, verhilft, von dämon. Gestalten unterstützt, dem rechtmäß. Kaiser über einen Gegenkaiser zum Sieg (die zeitgenöss. polit. Geschichte tritt hier in allegor.

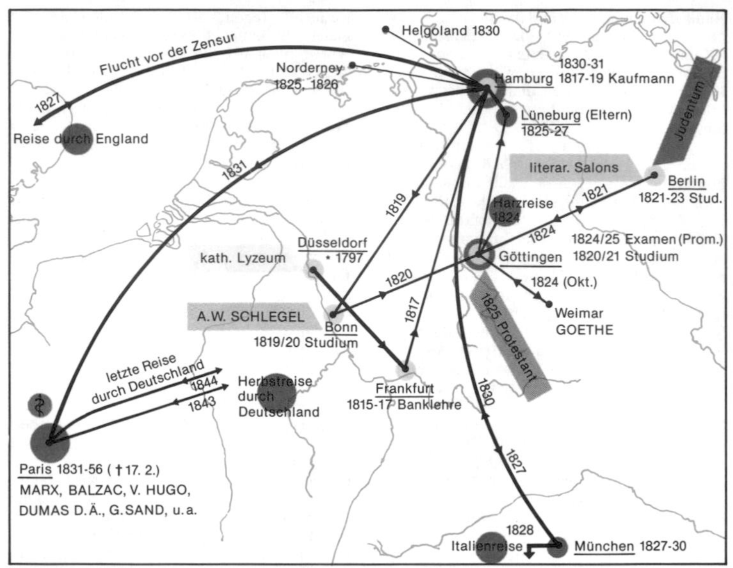

HEINRICH HEINE

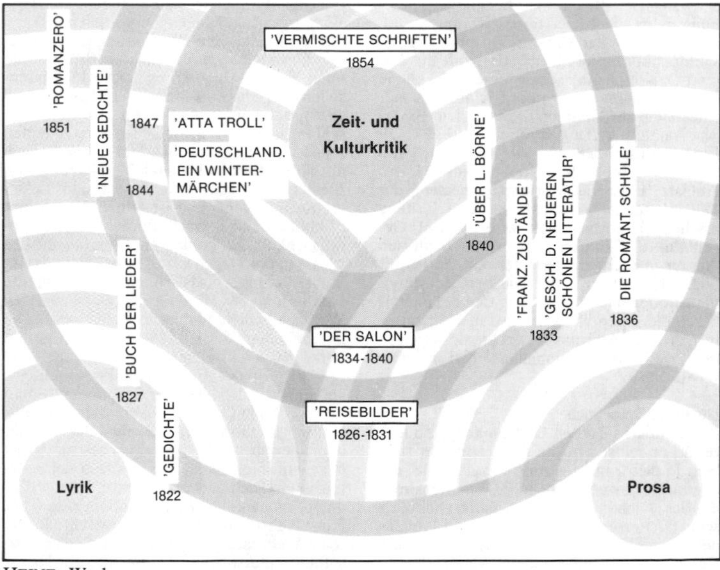

HEINEs Werke

Gestalt deutlich zutage). Das ihm zum Lohn geschenkte Land will er kolonisieren, wird aber erneut schuldig (Tötung von Philemon und Baucis), sein eigener Tod jedoch gerät ihm nicht zu ewiger Verdammnis: *"Wer immer strebend sich bemüht, / Den können wir erlösen ...*", so spricht in der Schlußszene der Chor der Engel, der Faust aus Mephistos Händen zu einer neuen, sich ewig steigernden Existenz befreit, die trotz der christlich-mittelalterl. Sprach- und Bildbezüge dieser Szene nichts mit dem traditionell christl. Jenseitsgedanken gemein hat. –
Den II. Teil des 'FAUST' hat GOETHE ebenso wie seine große autobiograph. Arbeit **'Dichtung und Wahrheit'** erst kurz vor seinem Tod vollendet. Bereits 1827, dem Todesjahr CHARLOTTE VON STEINS, der er seit 1819 aufs neue verbunden war, hatte GOETHE mit den Arbeiten an einer **Werkausgabe letzter Hand** begonnen, die bis 1842 60 Bände umfassen sollte. Angesichts dieser Fülle können selbst die großen Werke der "Altersepoche" mit ihren wesentl. Entstehungsstufen nur erwähnt werden (s. Tafel S. 188). Auch die zahlreichen persönl. Kontakte, ohne die das Phänomen GOETHE nur unvollständig erfaßt werden kann, sind hier nur in einer kleinen Auswahl faßbar. 1808 begegnete GOETHE, u.a. auf dem Erfurter Fürstentag, NAPOLEON, 1812 traf er mit BEETHOVEN im böhm. Teplitz zusammen. Das Liebeserlebnis mit MARIANNE VON WILLEMER gab einen entscheidenden Anstoß für den großen lyr. Wechselgesang zwischen Suleika (MARIANNE) und Hatem (GOETHE) im **'West-Östl. Divan'**. In **'Wilhelm Meisters Wanderjahren'**, die die 'LEHRJAHRE' (s. S. 166f.) fortsetzen, ahnt GOETHE auch das künft. Industriezeitalter voraus und nimmt im Entwurf von Plänen einer Gründung von Arbeitergenossenschaften zur sozialen Frage Stellung.
GOETHE war durch die Größe seines künstler. Schaffens für das 19. Jh. zu einer derart bestimmenden Instanz geworden, daß viele andere Dichter erst in einem oft schmerzl. Prozeß der Auseinandersetzung und Lösung von seinem Vorbild zu eigenem, neuen Schaffen gelangen konnten. Exemplarisch ist die gekränkte Abkehr HEINES (der GOETHE einen "Kunstgreis" nannte) oder BÖRNES (der ihn als "Fürstenknecht" beschimpfte). **Nicht wenigen Autoren hat Goethe das lebenslange Gefühl vermittelt, nur Epigonen seiner Leistung zu sein.**

Heinrich Heine (1797–1856)
"Aber zur rechten Zeit noch / Ergriff mich beim Fuß der Kapitän, / Und zog mich vom Schiffsrand, / Und rief, ärgerlich lachend: / Doktor, sind Sie des Teufels?" – So zieht sich HEINRICH (urspr. HARRY) HEINE selbst am poet. Schopf, bevor er in den Abgründen romant. Gespensterschau versinkt ('SEEGESPENST' aus dem Zyklus 'DIE NORDSEE'). Kaum einer hat die Romantik so "begriffen" wie er, kaum einer hat die **Bewußtseinsbrüche der Romantiker** so scharfsinnig erkannt und gestaltet. "Zerrissenheit" hat man ihm attestiert, eine Klassifikation, die auf viele Zeitgenossen paßt, bei HEINE aber auch ihre biographisch konkreten Voraussetzungen hat: Sohn eines jüd. Kaufmanns, katholisch erzogen, eifriges Mitglied des Berliner "Vereins für Kultur und Wissenschaft der Juden", Übertritt zum Protestantismus, NAPOLEON-Verehrer und Tyrannenhasser, gelernter Bankkaufmann und Bankrotteur, relegierter Student, promovierter Jurist und Journalist, von GOETHE angezogen und abgestoßen ... ein Seismograph für die großen und kleinsten Erschütterungen der Zeit, mit hoher **Sensibilität für die Verlogenheit fremden wie eigenen Gefühlsüberschwangs.** Darum Romantiker und Antiromantiker, Republikaner, sogar Sozialist, und Feind republikan. Großsprecherei (Feindschaft mit LUDWIG BÖRNE!). Darum der ehrlichste und gültigste Zeuge für die dichter. Möglichkeiten der Umbruchsperiode zwischen 1815 und 1848.
Im Zentrum seines Werks steht die **Zeit- und Kulturkritik,** zugleich die intensivste Vermittlung zwischen dt. und frz. Kultur. Von zwei dramatisch-trag. Versuchen (1823) abgesehen ist er vor allem der **Lyrik** verpflichtet, mit der er in der **erfolgreichsten dt. Gedichtsammlung,** dem 'BUCH DER LIEDER', Weltgeltung erlangt. Er bleibt ihr bis in die qualvolle Zeit seiner Pariser "Matratzengruft" (Rückenmarksleiden ab 1848) treu, bringt sie in Form von Einlagen auch in seiner geistvoll plaudernden **Prosa** der 'REISEBILDER' zur Geltung (4 Bde., u.a. 'DIE HARZREISE', 'DIE NORDSEE', 'DAS BUCH LE GRAND', 'REISE VON MÜNCHEN NACH GENUA', 'BÄDER VON LUCCA' und 'ENGL. FRAGMENTE'). Der Titel 'REISEBILDER' verschweigt die krit. Auseinandersetzung der Texte mit den verschiedensten aktuellen Themen. Bereits die 'HARZREISE' beschreibt auf satir. Weise akadem. Mißstände und greift versch. Persönlichkeiten an. Thema schärfster Polemik in den 'BÄDERN VON LUCCA' (10./11. Kap.) aber ist AUGUST VON PLATEN (s. S. 194), woraus eine lebenslange Feindschaft erwuchs.
Ein Seitenstück zu den 'REISEBILDERN' sind die vier Bände des 'SALONS'. Sie enthalten wiederum Lyrik und Prosa gemischt, darunter die Erzählfragmente 'AUS DEN MEMOIREN DES HERREN VON SCHNABELEWOPSKI' und 'DER RABBI VON BACHARACH', aber auch die theoret. Abhandlung 'ZUR GESCHICHTE DER RELIGION UND PHILOSOPHIE IN DEUTSCHLAND', der HEINE 1833 bereits seine 'GESCHICHTE DER NEUEREN SCHÖNEN LITTERATUR' (erw. Neufassung: 'DIE ROMANT. SCHULE') vorangeschickt hatte. Mit seiner **Religions- und Philosophiegeschichte** hat HEINE größte Zensurschwierigkeiten erfahren (der Verleger CAMPE brachte den Text nur arg verstümmelt her-

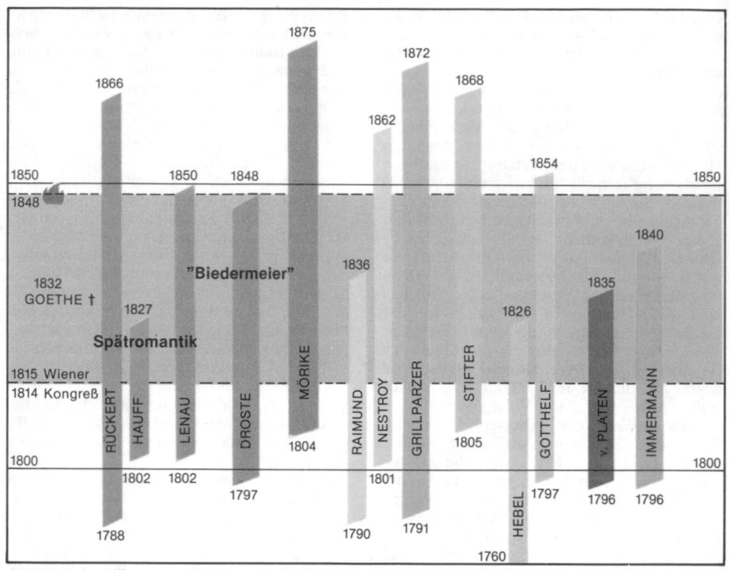

Autoren der "Restaurationsepoche"

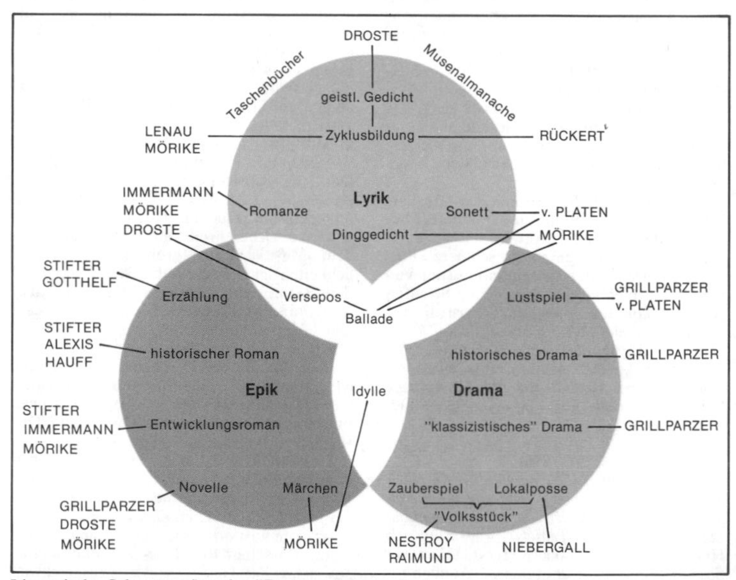

Literarische Schwerpunkte der "Restaurationsepoche"

aus). 1835 werden mit den Schriften des ''Jungen Deutschland'' auch **Heines Bücher verboten.** HEINE publiziert gleichwohl weiter. Dabei gilt ein wesentl. Interesse der **Information dt. Leser über Frankreich.** Den 'FRANZÖS. ZUSTÄNDEN' und 'FRANZÖS. MALERN' (diese im 1. Band des 'SALON') läßt er 1840 Berichte 'ÜBER DIE FRANZÖS. BÜHNE' ('SALON' IV) folgen. Er rechnet mit seinem Gegner BÖRNE ab und rächt sich in dem Epos 'DEUTSCHLAND, EIN WINTERMÄRCHEN' im Anschluß an seine beiden Deutschlandreisen für die ihm von Deutschen angetane Unbill. Im Epos 'ATTA TROLL' (Teilveröffentlichungen schon 1843) verhöhnt er die aktuelle polit. Dichtung und fordert die **Freiheit echter Poesie.** Gleichzeitig mit dem 'ROMANZERO', einer dreibänd. Gedichtsammlung, erschien in dt. Sprache sein ''Tanzpoem'' 'DER DOCTOR FAUST', ein Ballettlibretto, das HEINE zunächst (1847) in frz. Sprache abgefaßt hatte. Die 'VERMISCHTEN SCHRIFTEN' vereinigen **journalist. Korrespondenzen** ('LUTEZIA'), eine Fortsetzung des 'ROMANZERO', und weitere Texte. 'LETZTE GEDICHTE UND GEDANKEN' erschienen postum 1869.
Diese summar. Aufzählung kann den poet. Reichtum des HEINEschen Schaffens kaum andeuten und schon gar nicht begründen, warum HEINE bis heute ein umstrittener Autor geblieben ist, was freilich mehr für als gegen ihn spricht, da das ihm fehlende Attribut des Klassischen ihn sicher leichter auf den Podest ehrenvollen Vergessens gehoben hätte.

Dichtung in der ''Restaurationsepoche''

Das Phänomen HEINE zwischen Romantik und der politisch orientierten Dichtung des ''Jungen Deutschland'' deutet die Schwierigkeiten einer systematisierenden Literaturgeschichtsschreibung mit der Dichtung dieser Zeit überhaupt an. ''Restaurationsepoche'' ist lediglich ein auf die polit. Entwicklung bezogener Sammelbegriff, der über die von ihm erfaßten Individualitäten wenig oder gar nichts aussagt. Es fallen darunter Autoren der Spätromantik und des ''Biedermeier'' wie regionalen Traditionen verpflichtete Dichter, aber auch andere Autoren wie GRILLPARZER, STIFTER, VON PLATEN oder IMMERMANN. Ihnen insges. eine polit. Abstinenz als Anpassung an die restaurativen Tendenzen der Zeit vorzuhalten, wäre außerordentlich leichtfertig, im Einzelfall sogar ausgesprochen falsch (GRILLPARZER leidet auch in der Zeit seiner größten Erfolge unter stärkstem Zensurdruck). HEINE, in mancher Hinsicht ein durch und durch revolutionärer Dichter, wehrt sich ja ebenfalls **gegen den Anspruch eines nur noch polit. Zwecken untergeordneten Poesiebegriffs** ('ATTA TROLL'; vgl. oben). Eine Zusammenfassung unter dem Begriff des ''Biedermeier'', den man literarhistorisch bestenfalls auf bestimmte Erscheinungen der Spätromantik beschränken sollte, verbietet sich ebenfalls (er entstammt L. EICHRODTS Parodie auf den treuherz. Spießbürger der Vormärzzeit und wurde zunächst auf den Stil der zeitgenöss. Wohnkultur, sodann auf die Genremalerei à la SPITZWEG übertragen). Er verkennt die unübersehbaren **realist. Tendenzen** sowie ausgesprochen **klass. Ausprägungen,** wie sie bei GRILLPARZER oder VON PLATEN auf je eigene Weise vertreten sind. Bezeichnend ist das **Fehlen gemeinsamer programmat. Äußerungen** der hier zusammengesehenen Autoren (es gibt auch keine gemeinsame Zeitschrift od. dgl.).
Entsprechend unspezifisch ist die Teilhabe der versch. Dichter an den literar. Formen. **Neben der gelegentlich als kennzeichnend betrachteten ''Kleinkunst''** in Lyrik, Novelle/ (Kurz-)Erzählung, Märchen und ''Skizze'' (diese in Anlehnung an die Malerei als Entwurf für größere Ausarbeitungen entwickelt), **stehen die großen Formen des Romans und des Dramas, in der Lyrik die Zyklusbildung.** Der histor. wie der Entwicklungsroman stellen Weiterformungen von Vorläufern in der Romantik und in noch früheren Epochen dar. Einen bes. Akzent in der histor. Romanliteratur setzt WILLIBALD ALEXIS (1798–1871) mit seinen insges. acht Romanen zu Themen aus der brandenburgisch-preuß. Geschichte (am bekanntesten 'DIE HOSEN DES HERRN VON BREDOW', 1846). Auf **lokalen dramat. Traditionen** (nicht zuletzt auf Parodien des Hofschauspiels) basieren die ''Volksstücke'' der Wiener FERDINAND RAIMUND und JOHANN NESTROY, die durchaus auch Dichtern wie GRILLPARZER fruchtbare Anregungen vermitteln, ferner die Lokalposse 'DER DATTERICH' des Darmstädters ERNST NIEBERGALL (1815–43) sowie weitere Volksschauspiele in Hamburg, Berlin und Frankfurt, die noch heute in mundartlich geprägten Lokaltheatern weiterwirken. Die **Ballade** wird von Dichtern sehr unterschiedl. Grundhaltung weitergepflegt. Als Besonderheit in der Veröffentlichung von Lyrik ist die Bevorzugung der ungemein beliebten **''Taschenbücher''** und **''Musenalmanache''** zu beachten.

Zu einzelnen Dichtern der ''Restaurationsepoche''

Es muß festgehalten werden, daß auch und gerade für den Zeitraum von 1815–48 eine Systematisierung nach ''Epochen'' zu leicht Gleichzeitiges, das sich einer solchen Systematisierung nicht fügen will, unterschlagen kann. Sehr deutlich wird dies an GOETHE und den Romantikern, deren Leben und Werk weit in diese so gar nicht ''klass.'' und nur noch bedingt romant. Phase hineinragen. BRENTANO stirbt erst 1842, er veröffentlicht eine Reihe seiner wichtigen Novellen und Gedichte in dieser Zeit und berichtet noch 1833 anonym über das Leben der stigmati-

sierten Nonne ANNA KATHARINA EMMERICK von Dülmen, die er in eigenart. Verzückung jahrelang am Krankenbett beobachtet hatte ('DAS BITTERE LEIDEN UNSERES HERRN JESU CHRISTI'). Für TIECK (gest. 1853) gilt Ähnliches, ja er wurde erst nach GOETHES Tod zu einer anerkannten, wenn auch nicht unumstrittenen literar. Autorität. Wichtige seiner ep. Werke erscheinen nach 1815 (s. S. 184); mit Editionen von WACKENRODER, NOVALIS, MALER MÜLLER, KLEIST und LENZ bleibt er der neuesten Literatur aktiv verbunden. Man vergleiche ferner die Publikationsdaten E. T. A. HOFFMANNS und des Spätromantikers par excellence, EICHENDORFFS (s. S. 184ff.), damit man wenigstens eine Ahnung von der **Fülle literar. Gleichzeitigkeit** bekommt.
Eine in jeder Hinsicht singuläre Erscheinung ist das Werk **August von Platens** (1796–1835), das sich bewußt gleichweit von romant. Formauflösung und polit. Tagesschriftstellerei entfernt halten will. PLATEN strebte eine zeitlose Schönheit dichter. Form an, die er vor allem in den **lyr. Gattungen des Sonetts und der Ode sowie der pers. Ghasele** (nach GOETHES 'DIVAN' und RÜCKERTS Nachdichtungen) zu gestalten suchte. Weniger geglückt waren seine Versuche auf den Gebieten des Dramas und Epos. Doch schon zu Lebzeiten fand er, der sich überdies aus keineswegs polit. Gründen aus Deutschland nach Italien zurückgezogen hatte, wenig Verständnis für sein ästhet. Ideal; in HEINE erwuchs ihm sogar ein rücksichtsloser Gegner, dessen Kritik ihn tief verletzte (vgl. S. 191).
PLATEN seinerseits hatte mit eigener Kritik an literar. Erscheinungen, die ihm als Fehlentwicklungen erschienen, den Gegner freilich herausgefordert. Ungerecht war etwa sein Urteil über den gleichaltr. **Karl Leberecht Immermann** (gest. 1840), in dem er die Tagesschriftstellerei personifiziert sah (Verspottung im 'ROMANT. ÖDIPUS' von 1829). IMMERMANN bietet schon in seiner frühen zeitkrit. Prosa 'DIE PAPIERFENSTER EINES EREMITEN' und 'DER CARNAVAL UND DIE SOMNAMBÜLE' (1822 bzw. 1829/30) wesentlich mehr, als PLATENS Vorwurf erwarten läßt. Sein Zeitroman von 1838/39 'MÜNCHHAUSEN' (dessen Held ein Enkel des "Lügenbarons" aus BÜRGERS 'WUNDERBAREN REISEN ...' sein soll; s. S. 157) ist einer der wenigen großen dt. satir. Romane, eine auch stilist. anspruchsvolle Ideologiekritik der Zeit. Mit dem schon 1836 erschienenen Roman 'DIE EPIGONEN' hatte sich IMMERMANN schon im Titel einem Kernproblem literar. Schaffens im Schatten des klass. und romant. Erbes gestellt. Obwohl ihm Ende 1832 die Leitung des Düsseldorfer Schauspiels übertragen wurde (in dieser Stellung versuchte er u.a. dem verzweifelten GRABBE einen letzten Halt zu geben; s. S. 205), kann man IMMERMANN nicht nachsagen, daß er als Dramenautor besonders erfolgreich war. Aber auch hierin hatte PLATENS Kritik kaum Berechtigung, da IMMERMANNS Schwäche weniger in der Zeitverhaftung als in einer allzu großen **Abhängigkeit von histor. Vorbildern** lag.
Abseits des literar. Betriebs, aber gleichwohl aus kräftigen poet. Traditionen gespeist hatte sich in versch. Regionen des dt. Sprachraums eine eigene Literatur entwickelt, die sicher nicht zuletzt wegen einer gewissen allgem. Orientierungslosigkeit zur Belebung der großen literar. Szene aktiv beitrug. Erwähnt war bereits das **Wiener Volksschauspiel,** aus dem die Namen **Ferdinand Raimund** und **Johann Nepomuk Nestroy** hervorragen. Nichts wäre falscher, als in ihren Zauberspielen und Lokalpossen nur den naiven Spiegel einer "gemütl." und harmlosen Volkskultur zu sehen. RAIMUNDS Stücke nehmen zwar ihren Ausgang in einem wenig anspruchsvollen Genre, wovon sein erstes Originalwerk, 'DER BAROMETERMACHER' (1823), noch zeugt, doch entwickeln sie sich deutlich von der bloßen Posse fort zu hintergründ. Humor und zur dramat. Gestaltung allgem. Probleme, wobei mehr und mehr auch die soziale Realität einbezogen wird (u.a. 'DER BAUER ALS MILLIONÄR', 'DER VERSCHWENDER'). NESTROY gab dem RAIMUNDschen Erbe eine satir., zeitkrit. Note. Er will die Motive und Hintergedanken seiner Figuren und der von ihnen verkörperten Zeit und Gesellschaft entlarven und dem Gelächter preisgeben. Mit dieser Wendung wurde auch der (schon von RAIMUND zurückgedrängte) Zauberapparat noch weiter reduziert zugunsten individuell gezeichneter Personen und Schicksale. Im 'BÖSEN GEIST LUMPAZIVAGABUNDUS' (1833) etwa gewinnt die Vordergrundhaltung mit drei Handwerksburschen, die die pessimist. Grundeinstellung der "Restaurationsepoche" repräsentieren, eindeutig die Oberhand über das Geschehen im Geisterreich. Mit dem Stück 'FREIHEIT IN KRÄHWINKEL' von 1848 wagte sich NESTROY sogar an eine Satire auf die gescheiterte Märzrevolution. Ein noch heute in NESTROY-Aufführungen kreativ verwendetes Stilmittel sind die veränderbaren Gesangseinlagen (Couplet), die zu aktuellen Anspielungen genutzt werden können.
Alemann. Eigenart machte sich zu Beginn des 19. Jhs. erstmalig bei **Johann Peter Hebel** bemerkbar. Seine 'ALEMANN. GEDICHTE' von 1803 fanden begeisterte Aufnahme. Für seinen Jahreskalender 'DER RHEINLÄND. HAUSFREUND' (1808–15 und 1819) schrieb er ungemein beliebte Texte besinnl. und vorsichtig belehrenden Inhalts ("Kalendergeschichten"); bereits 1811 faßte er etliche im 'SCHATZKÄSTLEIN DES RHEIN. HAUSFREUNDS' zusammen. Bei HEBEL läßt sich noch am ehesten der oft für die gesamte Epoche behauptete **Rückzug ins Private, hier auch ins Ländlich-Bäuerliche,** nachweisen. Davon ist die bewußte Zuwendung zum Bauerntum seitens eines anderen Alemannen, des einer

Berner Familie entstammenden **Jeremias Gotthelf** (eigtl. ALBERT BITZIUS)) zu unterscheiden, obwohl gerade ihr ein deutlich antizivilisator. Zug anhaftet. GOTTHELF ist zunächst Sozialreformer, der auf der Suche nach einem Modell unverfälschten Lebens zu konservativer Hochschätzung des Bauerntums gelangt. Erst spät literarisch tätig schafft GOTTHELF im 'BAUERNSPIEGEL' von 1837 den **ersten europ. Bauernroman,** dem er eine Reihe weiterer im Bauernstand spielender Romane und Erzählungen folgen läßt: 1841 'ULI DER KNECHT', 1843 'GELD UND GEIST', 1843–44 'ANNE BÄBI JOWÄGER', 1847 'ULI DER PÄCHTER'. Sicher ungewollt und unverdient ist GOTTHELF zum Begründer einer in der "Blut-und-Boden"-Literatur der NS-Zeit verkommenen Tradition ideolog., d.h. wirklichkeitsverfälschenden Bauernpreises geworden (s. auch S. 211).

Annette von Droste-Hülshoff (1797–1848)

Eine an äußeren Ereignissen arme, an innerem Erleben um so reichere Biographie kennzeichnet die 1797 im **kath. Westfalen** geborene ANNETTE VON DROSTE-HÜLSHOFF. Ihr dichter. Werk ist verhältnismäßig schmal und doch von großer Bedeutung, bedenkt man nur, wie früh ihre Dichtungen die erst sehr viel spätere symbolist. Strömung der europ. Literatur (s. S. 218ff.) vorprägten.
Schon in der familiären Enge von Schloß Hülshoff entstanden neben dem Romanfragment 'LEDWINA' erste **Gedichte,** die 1838 in einer von Freunden unglücklich zusammengest. Sammlung erscheinen konnten. Diese Edition förderte auch eins der großen **Versepen** zutage, von denen 'DES ARZTES VERMÄCHTNIS' bereits 1834 geschrieben war. Die Gedichtsammlung von 1844 enthielt auch den 'SPIRITUS FAMILIARIS DES ROSSTÄUSCHERS', während 'DAS HOSPIZ AUF DEM GROSSEN ST. BERNHARD' nach Teilveröffentlichungen erst 1925 vollst. bekanntgemacht werden konnte.
In 'DES ARZTES VERMÄCHTNIS' kündigt sich im Rahmen einer eigentlich simplen Gruselgeschichte schon die Stärke der DROSTE in der **Gestaltung von Naturbildern** an, die auch dieses Epos weit über das zugrundeliegende Gattungsmuster hebt. Die schon 1838 veröfftl. 'SCHLACHT IM LOENER BRUCH' greift ein histor. Ereignis der westfäl. Heimat im Dreißigjähr. Krieg auf, ohne daß sich die DROSTE darin auf die von ihr erwartete Schwarzweiß-Malerei des Konflikts zwischen Katholiken und Protestanten eingelassen hätte (kath. Kritik hat ihr diese Zurückhaltung mitunter verübelt). Der 'SPIRITUS FAMILIARIS', der in einem inneren Verhältnis zu den Gedichten des 'GEISTL. JAHRES' (entst. 1820–39) steht, gestaltet in Anlehnung an eine Volkssage die **Spannung zwischen Sünde-Tod und Gnade-Erlösung.** Dieses Epos zählt zu den sprachmächtigsten Dichtungen der DROSTE. Das 'HOSPIZ', die Erzählung von einer Errettung aus Bergnot, ist wohl nicht zuletzt deswegen nur stückweise veröffentlicht worden, weil die DROSTE selbst die Unvollkommenheit der Gesamtkomposition spürte.
Höhepunkt ihres erzähler. Schaffens aber ist die **Novelle 'Die Judenbuche',** im Typ eine Kriminalgeschichte, die jedoch zu einem Exempel der ständigen Bedrohung des Individuums durch eine grundsätzlich gestörte gesellschaftl. Situation vertieft wird. Kennzeichnend für die 'JUDENBUCHE' ist auch, daß in ihr menschl. Schicksal in engster symbol. Beziehung zur umgebenden Natur gesehen wird. Die Buche, an der sich der Mörder eines Juden, Friedrich Mergel, durch Erhängen selbst richtet, wird zum Dingsymbol für das unheilvolle Geschehen insges.
Auch in der Lyrik wird die Natur zum großen Thema. Die unter Mithilfe ihres Freundes L. SCHÜCKING 1844 zusammengest. Sammlung gruppiert neben "Zeitbildern", ernsten und heiteren Gedichten sowie Balladen etliche Texte unter den Überschriften "Heidebilder", "Fels, Wald und See". Impressionist. Zeichnung und immer erneute Versenkung in die Dämonie der Natur charakterisieren diese Gedichte. In den 'LETZTEN GABEN' wurde diese Sammlung durch Texte aus der fruchtbaren Zeit ihrer Freundschaft mit SCHÜCKING postum ergänzt. Der Bruch mit dem jüngeren Gefährten, der sich schließlich der Bewegung des "Jungen Deutschland" anschloß, verdüsterte die letzten Lebensjahre der Dichterin, die ab 1841 häufiger, ab 1846 ständig bei ihrem Schwager J. v. LASSBERG (Germanist und Sammler wichtiger altdt. Handschriften) am Bodensee lebte.

Eduard Mörike (1804–1875)

MÖRIKES geist. Heimat ist das **protestant. Württemberg,** dem sich dieser Dichter auch zeitlebens verbunden fühlt, wobei die theolog. Ausbildung und die versch. geistl. Ämter freilich ungeliebt bleiben, so daß er sich schließlich ganz der Literatur, 15 Jahre auch als Lehrer am Stuttgarter Katharinenstift, verschreibt. Der Bogen seiner literar. Themen und Formen ist weiter als bei der DROSTE gespannt, und doch zeigen sich Parallelen: in der **Zuwendung zum "kleinen Gegenstand", zur Landschaft, zum impressionist. Erfassen von Stimmungen und Sinneseindrücken, aber auch zum Mythischen,** was oft als "biedermeierl." Kennzeichen dieser und anderer zeitgenöss. Dichter interpretiert wird. Die Unterschiede zur DROSTE sind indes unverkennbar. Neben früher **Lyrik** steht bei MÖRIKE schon 1832 auch die **große Form eines Romans,** des 'MALER NOLTEN' (1. Fassung), den er selbst noch "Novelle" nannte. Dabei handelt es sich um einen Künstlerroman in der Nachfolge von GOETHES 'WILHELM MEI-

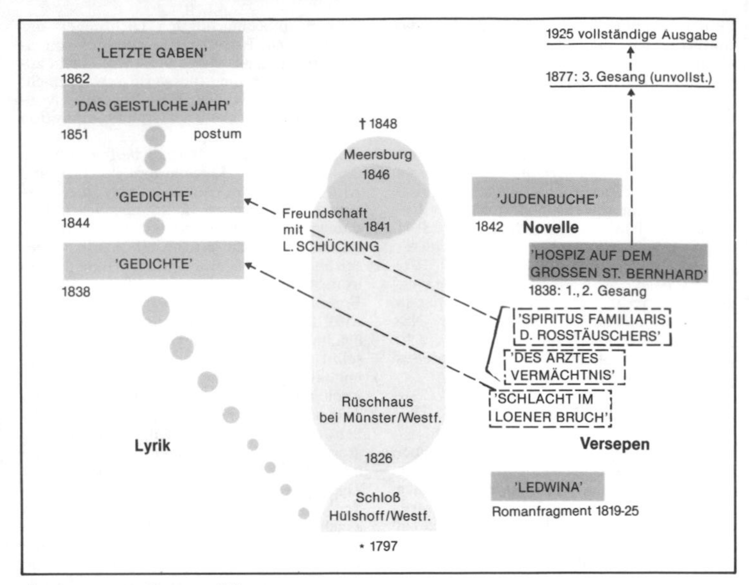

ANNETTE VON DROSTE-HÜLSHOFF

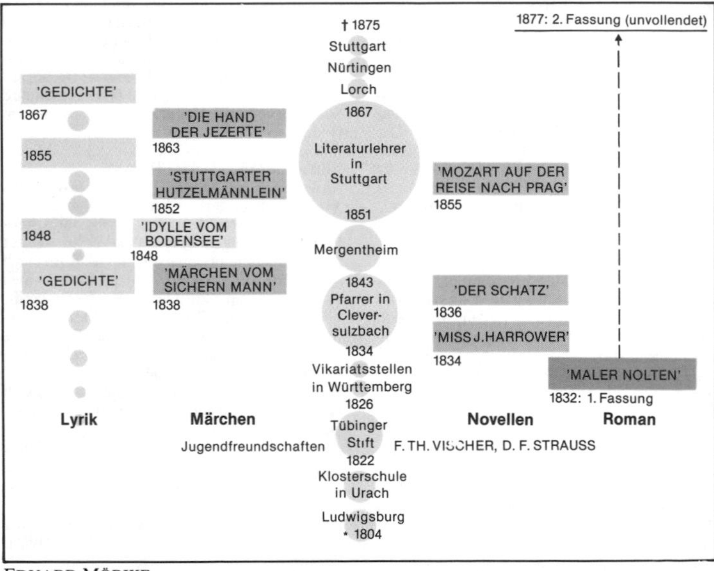

EDUARD MÖRIKE

STER' und der romant. Begeisterung für dieses Genre. Romantisch in der Auffassung ist die durch ein Gewirr von Intrigen, Krankheit und Schicksalsschlägen vorangetriebene, nur zeitweilig idyllisch retardierte Handlung. Romantisch in der Form sind auch die lyr. Einlagen ('PEREGRINA-LIEDER'). Neuartig hingegen sind die **psycholog. Durchdringung des Stoffs und seine artist. Gestaltung,** die ganz und gar nicht ins Schema gängiger "Biedermeier"-Vorstellungen passen.
Einer der frühen Rezensenten dieses Romans war MÖRIKES Jugendfreund F. TH. VISCHER, der spätere Philosoph und Ästhetiker der Epoche ('KRIT. GÄNGE' 1844), der wie MÖRIKES anderer Jugendfreund, D. F. STRAUSS, der nachmal. Theologe und Philosoph ('DAS LEBEN JESU' 1835/36; vgl. S. 200) wegen freimütiger liberaler Äußerungen auch in berufl. Bedrängnis geriet.
Anders als die DROSTE war MÖRIKE in seiner **Kleinepik** bemüht, das Schauerliche seiner Stoffe zugunsten des Idyllischen oder Kuriosen zurückzudrängen. Dabei gelangen ihm wie in seiner Lyrik innig-zarte, auch unbeschwert-heitere Töne, die jedoch bei näherem Zusehen das Abgründige und Schwermütige kunstvoll offenbaren. Insbes. seine Novelle 'MOZART AUF DER REISE NACH PRAG' hat ein MOZART-Bild vermittelt, das die ernste Grundstimmung des Komponisten hinter der scheinbaren Schwerelosigkeit seiner musikal. Gebilde aufscheinen läßt. Mit der Konzentration auf eine einzelne histor. Persönlichkeit hat sich MÖRIKE deutlich **von der romant. Künstlernovelle entfernt.** Selbst in seinen **Märchen,** vor allem im 'HUTZELMÄNNLEIN' (in das die 'HISTORIE VON DER SCHÖNEN LAU' eingeschoben ist), zeigt sich ein von der Romantik schon unterschiedener Gestaltungswille: keine Theoriebelastung der einfachen Form wie in romant. Märchen, kein grenzenloses Verschwimmen in der Ausführung des Themas. In der 'IDYLLE VOM BODENSEE' (urspr. als Einschiebsel für eine Schwankerzählung gedacht) schließt sich MÖRIKE in Geist und Form (7 Gesänge in Hexametern) GOETHES 'HERMANN UND DOROTHEA' an. **Seine Lyrik vereinigt ebenfalls die besten Traditionen der Klassik und Romantik.** Ihre themat. Spannweite reicht von Naturgedichten über geistl. Lieder, antikisierende Gedichte bis hin zu volkstüml. Liedern und Balladen. MÖRIKE begründet das dt. **Dinggedicht,** die Konzentration auf einen sinnlich greifbaren Gegenstand der bildenden Kunst oder des Alltags, dessen Erscheinung beschrieben und dessen inneres Wesen (oft symbolisch) ausgedeutet wird. Zum klass. Beispiel wurde MÖRIKES 'AUF EINE LAMPE'; Nachfolger fand er insbes. bei C. F. MEYER und R. M. RILKE.
Auch als **Übersetzer griech. und röm. Lyrik,** u. a. ANAKREONS und CATULLS, trat MÖRIKE hervor.

Franz Grillparzer (1791–1872)
Jeder Versuch, die neuzeitl. dt. Literatur in versch. den modernen staatl. Strukturen angepaßte Nationalliteraturen zu zerlegen (für die es insges. wenig literaturimmanente Gründe gibt!), müßte den Wiener Dichter FRANZ GRILLPARZER als den **"Klassiker Österreichs"** anerkennen. Eine solche Erwägung ist in diesem Fall aus doppeltem Grund angezeigt. Tatsächlich ist die dt. Literatur in der ersten Phase nach der Auflösung des alten Deutschen Reiches (1806) noch einmal wie im späten Mittelalter stark regional gebunden. Und GRILLPARZER stellt in einer wohl nur in der österreich. Monarchie so natürl. Verbindung und Steigerung versch. literar. Traditionen einen klass. Gipfel dar. Er integriert in seinem Werk **Wesenszüge der "Weimarer Klassik", des österr. Barock unter Einschluß span. Vorbilder, Themen der Geschichte des Hauses Habsburg einschl. des Kronlands Böhmen und auch lokalspezif. Traditionen des Wiener Volkstheaters.**
Der Schwerpunkt seines Schaffens liegt auf dem **Drama.** Daneben hat er nur zwei **Novellen** geschrieben: 'DAS KLOSTER BEI SENDOMIR', ein romantisierendes "Nachtstück" (1827), und die allerdings zu den besten dt. Novellen zu stellende Erzählung 'DER ARME SPIELMANN', mit stark autobiograph. Zügen (1848). 1835 erschienen im Taschenbuch 'VESTA' außerdem 17 **Gedichte** von ihm, die schon im Titel ('TRISTIA EX PONTO') an OVID anknüpfen. Einen Zugang zum gesamten lyr. Werk eröffnete erst die postume Werkausgabe von 1872.
Schon im Jugenddrama 'BLANKA VON KASTILIEN' wird GRILLPARZERS **Nähe zu histor. Themen** belegt, der sich die meisten Dramen verpflichtet zeigen. 'KÖNIG OTTOKARS GLÜCK UND ENDE', 'EIN TREUER DIENER SEINES HERRN', 'LIBUSSA', 'EIN BRUDERZWIST IN HABSBURG' und 'DIE JÜDIN VON TOLEDO' führen Vergangenes nicht in historist. Distanz vor, sondern arbeiten durchaus **gegenwartsbezogene politisch-moral. Deutungen** heraus. 'KÖNIG OTTOKAR' sucht in der Gegenüberstellung der egozentr. Herrschaft Ottokars und des vom "eitlen Drang der Ehre" freien Kaisertums Rudolfs durchaus zeitgeschichtl. Bezüge, vor allem Analogien zu NAPOLEON. (Zwei Jahre hat GRILLPARZER auf die Freigabe seines Stücks durch die Zensur warten müssen.) Als Auftragsarbeit für die Feierlichkeiten der Krönung von Kaiserin KAROLINE AUGUSTE zur Königin von Ungarn entstand der 'TREUE DIENER', in dem GRILLPARZER die **äußerste Selbstverleugnung eines Staatsdieners** als trag. Heldentum gestaltete und damit – entgegen seiner eigenen Befürchtung, das Stück sei "bis zum Übermaß loyal" – die Staatsvergötterung seiner Zeit in Zweifel zog. 'BRUDERZWIST' und 'JÜDIN' enthielt GRILLPARZER nach dem ihn zutiefst deprimierenden Ende seiner Bühnenerfolge (1838) der Öf-

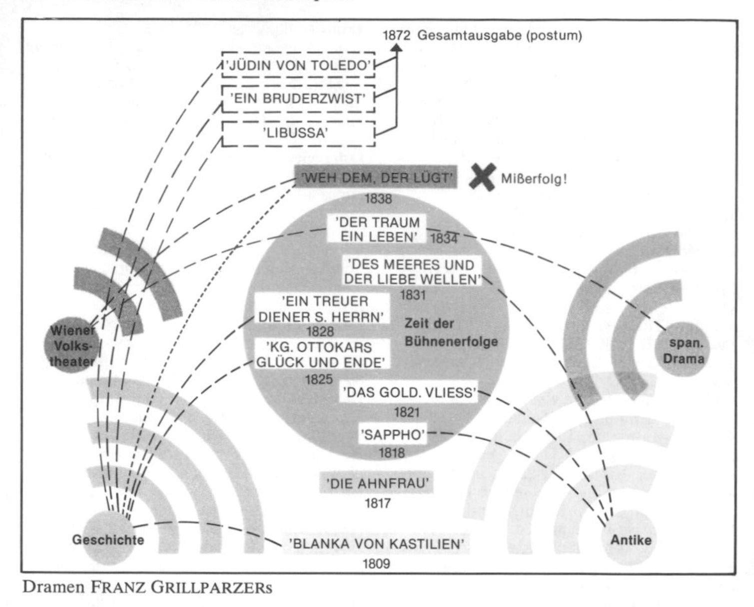

Dramen FRANZ GRILLPARZERs

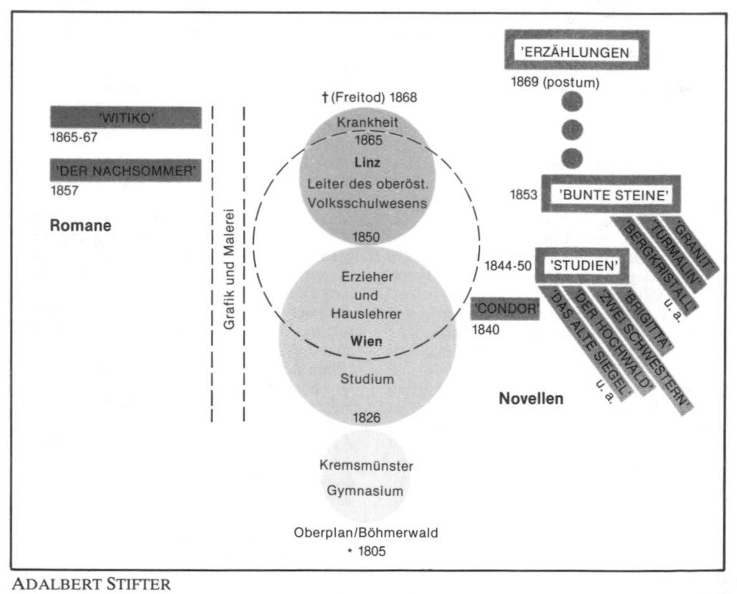

ADALBERT STIFTER

fentlichkeit vor. Von der 'LIBUSSA' wurde 1840 nur der erste Akt aufgeführt. Dieses Trauerspiel deutet die Gründung Prags durch die böhm. Sagengestalt Libussa als letztes Stadium einer auf menschl. Würde und Menschenrecht beruhenden mütterl. Herrschaft, der das Zeitalter seelenloser männl. Bürokratie folgt. Der **Untergang der modernen Gesellschaft** wird zwingend im inneren Zwiespalt des Kaisers Rudolf im 'BRUDERZWIST' vorausgedeutet. Rudolf will als Mensch die heilige Ordnung des Staates nicht durch polit. Handeln stören, das ihn vor Schuld nicht bewahren würde; er erkennt aber als Kaiser durchaus, daß gerade diese Untätigkeit der Todeskeim staatl. Ordnung ist. Geradezu prophetisch hat GRILLPARZER damit das Ende des habsburg. Imperiums vorausgeahnt, dessen versch. Grundkräfte sich schließlich gegenseitig blockierten. Im **trag. Widerstreit zwischen Menschlichkeit und abstraktem Staatsinteresse** sieht GRILLPARZER auch den span. König Alfonso in der 'JÜDIN VON TOLEDO'. Der Stoff dieses Dramas hat ihn schon seit 1816 beschäftigt, womit sehr früh nicht nur die Auseinandersetzung mit LOPE DE VEGA (der eine von GRILLPARZERS Quellen für dieses Stück bot), sondern auch ein Grundmuster seiner Tragödien belegt wird.
Von ähnlich starkem Einfluß auf sein dramat. Schaffen wie die Geschichte waren **Themen der Antike.** Früh ist eine Beschäftigung GRILLPARZERS mit HOMER, PLATO und den griech. Tragikern bezeugt. Die Tragödie 'SAPPHO', deren überwältigender Bühnenerfolg eine öffentl. Ehrung des Autors nach sich zog, offenbart aber trotz des antiken Sujets und Gewands eine außerordentl. **Zeitnähe,** da in den Hauptgestalten Sappho und Phaon **Kunst und bürgerl. Leben als unvereinbare Gegensätze kontrastiert** werden. Weniger geglückt hat GRILLPARZER 1821 drei klassizist. Dramen zu einem ''Dramat. Gedicht'' zusammengefügt: 'DER GASTFREUND', 'DIE ARGONAUTEN' und 'MEDEA'. Der Titel der Trilogie, 'DAS GOLDENE VLIESS', bezeichnet das die Teile verbindende Dingsymbol, das freilich – wohl unter dem Eindruck der harten Kritik an seiner Schicksalstragödie 'DIE AHNFRAU' von 1817 – als Schicksalsmotiv zu stark abgeschwächt worden ist, als daß es die verbindende Funktion noch ganz hätte erfüllen können. Die griech. Sage von Hero und Leander dramatisierte GRILLPARZER in dem Trauerspiel 'DES MEERES UND DER LIEBE WELLEN'. Auch hier steht wie in den Geschichtsdramen der **Gegensatz von Pflicht** (Entsagung Heros im Tempeldienst) **und Neigung** (Liebe zu Leander) im Zentrum. Ein Priester, Repräsentant eines abstrakten Prinzips, verhindert die heiml. Zusammenkünfte der Liebenden und bewirkt so beider Tod. Die Uraufführung war GRILLPARZERS erster Mißerfolg, den erst H. LAUBES Neuinszenierung 1851 wettmachte.
Mit dem ''Dramat. Märchen'' 'DER TRAUM EIN LEBEN' gelang dem Dichter noch einmal ein großer Bühnenerfolg. In diesem Drama mischen sich auf der stoffl. Grundlage von VOLTAIRES 'DER WEISSE UND DER SCHWARZE' und CALDERONS 'DAS LEBEN EIN TRAUM' barocke Traditionen und Einflüsse der Wiener Zauberpossen. Die **Entlarvung der Scheinhaftigkeit von Ruhm und eingebildeter Größe** geschieht – durch die Märchenelemente des Stücks vermittelt – auf untrag. Weise. Mit seiner einzigen **Komödie,** 'WEH DEM, DER LÜGT' erlitt der sensible Dichter jedoch schon vier Jahre später einen derartigen Mißerfolg, daß er sich gekränkt zurückzog und auch spätere Ehrungen nur noch mißmutig aufnahm. Einen weiteren Aufschluß über die geist. Dimensionen dieses Dichters, aber auch über seine inneren Widersprüche bietet neben den Tagebüchern die **'Selbstbiographie'** von 1853/54.

Adalbert Stifter (1805–1868)
Als ''Österreicher'' ließe sich den Lebensumständen nach auch ADALBERT STIFTER bezeichnen, doch fehlt diesem Dichter und Maler schon wieder jene bei GRILLPARZER durchaus feststellbare österreichisch-nationale Eigenart. Zwar prägen ihn auch thematisch seine **südböhm. Herkunft** und seine **Wiener und oberösterr. Studien- und Berufserfahrungen,** doch stärker noch verbinden ihn **Einflüsse einer ''gesamtdt.'' Literaturtradition,** wozu insbes. LEIBNIZ-WOLFFsche Aufklärungsideen, HERDERS Geschichtsauffassung und GOETHES klass. Stilideal zählen.
Nur widerwillig veröffentlichte STIFTER 1840 seine aus Liebhaberei geschriebene Novelle 'DER CONDOR', die ihm jedoch sogleich große Publikumswirkung bescherte. Im 'CONDOR' wird noch der stilist. Einfluß JEAN PAULS und der romant. Künstlernovelle sichtbar. Diese wie weitere zunächst einzeln publizierte Novellen arbeitete er unter dem Eindruck des Erstlingserfolgs für eine sechsbänd. Sammeledition, die 'STUDIEN', um. Sie enthält u.a. schon die in Richtung auf ein klass. Maß gestalteten Höhepunkte seiner Erzählkunst, 'BRIGITTA' und 'DER HOCHWALD'. In ähnl. Weise verfuhr STIFTER mit sechs weiteren Novellen, die er 1853 in der Edition **'Bunte Steine'** vereinigte. Alle waren ebenfalls zuvor schon einzeln in Zeitschriften veröffentlicht worden. Ihre Titel glich er metaphorisch an den Sammeltitel an: 'WIRKUNGEN EINES WEISSEN MANTELS' von 1843 hieß nun in der Überarbeitung 'BERGMILCH', 'DER HEILIGE ABEND' von 1845 'BERGKRISTALL', 'DER ARME WOHLTÄTER' von 1847 'KALKSTEIN' usw. Der Titel 'BUNTE STEINE' soll einem gleichsam absichtslosen Sammelgeist entsprechen. Die berühmt gewordene programmat. Vorrede aber erhebt einen höheren Anspruch: Sie spricht von dem **''sanften Gesetz'',** das nur in den Dingen selbst gefunden werden könne,

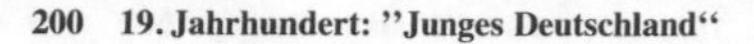

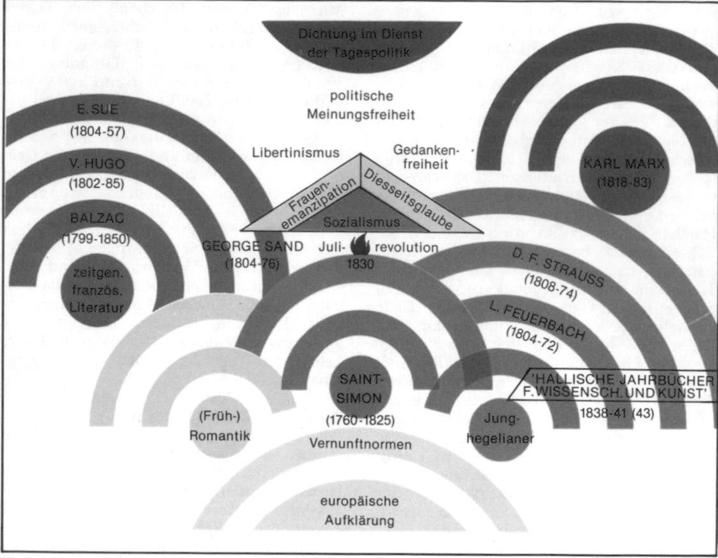

Geistige Quellen des "Jungen Deutschland"

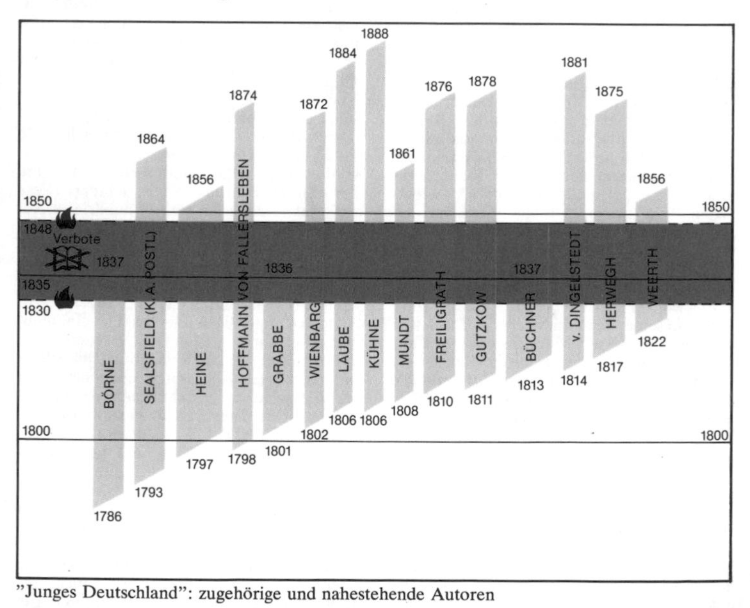

"Junges Deutschland": zugehörige und nahestehende Autoren

durch das auch das Kleine mit der großen Ordnung von Zeit und Ewigkeit verbunden sei. Nach seinem Freitod, den STIFTER schwer erkrankt suchte, gab J. APRENT weitere Erzählungen aus Zeitschriften und aus dem Nachlaß heraus.
STIFTER schenkte der dt. Literatur auch zwei umfangreichere Werke: den an GOETHES 'WILHELM MEISTER' orientierten **Bildungsroman** 'NACHSOMMER' und den **histor. Roman** aus der mittelalterlich-böhm. Geschichte 'WITIKO'. Auch im 'NACHSOMMER' geht es ihm um das als das wahre Große und Erhabene gedeutete Kleine und Alltägliche als Ziele einer Seelenbildung, die die Widersprüche der Zeit überwinden kann. Im 'WITIKO' stellt STIFTER den als verhängnisvoll eingeschätzten Folgen der Revolution von 1848 sein Ideal eines christl. Staates mittelalterl. Prägung gegenüber. Solche Grundhaltungen waren geeignet, STIFTER als Prototyp einer "biedermeierl." Idyllik mißzuverstehen; HEBBEL hat ihm zudem eine gewisse "Enge" des Weltbilds vorgeworfen. Erst spät hat man in ihm einen der größten dt. Erzähler entdeckt.

Die Bewegung des "Jungen Deutschland"
Ein polit. Eingriff, das **Publikationsverbot des Dt. Bundes von 1835,** macht eine Gruppe meist junger Dichter schlagartig als Gruppe "aktenkundig", die eigentlich nur sehr lose äußere Beziehungen zueinander, dafür aber sehr viele polit. Ideen gemeinsam hatte. Die in den Freiheitskriegen gegen NAPOLEON entwickelten liberalen Strebungen mußten sich zwangsläufig auch gegen die nach dem Sieg über NAPOLEON Oberhand gewinnende **Restauration** wenden. Hierbei erwiesen sich **Kontinuitäten der polit. Dichtung,** wie sie etwa am Beispiel des Lieddichters HOFFMANN VON FALLERSLEBEN, von dem u.a. das 'DEUTSCHLANDLIED' (1841) stammt, studiert werden können. Als "Junges Deutschland" bezeichnet man eine bestimmte Richtung der **polit. Literatur des "Vormärz",** d.h. der Zeit vor der Märzrevolution von 1848, nach einer Widmung L. WIENBARGS in seinen 'ÄSTHET. FELDZÜGEN' (1834). (Vorläufer war das Schlagwort *"la jeune Allemagne"* bei HEINR. LAUBE und KARL GUTZKOW; man vgl. *"Jeune France"* und *"Giovine Italia"*). Diese Richtung kann ihre liberalen Ideen schon von der **Aufklärung** herleiten. Einen bedeutenden Impuls vermittelte ihr der **Sozialismus des Franzosen Henri de Saint-Simon,** von dem auch andere als die unmittelbar im Bücherverbot gen. Autoren (HEINE, GUTZKOW, LAUBE, WIENBARG und MUNDT) angeregt wurden. Verbindend waren die Ablehnung des sich absolut setzenden Staates und relig., moral. und sozialer Konventionen und Dogmen, das **Eintreten für Individualismus, Gedanken- und Meinungsfreiheit.** Die **Philosophie der Junghegelianer,** der **"linken Hegel-Schule",** förderte die **relig. Distanz und den Diesseitsglauben.** Im **Postulat der Frauenemanzipation** und der Freiheit in den Geschlechterbeziehungen war man sich vielfach mit Gedanken der **Frühromantik** einig, die inzwischen auch in der frz. Literatur weitergewirkt hatten. Die frz. Julirevolution von 1830 gab dieser Bewegung mächt. Auftrieb und bestärkte sie in der literaturtheoret. wie -prakt. Absicht, im Dienst der **Tagespolitik** zu wirken.
"Jungdt." Tendenzen – oft gegen scharfen Zensurdruck – vertraten viele **Zeitungen und Zeitschriften,** darunter die Literaturbeilage des 'MORGENBL. FÜR GEBILDETE STÄNDE' (1825–35 bzw. 1849), GUTZKOWS Literaturblatt im 'PHÖNIX' (1835) und der 'TELEGRAPH FÜR DEUTSCHLAND' (1835–42), die 'ZEITUNG FÜR DIE ELEGANTE WELT' unter LAUBES Redaktion (1833/34) sowie die zahlreichen Zeitschriftengründungen TH. MUNDTS. Entsprechend stark tritt im Stilist. insges. die **journalist. Arbeit** in den Vordergrund, hier vor allem das Feuilleton und das zeitkrit. Reisebild, worin sich neben BÖRNE ('BRIEFE AUS PARIS', 1832ff.) ja auch HEINE besonders auszeichnete, der trotz mancher persönl. Distanz zum "Jungen Deutschland" doch auch eine Reihe von Gemeinsamkeiten mit dieser Bewegung aufweist (vgl. S. 191). Er trägt mit seiner 'ROMANT. SCHULE' wesentlich zur Theoriearbeit der Gruppe bei.
Auch der **Roman** konzentriert sich auf **Zeit- und Gesellschaftskritik,** so in LAUBES 'DAS JUNGE EUROPA' (1833–37), in GUTZKOWS 'WALLY DIE ZWEIFLERIN' (1835), dem ersten modernen dt. Frauenroman. Nach 1848 strebte GUTZKOW eine noch breitere zeitkrit. Epik an in 'DIE RITTER VOM GEISTE' (1850–51) und 'DER ZAUBERER VON ROM' (1858–61), zwei jeweils neunbänd. Romane, die ein wichtiges Verbindungsglied zum Roman des Realismus darstellen (im Vorwort zu den 'RITTERN' legt GUTZKOW seine **Theorie vom "Roman des Nebeneinander"** dar).
GUTZKOW und der Theatermann LAUBE (unter dessen Leitung u.a. das Burgtheater in Wien 1849–67 eine erstaunl. Blütezeit erfahren sollte; vgl. S. 199) leisten auch auf **dramat. Gebiet** Beachtliches. In GUTZKOWS 'ZOPF UND SCHWERT' und 'URBILD DES TARTÜFFE' (beide 1844) sowie in LAUBES Schillerdrama 'DIE KARLSSCHÜLER' (1846) macht sich im großen wie im kleinen eine strenge frz. Formschulung bemerkbar, bei GUTZKOW in der Übernahme des seit der Julirevolution von 1830 populären **histor. Lustspiels,** bei LAUBE insbes. in der hohen Kunst des Dialogs. Bezeichnend für die themat. Intentionen ist die dramat. Behandlung des religös liberalen Lehrers von SPINOZA in GUTZKOWS Tragödie 'URIEL ACOSTA' (1846).
Vornehmlich aktuell und politisch wirksam wollte die **Lyrik** der Zeit sein. Hierin trat schon 1831 ANASTASIUS GRÜN (eigtl. ANTON ALEXANDER GRAF AUERSPERG, 1806–76) mit

seinen (anonymen) 'Spaziergängen eines Wiener Poeten' auf. Bedeutendere Publikationen stammen auch von Georg Herwegh, 'Gedichte eines Lebendigen' (1841), Franz von Dingelstedt, 'Lieder eines kosmopolit. Nachtwächters' (1841), Ferdinand Freiligrath, 'Ein Glaubensbekenntnis' (1844). Unter dem persönl. **Einfluß von Karl Marx** entstanden 1845/46 Freiligraths klassenkämpfer. Gedichte, die unter dem Titel 'Ça ira' erschienen. Zahlreiche weitere polit. und satir. Gedichte stammen auch von Georg Weerth (sein satir. Roman 'Leben und Taten des berühmten Ritters Schnapphanski' wurde erstmals 1848/49 von Marx in der 'Neuen rhein. Zeitung' ediert).

Das heut. Urteil über viele Dichtungen des "Jungen Deutschland" schwankt oft **zwischen ästhet. Kritik und polit. Hochschätzung.** Eine Vermischung dieser beiden Kriterien ergibt allemal ein schiefes Bild. Der politisch-histor. Wert ist eine Größe für sich, die auch Bestand hat, wenn es – wie bei vielen literar. Produkten der Zeit – an ästhet. Qualität mangelt (was durchaus eine zwangsläuf. Folge der bewußt veränderten Funktion dieser Literatur sein konnte). Den polit. Tageskampf überdauern und auch in künftige Zeiten wirken konnten freilich nur diejenigen Texte, die ästhet. Anforderungen nicht gänzlich durch polit. Tendenzen ersetzten. Aus diesem Grund in die "zweite Reihe" der Literaturgeschichte gerückt zu sein, ist aber angesichts des Engagements vieler Autoren, die sich um der Freiheit willen immer wieder staatl. Verfolgung aussetzten, absolut nicht ehrenrührig. Preußen hob zwar schon 1842 das Bücherverbot von 1835 wieder auf, doch blieb nur unbehelligt, wer eine **Wohlverhaltensklausel** unterschrieb. Dazu konnten sich von den bekannteren "Jungdeutschen" nur Mundt und Laube entschließen.

Unbestrittener Ruhm sowohl für sein polit. Engagement wie auch für seine literar. Leistung gebührt Georg Büchner (s. u.). Doch sei zuvor noch eines Autors gedacht, der nach seinen Erfahrungen mit der geist. Situation Deutschlands nach 1815 nicht wie viele Oppositionelle "nur" ins benachbarte Frankreich, sondern gleich nach Nordamerika floh und dort großen literar. Ruhm erntete: Charles Sealsfield. Auch seien die Wissenschaftler erwähnt, die aus akadem. Positionen Widerstand gegen reaktionäre Politik leisteten, darunter die "Göttinger Sieben".

Sealsfield, eigtl. Karl Anton Postl, 1793 in Poppitz/Südmähren geb., war in Prag zunächst Priester und Sekretär des Kreuzherrenordens, ging 1823 aber nach **Amerika,** das er als Journalist auf vielen Reisen kennenlernte und beschrieb. In seinem ersten großen, zweibänd. Bericht von 1827, 'Die Vereinigten Staaten von Nordamerika', zeigt er sich von den demokrat. Strukturen des noch jungen Staates beeindruckt. Um so schärfer fällt seine **Kritik am österr. Metternich-Staat** in 'Austria as it is' ein Jahr später aus. Dieses Buch wurde sogleich in Österreich und in den anderen dt. Staaten verboten. Seinen engl. Roman von der Unterdrükkung der Indianer, 'Tokeah', ebenfalls 1828, hat er für eine dt. Fassung, 'Der Legitime und die Republikaner' (1833), stark überarbeitet. Es folgten nach seiner **Rückkehr nach Europa** (1831) das Epos von der Erhebung Lateinamerikas gegen Spanien, 'Der Virey und die Aristokraten' (1834), und die 'Lebensbilder aus beiden Hemisphären' (1835–37). Äußerst erfolgreich war sein 'Cajüttenbuch' von 1841, ein Roman um die Unabhängigkeitsbestrebungen des nordamerikan. Südens. Dieses Buch ist in vielerlei Beziehung ein **grandioser Vorgriff auf den literar. Realismus.** – 1864 ist Sealsfield in Solothurn gestorben.

Die Romantik hatte die Wissenschaft von der dt. Sprache und Literatur, die Germanistik, zur Wissenschaft erhoben (vgl. S. 145, 183). Damit gingen in sie wie in die gleichzeitige Geschichtswiss. starke **nationale und liberale Impulse** ein, die für viele Wissenschaftsvertreter auch und gerade in der Restaurationsepoche Programm blieben. Unter Führung des Historikers F. C. Dahlmann protestierten 1837 sieben Göttinger Hochschullehrer, die **"Göttinger Sieben", gegen die Aufhebung der liberalen Verfassung von 1833** durch den König Ernst August von Hannover, der mit der Amtsenthebung der Professoren antwortete. Neben Dahlmann, dem Juristen W. Albrecht, dem Physiker W. Weber, dem Orientalisten H. Ewald traf diese Sanktion auch die Brüder Jacob und Wilhelm Grimm und den Literaturhistoriker G. G. Gervinus. Sie mußten (einige innerh. von drei Tagen) das Land verlassen. Das hohe wissenschaftl. Ansehen der Betroffenen verstärkte die Wirkung des Ereignisses, das in ganz Deutschland beachtet wurde und den Professorenstand in eine führende Position der liberalen Bewegung brachte. Fast die ges. Göttinger Gruppe wurde 1848 ins Frankfurter Paulskirchenparlament entsandt. Die **Mischung von hohem Idealismus und polit. Unerfahrenheit** gerade bei den akadem. Parlamentariern machte ihre Debatten zwar zu Sternstunden öfftl. Rede in Dtld., die aber oft genug von einer fast rührenden Hilflosigkeit in der Durchsetzung von Idealen und erschreckender Realitätsferne gekennzeichnet waren. Exemplarisch ist der resignative Rückzug L. Uhlands aus der prakt. Politik in Dichtung und (germanist.) Wissenschaft, nachdem er bereits in der Paulskirche keine ernsthaften Mitstreiter gefunden hatte.

Ein grelles Schlaglicht auf die soziale Situation vieler Deutscher angesichts der beginnenden Industrialisierung warf der **schles. Weberaufstand von 1844.**

Georg Büchner (1813–1837)
Radikaler im Widerstand gegen die polit. Reaktion als aller Professorenprotest, aber auch hartnäckiger verfolgt war der 1813 bei Darmstadt geborene GEORG BÜCHNER. Mit 18 Jahren begann er in Straßburg ein Medizinstudium, das er 1833 in Gießen fortsetzte. Hier bekam er **Kontakt zu aktiven Gegnern der alten Ordnung,** die angesichts der drükkenden Not vor allem der Landbevölkerung Oberhessens auf einen revolutionären Umsturz hinarbeiteten und an einer Reihe letztlich erfolgloser **Aufstände** teilhatten. Darunter war auch der protestant. Theologe und revolutionäre Schriftsteller **F.L. Weidig** (geb. 1791), der in Butzbach (ab 1826 Rektor der dort. Lateinschule) mit polit. Zielen eine "Deutsche Gesellschaft" gegründet hatte und wegen revolutionären Einflusses auf die Jugend mehrere Untersuchungen hatte über sich ergehen lassen müssen.
BÜCHNER gründete 1834 zusammen mit WEIDIG seine "Gesellschaft der Menschenrechte" und mußte wegen eigener revolutionärer Aktivitäten schon 1835 Gießen fluchtartig wieder verlassen. 1834 hatte er auch seine **Kampfschrift 'Der Hess. Landbote'** verfaßt. Das Manuskript wurde jedoch von WEIDIG, der schon eine Reihe von Flugschriften veröffentlicht hatte (5 Folgen 'LEUCHTER UND BELEUCHTER FÜR HESSEN', 1834) stark verändernd bearbeitet, aus takt. Gründen seiner Angriffe auf das liberale Besitzbürgertum entkleidet, im Blick auf Adressaten im Kleinbauerntum und im Handwerk mit bibl. Zitaten "angereichert" (nur die Angriffe auf die Aristokratie wurden noch verschärft) und 1834 in 300 Exemplaren gedruckt. Die Kampflosung *"Friede den Hütten! Krieg den Palästen!"* verrät bereits die starke Wirkung, die die **antagonist. Gegenüberstellung der Klassen** im Sozialismus des SAINT-SIMON (vgl. S. 201) auf BÜCHNER getan hatte.
Noch unter der Bedrohung polizeil. Verfolgung in Gießen entstand in knapp fünf Wochen das **Drama 'Dantons Tod'.** Es spielt in der Spätphase der Frz. Revolution. Der Versuch Dantons, die Revolution gegen Robespierre durch ihre Beendigung zu retten, basiert letztlich auf einer wachsenden Einsicht in die Nichtigkeit des Daseins überhaupt. Dantons Untergang ist somit die konsequente Folge seines Nihilismus, der Leugnung jeglichen Sinns. – Auch dieses Drama, die einzige Dichtung, die zu Lebzeiten BÜCHNERS erschien (die Uraufführung konnte erst 67 Jahre später, 1902 in Berlin, erfolgen!), wurde zunächst nicht im Originaltext veröffentlicht: vielmehr brachte der Herausgeber GUTZKOW, aus Zensurrücksichten, eine an zahllosen Stellen veränderte Fassung, einen "notdürftigen Rest" heraus. BÜCHNERS Stück aber bedeutete eine **radikale Abkehr vom klass. Drama,** im Verzicht auf eine traditionelle Handlung, in der Gestaltung der handelnden Personen und ihrer Sprache. In Übereinstimmung mit der BÜCHNERschen Geschichtsdeutung tritt erstmals der unfreie, der **passive Held** hervor, wie er im Naturalismus endgültige Bedeutung erlangen wird. BÜCHNER wählt bewußt eine "realist." Darstellungsweise, der vor allem die verschiedene Sprachebenen umfassende Dialoggestaltung verpflichtet ist.
In Straßburg setzte BÜCHNER vorübergehend sein Studium fort, das er 1836 in Zürich mit der Promotion beendete. Eine Privatdozentur für Vergleichende Antatomie schloß sich an. Noch 1835 schrieb BÜCHNER seine **Erzählung 'Lenz',** für GUTZKOWS und WIENBARGS 'DT. REVUE', die aber noch vor der Veröffentlichung des 'LENZ' verboten wurde, so daß der Text erst postum erscheinen konnte. Er behandelt eine Phase der zunehmenden Geisteskrankheit des "Sturm-und-Drang"-Dichters M.R. LENZ (s. S. 153ff.) so, daß die individuelle Schizophrenie als **Reaktion auf das durchschaute Chaos dieser Welt** erscheint.
1836 verfaßte BÜCHNER für ein Preisausschreiben des Stuttgarter COTTA-Verlags die **Komödie 'Leonce und Lena'.** Wegen zu später Einsendung ging die Post ungeöffnet an BÜCHNER zurück, das Stück wurde ebenfalls erst postum veröffentlicht. Unter Einsatz zahlreicher struktureller und sprachl. Zitate aus der literar. Tradition (SHAKESPEARE, BRENTANO, A. DE MUSSET) präsentiert BÜCHNER ein heiter-schwermüt. Spiel zwischen marionettenhaft agierenden Personen, die selbst im Zufall der allmächt. **Determiniertheit des Seins** begegnen. Das Lustspiel weist im übrigen starke satir. Züge, gegen polit. und soziale Mißstände, auf.
Ebenfalls erst aus dem Nachlaß wurden **Fragmente einer Tragödie** bekannt, deren Titel der erste Herausgeber, K.E. FRANZOS, als 'WOZZEK' verlas (daher auch A. BERGS Operntitel). **'Woyzeck',** wie das Drama richtig heißt, führt am Schicksal eines Soldaten und seiner Braut eine **radikale Sozial- und Bewußtseinskritik** vor. Die Fabel des Stücks, eine Eifersuchtsgeschichte mit tödl. Ausgang, ist mehr als einfach. Um so stärker die materialistisch-determinist. Schicksalsdeutung: *"Es liegt in niemands Gewalt, kein Dummkopf oder Verbrecher zu werden."*, um so spannungsreicher die Gegenüberstellung von Kleinbürgertum und Besitzbürgertum, um so lebendiger die realist. Sprachgebung. Seit der ersten krit. Ausgabe von 1922 schwelt eine wiss. Kontroverse um die "richtige" Zusammenfügung der versch. Textteile, wobei nicht selten die Spielbarkeit des Stücks, das gleichwohl zu den meistgelesenen und -aufgeführten Dramen des 19. Jhs. zählt, in den Hintergrund tritt.
Endgültig verloren ist ein **Drama 'Aretino'.** Einiges an Aufhellung zumindest des geist. Klimas, in dem BÜCHNER zum Revolutionär

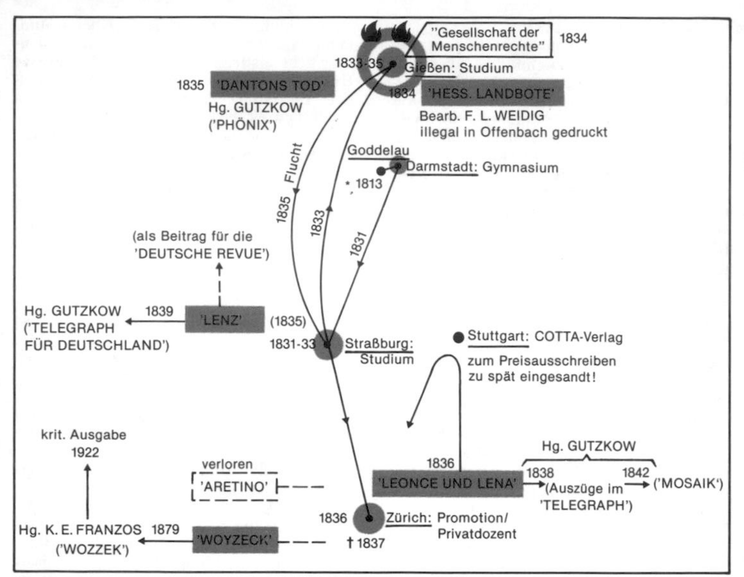

GEORG BÜCHNER, Lebensstationen und Werke

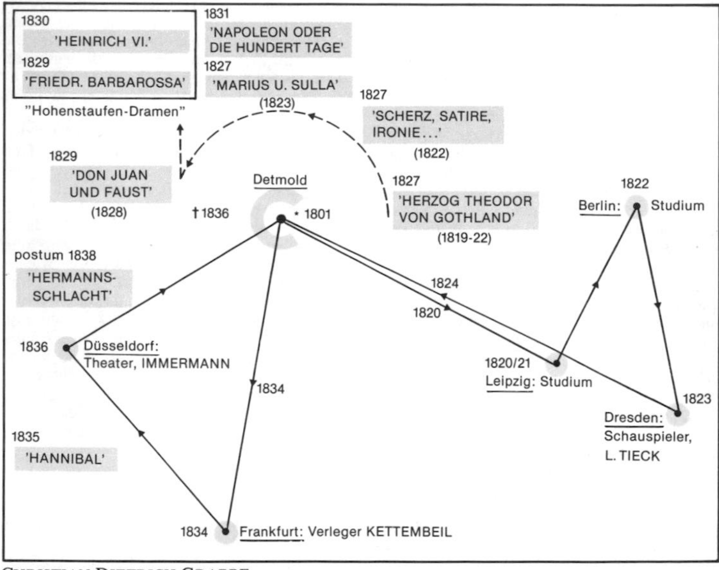

CHRISTIAN DIETRICH GRABBE

wurde, ist aus einer genaueren Analyse umfangreicher Protokolle der Verhöre von hess. Verschwörern aus dem Umkreis BÜCHNERS und WEIDIGS zu erwarten, die TH. M. MEYER aufgespürt hat. Vier Tage nach BÜCHNERS frühem Tod 1837 (infolge einer Gehirnhautentzündung) nahm sich WEIDIG in Untersuchungshaft das Leben.

Christian Dietrich Grabbe (1801–1836)
Ganz andere persönl. Konsequenzen als BÜCHNER zog der zwölf Jahre ältere GRABBE aus dem Leiden an der Zeit. Schon das jurist. Studium führte er nur widerwillig zu Ende, versuchte sich zwischendurch in Dresden, wo er mit TIECK verkehrte, als Schauspieler, begann in seiner Heimatstadt Detmold eine Advokaten-, später Militärgerichtslaufbahn, deren geistig beengende Umstände ihn in den Alkoholismus trieben. Eine Mißheirat tat das Ihre, den genial Begabten zu demoralisieren. 1834 half ihm bis zum bald. Bruch der Freundschaft sein Verleger G. F. KETTEMBEIL. IMMERMANN nahm sich seiner an und bot ihm eine Dramaturgenstelle in Düsseldorf (vgl. S. 194). 1836 kehrte GRABBE, nachdem er sich auch mit IMMERMANN verfeindet hatte, physisch und psychisch gebrochen nach Detmold zurück. Noch im selben Jahr starb er.
In diesem ebenfalls nur kurzen Leben, das keine bewußten Berührungen mit dem "Jungen Deutschland" hatte, wohl aber viele geist. Parallelen, entstand – von den Zeitgenossen weitgehend verkannt – ein **umfangreiches dramat. Œuvre,** das wie BÜCHNERS Dramen einen **radikalen Bruch mit der Klassik** bewirkte und eine **neue, unmittelbarere histor. Sicht** begründete. Eine BÜCHNER verwandte Einsicht in die Sinnlosigkeit des Guten wie des Bösen kennzeichnet schon das Erstlingsdrama 'HERZOG THEODOR VON GOTHLAND', eine **am "Sturm und Drang" orientierte Tragödie,** die eine überraschende Talentprobe, aber noch kein ausgereiftes Werk darstellte. Die 1822 entstandene Literatur- und Zeitsatire 'SCHERZ, SATIRE, IRONIE UND TIEFERE BEDEUTUNG' zielte auf eine **Erneuerung der griech. Komödie im Stile des Aristophanes.** Der Autor bezieht sich darin in die Groteske ein, indem er sich selbst auftreten und ironisch-kritisch charakterisieren läßt. Hier wird schon ein Stück **dramat. Surrealismus vorweggenommen** (für den Druck 1827 besorgte GRABBE freilich eine "gezähmte" Fassung). Vor der **histor. Tragödie** 'MARIUS UND SULLA', die in zwei Fassungen (1823 und 1827) allerdings Fragment blieb, scheiterte GRABBE bei seinem ersten Versuch, eine konventionelle **Jambentragödie** zu schreiben ('NANETTE UND MARIA'). Die Tragödie 'DON JUAN UND FAUST' ist zwar ein weiterer Versuch mit jamb. Sprachgestaltung, doch gelang es dem Autor hierbei nicht, die beiden Titelhelden, die den romant. Süden und den grübler. Norden als gleichwert. Kulturkräfte Europas symbolisieren (vgl. S. 189, 'FAUST'), mehr als nur zu kontrastieren, wodurch das Stück trotz seiner genialen Grundidee im Ergebnis in zwei parallele Dramen zerfällt. Die trotz widriger Lebensumstände erstaunl. innovative Kraft des Dichters belegt der sich daran anschließende Versuch, nach dem Vorbild SHAKESPEARES ein **nationales Geschichtsdrama** zu begründen. Die beiden Hohenstaufen-Dramen von 1829/30 legen von diesem letztlich ebenfalls gescheiterten Versuch Zeugnis ab. GRABBE hatte sich zuviel zugemutet, zumal er selbst durchaus scharfsichtig die **Gefahren der Shakespeare-Nachahmung** erkannt hatte, wie sein Aufsatz 'ÜBER DIE SHAKESPEARO-MANIE' zeigt.
Einen der inneren Zerrissenheit und polit. Agonie der Zeit gemäßen Stil fand GRABBE schließlich in seinen beiden **Geschichtsdramen** 'NAPOLEON' und 'HANNIBAL', deren Helden er im trag. Widerspruch zu ihrer Zeit sieht. Das **Szenen-Staccato** überforderte jedoch in seinem dramaturg. Aufwand nicht selten die vorhandenen Bühnenmöglichkeiten. Wie in 'MARIUS UND SULLA' löste GRABBE die klass. Handlung in eine **Bilderfolge** auf, die für eine Präsentation mit modernen Medien geeigneter scheint als für das Theater seiner Zeit. Das postum veröfftl. letzte Drama, 'DIE HERMANNSSCHLACHT', leidet aber nicht nur unter diesem zunächst nur techn. Hindernis. Wieder sieht GRABBE seinen Helden, den Germanenführer Arminius, als einen historisch verfrühten Protagonisten, doch der Versuch, die welthistor. Dimensionen der Handlung szenisch einzufangen, sprengt auch die innere Einheit dieses Dramas, dessen Schwächen wohl auch die nachlassende Gestaltungskraft des Dichters in seinem Todesjahr dokumentieren.

Realismus
Eine der "Realität" der Dinge (lat. *res*) nahekommende, wirklichkeitsgetreue Schreibweise ist nicht erst im 19. Jh. ein Ideal der Schriftsteller gewesen. Erst die Literatur des 19. Jhs. aber gelangt zu einer **Sicht gegebener Tatsachen und natürl. Erscheinungen, die frei von transzendentalen, die sinnl. Erfahrung überschreitenden Aspekten ist.** Der Realismus der Antike verknüpfte sinnl. Anschauung mit myth. Deutung, die christlich bestimmte Kunst des MAs. und der Neuzeit suchte durch die Gestaltung des sinnlich Erfahrbaren die Realität der geist. Welt zu fassen. Auch der dt. Klassik und Romantik ist "Realismus" keineswegs abzusprechen, da auch diese Epochen noch von einer Wirklichkeit jenseits empir. Grenzen zutiefst überzeugt waren. Der Begriff des Realismus ist mithin nicht von der jeweil. Einschätzung dessen, was "wirklich" ist, abzulösen.
Die Skepsis der Aufklärung, die Auflösung der Religion in der Anthropologie, für die exemplarisch die Namen STRAUSS und FEUER-

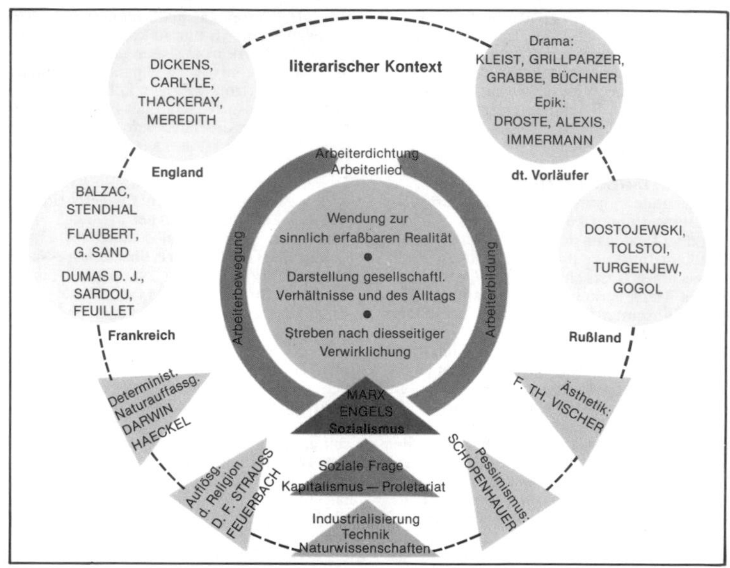

Der Realismus im Kontext der geistes- und sozialgeschichtlichen Kräfte

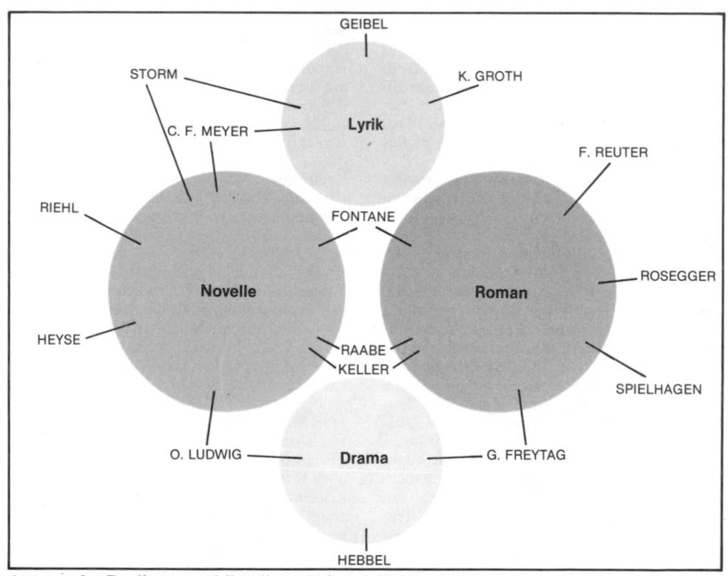

Autoren des Realismus und ihre literarischen Schwerpunkte

BACH stehen mögen, und die pessimist. Wende des dt. Idealismus bei SCHOPENHAUER begrenzen auch den Gegenstand der Literatur auf **das empirisch Faßbare in bewußter Abkehr von klass. Idealisierung und romant. Schwärmerei.** Befördert wurde diese Sicht durch den Aufschwung einer naturwiss. Weltdeutung und der Machbarkeitsideologie, die der techn. Fortschritt der "ersten industriellen Revolution" entstehen ließ. Die auch in Deutschland fortschreitende Industrialisierung verschärfte die soziale Frage, so daß die zunächst für frz. und engl. Verhältnisse entwickelte revolutionäre Fassung des Sozialismus, des **Kommunismus von Karl Marx** (1818–83) **und Friedrich Engels** (1820–95), auch hier ihre Anhänger fand. Langfristig von größerer Bedeutung für die dt. Arbeiterbewegung wurde jedoch die von F. LASSALLE (1825–64) inspirierte **sozialdemokrat. Richtung von Arbeitervereinen,** aus denen im Allgem. Dt. Arbeiterverein von 1863 die erste große Arbeiterpartei überhaupt hervorging. In diesen Arbeitervereinen spielte die **Bildung als Aneignung von "Herrschaftswissen"** eine bedeutende Rolle. Über das "Arbeiterlied" (erste Sammlung 1848 im Königsberger Arbeiterverein; 'ARBEITER-MARSEILLAISE' von J. AUDORF, 'SOZIALISTENMARSCH' von M. KEGEL u. ä.; ferner Lieder FREILIGRATHS und HEINES) gewann die Arbeiterbewegung auch ihren eigenen Zugang zur Literatur. Die "Großstadtpoesie" des Naturalismus (s. S. 217) sollte später den Blick für die Besonderheiten der Arbeitswelt grundsätzlich öffnen.

Die Schriften von MARX und ENGELS (Freundschaft und Zusammenarbeit seit 1842/44) sind jedoch nicht nur wegen ihrer theoret. und politisch-prakt. Bedeutung bemerkenswert. Gegen vulgärmarxist. Tendenzen der Bildungsfeindlichkeit ist festzuhalten, daß die von diesen beiden geschriebenen Hauptquellen des Marxismus, eingeleitet durch das wortgewaltige 'KOMMUNIST. MANIFEST' (1848), für den angemessenen Nachvollzug nach wie vor einen hohen Bildungsgrad voraussetzen, der nicht durch Anleitungen für den revolutionären Hausgebrauch ersetzt werden kann. Unbestreitbar zählt etwa MARX' Lebenswerk 'DAS KAPITAL' (1867; nach einer ersten Fassung des 1. Teils, 'ZUR KRITIK DER POLIT. ÖKONOMIE', 1859) schon sprachlich zu den Höhepunkten theoret. Literatur in dt. Sprache. Was MARX in versch. Publikationen zur Kunst und Literatur äußert, verrät nicht minder ein hohes Maß an kritisch verarbeiteter Bildungstradition.

Der **Hauptstrom der literar. Entwicklung,** die unter dem Epochenbegriff des Realismus zusammengefaßt wird, war jedoch trotz manchen Einflusses sozialist. Ideen **noch weit von einer maßgebl. Zuwendung zur polit. Auseinandersetzung i. S. der Arbeiterbewegung entfernt.** Sie teilte zwar grundsätzlich mit den sozialist. Theoretikern das **Streben nach diesseit. Verwirklichung** und die **Wendung zur sinnlich erfaßbaren Realität.** Unübersehbar ist auch der Einfluß des Materialismus, wie er nicht zuletzt durch LUDWIG BÜCHNERS Schrift 'KRAFT UND STOFF' von 1855 verbreitet wurde, sowie des Determinismus biolog. und kultureller Entwicklungen, der durch des Engländers CH. R. DARWINS Evolutionslehre ("Darwinismus") und ihre dt. Entfaltung bei ERNST HAECKEL (1834–1919) begründet wurde. In der Wahl literar. Sujets aber war zunächst der **Alltag und die Gesellschaft als Thema** überhaupt erst noch zu entdecken, auch wenn solche Realistik schon seit KLEIST ihre dt. Vorläufer hatte und in Frankreich, England und Rußland eine große realist. Literatur bereits blühte. Dabei suchte der dt. Realismus durchaus noch **das Typische im Individuellen, im Naturhaften das Geistige.** Nach OTTO LUDWIGS Wort entstand ein **"poet. Realismus",** dem FRIEDR. THEODOR VISCHER (s. S. 197) in seiner Ästhetik die theoret. Grundlage bot.

Die Hauptleistungen des dt. Realismus sind in der **Prosaepik** zu finden. Hier tritt insbes. die **Novelle** hervor, später der **Roman.** Hohen Rang auf dramat. Gebiet repräsentieren eigentlich nur die Tragödien HEBBELS. Auch die Lyrik hat insges. ein geringeres Gewicht; Höhepunkte lyr. Schaffens stellen die Gedichte STORMS und C. F. MEYERS dar. Am Realismus waren **alle dt. Landschaften aktiv beteiligt;** mit beachtl. Leistungen FRITZ REUTERS (1810–74) und KLAUS GROTHS (1819–99) stößt erstmals wieder auch der niederdt. Sprachkreis zur hohen Literatur vor. Der 1827 gegr. Berliner **"Tunnel über der Spree"** ist während der fünfziger Jahre der bedeutendste lokal gebundene Kreis realist. Autoren (u. a. FONTANE, STORM). Von einheim. Künstlern als "Nordlichter" beargwöhnt, wirken die "Tunnel"-Mitglieder HEYSE, F. DAHN und GEIBEL in der Münchner **"Gesellschaft der Krokodile"** 1856–63 weiter.

Friedrich Hebbel (1813–1863)

Nach den hervorragenden dramat. Leistungen bei GRILLPARZER, GRABBE und BÜCHNER, die Forderungen des Realismus vorwegnehmend erfüllen, findet sich im engeren Rahmen der realist. Epoche nur ein Dramatiker von hohem Rang: FRIEDRICH HEBBEL. Erwähnenswert sind zweifellos die dramat. Versuche GUSTAV FREYTAGS (etwa sein Lustspiel 'DIE JOURNALISTEN', 1852) oder PAUL HEYSES (u. a. 'KOLBERG', 1868, und 'MARIA VON MAGDALA', 1899). Auch verdienen die 'SHAKESPEARE-STUDIEN' OTTO LUDWIGS (1871) als Dramentheorie Beachtung. In der dichter. Gestaltung blieben die Schauspiele der Genannten jedoch weit hinter ihren ep. Leistungen zurück.

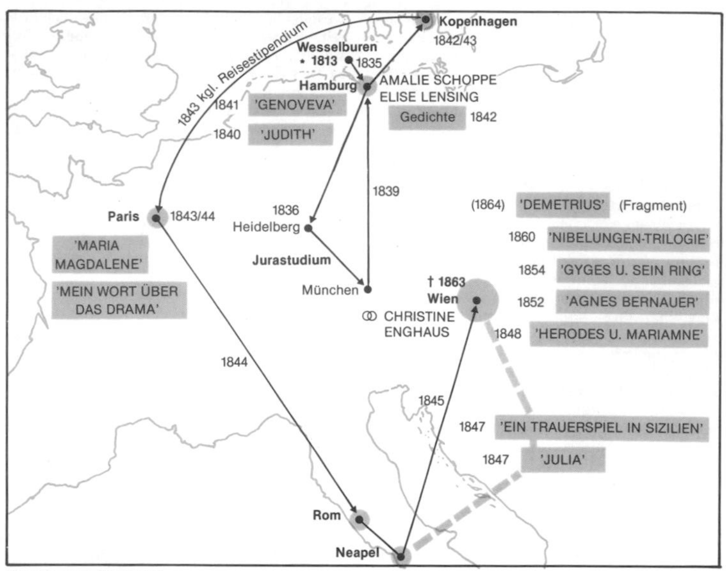

FRIEDRICH HEBBEL

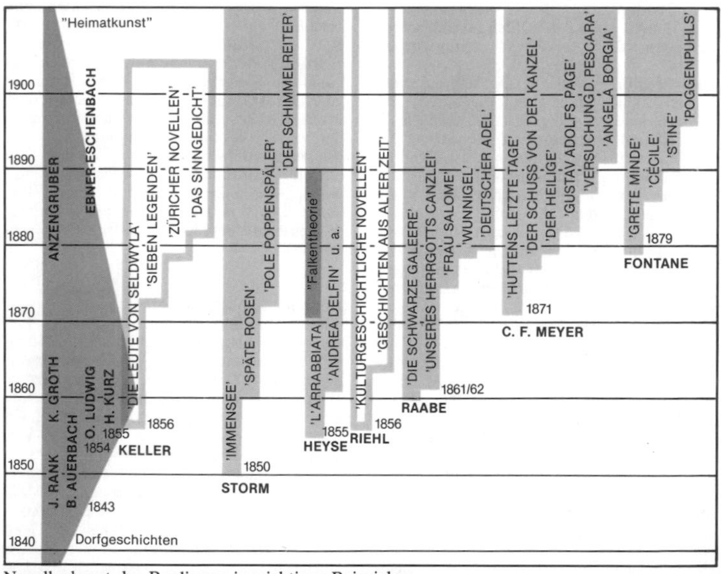

Novellenkunst des Realismus in wichtigen Beispielen

HEBBEL, Autodidakt aus ärml. Verhältnissen, entscheidend von der wohlmeinenden Gönnerin AMALIE SCHOPPE und der aufopferungsvollen Lebensgefährtin ELISE LENSING, einer Schneiderin, gefördert, gelang es (nach früheren Studien in Heidelberg und München) 1844, während seiner Stipendienreise, mit zwei dramentheoret. Arbeiten sogar promoviert zu werden (mit dem Vorwort zu 'MARIA MAGDALENE' und einer Schrift 'MEIN WORT ÜBER DAS DRAMA').
Begonnen hatte er sein dichter. Schaffen mit den beiden Tragödien 'JUDITH' und 'GENOVEVA' und einer Gedichtsammlung. Seine dramat. Kunst stellte er mit der Tragödie 'MARIA MAGDALENE' unter Beweis, die eine bewußte **Regeneration des bürgerl. Trauerspiels** darstellen sollte. Das bürgerl. Milieu, die Entdeckung der Realisten, nicht mehr der Gegensatz versch. Schichten, begründet hier einen tödl. Konflikt, in den eine Handwerkersfamilie durch die "Schande" der Tochter und die Sittenstrenge des Vaters gerät.
Am Ende des königl. dän. Reisestipendiums in **Italien** ist HEBBEL zugleich am Ende seiner Zukunftshoffnungen. Zeugnis davon legt die verzweiflungsvolle Stimmung der beiden hier begonnenen Dramen ab, die 1847 veröffentlicht werden. In **Wien,** nach der Wende zu einem glücklicheren Leben in der 1846 geschlossenen Ehe mit der Hofschauspielerin CHRISTINE ENGHAUS, entsteht die Mehrzahl seiner großen formstrengen Tragödien, die den **Untergang des histor. oder myth. Helden als Voraussetzung für eine neue Epoche** gestalten. In 'HERODES UND MARIAMNE' deutet HEBBEL in der abschließenden Erscheinung der Hl. drei Könige die zukünft. Versöhnung zwischen Pflicht und Menschlichkeit an; in 'AGNES BERNAUERIN' will Herzog Ernst, verantwortlich für das aus Staatsräson gefällte Todesurteil über die Augsburger Bürgerstochter, im Kloster büßen; im 'GYGES' wird der Titelheld König, nachdem durch seine (ungewollte) Schuld der Lyderkönig Kandaules und dessen Frau den Tod gefunden haben; in der 1861 mit großem Erfolg in Weimar uraufgeführten 'NIBELUNGEN-TRILOGIE' löst Dietrich von Bern als Repräsentant des christl. Zeitalters die Herrschaft der Riesen und heidn. Germanen ab. Im Fragment gebliebenen 'DEMETRIUS' führt der Untergang des Helden freilich zum Triumph der negativen Kräfte in Politik und Gesellschaft.
HEBBEL suchte bei aller realist. Sicht der Abhängigkeiten seiner dramat. Figuren von ihrer Umwelt, der trag. Verstrickung doch jeweils noch einen allgemeingült. Sinn abzuringen. Daß sein Schaffen nicht gänzlich in streng realist. Schau aufgeht, beweist auch sein **Märchenlustspiel** 'DER RUBIN' von 1849. Neben weiterer **Lyrik** (Gesamtausgabe 1857; vgl. S. 214) und **Erzählungen** schuf HEBBEL in seinen 'TAGEBÜCHERN' (ab 1835) ein hervorragendes **Zeugnis autobiograph. Literatur.**

Zur Novellenkunst im Realismus

Das literar. Hauptgewicht des Realismus lag auf der Prosaepik, hier insbes. auf der Novelle. Die Entwicklung zur realist. Novelle ist nicht ohne die **Vorläufer Kleist, Grillparzer, Stifter und Droste** (s.o.) zu sehen. Die Zuwendung zum Detail, zur "kleinen Welt", beförderte vor allem eine im ländl. Milieu angesiedelte Spielart der Kleinepik, die **Dorfgeschichte,** für die ebenfalls KLEIST mit seinem 'KOHLHAAS' schon eine klass. Figur geschaffen hatte. Regional bestimmte Charaktere zeichneten nach dem Vorgang von GOTTHELF in der Schweiz (s. S. 195) RANK ('ERZÄHLUNGEN AUS DEM BÖHMERWALD' 1843) und AUERBACH ('SCHWARZWÄLDER DORFGESCHICHTEN' 1843–54). OTTO LUDWIGS 'HEITERETEI' von 1854 und 'ZWISCHEN HIMMEL UND ERDE' von 1856 erheben sich bereits deutlich über die ländl. Milieuschilderung. HERMANN KURZ, als Lyriker noch der "Schwäb. Schule" (vgl. S. 177) zuzurechnen, schreibt 1855 die realist. Erzählung 'WEIHNACHTSFUND', nachdem er ein Jahr zuvor im 'SONNENWIRT' bereits einen kulturhistorisch-psycholog. Roman vollendet hatte. 1855–59 publiziert KLAUS GROTH in niederdt. (Dithmarscher) Mundart seine Dorfgeschichten 'VERTELLN'. Bereits 1856 erfährt diese Gattung in GOTTFRIED KELLERS 'ROMEO UND JULIA AUF DEM DORFE' (als Teil seiner Novellensammlung 'DIE LEUTE VON SELDWYLA') einen klass. Höhepunkt. Mit dem Wiener Volksdramatiker und -erzähler LUDWIG ANZENGRUBER (1839–89) beteiligt sich auch Österreich mit beachtenswerten Texten an der Entwicklung der Dorfgeschichte (u.a. 'DER SCHANDFLECK' 1876). 1883/86 veröffentlicht schließlich die mähr., in Wien lebende Dichterin MARIE VON EBNER-ESCHENBACH (1830–1916), heute oft nur noch als Aphoristikerin geschätzt, ihre 'DORF- UND SCHLOSSGESCHICHTEN'.

Als "Schwester des Dramas" und "strengste Form der Prosadichtung" bezeichnete **Theodor Storm** aus Husum (1817–88) die mit 'IMMENSEE' von ihm als erstem großen Realisten aktualisierte Novelle. Gerade 'IMMENSEE' aber belegt mehr einen Ursprung im stimmungsvoll Lyrischen, was auch für seine Novelle 'SPÄTE ROSEN' noch gilt. Dramat. Straffung bei konsequenter Gestaltung psycholog. Probleme bezeugen mehr STORMS Novellen nach 1870 ('VIOLA TRICOLOR', 'AQUIS SUBMERSUS', 'CARSTEN CURATOR' u.a.), nicht zuletzt 'POLE POPPENSPÄLER', während im Alterswerk des 'SCHIMMELREITER' die Geschichte vom besessenen Kampf gegen die Naturgewalt des Meeres bereits in die Nähe des Mythischen gerät.

Die Novellen **Paul Heyses** (1830–1914), der in den fünfziger Jahren mit dem gefeierten Lyriker EMANUEL GEIBEL (1815–84) im Mittelpunkt des "Münchner Dichterkreises" (s.

S. 209) stand, entsprachen dem hier gült. klassisch-romant. Bildungsideal. Alle Novellen HEYSES spielen in südl. Landschaften, gemäß der von ihm geteilten GOETHEschen Anschauung, daß der mediterrane Raum, insbes. Italien, das Land der "einfachen und großen Leidenschaften" sei, die in der Novelle zu gestalten seien. HEYSE ist für die Geschichte der Novelle wesentlich auch durch seine **"Falkentheorie"** bedeutsam geworden, in der er im Anschluß an eine BOCCACCIO-Novelle für jeden Text dieser Gattung einen "Falken", d.h. ein gleichsam dingsymbol. Leitmotiv forderte ('NOVELLENSCHATZ' 1871).

Der ebenfalls in München tätige **Wilh. Heinr. von Riehl** (1823–97), Begründer der Soziologie und der Volkskunde in Deutschland, suchte seine wiss. Einsichten in die Kulturgeschichte episch zu gestalten. Programmatisch daher auch die Titel seiner Novellensammlungen: 'KULTURGESCHICHTL. NOVELLEN' und 'GESCHICHTEN AUS ALTER ZEIT'. Mit der literar. Transformation von Themen aus wiss. Fachgebieten schuf RIEHL auf dem Gebiet der Novelle eine Parallele zum "Professorenroman" (s. S. 211).

Der Zürcher **Gottfried Keller** (1819–90) hatte bereits mehrere Phasen einer künstler. Entwicklung hinter sich, als er sich der Novelle zuwandte; zunächst den gescheiterten Versuch, Maler zu werden (München 1840–42), sodann erste Schritte auf lyr. Gebiet (1845/46), ein Studienaufenthalt 1848 in Heidelberg (Erschütterung durch L. FEUERBACHS Atheismus, Bekanntschaft mit dem Kunst- und Literaturhistoriker H. HETTNER) und die literarisch entscheidenden Berliner Jahre, 1850–55, in denen sein Roman 'DER GRÜNE HEINRICH' entstand (s. S. 213). Als Staatsschreiber wieder in Zürich schuf er die schon erwähnte zweibänd. Novellensammlung 'DIE LEUTE VON SELDWYLA'. Die Summe der jeweils in sich abgeschlossenen Erzählungen ergibt ein Gesamtbild von einer (fiktiven) Gemeinde, deren patriarchal. Verhältnisse ironisiert werden. Neben 'ROMEO UND JULIA ...' enthält diese Sammlung u.a. die heute noch beliebten Texte 'PANKRAZ, DER SCHMOLLER', 'DIE DREI GERECHTEN KAMMACHER' und 'KLEIDER MACHEN LEUTE'.
Noch strenger auf **Zyklen** hin sind einzelne Texte in KELLERS 'ZÜRICHER NOVELLEN' und 'DAS SINNGEDICHT' angelegt. Die 'ZÜRICHER NOVELLEN' (1878) vereinigen **histor. Novellen,** die das Bürgertum Alt-Zürichs feiern sollen: 'HADLAUB', 'DER NARR AUF MANEGG' und 'DER LANDVOGT VON GREIFENSEE' werden hier nach vorangegangener Einzelpublikation durch eine Rahmenerzählung zusammengefaßt (in diese Sammlung wurde auch 'DAS FÄHNLEIN DER SIEBEN AUFRECHTEN' aufgenommen). 'DAS SINNGEDICHT' von 1881 verbindet sämtl. darin enthaltenen sieben Novellen durch einen Rahmen im Sinne der Zyklusgestaltung bei BOCCACCIO.
Bereits 1854–60 hatte KELLER versucht, die Gattung der **Legende** als "mehr profane Erzählkunst" wiederzubeleben (vgl. S. 46f.). Zunächst hatte er die 'SIEBEN LEGENDEN', die 1872 in einer Neufassung erschienen, auch als Teil des 'SINNGEDICHTS' geplant. Es entstanden dabei je drei Heiligen- und Marienlegenden sowie das für sich stehende 'TANZLEGENDCHEN', die freilich – nicht zuletzt nach FEUERBACHS Wirkung auf den Autor – zu allem anderen als kirchenfrommen Texten gerieten.

Ein Jahrzehnt vor KELLERS großem Landsmann und Zürcher Mitbürger C.F. MEYER beginnt der Niedersachse **Wilhelm Raabe** (1831–1910) nach seinem Romanerstling, 'DIE CHRONIK DER SPERLINGSGASSE' (s. S. 213), mit Erzählungen, von denen hier nur wenige kurz vorgestellt werden können. 'DIE SCHWARZE GALEERE' wie 'UNSERES HERRGOTTS CANZLEI' (1861 bzw. 1861/62) gestalten Themen aus der Reformationszeit, den protestant. Widerstand gegen kath. Pression in den Niederlanden bzw. in Magdeburg. Auch RAABE trägt somit zur Gattung der **histor. Erzählung** bei, die im Realismus wie auch der histor. Roman besonders gepflegt wird, da beide offenbar einer Selbstvergewisserung des durch die polit. und sozialen Erschütterungen verunsicherten Bürgertums in der Vergangenheit dienlich schienen (man beachte die gleichzeitig blühende Historienmalerei!). Der polit. und sozialen Selbstbestätigung scheint auch die Erzählung 'DEUTSCHER ADEL' von 1878/79 gewidmet zu sein, die das Alltagsheldentum durchaus unadliger Zeitgenossen hinter den Fronten des dt.-frz. Krieges von 1870/71 feiert.
Im Mittelpunkt der Erzählungen von 1874/75 und 1877/78, 'FRAU SALOME' und 'WUNNIGEL' stehen Sonderlinge, der Bildhauer Querian und der antiquitätenbesessene Wunnigel. Während RAABE die krankhafte Menschenscheu Querians in ihren Konsequenzen bis zum Selbstmord düster auszeichnet, macht sich in der Zeichnung Wunnigels erstmals der **humorist. Typus** einer RAABEschen Hauptfigur bemerkbar.
Ein überaus beliebter Seitentrieb der Erzählkunst, der nicht zuletzt aus realist. Wurzeln gespeist wird, erwächst aus einer spezif. sozialen Situation: aus dem Außenseitertum jüd. Mitbürger. Es sind die sog.
Ghetto-Geschichten, die auch osteurop. Erfahrungen des Judentums (damals noch österr.-ungar. Provenienz, Böhmen, Mähren, Galizien usw.) spiegeln. Ahnherren dieses Genres sind HEINE ('DER RABBI VON BACHARACH') und GUTZKOW ('DER SADDUZÄER VON AMSTERDAM'). Bes. erfolgreich wurden LEOPOLD KOMPERT (1822–86; u.a. 'GESCHICHTEN

EINER GASSE'), der sich stark an AUERBACHS 'SCHWARZWÄLDER DORFGESCHICHTEN' (S. 208f.) anlehnte, und der BÜCHNER-Herausgeber und Antinaturalist KARL EMIL FRANZOS (1848–1904; u.a. 'DAS CHRISTUSBILD')
Reflexe dieser Richtung finden sich auch bei W. RAABE.

Conrad Ferdinand Meyer (1825–98) findet zu seinen großen Dichtungen erst nach einer gesundheitlich äußerst prekären Phase, die ihn 1852 sogar in einer Nervenheilanstalt sieht. Nach dem Tod der Mutter (1857), auf Reisen nach Paris, München und Rom und im geselligen Kreis des Freundes F. WILLE, in dem er u.a. R. WAGNER, F. LISZT, G. KELLER und den Historiker TH. MOMMSEN kennenlernt, stabilisiert sich sein Gemütszustand für lange Jahre fruchtbaren Schaffens, bis er 1892 erneut, nun bis zum Tod, eine Heilanstalt aufsuchen muß. Die in ihm selbst streitenden Kräfte des calvinist. Erbes seiner Mutter und eines renaissancehaften Individualismus bestimmen auch die Figuren seiner Epik.
Bezeichnenderweise steht am Anfang seiner **histor. Novellistik** der protestant. Kämpfer HUTTEN, der sein Leben auf der Ufenau im Zürichsee beschloß (vgl. S. 99). Abweichend vom Prosastil der meisten Novellen gestaltet MEYER 'HUTTENS LETZTE TAGE' (1871) als Versdichtung in jamb. Zweizeilern. Ein Jahr nach einer großen Lyriksammlung, die die Intensität seines formstrengen Überarbeitens schon gestalteter Texte belegt, erscheint seine erste größere Sammlung bereits einzeln publizierter 'KLEINER NOVELLEN' (1883), darin die heitere Erzählung 'DER SCHUSS VON DER KANZEL' (von 1877) und die trag. Liebesgeschichte 'GUSTAV ADOLFS PAGE' (von 1882). Mehrere Texte dieser Sammlung sind von MEYER als **Rahmenerzählung** angelegt (so 'DAS AMULETT' und 'PLAUTUS IM NONNENKLOSTER').
Dieses Gestaltungsmuster hatte er auch der großen Novelle um den Märtyrer THOMAS BECKET, des Erzbischofs von Canterbury, zugrundegelegt: 'DER HEILIGE' (1879). 1887 erscheint 'DIE VERSUCHUNG DES PESCARA', d.i. der kaiserl. Feldherr, der unter der tödl. Bedrohung einer alten Wunde die Treue zum Kaiser nicht gegen die Krone von Neapel eintauschen will. PESCARA wie BECKET vertreten christl. Entsagung gegen die Verlockungen der Macht.
Im letzten Werk vor seinem seelischen Zusammenbruch, der 'ANGELA BORGIA' von 1891, kontrastiert MEYER die gegensätzl. Charaktere der Borgia-Verwandten Angela und Lukrezia, wobei ihm freilich auch formal schon kaum mehr als eine bloße Gegenüberstellung gelingt.

Mit dem Berliner **Theodor Fontane** (1819–98; vgl. S. 213f.) sind wir nach RAABE bei dem zweiten Novellisten der Epoche angelangt, der noch stärker durch seine Romankunst wirkt. Gleichwohl zählen auch seine Novellen zu den Glanzleistungen des Realismus. Mit 'GRETE MINDE', dem von ihrem Halbbruder verstoßenen Mädchen, greift FONTANE ein histor. Thema "nach einer altmärk. Chronik" aus dem 17. Jh. auf. 'CÉCILE', 'STINE' und 'DIE POGGENPUHLS' sind **Gesellschaftsnovellen,** in denen FONTANE Schicksale im zeitgenöss. Berliner Milieu darstellt.

Realistische Romanliteratur
In drei von vier Hauptsträngen der realist. Romanliteratur treffen wir auf dieselben themat. Akzente wie in der realist. Novelle. Der Dorfgeschichte folgen die Romane, die dem **Bauerntum und Dorfleben** gewidmet sind (vgl. S. 195). Hier treten insbes. **Marie von Ebner-Eschenbach** ('BOŽENA' 1876, 'DAS GEMEINDEKIND' 1887/88) und der steir. Bauernsohn und gelernte Schneider **Peter Rosegger** (1843–1918) hervor. Schon in den 'SCHRIFTEN DES WALDSCHULMEISTERS' (1875), einem pädagog. Roman, machen sich der ROSEGGERS Werk insges. bestimmende autobiograph. Zug und seine **antizivilisator. Grundhaltung** bemerkbar. Diese Tendenz markiert – ordnet man auch sie dem Realismus zu – zugleich den eingeschränkten Realitätsbezug "realist." Literatur.
Die histor. Novelle hat ihre Parallele im **histor. Roman,** der sich spätestens von romant. Gestaltungen herleiten läßt (vgl. S. 185). Mit dem kulturhistor. Roman von 1855 'EKKEHARD' des **Jos. Victor von Scheffel** (1826–86) beginnt die Tradition des ironisch so genannten **Professorenromans,** der wiss. Geschichtsschreibung mit ep. Gestaltung zu verbinden sucht. Dazu zählen die Romane **Gustav Freytags** (1816–95) und **Felix Dahns** (1834–1912), der nach seinem bekanntesten Werk, 'EIN KAMPF UM ROM' (1876–78), eine 13bänd. Reihe 'KLEINE ROMANE AUS DER VÖLKERWANDERUNG' (1882–1901) schreibt. Von FREYTAG bekanntgemacht, wurde 'DIE LETZTE RECKENBURGERIN' von 1871 zum berühmtesten Roman der **Luise von François** (1817–93), der zwar ebenfalls auf umfangreichen histor. Studien beruht, aber doch der falschen Hoffnung des "Professorenromans" auf eine ästhetisch gült. Verschmelzung von Historiographie und Epik enträt. 1874 erscheint C. F. MEYERS 'GEORG JENATSCH' erstmals als Zeitungsroman, 1876 in einer gründlich überarb. Buchausgabe, deren 4. Aufl. dann den Titel 'JÜRG JENATSCH' annimmt. Hier wird (Schweizer) Geschichte endgültig wieder als vorwiegend literar. und nicht wiss. Thema gesehen, worin MEYER auch FONTANE und RAABE in ihren histor. Romanen folgen.

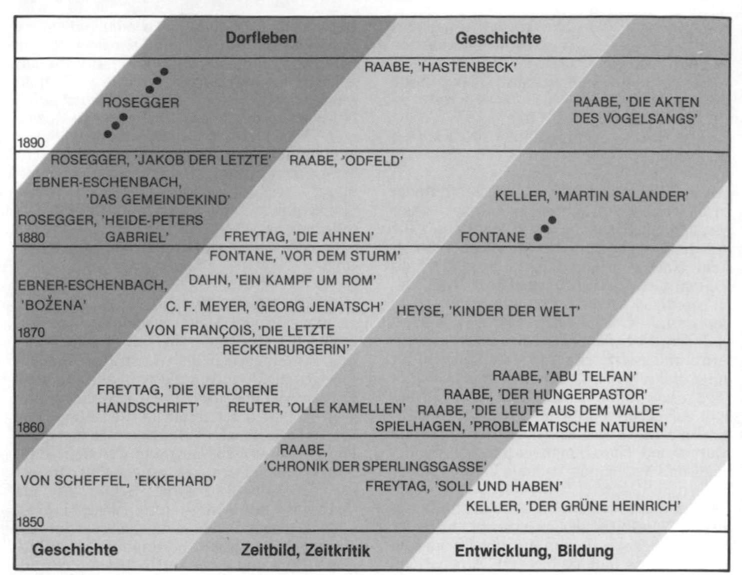

Hauptstränge realistischer Romanliteratur

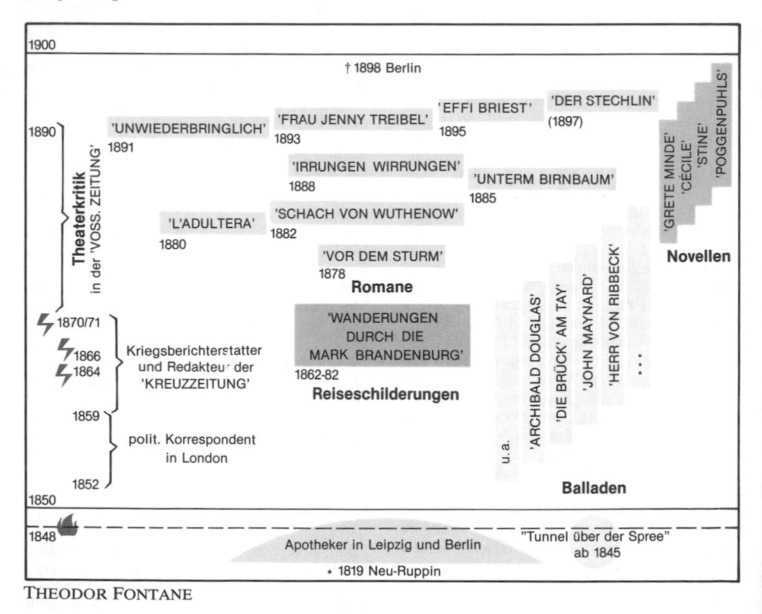

THEODOR FONTANE

Wilhelm Raabe begrenzt mit seiner 'Chronik der Sperlingsgasse' von 1857 und den 'Akten des Vogelsangs' von 1895 jenen dritten Hauptstrang des realist. Romans, der wie viele Novellen der Epoche **krit. Zeitbilder** bieten will. Der erfolgreiche Erstling Raabes schildert Schicksale in einer Altberliner Straße, zugleich die polit. und soziale Situation Deutschlands um die Jahrhundertmitte. Seine 'Akten' sind ein lebendiges Bild der "Gründerzeit" und ihrer sozialen Brüche, exemplifiziert am Leben dreier Menschen, die zunächst in einer idyll. Vorstadt ("Im Vogelsang") gemeinsam aufgewachsen sind, danach aber durch zeittyp. Schicksale voneinander getrennt werden. Von ähnl. Zeitengagement sind auch drei weitere Romane Raabes in den sechziger Jahren bestimmt, die freilich stärker dem traditionellen, nun aber realistisch gedeuteten **Entwicklungs- und Bildungsgedanken** verpflichtet sind: 'Die Leute aus dem Walde' (1863), 'Der Hungerpastor' (1864) und 'Abu Telfan oder die Heimkehr vom Mondgebirge' (1867). In diesem themat. Grenzbereich war auch schon Freytags Kaufmannsroman 'Soll und Haben' von 1855 angesiedelt. Zwei bedeutende Romane Raabes fallen freilich ganz aus einer schematisierenden Übersicht heraus: 'Der Schüdderump' von 1870, jene pessimist. Erzählung, in der ein Pestkarren (der "Schüttherum") als Symbol menschl. Lebens fungiert, und die Kriminalgeschichte 'Der Stopfkuchen' von 1891.

Eine **Klammer zwischen histor. Roman und Zeitbild** bildet des Mecklenburgers **Fritz Reuter** (1810–74) autobiograph. Romantrilogie 'Olle Kamellen' (1859–64): 'Ut de Franzosentid' lenkt noch einmal den Blick auf die Napoleon-Herrschaft in Deutschland zurück, 'Ut mine Festungstid' schildert Reuters vierjähr. Haft als Burschenschaftler (1836–40, nach ursprüngl. Todesurteil wegen "polit. Umtriebe"), 'Ut mine Stromtid' ist dem bäuerl. und kleinbürgerl. Leben in Mecklenburg gewidmet, wobei ihm, etwa in der Gestalt des Onkel Bräsig, höchst wirklichkeitsnahe Charakterdarstellungen gelingen. Zeitgeschichtliches ist auch das Thema mehrerer Romane **Friedr. Spielhagens** (1829–1911). Seine 'Problemat. Naturen' von 1861 beschreiben in der Nachfolge "jungdt." Sozialkritik, aber auch mit unterhaltsamer Tendenz die Erfahrung eines unehelich geb. adligen Hauslehrers in der Zeit des Vormärz. Spielhagen war mit seinen 'Beiträgen zur Theorie und Technik des Romans' (1883) der von den Naturalisten heftig bekämpfte Theoretiker des realist. Romans. – 'Kinder der Welt', einer von mehreren "Zeitromanen" **Paul Heyses** (1873), führt – wohl unter dem Einfluß von Balzac (dessen Vorbild jedoch nicht annähernd erreicht wird) – versch. Zeitgenossen vor, die sich trotz Verlusts relig. Bindung zu bewähren suchen. – In Fontanes großen Romanen (s. u.) findet der Zeitroman gewiß die gültigste Ausprägung. – Zwischen diesem Schwerpunkt der Romanentwicklung und dem (autobiograph.) Entwicklungsroman steht **G. Keller,** der 1854/55 im 'Grünen Heinrich', zunächst noch von subjektiv-romant. Auffassungen ausgehend, seine eigene Lebensgeschichte in der Spannung zwischen Individuum und Gesellschaft darstellt, im 'Martin Salander' von 1886 dagegen die Niederlagen des allzu optimist. Helden gegen die Charakterlosigkeit der typisch gründerzeitl. Umwelt offenlegt.

Theodor Fontane (1819–1898)

Bereits als Apotheker und noch vor seiner Tätigkeit als **polit. Korrespondent** und Feuilletonist (als der er auch zum bedeutenden Berliner **Theaterkritiker** aufsteigt), ist Fontane Mitgl. der literar. Gruppe "Tunnel über der Spree" (vgl. S. 207). Sein dichter. Schaffen setzt ein mit einer Reihe von **Balladen,** die inzwischen zum klass. Repertoire dieser Gattung gehören. Noch als Redakteur der konservativen 'Kreuzzeitung' beginnt er seine stimmungsvollen 'Wanderungen durch die Mark Brandenburg', die als **Spitzenleistung der Reiseliteratur** gelten.

Das Interesse an **brandenburgisch-preuß. Geschichte,** gewiß von Alexis' Romanen (S. 193) beflügelt, ist ein wesentl. Impuls für Fontanes Romandebüt mit 'Vor dem Sturm' von 1878. In einer noch locker gereihten Handlung aus der Zeit vor den Befreiungskriegen diskutiert Fontane am Beispiel der Erhebung gegen Napoleon die **Frage nach der polit. und sozialen Bedeutung des preuß. Adels,** ein Thema, das in psychologisch vertiefter Form auch die folgenden Romane durchziehen wird. Der 'Schach von Wuthenow', noch einmal in jene preuß. Zeit des Jahrhundertbeginns zurücklenkend, kreist mit seiner trag. Geschichte der unglückl. Ehe eines Offiziers, der sich schließlich aus Angst vor dem Spott der Gesellschaft erschießt, um die Folgen eines erstarrten Ehrenkodex, der den preuß. Adel insges. handlungsunfähig machte. Zehn Jahre später wird sich Fontane in 'Frau Jenny Treibel' mit dem **Materialismus und der Kulturfeindlichkeit des Bürgertums** auseinandersetzen. In 'L'Adultera' schlägt er bereits das Thema an, das dann in 'Effi Briest' seine intensivste Gestaltung erfährt: der Ehebruch aus dem Ungenügen an einer konventionellen Ehe (*l'adultera* = it. 'die Ehebrecherin'). In beiden Romanen ist die **Milieuverhaftung** der handelnden Personen deutlich herausgearbeitet. Auch der mutige Versuch, sich daraus zu lösen, gelingt jeweils nur unvollkommen: Melanie (der "adultera") wird auch in ihrer neuen, glücklicheren Ehe der Vorwurf des Ehebruchs weiter anhaften; Effi wird geschieden und aus der Gesellschaft radikal ausgeschlossen; ihr

vorzeit. Tod ist gleichsam die phys. Vollstreckung des gesellschaftl. Urteils. – An den sozialen Schranken zwischen Adel und Kleinbürgertum zerbricht die Liebesbeziehung zwischen der Pflegetochter einer Waschfrau, Lene, und dem Baron Botho von Rienäcker in 'IRRUNGEN, WIRRUNGEN'. Daß auch eine nach einem Fehltritt des Mannes "wiederhergestellte" Ehe endgültig gebrochen bleibt, muß in 'UNWIEDERBRINGLICH' der Mann erfahren: Graf Holk findet nach dem Selbstmord seiner Frau, die er nach einer Scheidung zum zweitenmal geheiratet hatte, einen Abschiedsbrief, der nur das eine Wort enthält, das dem Roman den Titel gab. Die schon erwähnten **Novellen** FONTANES (s. S. 211) zeigen eine **enge themat. Verflechtung mit seinen Romanen.** In 'STINE' etwa scheitert ein sozial ungleiches Liebesverhältnis an dem Selbstbewußtsein der aus niederen Verhältnissen stammenden Frau, ein bewußter Gegensatz zum Geschehen in 'IRRUNGEN, WIRRUNGEN'.
Lange Zeit unterbewertet war FONTANES kunstvoll entfaltete **Kriminalerzählung** 'UNTERM BIRNBAUM'. Die "zufällige" Entdeckung eines Mordes, den ein (von einem anderen Verdacht erst mühsam befreiter) Schankwirt begangen hat, wird als Wirkung einer über dem Individuum waltenden undefinierbaren Macht dargestellt, die sich letztlich nur im scheinbar haltlosen Gerede der Nachbarn, damit aber in einem sehr realen sozialen Umstand manifestiert. FONTANES letzter Roman, 'DER STECHLIN', nach einer Zeitschriftenpublikation erst 1899 auch als Buch veröfftl., führt am Generationswechsel im Herrenhaus derer von Stechlin exemplarisch den Zeitenwandel vor, der u. a. auch durch die Wahlniederlage des alten Stechlin gegen einen Sozialdemokraten charakterisiert wird.

Zur Lyrik im Realismus
Obwohl die Lyrik im Realismus auch nicht annähernd das Gewicht hat wie in anderen Epochen, sollen die bleibenden lyr. Leistungen realist. Dichter nicht unerwähnt sein. Es ist bei dem Vorrang, den die Epik im Realismus hat, gewiß kein Zufall, daß das "erzählende Lied", die **Ballade,** im Umkreis der Realisten einige seiner reifsten Gestaltungen erfährt. Nicht zuletzt wegen seines Einflusses auf FONTANES Balladenkunst sei zunächst noch MORITZ GRAF VON STRACHWITZ (1822–47) genannt, dessen wohl bekannteste Ballade 'DAS HERZ VON DOUGLAS' ist. Auch HEBBEL, O. LUDWIG, FREYTAG, STORM und KELLER widmeten sich dieser Gattung mit nennenswertem Erfolg. Doch gelingen erst **C. F. Meyer** einige Texte, die inzwischen mit Recht klass. Geltung erlangt haben, darunter 'DER GLEITENDE PURPUR' und 'DIE FÜSSE IM FEUER'. Von noch breiterer Wirkung, wohl auch wegen der in Deutschland vor der **"roman. Richtung"** MEYERS bevorzugten **englisch-nord. Thematik,** war aber **Fontane,** von dessen Gedichten nur erwähnt seien 'ARCHIBALD DOUGLAS', 'DIE BRÜCK' AM TAY' und 'JOHN MAYNARD'. Daneben nimmt sich FONTANES übriges lyr. Werk wesentlich schwächer aus, während C. F. MEYER auch und gerade in den rein lyr. Tönen brilliert. MEYER läßt in den besten seiner Gedichte das persönl. Erlebnis ganz zurücktreten hinter die präzise Darstellung der äußeren Wirklichkeit, die darin aber gerade eine bes. Verinnerlichung erfährt. Nicht grundlos gilt gerade das **Dinggedicht** 'DER RÖM. BRUNNEN' als eine der konsequentesten Ausprägungen seiner lyr. Grundhaltung (vgl. S. 197), für die auch die spätere Bearbeitung kennzeichnend ist.
Die romant. Wirkungen auf **Storms Lyrik** hingegen ließen diesen für das "reine" Gedicht noch "die höchste Gefühlserregung" fordern. Entsprechend drängt in seinen der Natur und der norddt. Heimat verbundenen Liedern das persönl. Erleben vor. Neben genießender Hingabe an den Augenblick (z. B. im 'OKTOBERLIED') steht die Einsicht in die Vergänglichkeit ('ÜBER DIE HEIDE') und blitzt schalkhaft auch Ironie auf ('HERBST', 'DER BEAMTE'). Nur gelegentlich bediente sich STORM der heimatl. niederdt. Mundart, während zwei andere norddt. Autoren ihr auch in der Lyrik ganz verbunden sind: F. REUTER und K. GROTH (vgl. S. 207).
Hebbels Lyrik, die hauptsächlich in seine frühe Schaffenszeit fällt, war gleichsam ein Vorklang seiner Tragödien: düster in ihren Stimmungen, zugleich aber auch anmutig in ihrer Form (s. S. 209). Geradezu programmatisch ist sein 'REQUIEM': *"Seele, vergiß nicht die Toten".* Selbst ein 'SOMMERBILD' enthält für ihn nur den Hinweis auf unentrinnbares Vergehen: *"Ich sah des Sommers letzte Rose stehn,/ Sie war, als ob sie bluten könne, rot . . ."* – Bis auf wenige Gedichte, die auch heute noch bestehen können, darunter das 'ABENDLIED' *("Augen, meine lieben Fensterlein"),* fällt **Kellers lyr. Œuvre** weit hinter sein erzähler. Werk zurück. In vielen Texten, auch in den politisch-krit. (wie etwa 'PARTEILEBEN'), herrscht ein eher trockener und oft allzu belehrender Ton vor.
Eine Mehrfachbegabung bes. Ranges, die zu den in Deutschland viel zu seltenen Beispielen einer anspruchsvollen humorist. Literatur zählt, war der Maler, Zeichner und Dichter **Wilhelm Busch** (1832–1908). Er schuf in seinen zahlreichen Bildgeschichten, die eine kaum je wieder erreichte Einheit von treffsicherer Karikatur und witzig-satir. Versen vorführen, Musterbeispiele der Situationskomik und Zeitkritik, deren bis heute ungebrochene Volkstümlichkeit den philosoph., an SCHOPENHAUER gemahnenden Pessimismus seiner Gestaltungen leicht übersehen läßt.
Von **P. Heyse** und **E. Geibel** war bereits gesagt, daß sie im "Münchener Dichterkreis" (S. 209), den sie maßgeblich prägten, gegen

eigentlich realist. Tendenzen an einem **klassisch-romant. Stilideal** festhielten. Bei GEIBEL gilt dies insbes. für die Lyrik, in der er vor allem PLATEN nacheiferte. HEYSE, der 1910 (nach TH. MOMMSEN, 1902, und R. EUCKEN, 1908) als dritter Deutscher den Nobelpreis für Literatur erhalten sollte, war diesem Ideal außer in der Lyrik auch in seiner Novellenkunst verpflichtet (vgl. S. 210), was seiner Hochschätzung selbst bei den Realisten (u. a. KELLER, STORM, FONTANE) keineswegs abträglich war.

Richard Wagner (1813–1883)

Dem Musiker, Komponisten, Textautor, Musik- und Literaturtheoretiker RICHARD WAGNER, dessen Wirken sehr versch. histor. Phasen umspannt, gerecht zu werden, mißlingt nicht selten auch umfangreichen Darstellungen, eine Kurzcharakteristik ist sicher noch gefährdeter; denn an WAGNER scheiden sich noch heute die Geister aufs schärfste. Die Skala der Einstellungen zu ihm reicht wie zu seinen Lebzeiten von irrationaler Verzükkung bis zu emotionsgeladener Ablehnung. Hier wirkt zweifellos die bis heute **nicht gelungene Identitätssuche des dt. Bürgertums** nach, das schon im 19. Jh. mit und in WAGNER zwischen 48er Revolution (WAGNER nahm am Dresdner Barrikadenkampf teil) und jubelnder Anerkennung eines zur Großmacht strebenden Nationalstaates hin- und hergerissen wurde. Der positive wie negative Gefühlsüberschwang der WAGNER-Rezeption rührt u. a. aus einem grundsätzl. Mangel an rationaler Einstellung zur histor. Entwicklung Deutschlands, der romant. Schwärmerei (noch lange nach der historisch begründeten Romantik) und diffuse Geschichtsphilosophien begünstigte. WAGNERS objektiv verspätete, im histor. Kontext gleichzeitig aber so ''aktuelle" Versuche, durch Erneuerung mittelalterl. Stoffe ('TANNHÄUSER' 1842–45, 'LOHENGRIN' 1845–48, 'TRISTAN UND ISOLDE' 1854–59, 'RING DES NIBELUNGEN' 1848–74, 'DIE MEISTERSINGER VON NÜRNBERG' 1867 und 'PARSIFAL' 1865–82) **im ''Gesamtkunstwerk" von Opern einen Nationalmythos zu schaffen,** hat diesem Mangel nicht abgeholfen, sondern ihn künstlerisch genutzt und intensiviert. Bei aller Bewunderung für seine hohe innovative musikal. Kraft darf nicht verkannt werden, wie gerade WAGNERS Musik auch heute noch das Publikum in mehr als einem Sinn betört und dabei Inhalte transportiert, die nicht erst durch die polit. Vereinnahmung während der NS-Zeit kompromittiert worden sind. Es bedarf erhebl. interpretator. Künste, WAGNERS Texte von den Elementen freizusprechen, die in direkter Linie zu Bestandteilen faschist. Ideologie wurden. Für eine solche Nachwirkung sorgten, von geschmeichelter Eitelkeit ungehemmt, nicht zuletzt WAGNERS frühe Verehrer, darunter sein Schwiegersohn HOUSTON S. CHAMBERLAIN (1855–1927), der spätestens in seinen 'GRUNDLAGEN DES 19. JHS.' (1899) eine Summe des auch von WAGNER geteilten **germanisch-dt. Rassendünkels** bot.

WAGNER war zu kreativ und selbst zu sehr um theoret. Klärung seines Schaffens bemüht (vgl. 'KUNST UND REVOLUTION', 1849; 'DAS KUNSTWERK DER ZUKUNFT', 1849; 'OPER UND DRAMA', 1851 u. a.), als daß man ihm blinde Abhängigkeit von Zeitströmungen politisch zugutehalten könnte. Insofern ist ihm eine sehr **bewußte Wendung von liberalen zu reaktionären Anschauungen** nachzusagen, die ihn von den zunächst vertretenen ''jungdt." Idealen (noch in den Opern 'LIEBESVERBOT' nach SHAKESPEARE, 1836, oder 'RIENZI', 1842, vertreten) Abschied nehmen ließ. 'DER FLIEGENDE HOLLÄNDER' (1843) stellte bereits in der Stoffwahl eine gewisse Distanzierung von bisherigen polit. Ambitionen dar, obwohl WAGNER theoretisch noch immer auf ein neues Kunstwerk hoffte, das durch die Revolution geboren werden könnte. Da diese Hoffnung auch die frühen MA-Adaptionen beflügelte, darf man annehmen, daß WAGNER schon damals von einer recht ''konservativen Revolution" träumte.

Friedrich Nietzsche (1844–1900)

Für fast ein Jahrzehnt (ab 1868) zählte auch NIETZSCHE zu den begeisterten WAGNER-Anhängern, und als die Verehrung in Haß umschlug, hinterließ sie gleichwohl ihre bleibenden Spuren bei dem Jüngeren. Auch NIETZSCHE läßt sich nur-literaturgeschichtlich kaum würdigen. Von Beruf **klass. Philologe** (Prof. in Basel 1869–79) war NIETZSCHE zeitlebens doch hauptsächlich kulturphilosophisch engagiert und schon früh vertrat er eine ''unzeitgemäß" antiklass., **tragisch-pessimist. Auffassung vom Griechentum:** 'DIE GEBURT DER TRAGÖDIE AUS DEM GEIST DER MUSIK' (1872). Was er als **Philosoph,** dessen Werk auf trag. Weise größtenteils eine **Summe von Fragmenten** blieb, tatsächlich geleistet hat, kann erst seit der Ausgabe von K. SCHLECHTA (1954–65) allmählich erfaßt werden. Auch die krit. Gesamtausgabe seiner Schriften durch die Italiener G. COLLI und M. MONTINARI (1980) dürfte den Folgen früherer Manipulationen des umfangreichen Nachlasses einen Riegel vorgeschoben haben.

NIETZSCHE ist gegen seine wahren Intentionen politisch, vom Nationalsozialismus, mißbraucht worden. Nur hat sich erwiesen, daß vieles von dem, was andere als positives Programm lobend oder tadelnd mißverstanden, in Wirklichkeit krit. **Prophetie künft. Entwicklungen** war, so die **''Umwertung aller Werte",** der Nihilismus der westl. Zivilisation ... Dennoch wird es schwierig bleiben zu systematisieren, was nicht zuletzt durch NIETZSCHES frühen krankheitsbedingten geist. Zusammenbruch (1889) zu keiner letzten Ordnung mehr finden konnte. Dazu gehört ins-

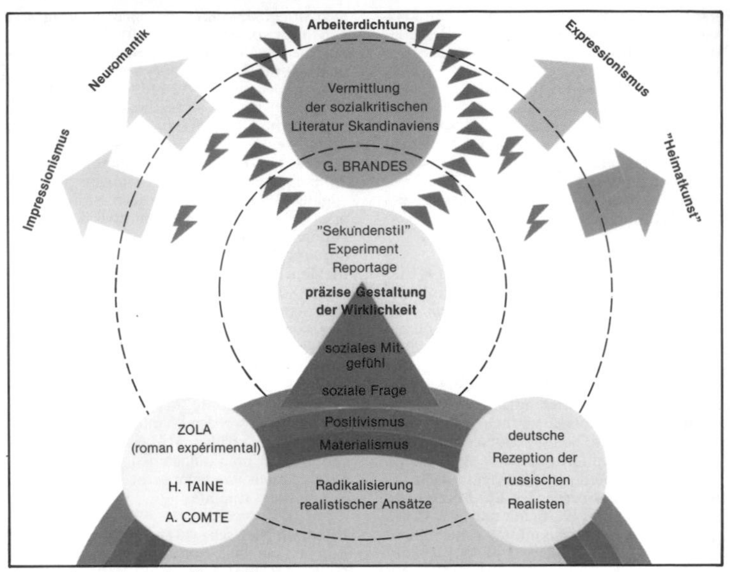

Einige Grunddaten des Naturalismus

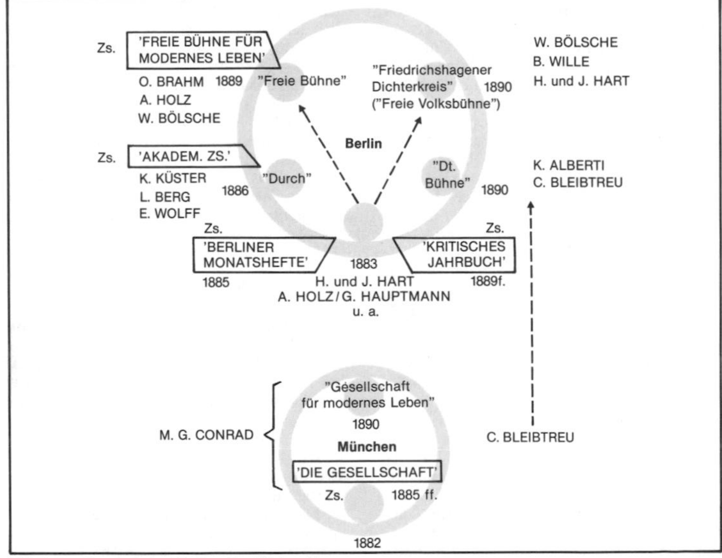

Wichtige literarische Kreise des Naturalismus

bes. das **angestrebte Hauptwerk 'Der Wille zur Macht'** (das in der leider wirksam gewordenen Nachlaß-Ausgabe durch NIETZSCHES Schwester, 1906, verfälscht wurde).
Trotz des nach wie vor maßgebl. Interesses an NIETZSCHE als Philosoph kann auch dem Dichter NIETZSCHE ein hoher Rang nicht streitig gemacht werden. Schon als Kind schrieb er Gedichte und Kompositionen. Der Gereifte vollendete 1888 einen **Gedichtzyklus,** die 'DIONYSOS-DITHYRAMBEN', in denen sich auch drei Bearbeitungen von Gedichten finden, die er schon 1885 zusammen mit seiner wohl bekanntesten literar. Arbeit veröffentlicht hatte, mit 'ALSO SPRACH ZARATHUSTRA'. Diese "philosoph. Dichtung" vereinigt in einer die Bibel parodierenden Sprache Reden, Polemiken und hymn. Ansprachen, die dem Stifter der altiran. Religion, ZARATHUSTRA (ZOROASTER, 7./6. Jh. v. Chr.), in den Mund gelegt werden, die aber eine **schonungslose Kritik der zeitgenöss. Gesellschaft und Kultur** enthalten. Von gleichem krit. Geist und sprachl. Können sind seine **Aphorismen,** die sich u.a. in 'MENSCHLICHES, ALLZUMENSCHLICHES' (1878) und in 'JENSEITS VON GUT UND BÖSE' (1886) finden. Fragment wie vieles blieb auch ein 1870/71 entworfenes **Drama** 'EMPEDOKLES'. NIETZSCHES **musikal. Œuvre** gewinnt erst in jüngster Zeit ein breiteres Interesse.

Naturalismus
Der Naturalismus, die gesamteurop. literar. Strömung der letzten Jahrzehnte des 19. Jhs. (1. Phase der europ. "Literaturrevolution"), bedeutet in mancher Hinsicht eine **Radikalisierung realist. Ansätze,** der eine Verstärkung der antiidealist. Bewegungen von Materialismus und Positivismus vor dem Hintergrund der verschärften sozialen Frage zugrundeliegt. AUGUSTE COMTE (1798–1857), der Begründer der Soziologie, legte mit seiner Lehre von den "natürl." Existenzbedingungen jeder sozialen Ordnung das Fundament des Positivismus, den HIPPOLYTE TAINE (1828–93) in seiner Geschichtsphilosophie durch Betonung der Faktoren Rasse, Milieu und histor. Moment weiterentwickelte. TAINE wurde zu einem entscheidenden Anreger der zeitgenöss. frz. Literatur, seine Interpretationen wirkten u.a. auf ÉMILE ZOLA (1840–1902), der in seinen Romanen mit gleichsam naturwiss. Methodik soziale Erscheinungen zu dokumentieren versuchte, freilich ohne die Subjektivität des Autors ganz zu verleugnen: *"Die Kunst ist ein Stück Natur, gesehen durch ein Temperament."* Die naturwissenschaftlich exakte Gestaltung der Wirklichkeit als Ideal begünstigte das **Experiment in Themenwahl wie Form.** Bevorzugt wurden reportagenahe Formen als angeblich besonders wirklichkeitsgerechte Aussagemöglichkeiten. Der sog. **Sekundenstil** versuchte, in präziser Nachzeichnung kleinster Vorgänge, die Wirklichkeit getreu zu kopieren. Das soziale Engagement vieler Autoren läßt sich trotz erhebl. Intensivierung gegenüber dem Realismus eher als **soziales Mitgefühl** denn als sozialpolit. Kampf definieren. Dennoch werden nun erstmals unübersehbar **Schicksale sozialer Außenseiter** thematisiert; **Großstadt und Technik,** vor allem ihre sozialen Schattenseiten, rücken ins literar. Blickfeld. Vom Naturalismus empfängt auch die **Arbeiterdichtung,** jene mehr sozialpolit. motivierte Bewegung, die poet. Lizenz für ihre Themen und Motive.
Der Naturalismus in Deutschland ist ohne die **Anregungen aus Frankreich, Rußland und Skandinavien** kaum denkbar. Die russ. Impulse stammen vorwiegend aus dem psycholog. Roman (TURGENJEW, TOLSTOI, DOSTOJEWSKI), die skandinav. insbes. aus dem gesellschaftskrit. Drama (IBSEN, STRINDBERG). Als äußerst wirksamer Vermittler der skandinav. Literatur trat der dän. Literarhistoriker und Zeitkritiker GEORG BRANDES hervor (1877–83 in Berlin).
Für die Aufnahme des Naturalismus in Deutschland ist eine **intensive Programmdiskussion** charakteristisch. Damit geht eine vielfält. **Gruppenbildung** einher, die in München um den streitbaren MICHAEL GEORG CONRAD (1846–1927) und seine Zeitschrift 'DIE GESELLSCHAFT' ihren Ausgang und in Berlin mit dem "Kreis um die Brüder HART" ihren Fortgang nimmt. Die zweite Berliner Gruppe, "Durch", nannte sich auch programmatisch das "Jüngste Deutschland". Mit der Gründung der "Freien Bühne" (in Anlehnung an das Pariser Théâtre Libre), deren Aufführungen aus Zensurgründen meist nicht öffentlich waren, kam ein konsequenter Naturalismus zum Zuge: Die dt. Uraufführung von IBSENS 'GESPENSTER' am 29. Sept. 1889 markiert den **Einzug des naturalist. Dramas in Deutschland,** dem unter Leitung von OTTO BRAHM, dem Begründer des **dt. Bühnenrealismus** (1856–1912), in kurzem Abstand dt. Stücke von G. HAUPTMANN, ANZENGRUBER, HOLZ und SCHLAF folgten. Verwandte Gründungen waren die "Freie Volksbühne" (Eröffnung mit IBSENS 'STÜTZEN DER GESELLSCHAFT' 1890) und – nach Auseinandersetzungen um eine sozialist. Politisierung dieses als Zuschauerorganisation gedachten Theaters – die "Neue Freie Volksbühne" (1902). Gleichzeitig mit der "Freien Volksbühne" entstand die "Dt. Bühne", eine Gründung KONRAD ALBERTIS (1862–1918) und CARL BLEIBTREUS (1859–1928), des Mitherausgebers der 'GESELLSCHAFT'; in München – wieder unter Leitung CONRADS – die "Gesellschaft für modernes Leben". Die **zahlreichen Zeitschriften** spiegeln die programmat. Auseinandersetzungen dieser Gruppen und die Positionen einzelner Mitglieder, die wie BLEIBTREU, voran aber die Brüder HART (HEINRICH H., 1855–1906, und

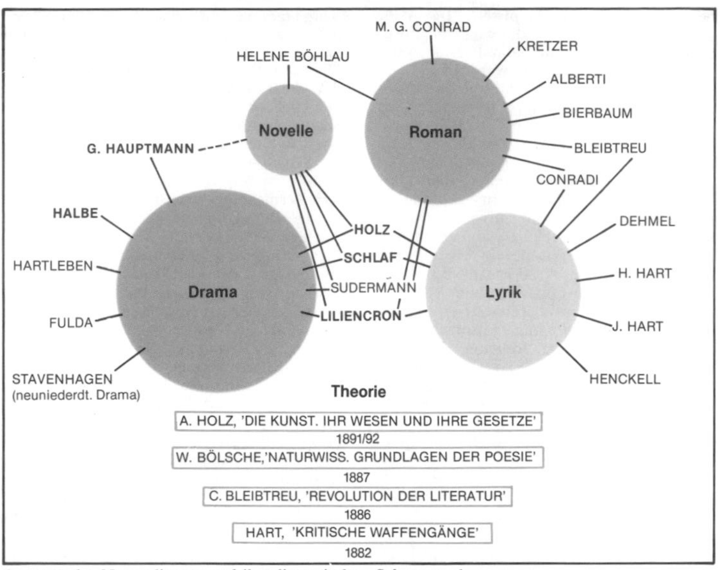

Autoren des Naturalismus und ihre literarischen Schwerpunkte

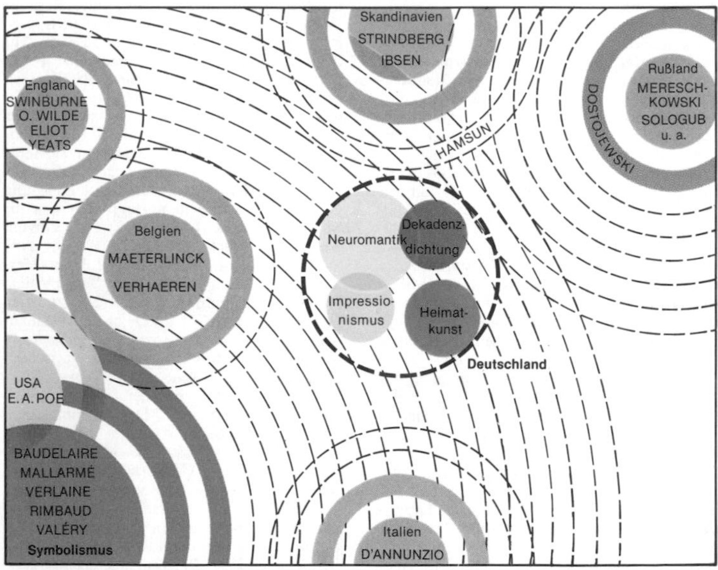

Antinaturalistische Strömungen

Julius H., 1859–1930). Arno Holz (1863–1929) und Wilh. Bölsche (1861–1939) maßgeblich mehrere Gruppen beeinflußten. E. Wolff und H. Bahr gaben dem Naturalismus auch die Bezeichnung ”Moderne“ (1886/90).

Literar. Schwerpunkte des Naturalismus

Die 'Krit. Waffengänge' der Brüder Hart, eine scharfe Polemik gegen das zeitgenöss. Epigonentum, können als die erste naturalist. **Programmschrift** in Deutschland gelten. Ihnen folgt Bleibtreus ”revolutionäre“ Abrechnung mit der Vergangenheit und – mit bezeichnendem Titel – W. Bölsche. Arno Holz versucht schließlich, jede subjektive Phantasie aus der literar. Produktion auszuschließen. Beispielgebend für die neue Bewegung will die 1885 ersch. Anthologie 'Moderne Dichtercharaktere' von Hermann Conradi (1862–90) und Karl Henckell (1864–1929) sein. Programmatisch darin Conradis Vorwort, 'Unser Credo'. Karl Henckell vertrat mit Nachdruck die Einheit von Naturalismus und Sozialismus.

Die naturalist. **Bühnengründungen** markieren bereits den literar. Bereich, in dem die neue Bewegung ihre größten Leistungen hervorbrachte. Gerhart Hauptmann (s. S. 223) und Max Halbe (1865–1944; 'Eisgang', 'Jugend', 'Mutter Erde', 'Die Heimatlosen' und 'Der Strom') haben hier ihren Schwerpunkt. O. E. Hartleben (1864–1905) feierte insbes. mit seiner Offizierstragödie 'Rosenmontag' (1900) einen großen Bühnenerfolg. **Fritz Stavenhagen** (1876–1906) wurde zum **Begründer des neuniederdt. Dramas** (u.a. 'Jürgen Piepers' und 'Mudder Mews'). Nach A. Holz' theoret. Forderung sollte die Handlung nur Mittel, die Zeichnung von Charakteren jedoch Zweck des naturalist. Dramas sein. Daraus ergab sich grundsätzlich die Konzentration auf wenige handelnde Personen, die durch detaillierte Bühnenanweisungen gelenkt wurden. Die Einheit von Zeit und Ort wurde schon aus Wahrscheinlichkeitsgründen meist gewahrt.

Im **Roman** blieb Deutschland hinter den Leistungen des Auslands (Zola, Dostojewski, Tolstoi u. a.) weit zurück, doch sind auch in dieser Gattung Werke entstanden, die noch heute mehr als ein histor. Interesse wecken können. Dazu zählen der eindringl. Roman Max Kretzers (1854–1941) um die soziale und relig. Not eines Berliner Handwerksmeisters unter dem Druck von Industrialisierung und Gründermentalität, 'Meister Timpe', von 1888 und der Künstlerroman 'Stilpe' (1897) von Otto Julius Bierbaum (1865–1910). Mit einer Reihe von Romanen und Novellen über Frauenthemen trat die Verlegerstochter Helene Böhlau (1859–1940) hervor.

Den Bruch mit der Tradition vollziehen mehr im Themat. als im Formalen die **Lyriker,** von ihnen A. Holz entschieden auch in der Form. Er gehört freilich mit J. Schlaf (s. S. 221) zur Gruppe der Autoren, die in mehreren Gattungen gleich eindrucksvolle Leistungen naturalist. Prägung hervorgebracht haben. Holz opponierte in der Lyrik gegen alle Konventionen des Verses und der Strophe und schuf eine **Prosalyrik,** die nur einem ”natürl.“ Rhythmus gehorchen sollte (theoret. Begründung: 'Revolution der Lyrik', 1899). – Zumindest in seinen Anfängen von sozialrevolutionärem Pathos war Richard Dehmel (1863–1920), der Mitbegründer der Jugendstilzeitschrift 'Pan' (1895ff.; s. S. 225). Bezeichnend für diese Phase sind Gedichttitel wie 'Der Arbeitsmann' oder 'Vierter Klasse'.

Hermann Sudermann (1857–1928) war einer der ersten Dramatiker, die von der ”Freien Bühne“ gespielt wurden ('Die Ehre' 1889). Seine weiteren Dramen (etwa 'Sodoms Ende' oder 'Heimat') beeindruckten zunächst durchaus in ähnl. Weise wie Hauptmanns Stücke. Anregend für die weitere Romanentwicklung war seine 'Frau Sorge' (1887). 1919 erschien eine sechsbänd. Sammlung seiner Romane und Novellen. Es erwies sich aber auch bald, daß Sudermann nicht ungeschickt den Effekt jeweils aktueller literar. Strömungen zu nutzen wußte. Sein Ruhm ist nicht zu Unrecht wieder verblaßt.

Selbstsicherer erscheint **Detlev von Liliencron** (1844–1909), obgleich gerade auch er, bei aller Neuartigkeit seiner Dichtung, nicht einfach auf ein naturalist. Programm festzulegen ist. In seine Dichtungen, die er nach einer 1875 abgebrochenen Offizierslaufbahn einem materiell bedrückten Leben (zwischenzeitl. Auswanderung nach Amerika) abrang, nahm er – ebenfalls gegen alle Bildungstradition – durchaus das Alltägliche, ja ”Häßliche“ realen Erlebens auf. In seinen zahlreichen lyr. Texten reiht er gleichzeitig Bilder aus Natur, Liebe, Krieg, See- und Landleben auf bereits impressionist. Weise: 'Adjutantenritte', 'Der Heidegänger' u.a. Sammlungen zwischen 1883 und 1903. Er schrieb das ”kunterbunte Epos“ 'Poggfred' (1. Fassung 1896), eine Reihe von Novellen und Romanen (autobiographisch sein 'Leben und Lüge' von 1908) und mehrere Dramen. Sein Freund Dehmel veranstaltete nach seinem Tod eine achtbänd. Werkausgabe. Auf den ebenfalls norddt. Lyriker Gustav Falke (1853–1916) hat Liliencron nachhalt. Einfluß ausgeübt. Liliencrons **Impressionismus** bezeichnet bereits eine der grundsätzl. Entwicklungsrichtungen, die die dt. Literatur nach der zweifellos intensiven, aber insges. doch kurzen Epoche des Naturalismus einschlagen sollte.

Eine aktive Rolle zur **”Überwindung des Naturalismus“** im Sinne des Impressionismus spielte der österr. Kritiker **Hermann Bahr** (1863–1934), zunächst selbst entschiedener

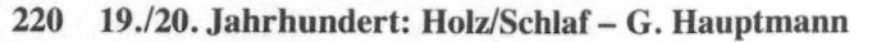

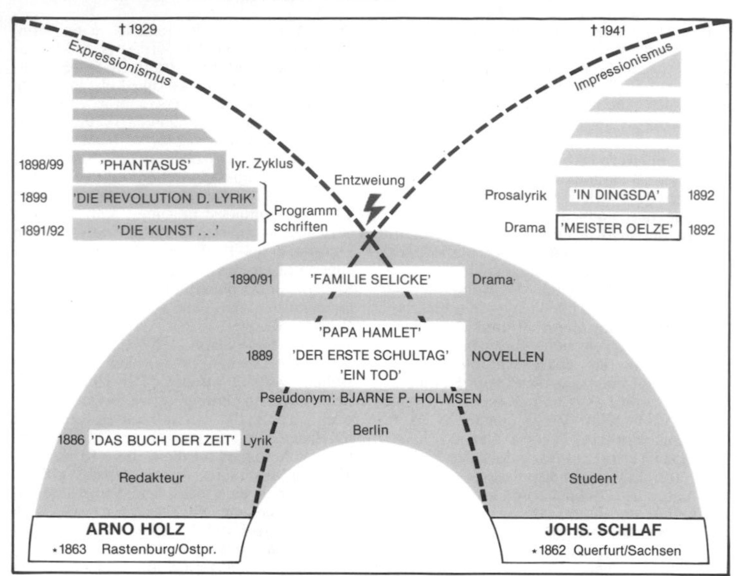

ARNO HOLZ und JOHANNES SCHLAF

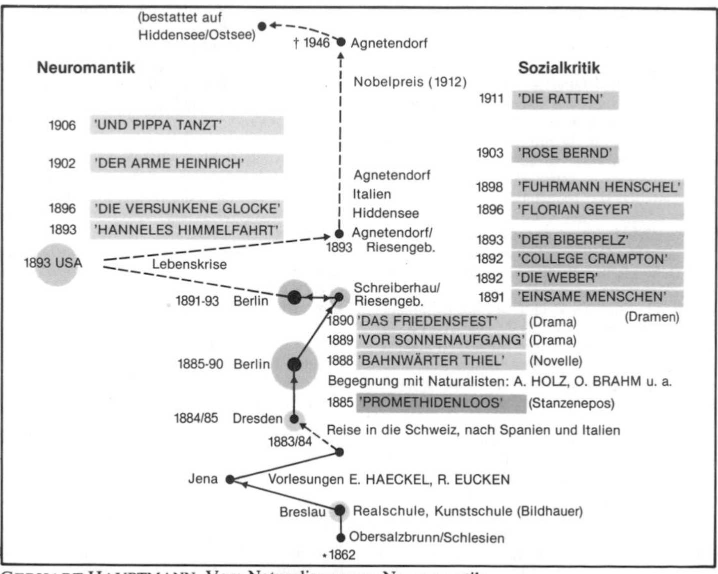

GERHART HAUPTMANN: Vom Naturalismus zur Neuromantik

Naturalist. In seinen eigenen Dichtungen blieb BAHR freilich auch nicht beim Impressionismus stehen, sondern durchlief, äußerst wandelbar, auch weitere Stilphasen bis hin zum Expressionismus (vgl. auch S. 227).

Antinaturalist. Strömungen

Wie der dt. Naturalismus (und viele Epochen vor ihm!) so ging auch seine Ablösung nicht unwesentlich auf Impulse aus dem Ausland zurück. Geradezu antinaturalistisch war der von Frankreich ausgehende **Symbolismus** (der freilich auch in Deutschland schon seine Vorläufer hatte; vgl. S. 195), da er unter Verzicht auf "objektive" Wirklichkeitsdarstellung aus einem neuen Schönheitsideal heraus eine *poésie pure* (MALLARMÉ) anstrebte. Musikalität der Sprache, insges. eine Intensivierung ästhet. Handhabung der dichter. Mittel sind seine bis zu "dekadenter" Überspitzung getriebenen Forderungen. Dichtung soll – daher der Epochenname – im Symbol die hinter der Realität liegenden, sinnlich nicht faßbaren Ideen des Seins evozieren.
Die roman. Literaturen holten damit gleichsam ihre romant. Epoche nach, in Deutschland begünstigte der Symbolismus ebenfalls eine **neuromant. Richtung.** Auch der **Impressionismus** sowie das Bekenntnis der sog. **Dekadenzdichter,** in der Endphase einer überreifen Kulturepoche zu leben, die überdies zeitlich mit dem Jahrhundertende zusammenfiel *(fin de siècle),* werden durch ihn gefördert.
Antinaturalistisch, aber auch symbolismus- und dekadenzfeindlich in ihrer Rückbesinnung auf die Werte des Volkstums und der ländlich bewahrten Stammeseigentümlichkeiten war die dt. **Heimatkunst.** Sie versuchte, über den Bauernroman und die Dorfgeschichte eine Kontinuität seit den literar. Leistungen GOTTHELFS, STIFTERS, KELLERS u. a. zu erweisen (vgl. S. 209). J. LANGBEHNS 'REMBRANDT ALS ERZIEHER' (anonym 1890) und P. DE LAGARDES 'DT. SCHRIFTEN' (1878/81) lieferten die theoret. Grundlagen und sicherten damit zumindest eine geist. Kontinuität bis in die Entartungen der "Blut-und-Boden"-Ideologie des Dritten Reiches. Mit zahlreichen Werken (programmatisch die antigroßstädt. Flugschrift 'DIE VORHERRSCHAFT BERLINS', 1900) befruchtete F. LIENHARD diese Bewegung. Es soll jedoch nicht übersehen werden, daß ihr wie der aus gleicher Kulturkritik erwachsenen **Jugendbewegung** auch eine Fülle kreativer, vom Nationalsozialismus nur mißbrauchter Innovationen entsprang, so die Volksliedpflege (u. a. Wandervogel-Liederbuch 'ZUPFGEIGENHANSL'), die Begründung von Freilichttheatern, das Laienspiel u. ä. (vgl. S. 230ff.).

Arno Holz und Johannes Schlaf

Noch vor den Programmschriften von HOLZ (vgl. S. 218f.) entstanden in der Zusammenarbeit des Berliner Redakteurs mit dem Studenten SCHLAF einige klassisch gewordene Dichtungen des Naturalismus. 1889 veröffentlichten beide drei "Novellen", die sie – dem skizzenhaften Charakter der Texte angemessen – als **"Studien"** vorstellten, wobei das gemeinsame Pseudonym einen fiktiven Autor der fortgeschritteneren naturalist. Literatur Norwegens (mit beigefügtem Lebenslauf!) vorstellte. Die bevorzugte Dialogform bezeugt **Nähe zum naturalist. Drama,** das im Erscheinungsjahr seinen Durchbruch in Deutschland erzielte (s. S. 217). Besonders ausgeprägt ist hier der Sekundenstil, gleichsam eine Vorwegnahme der film. Zeitlupentechnik, und die erst im Expressionismus zu voller Entfaltung kommende **Betonung des Akustischen.** Als erste bringen HOLZ und SCHLAF die "subliterar." **Alltagssprache** zu künstler. Ausdruck. Mit **Themen aus dem Proletariat** und der Welt von Armut und Laster ('PAPA HAMLET': Untergang einer Schauspielerfamilie; 'DER ERSTE SCHULTAG': Leiden an der Grausamkeit des schul. Alltags; 'EIN TOD': Sterbenacht eines Studenten nach einem Duell) eröffnen beide der Literatur neue inhaltl. Dimensionen.
Um das **gemeinsame Drama 'Familie Selicke',** das den drückenden Alltag einer Kleinbürgerfamilie auf die Bühne bringt (FONTANE stellte es in einer Kritik noch über HAUPTMANNS 'VOR SONNENAUFGANG'), sollte nach dem Bruch zwischen beiden Autoren ein unerquickl. Streit über den schöpfer. Anteil entstehen. Das **persönl. Zerwürfnis** markiert freilich auch den **Beginn einer künstler. Auseinanderentwicklung,** die SCHLAF über das Drama 'MEISTER OELZE' und die Prosalyrik 'IN DINGSDA' (1892) zum Impressionisten wandelte (u. a. 'STILLE WELTEN', 1902; 'DAS GOTTESLIED' 1922), während HOLZ zu einem expressionismusnahen Gestalten in "barockem" Wort- und Satzprunk vorschreitet. Besonders charakteristisch hierfür wird der umfangreiche, 1916–24 noch erweiterte lyr. Zyklus 'PHANTASUS', der höchst disparate Themen in einer auch visuell eigenart. Versform (um die Mittelachse der Buchseiten angeordnete Zeilen) vereinigt. Selbstironisch parodiert HOLZ Barocklyrik in 'DAPHNIS' (1904 und 1924).
Noch zweimal hat HOLZ mit anderen Autoren zusammengewirkt: mit PAUL ERNST, dem späteren Neoklassiker (1866–1933), in dem Drama 'SOZIALARISTOKRATEN' (1896) und mit OSKAR JERSCHKE (1861–1928) in 'TRAUMULUS' (1904), ebenfalls einem Drama. In diesen wie weiteren Dramen ('SONNENFINSTERNIS' und 'IGNORABIMUS') wich er vom zunächst so dogmatisch verfochtenen "konsequenten Naturalismus" schon deutlich ab. Noch in seinem Todesjahr, 1929, war er als Anwärter auf den Nobelpreis für Literatur im Gespräch, den dann jedoch TH. MANN erhielt.

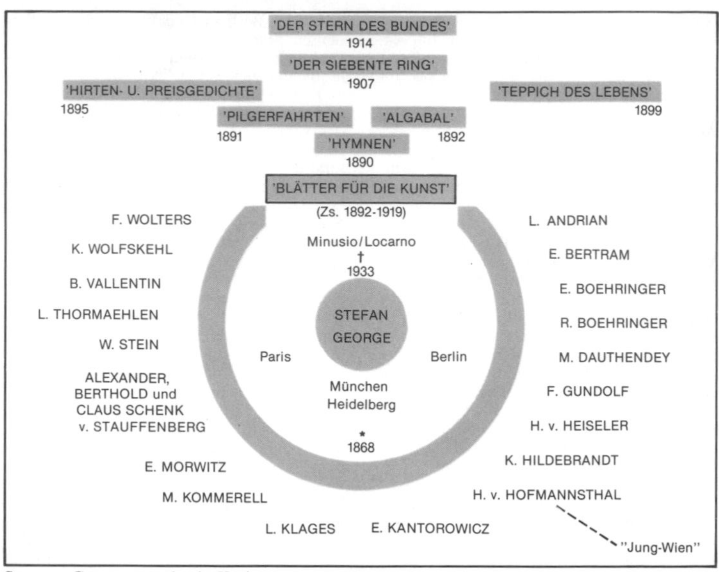

STEFAN GEORGE und sein Kreis

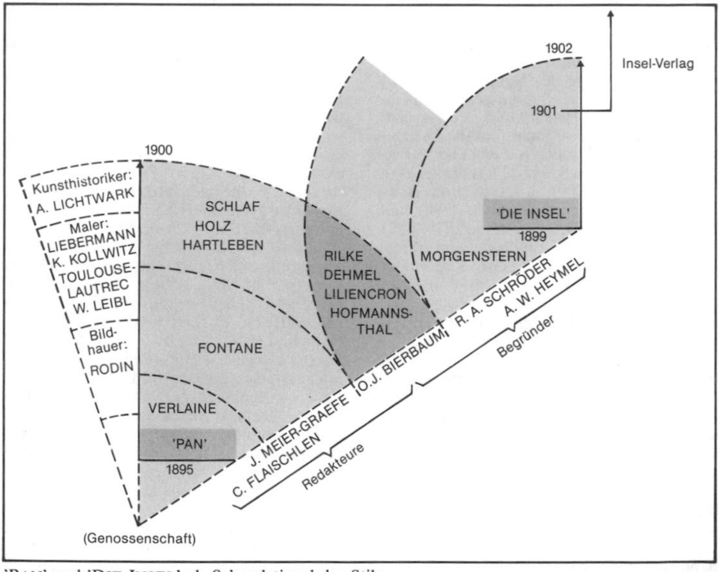

'PAN' und 'DIE INSEL' als Schmelztiegel der Stile

G. Hauptmann: Zwischen Naturalismus und Neuromantik (Tafel S. 220)

Auch wenn man darum streiten mag, ob nun das "soziale Drama" 'VOR SONNENAUFGANG' von GERHART HAUPTMANN (1862–1946) oder die 'FAMILIE SELICKE' von HOLZ/SCHLAF für das naturalist. Drama bahnbrechend war, so ist HAUPTMANNS Anteil an der Entwicklung dieser dramat. Epoche doch unbestritten. Schon in seiner Novelle 'BAHNWÄRTER THIEL' hatte er sich nach seiner Bekanntschaft mit den Vertretern der "Moderne" im Berliner Kreis "Durch" (s. S. 216f.) vom Konventionellen seines Jugendwerks 'PROMETHIDENLOOS' thematisch wie formal gelöst.

Der **sozialkrit. Impetus** des Naturalismus bestimmte HAUPTMANNS dramat. Schaffen zumindest bis hin zu 'DIE RATTEN'; mit polit. Akzent im Drama um den Weberaufstand von 1844, das er gleichzeitig auch in der (ursprüngl.) Dialektfassung, 'DE WABER' (schles.), herausbrachte, sowie in dem Schauspiel um den Reichsritter und Bauernführer FLORIAN GEYER (ermordet 1525). Aus Protest gegen die 'WEBER' kündigte WILHELM II. immerhin die königl. Loge im Dt.Theater! 'BIBERPELZ', 'FUHRMANN HENSCHEL', 'ROSE BERND' und 'DIE RATTEN' bringen auf eindringl. Weise das **Milieu und die Sprache (auch den Dialekt) der kleinen Leute** auf die Bühne. Die Zerrüttung sozialer Beziehungen wird in 'DAS FRIEDENSFEST' und 'EINSAME MENSCHEN' gestaltet; in 'COLLEGE CRAMPTON', einer Komödie mit trag. Unterton, stehen die Folgen der Trunksucht eines Akademiemalers im Mittelpunkt, dem die Umwelt aus der selbstverschuldeten Lage hilft.

1893 erfährt HAUPTMANN bei einem Amerikaaufenthalt eine schwere Lebenskrise, in der auch seine erste Ehe (mit MARIE THIENEMANN) zerbricht. Eine zweite Ehe (mit MARGARETE MARSCHALK) und der Umzug in das Haus Wiesenstein (Agnetendorf) bringen eine glückl. Wende. Damit fällt zeitlich der Beginn eines neuen Stranges seines dramat. Werks zusammen, das ihn der **Neuromantik** annähert. 'HANNELES HIMMELFAHRT' (Titel seit 1896) basiert zwar noch auf der sozialen Haltung des naturalist. Dramas (Tod eines mißhandelten Kindes im Armenhaus), doch gewinnen **Jenseitsmotive** (in den Fiebervisionen Hanneles) eine wichtige Funktion. Sagen- und Mythenstoffe, darunter die dramat. **Bearbeitung eines mittelalterl. Stoffs,** vom "armen Heinrich" (vgl. S. 47), und eine **lyrisch gestimmte Sprache** kennzeichnen diese neue Entwicklung, im Verlauf derer HAUPTMANN auch bereits vorgeformte dramat. Stoffe neu bearbeiten wird, so in 'SCHLUCK UND JAU' (nach SHAKESPEARE, 1900) und in 'ELGA' (nach GRILLPARZER, 1905).

Gegen Ende des ersten Jahrzehnts im neuen Jahrhundert wendet sich HAUPTMANN dann auch antiken Stoffen und aktuellen polit. Themen zu (vgl. S. 263 u.ö.).

Stefan George und sein Kreis

Gegen Naturalismus und wissenschaftl. Positivismus für eine **Erziehung durch die Kunst,** der ein geradezu sakraler Wert zugemessen wird, sammelt STEFAN GEORGE um sich und seine (bis 1899 nur privat verteilten) 'BLÄTTER FÜR DIE KUNST' einen exklusiven Kreis Gleichgesinnter, von denen etliche als Dichter, Kunst- und Literaturwissenschaftler selbst aktiv die geist. Entwicklung des neuen Jahrhunderts mitgestalten werden, freilich nicht alle in unbedingter Gefolgschaft, wie sie der herrisch waltende Meister forderte. HUGO VON HOFMANNSTHAL (s. S. 227) etwa löste sich sehr bald wieder aus dessen Bannkreis, auch MAX DAUTHENDEY (1867–1918) entwand sich GEORGES Einfluß früh, dessen Verehrung sich noch in der Sammlung von Gedichten, Dialogen und Prosaskizzen von 1893, 'ULTRAVIOLETT', unübersehbar niedergeschlagen hatte.

GEORGES eigene **Lyrik** verwirklicht, nach ihrem Ausgang von einem reinen *l'art pour l'art* (bis hin zu 'ALGABAL'), seinen Anspruch, Erzieher der Gegenwart zu geist., der Schönheit verpflichtetem Adel zu sein. Sein Schönheitsideal, u.a. von der Kunst der engl. Präraffaeliten geprägt und in der Nähe des Jugendstils, wirkte bis in die äußere Gestaltung seiner Bücher. Aus all seinen Gedichten spricht ein entschiedenes **Sendungsbewußtsein,** orientiert an der Größe DANTES, **strengste Kunstauffassung, im Gefolge des Symbolismus von Baudelaire und Mallarmé,** und ein **aristokrat. Lebensgefühl,** das von **Nietzsche** beeinflußt erscheint.

Trotz seiner Ferne zu mod. Strömungen der wilhelmin. Zeit kann gerade seine weit ins 20. Jh. ausstrahlende **Lehre eines geist. Adels** (die als Anspruch der Überlegenheit des Dichters über den Rest der Gesellschaft auch heute noch manchen republikanisch fühlenden Autor insgeheim leitet) auch als einer der zeitbedingten **Irrwege bürgerl. Selbstfindung** betrachtet werden. Seine 1928 erscheinenden Gedichte 'DAS NEUE REICH', in denen er eine **Wiedergeburt Deutschlands als eines neuen Hellas** (i. S. HÖLDERLINS) beschwört, sind darum nicht ganz zufällig – wenn auch ungewollt – als Prophetie des "Dritten Reiches" der Nazis mißverstanden worden. GEORGE selbst zog sich 1933, kurz vor seinem Tod, aus Deutschland zurück.

Die Grafik berücksichtigt nur wichtige Gedichtsammlungen bis 1914. Schon 1903 erschienen auch **Prosaschriften** von GEORGE unter dem Titel 'TAGE UND TATEN'. Themen des 1. Weltkriegs gestaltet GEORGE in 'DER KRIEG' (1917) und in 'DREI GESÄNGE' (1921). Unermüdlich war er um die Aneignung der Weltliteratur in zahlreichen **Übersetzungen** bemüht (u.a. PINDAR, SOPHOKLES, DANTE, SHAKESPEARE, D'ANNUNZIO, VERLAINE, RIMBAUD).

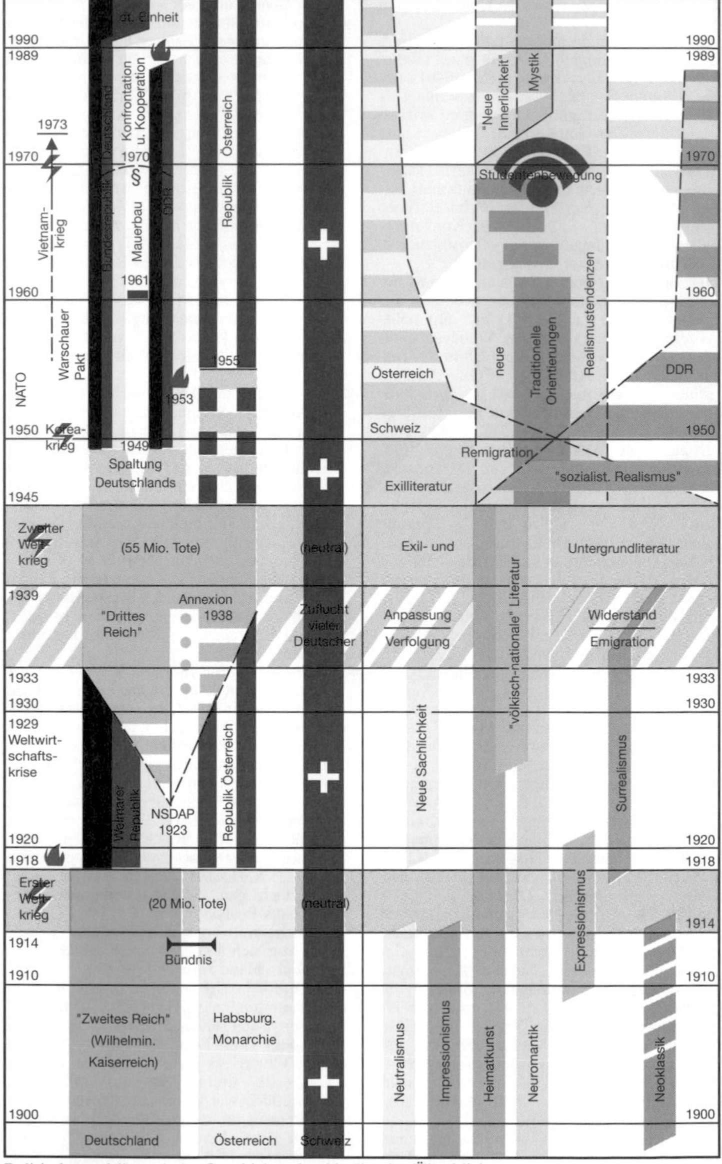

Politische und literarische Geschichte des 20. Jhs. im Überblick

Wie "unscharf" die Grenzen zwischen versch. Stilrichtungen um die Jahrhundertwende sein konnten, belegt das Autorenspektrum der **Zeitschriften 'Pan' und 'Die Insel'** (Tafel S. 222). 'PAN', zunächst der Name einer Künstlergenossenschaft, versammelt Beiträge von Realisten, Naturalisten, Symbolisten, Impressionisten und der "Neuen", RILKE UND HOFMANNSTHAL, sowie wichtige Arbeiten aus bildender Kunst und Kunstgeschichte. O. J. BIERBAUM, anfängl. Redakteur des 'PAN', spielte als Mitbegründer der 'INSEL', die ebenfalls LILIENCRON, HOFMANNSTHAL, RILKE und den inzwischen "geläuterten Naturalisten" DEHMEL als Beiträger gewinnen konnte, eine auch organisator. Mittlerrolle (vgl. S. 219).

Das 20. Jahrhundert im Überblick

Zwei **Weltkriege,** in die Deutschland besonders schuldhaft verstrickt war, der durch sie verursachte **Untergang des habsburg. und schließlich auch des Dt. Reiches,** die **russ. Oktoberrevolution** von 1917, kommunist. Greuel und NS-Barbarei und die **Ost-West-Spaltung** der Welt (einschl. Deutschlands) haben die polit. und kulturelle Physiognomie des 20. Jhs. geprägt. Der Zusammenbruch des Kommunismus und die **Demokratisierung des bisherigen "Ostblocks" und der Zerfall der Sowjetunion** sind in ihren polit. und geistigen Folgen jetzt noch kaum abzuschätzen. Ist der "Untergang der Ideologien" auch das "Ende aller Utopie"?

Die Ohnmacht des alten Vielvölkerstaats der Habsburger gegenüber dem modernen Nationalismus war Nährboden der **Fin-de-siècle-Stimmung** in Österreich; die nationalist. Hybris des wilhelmin. Kaiserreiches und seine reaktionäre Innenpolitik die polit. Basis für die dt. Teilhabe an der **europ. "Literaturrevolution"** (wie man die Vielzahl neuerer literar. Tendenzen und Gruppierungen zu Beginn des Jhs. zusammenfassend bezeichnet; vgl. S. 217); die mangelnde Reflexion der polit., sozialen und geist. Ursachen der Niederlage von 1918, die in der Weimarer Republik zu einem insges. nur halbherz., höchst labilen Demokratieversuch führte, forderte einerseits das (nicht selten polit.) **Engagement von Autoren i.S. eines kompromißlosen Realismus** heraus, verleitete anderseits manche zum **Rückzug auf romant. und heimattümelnde Positionen,** die sehr leicht auch von Vertretern eines offensiven Faschismus besetzt oder mißbraucht werden konnten.

Auf diese ideolog. und polit. Strömung gab es nach deren Sieg von 1933 (in Österreich 1938) freilich keine aktive Reaktion der Literatur mehr. Wer sich nicht anpaßte oder nur noch in raffinierter und stets bedrohter Dekkung weiterproduzieren wollte, war der Vertreibung oder Verfolgung ausgesetzt. Die dt. Literatur existierte ab 1933 zu entscheidenden Teilen nur noch als **Exilliteratur,** dies sogar über das Ende der NS-Schreckensherrschaft 1945 hinaus. Die Spaltung Deutschlands durch die Siegermächte und die unterschiedl. Entwicklung der beiden Teile Restdeutschlands war für viele Emigranten nicht gerade ein Anreiz zur Rückkehr.

Die Exilliteratur wurde in den beiden Teilen Deutschlands höchst unterschiedlich aufgenommen. In der DDR erstickten die offizielle **Doktrin des "sozialist. Realismus"** (bzw. ihre von polit. Opportunität bestimmten Auslegungen) und eine immer schärfere offizielle Abgrenzung gegen den Westen die geradezu weltoffenen Tendenzen des kulturellen Wiederaufbaus nach 1945. In Westdeutschland zerfiel die Literatur unter einer **polit. Polarisierung** in zwei verfeindete Lager, deren linksengagiertes durch die überzogenen polit. Ansprüche der **Protestbewegung in den sechziger Jahren** bis an die Grenze des Verstummens geführt wurde. Der Rückschlag äußerte sich in einer **Wende zu neuer "Innerlichkeit",** die freilich nicht nur Resignation, sondern auch Rückbesinnung auf die der Literatur wesenseigenen Aufgaben bezeugte. Darin trafen sich westdt. Autoren mit den Kollegen in der DDR, die sich politisch nicht gängeln ließen. Manche literar. Unverbindlichkeit tarnte sich indes auch mit dem Schlagwort der **"Postmoderne"**!

Außer wenigen Einzelleistungen ist nach dem selbstverschuldeten Rückzug der Deutschen vom weltliter. Niveau jedoch kein breiterer Aufschwung zu erkennen. Auch der polit. Riß durch Deutschland und seine Überwindung haben bisher kaum gültige Interpreten gefunden (manche bisher "große" Namen in Ost wie West wollen oder können nicht von liebgewordenen Vorurteilen Abschied nehmen). Zur mangelhaften Aufarbeitung der NS-Diktatur fällt nun den ostdt. Schriftstellern die Auseinandersetzung mit der kommunist. Diktatur (insbes. dem "Stasi-Syndrom") zu.

Die **deutschsprach. Schweiz** bekam nach 1945 ein neues Gewicht bei der Weiterentwicklung einer wahrhaft "gesamtdt." Literatur, an der sich die (seit 1955 unabh.) **Republik Österreich** mit alten und neuen Autorennamen aktiv beteiligte.

Die seit GUTENBERG wichtigsten **Veränderungen literar. Medien** durch die Technik des 20. Jhs. müssen erwähnt werden. **Hörfunk, Film, Fernsehen und Video** haben die instrumentelle Basis der Literatur grandios erweitert und auch zu Veränderungen von Form und Inhalt literar. Texte geführt. Eine weitere, bis dahin ungeahnte Verbreiterung der Wirkungsmöglichkeiten von Literatur ergab sich durch die **Einführung des preisgünst. Taschenbuchs** (in Deutschland nach 1950). Die positiven Folgen dieser Veränderungen wer-

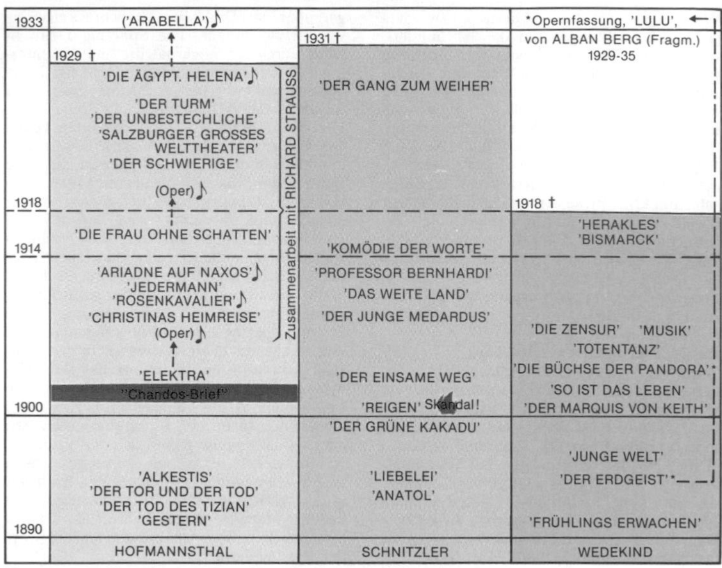

Dramen von HOFMANNSTHAL, SCHNITZLER und WEDEKIND

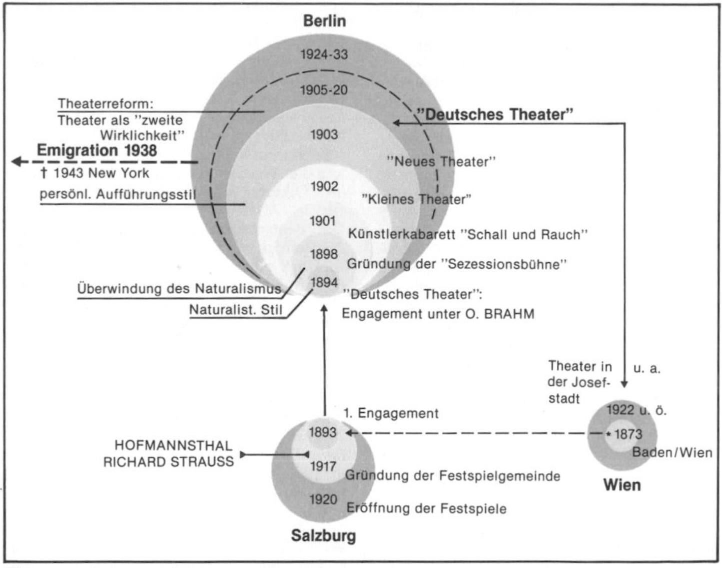

Theaterstationen MAX REINHARDTs (1873–1943)

den freilich durch die **unüberschaubar gewordene Vielfalt der Angebote** sowohl der Medien- wie der Buchproduktion weitgehend wieder aufgehoben. Zwar hat es in keiner Zeit zuvor so große Möglichkeiten des Zugangs zur Literatur für jedermann gegeben, doch ist der einzelne an Literatur Interessierte auch noch nie so abhängig vom Urteil derer gewesen, die für sich beanspruchen, orientierende Schneisen durch das Dickicht der Publikationen schlagen zu können.

Die Anfänge von Hofmannsthal und Rilke
Neben S. GEORGE und seinem Kreis (s. S. 223), bereitete sich in den neunziger Jahren des 19. Jhs. die "neue" Literatur nach dem Naturalismus vor allem in der Impressionisten- und Symbolistengruppe **"Jung-Wien"** vor. Der grundsätzlich wie individuell erfahrene Fin-de-siècle-Geist des späten Habsburgerreichs formte auch in **Prag** junge Dichter (vgl. S. 242ff.), allen voran RAINER MARIA RILKE, der nach GEORGE zum wegweisenden dt. Lyriker werden wird.
Im Mittelpunkt von "Jung-Wien" stand mit H. BAHR (S. 219) und A. SCHNITZLER (s. u.) **Hugo von Hofmannsthal** (1874–1929). Bereits 1891 war er mit der "dramat. Studie in Versen" 'GESTERN' hervorgetreten. Ein Jahr später ließ er dann in Heft 1 von S. GEORGES 'BLÄTTERN FÜR DIE KUNST' das Dramenbruchstück 'DER TOD DES TIZIAN' und 1894, wie das vorausgehende Stück in Versen, die lyrisch-monolog. Lebensbeichte eines Jünglings im Drama 'DER TOR UND DER TOD' folgen. In den 'BLÄTTERN FÜR DIE KUNST' erschienen nach und nach auch **Gedichte** des jungen Autors (so die 'TERZINEN ÜBER DIE VERGÄNGLICHKEIT' und die 'BALLADE DES ÄUSSEREN LEBENS'), aus denen er 1903 eine äußerst selbstkrit. Auswahl traf. Zuvor, 1902, hatte 'EIN BRIEF' (auch **'Brief des Lord Chandos'**) eine deutl. Zäsur im Schaffen HOFMANNSTHALS markiert. Der fiktive Autor des (an F. BACON adressierten) Briefes begründet darin sein plötzl. Verstummen mit der **Verzweiflung an der Sprache,** die ihm nicht mehr eine problemlose Orientierung in der Wirklichkeit zu erlauben scheint. Dieser Text, exemplarisch für die Stimmung vieler Zeitgenossen, eröffnet zugleich ein **neues "symbol." Welterleben,** für das der Autor ein neues Medium sucht, das er nicht zuletzt in der Zusammenarbeit mit dem Komponisten RICHARD STRAUSS finden wird.
Ähnl. Motive klingen in dem 1904 begonnenen Tagebuchroman 'DIE AUFZEICHNUNGEN DES MALTE LAURIDS BRIGGE' (ersch. 1910) **Rainer Maria Rilkes** (1875–1926) an. Nach 'FRÜHEN GEDICHTEN' (die 1909 gesammelt erscheinen) wird seine Weltsicht erstmals in der Gedichtsammlung 'DAS BUCH DER BILDER' von 1902 deutlich erkennbar: Wie HOFMANNSTHALS Chandos spürt er in auch unscheinbaren Alltagsdingen die große Offenbarung: **das Ding als "Gleichnis"; Aufgabe des Künstlers, das Ding selbst sprechen zu lassen,** es in seiner "Heiligkeit" zu bestätigen. Durch die "Brüderlichkeit zu den Dingen" sucht RILKE in den Gedichten des 'STUNDENBUCHS' von 1905 (begonnen 1899) die **Brüderlichkeit zu Gott.** Zugrunde liegt das Erlebnis des Dichters mit russ. Frömmigkeit während seines ersten Rußlandaufenthalts 1899 (vgl. auch S. 242f. und 245).

Neue Impulse für das Drama: Hofmannsthal, Schnitzler und Wedekind
Die aus der "Jung-Wiener Gruppe" hervorgehenden HOFMANNSTHAL und SCHNITZLER sowie der von Anfang an seine Unabhängigkeit auslebende WEDEKIND geben dem dt. Theater seit dem letzten Jahrzehnt des 19. Jhs. neue, wichtige Impulse, die bei aller individuellen Unterschiedlichkeit doch auch etliche Gemeinsamkeiten aufweisen.
Die künstler. Verbundenheit des Wiener Arztes und Psychologen **Arthur Schnitzler** (1862–1931) mit dem jüngeren HOFMANNSTHAL i. S. einer impressionistisch gestalteten "Dekadenz" kommt programmatisch in Versen des jüngeren Dichterfreundes zum Ausdruck, die SCHNITZLERS Szenenfolge 'ANATOL' vorangestellt sind. Diesem wie den folgenden Dramen SCHNITZLERS ist ein erot. Grundmotiv eigen, das im 'REIGEN', als Enthüllung von Gefühlen vor und nach geschlechtl. Vereinigung von zehn (verschiedenen Gesellschaftsschichten entstammenden) Paaren durchgespielt wird – für die offizielle Prüderie der Zeit eine Ungeheuerlichkeit, die zu einem Skandal und zum Einschreiten der Zensur führte.
Die Tragödie 'FRÜHLINGS ERWACHEN' des in der Schweiz aufgewachsenen, in München und Berlin arbeitenden Schauspielers und Dramaturgen **Frank Wedekind** (1864–1918) ist ebenfalls Problemen der Sexualität gewidmet, hier dem Scheitern zweier junger Liebender am bürgerl. Sittenkodex. Noch naturalistisch in der Zeichnung der Hauptfiguren entwickelt dieses Drama mit seinem fastallegor. Schluß (Rettung des jungen Mannes durch das personifizierte Leben) eine eigene moral. Lösung. Die **Karikierung der prüden Erwachsenen und ihrer Scheinmoral** wird zum Grundton weiterer Texte WEDEKINDS, vor allem seiner Gedichte und Bänkellieder. Im 'ERDGEIST' und in der 'BÜCHSE DER PANDORA' demonstriert WEDEKIND die Brüchigkeit männl. Moral vor den Verlockungen der Dirne Lulu (Titelfigur von A. BERGS Opernbearb.); in der 'JUNGEN WELT' (urspr. Fassung 'KINDER UND NARREN' von 1891) lehnt er aber auch die Ziele der zeitgenöss. Frauenbewegung als naturwidrig ab, wobei er zugleich satirisch gegen naturalist. Programme, insbes. gegen G. HAUPTMANN zu Felde zieht. Sein eigenes Scheitern in der Gesellschaft führt WEDEKIND 1902 in dem grotesken 'So

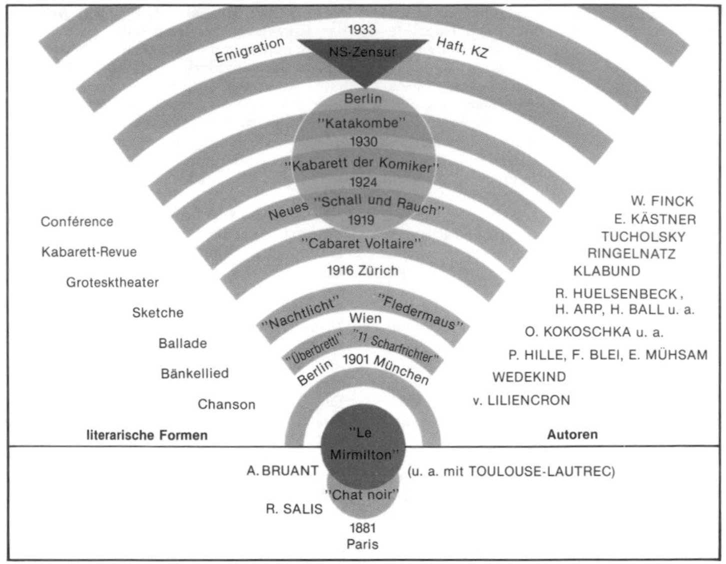

Kabaretts 1881–1933

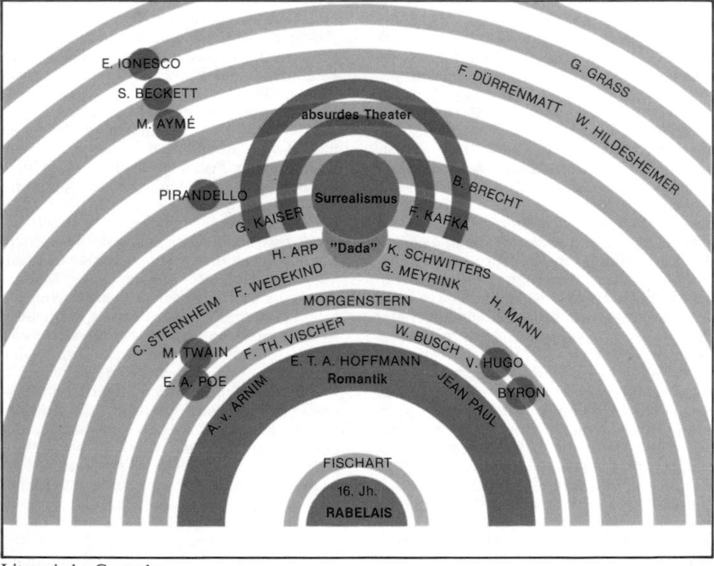

Literarische Groteske

IST DAS LEBEN' vor (= 'KÖNIG NICOLO ...' 1911), das schon Züge des Expressionismus und sogar des absurden Theaters trägt.
Wenn es dessen noch bedurft hätte, wäre SCHNITZLER spätestens durch den "Reigen-Skandal" genügend sensibilisiert worden, in folgenden Texten ebenfalls die **Unehrlichkeiten der Gesellschaft** anzuprangern. 'PROFESSOR BERNHARDI' (1912) etwa, eine Komödie, gegen die die habsburg. Zensur wiederum einschritt, klagt die auch antisemitisch motivierte Verfolgung eines Mediziners an, der aus menschl. Rücksichtnahme eine Erteilung des Sterbesakraments verhindert hat. Schon im 'WEITEN LAND' von 1911 entlarvt SCHNITZLER die Hohlheit menschl. Kommunikation in Scheindialogen, mit denen sich die Menschen nicht mehr aus ihren Problemen befreien können. – Die starke Beachtung, die seine Dramen fanden, hat den **Erzähler Schnitzler** lange Zeit in den Hintergrund treten lassen, der aber in gleicher Meisterschaft die ihn auch im Drama bewegenden Themen gestaltet hat. Der Bogen seines ep. Werks reicht von der bissig.-satir. Novelle, etwa 'LIEUTENANT GUSTL' (1900), deren Kritik am Ehrenkodex des k.u.k. Offizierskorps SCHNITZLER den eigenen Offiziersrang kostete, bis zum gesellschaftskrit. Roman; exemplarisch sei erwähnt 'THERESE' (1928), der sich kritisch mit einem von Kleinbürgerlichkeit und sexuellen Krisen bedrückten Schicksal auseinandersetzt.
Hofmannsthals dramat. Schaffen (vgl. S. 227) erfährt indes eine **entscheidende Neuorientierung durch die Zusammenarbeit mit R. Strauss,** für dessen Opern er die Libretti schreibt. In dessen Musik scheint HOFMANNSTHAL das im "Chandos-Brief" noch gesuchte "neue Medium" gefunden zu haben, das auch seiner lyr. Begabung entgegenkam. Kennzeichnend ist die Umarbeitung des Sprechdramas 'ELEKTRA' von 1903 zum STRAUSS-Libretto von 1909, das durch Szenenumstellungen und lyr. Ruhepausen, kongenial zur wagnerisch verströmenden Musik, "entdramatisiert" wird. Man ist versucht, unmittelbar eine Parallele zu dieser dramat. Grundeinstellung in der Charakterzeichnung und Handlung von 'DER SCHWIERIGE' (1921) zu sehen, in dem Menschenscheu nur durch eine verhaltene Liebe überwunden werden kann. Tatsächlich lassen sich auch hier Beziehungen zur "Chandos-Krise" nachweisen. Doch wird die Hauptgestalt auch konkret als vom Erleben des Weltkriegs bedrängt vorgestellt, der mit seiner Katastrophe für das habsburg. Reich und seine universale Lebensordnung HOFMANNSTHALS weiterem Werk einen Zug wehmütiger Trauer über die damit verlorenen Kulturwerte verlieh. Die im 'SCHWIERIGEN' erkennbare **Rückbesinnung auf alte Traditionen,** hier Elemente des Wiener Volkstheaters, steigert sich im 'SALZBURGER GROSSEN WELTTHEATER' von 1922 in Anlehnung an CALDERONS 'GROSSES WELTTHEATER' (1645/1675) zur **Wiederbelebung des österr. Barocktheaters.** Aktueller Hintergrund ist die Begründung der **Salzburger Festspiele,** die HOFMANNSTHAL zusammen mit dem großen Schauspieler und Theaterleiter MAX REINHARDT (s. Tafel S. 226) und RICHARD STRAUSS ab 1917 aktiv betrieb. Fester Programmpunkt wird mit der Festspieleröffnung 1920 HOFMANNSTHALS 'JEDERMANN' von 1911, ein **Rückgriff auf älteste dramat. Traditionen** (vgl. S. 102). Bezeichnend für HOFMANNSTHALS Ringen um die Bewahrung abendländisch-dt. Kulturkontinuität sind u.a. auch seine Anthologie 'WERT UND EHRE DEUTSCHER SPRACHE' und die Rede 'DAS SCHRIFTTUM ALS GEISTIGER RAUM DER NATION' (beide 1927). Fragment geblieben ist sein Entwicklungsroman 'ANDREAS ODER DIE VEREINIGTEN' (postum 1932).

Kammerspiel und Kabarett
Anfang dieses Jahrhunderts nehmen wichtige literar. Innovationen ihren Ausgang vom Rande des traditionellen Literaturbetriebs. Beispiele sind die Theaterarbeit an den Kammerspielen und die Kleinkunst der Kabaretts. Vorbild für die **Kammerspiele,** die heute an keinem größeren Theater fehlen und in vielfält. Form auch als selbständ. Bühnen existieren, war das 1898 von K. STANISLAWSKIJ gegr. Moskauer Künstlertheater. Prägend für Deutschland wurden die 1906 von M. REINHARDT am Dt. Theater in Berlin eröffneten Kammerspiele (vgl. S. 226) und die von O. FALCKENBERG 1918–44 in München geleitete Bühne (gegr. 1911). "Kammerspiel" wurde zugleich zum **Gattungsbegriff eines Dramas,** das für die intime, dem (seit der Antike traditionellen) Repräsentationsauftrag des Theaters entzogene Atmosphäre geschrieben wird.
M. REINHARDT hatte zuvor mit dem **Kabarett** "Schall und Rauch" (1902), nach E. v. WOLZOGENS Berliner "Überbrettl" und FALCKENBERGS "Elf Scharfrichtern" in München (u.a. mit WEDEKIND als Liedermacher), der von Paris ausgegangenen Entwicklung der literar. Kleinkunstbühne seinen Beitrag gezollt (Neugründung 1919). Die Zeit war reif für mannigfache **Formen literar. Zeitkritik;** die in Deutschland nur vom NS-Staat unterbrochene Blüte war und ist ein bedeutsamer Indikator für den Zustand einer Gesellschaft (dies gilt freilich auch, wenn Kabaretts wie in der Gegenwart zum wohlfeilen Unterhaltungsprogramm im Fernsehen werden oder "staatstragende" Funktion wie in der DDR erhalten!).
Dem Kabarett ist die **Entwicklung oder Förderung neuer und alter literar. Formen** zu danken. Dazu zählen **Chanson** und **Sketch** und der neuentdeckte **Bänkelsang** in Verbindung mit der **Ballade** (die in dieser Zeit freilich auch ihre hochliterar. Wiederbelebung

erfährt; s. u.). Ohne diese Entwicklung wäre ein wesentl. Teil der Lyrik B. BRECHTS und gegenwärt. Liedermacher undenkbar.

Das Kabarett ist gleichzeitig ein fruchtbarer Boden für die **Wiederbelebung der literar. Groteske.** Bereits 1896 entstand in seinem Umkreis das beispielgebende Stück des sog. **Groteskthaters,** der 'UBU ROI' ('KÖNIG UBU') des Franzosen A. JARRY.
Die literar. Groteske hat freilich ihre jahrhundertealte Tradition, die immer dann aufblüht, wenn Schriftsteller die Orientierungslosigkeit ihrer Umwelt charakterisieren oder Freiräume gegen einen überzogenen Rationalismus schaffen wollen. Hierin haben **groteske Tendenzen der Romantik,** die **Bewegung des "Dada"** und des **Surrealismus** (s. S. 235 ff.) und das absurde Theater ihre Wurzeln. Das literar. Kabarett wendet sich mit Satire und Parodie auch gegen allzu ernst genommene Richtungen zeitgenöss. Literatur (diese Funktion tritt in heut. Kabaretts allzusehr hinter polit. Kritik zurück!).
Ein dt. Klassiker der literar. Groteske war zweifellos **Christian Morgenstern** (1871–1914), der seine grotesken Dichtungen (u. a. 'GALGENLIEDER' 1905) durch seine "ernsthaften" Werke, wie 'ICH UND DU', 'STUFEN' (1911 bzw. 1916) über jegl. Verdacht bloßer Nonsensdichtung erhebt. In diese Reihe sind auch die Autoren zu stellen, die von einer ausschließlich an "hoher" Dichtung orientierten Darstellung dt. Literatur allzuleicht verkannt werden: so KLABUND (ALFRED HENSCHKE, 1890–1928), JOACHIM RINGELNATZ (HANS BÖTTICHER, 1883–1934), KURT TUCHOLSKY (1890–1935) u. v. a. m.

Lyrik und Erneuerung der Ballade
Die ganze Spannweite literar. Tendenzen zu Beginn des 20. Jhs. kommt in der Lyrik am gültigsten zum Ausdruck. Dauerhafte Prägung erfährt diese Grundgattung durch die Aneignung des Symbolismus, sowohl durch den von ihm angeregten Facettenreichtum lyr. Aussage als auch durch die von dt. Lyrikern, allen voran von S. GEORGE bestimmte Formkunst in Sprache und Textgestalt. Auf die Bedeutung ST. GEORGES und seines Kreises ist bereits hingewiesen worden (S. 223). RILKES und HOFMANNSTHALS Leistungen wurden ebenfalls schon kurz gewürdigt (S. 227).
Durch **Georges Schule** sind viele Lyriker am Jahrhundertbeginn geprägt worden, auch wenn sie später eigene Entwicklungen nahmen.
Als Beispiel diene MAX DAUTHENDEY (1867–1918). Nach 'ULTRAVIOLETT' (S. 223) findet er seinen Akzent in eher romant. bis impressionist. Tönen und Bildern, auch und gerade wo er sich Volkslied- und Bänkelsangtraditionen nähert (u. a. 'AUSGEWÄHLTE GEDICHTE' 1914). In ihren Frühwerken "neuromantisch" war auch RICARDA HUCH (1864–1947), in ihrer ersten Lyriksammlung ('GEDICHTE') durchaus um Reflexion und formale Gestaltung des Gefühls bemüht.
Wie wenig aussagekräftig plakative Klassifizierungen sein können, belegt die Subsumierung RUDOLF ALEXANDER SCHRÖDERS (1878–1962) unter eine einzige gängiger Programmformeln. Sein Traditionsbewußtsein vereinigt schon früh antikes Erbe ('ODYSSEE'-Übers.!), christlich-luther. Gesinnung und klassizist. Formstrenge ('GESAMMELTE GEDICHTE' 1912, 'DEUTSCHE ODEN' 1913).
Vielen Lyrikern sind religiös-myth., auch myst. Züge und hymn. Töne eigen, aus denen sich **Vorklänge des Expressionismus** heraushören lassen. Die lyr. Dichtungen ALFRED MOMBERTS (1872–1942), THEODOR DÄUBLERS (1876–1934), RUDOLF PANNWITZ' (1881–1969) und KARL WOLFSKEHLS (1869–1948) sind für diese Tendenz charakteristisch.
Eine bes. Stellung nimmt die Ballade ein, die in diesem Jahrhundert aus alten wie aus neuen Quellen frische Kräfte erhält. Der wiederentdeckte **Bänkelsang,** der eigentlich nur ein später Seitentrieb der Gattung war, ist eine dieser Quellen (s. o.), die **Rückbesinnung auf die klass. Themen und Muster der Ballade** eine andere. Aus dieser schöpften vor allem **Börries von Münchhausen** (1874–1945), **Agnes Miegel** (1879–1964) und **Lulu von Strauß und Torney** (1873–1956), wenn auch mit je anderer Akzentuierung. Doch der Zusammenhang mit zeitgenöss. Strömungen ist bei allen drei unverkennbar: in den "ritterl. Balladen" MÜNCHHAUSENS die Sehnsucht der Zeit nach vorbildl. Werten in der dt. Vergangenheit, die den Gedichten eine begeisterte Aufnahme vor allem in der Jugendbewegung sicherten; in der Hingabe an Themen der ostpreuß. und niederdt. Landschaft die Verbindung A. MIEGELS und der v. STRAUSS UND TORNEY mit der Heimatkunst (vgl. auch S. 249).

Epik in der Konkurrenz der Stilrichtungen
Je näher uns literar. Phänomene sind und heute noch unmittelbar fortwirken, um so unmöglicher erscheint es, sie auf bestimmte Stilrichtungen festzulegen. Doch was dadurch bei der älteren Literatur leicht als Folge mangelnder Differenzierungsmühe kritisiert werden kann, will bei der jüngeren auch aus inneren Gründen nicht mehr gelingen. Zu groß sind gegenüber älteren Epochen die **Unsicherheiten der Autoren** selbst geworden, **sich ein für allemal auf eine bestimmte Richtung einzulassen.** Die polit., sozialen und geist. Umwälzungen des 20. Jhs. schlagen sich auch im manchmal **raschen Wechsel literar. Positionen** nieder. Die Kunst hat stärker als je zuvor um ihren Ort in der gesellschaftl. Entwicklung zu ringen. Daß gleichwohl manche Programme und Positionen mit großer Zähigkeit entwickelt und behauptet werden, ist dem sowohl von der Gesellschaft wie auch von den Autoren selbst nur selten einzulösenden Anspruch zuzuschreiben, daß Kunst und Literatur eine maßgebl. Rolle für die Gesamtentwicklung spielen sollten. Die **Konkurrenz von sich immer stärker zerfasernden literar. Richtungen** tut ein übriges, den Einfluß der Literatur auch dort, wo sie mehr bewirken will, auf den Privatbereich einzugrenzen. Doch sollte anderseits dieser Einfluß nicht gering geachtet werden. Die Angst von Diktaturen vor dem unzensierten Wort ist – auch wenn seine polit. Wirkung kaum meßbar ist – ein untrügl. Kennzeichen zumindest der Möglichkeit, daß Individuen und Gruppen, ja ganze Völker durch Literatur Angebote zu freier Reflexion und Argumente für ein humaneres Leben erhalten.
Wie die Dramatik und die neue Lyrik so befreit sich um die Jahrhundertwende auch die Epik vom Ausschließlichkeitsanspruch naturalist. Programme. Fin-de-siècle-Stimmung und Impressionismus sind der anfängl. Nährboden für die Erzähler HEINRICH und THOMAS MANN, die bis zu ihrem erzwungenen Abschied von Deutschland sowohl auf dem Gebiet des Romans wie der Novelle vorbildl. Leistungen erbringen (s. Tafel S. 232). Beide bleiben freilich auch auf je eigene Weise der vom Realismus vorgeprägten Wirklichkeitsnähe verpflichtet, **Heinrich Mann** schon sehr früh i. S. einer krit. Distanz zu den geist. Verirrungen der Zeit. Beeinflußt von STENDHAL, BALZAC, FLAUBERT und ZOLA, von D'ANNUNZIO und NIETZSCHE **gegen jede bürgerl. Enge** eingenommen, beginnt er sein sozialkrit. Werk mit 'IM SCHLARAFFENLAND'; in 'PROFESSOR UNRAT' (dem 1930 als 'DER BLAUE ENGEL' verfilmten Werk von 1905) erreicht es einen ersten Höhepunkt, dem 1914 die **Abrechnung mit dt. Untertanengeist** folgt ('DER UNTERTAN' und 'DER KOPF' werden 1925 zum Roman 'DAS KAISERREICH' vereinigt). Die Romantrilogie 'DIE GÖTTINNEN' feiert eine andere Seite seiner antibürgerl. Einstellung, das **Gefühl der Freiheit im gesteigerten Genuß von Kunst und Sexualität.** Freiheitspreis und Gesellschaftskritik sind die durchgäng. Motive auch seiner Novellen.
Thomas Mann verbindet in seinem ersten großen Erfolg, den 'BUDDENBROOKS' von 1901 (für den allein ihm noch 28 Jahre später der Nobelpreis verliehen wird!), die Grundstimmung der **"Dekadenz"** mit beinahe **naturalist. Sehschärfe,** da er den "Verfall einer Familie" vom Großbürgertum eines Lübekker Kaufmannshauses zur Lebensuntüchtigkeit des künstlerisch hochbegabten letzten Abkömmlings (urspr. geplanter Titel: 'ABWÄRTS') zugleich als **Prozeß der Vergeistigung** gestaltet. In dieser "Geschichte des 19. Jhs. im kleinen" wirkt SCHOPENHAUERS Philosophie und TOLSTOIS literar. Vorbild nach. Als eine Art Seitentrieb des BUDDENBROOK-Themas, in der **Gegenüberstellung von gesichertem Bürgerleben und freischwebendem Künstlertum,** erweist sich die Novelle 'TONIO KRÖGER' (in der Sammlung 'TRISTAN' von 1903). Unverkennbar ist die Nähe THOMAS MANNS zum Schaffen RICHARD WAGNERS, dessen **Todesmystik** eine der Wurzeln der Dekadenzliteratur insges. ist. Das Todesthema beherrscht auch die Novelle 'TOD IN VENEDIG' von 1912 und den zunächst als "humorist. Gegenstück" geplanten Roman 'DER ZAUBERBERG' von 1924, der einen Bildungsprozeß in einer zum myth. Ort stilisierten Lungenheilanstalt beschreibt: **Lebens- und Bewußtseinssteigerung unter der Bedrohung durch den Tod. –** Ein körperl. Mangel, die Verkümmerung des linken Arms (die entfernt an eine entspr. Beeinträchtigung des regierenden Kaisers, WILHELMS II., erinnert!) bestimmt das märchenhaft und komödiantisch gestaltete Schicksal der Titelfigur von 'KÖNIGL. HOHEIT' (1909). Ob die (zum Schluß erfüllte) Weissagung einer Zigeunerin, gerade dieser Herrscher werde dem Land "das größte Glück" bringen, als polit. Aussage zu werten ist, sei dahingestellt. Sicher ist, daß THOMAS MANN, im Gegensatz zu seinem Bruder HEINRICH, wesentlich unkritischer gegenüber den sich abzeichnenden Neigungen der dt. Gesellschaft zu Nationalismus und Militarismus blieb. Geradezu selbstoffenbarend ist der Essay 'BETRACHTUNGEN EINES UNPOLITISCHEN' nach dem Zusammenbruch des Kaiserreichs, in dem TH. MANN neben der berechtigten Warnung vor bürokrat. Gängelung von Kunst und Literatur auch seine **Abneigung gegen die westl. Demokratien** begründet. Damit lieferte er der demokratiefeindl. Grundstimmung in der Weimarer Republik willkommene Argumente. Trotz späterer klarer Absage an die Feinde des ersten größeren Demokratieversuchs in Deutschland behielt THOMAS MANN zeitlebens das erfolgsverwöhnte Selbstbewußtsein eines "Geistesaristokraten" (vgl. S. 259 u. 268).

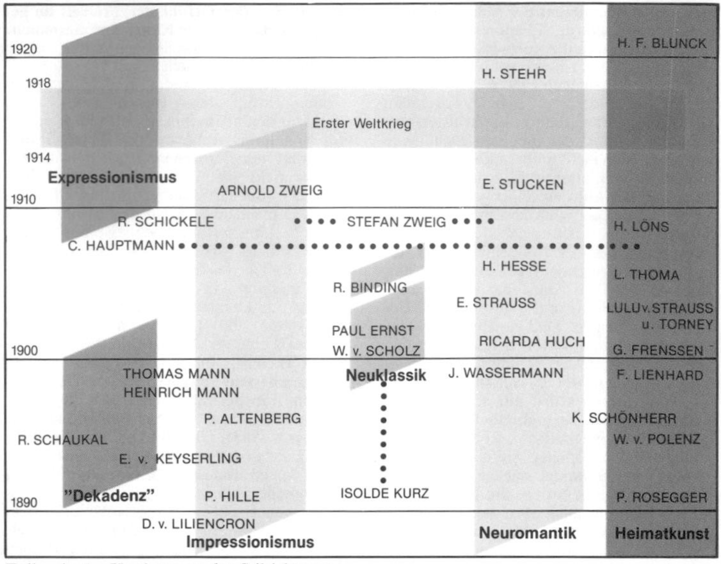

Epiker in der Konkurrenz der Stilrichtungen

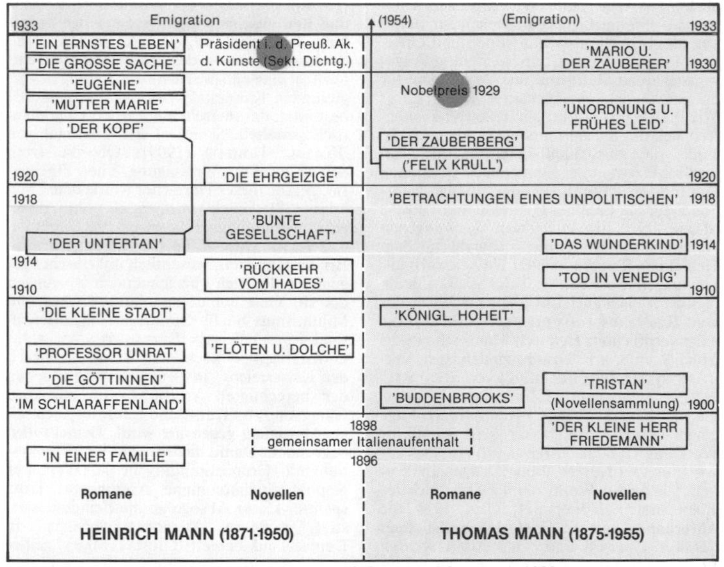

Das epische Werk der Brüder HEINRICH und THOMAS MANN vor 1933

Daß auch die literar. Zeitgenossen der MANNS um die Jahrhundertwende mit einem einzigen stilgeschichtl. Schlagwort in ihrem Wesen und in ihrer Entwicklung nicht zu erfassen sind, belegt jeder der aufgeführten Namen. **Eduard Graf von Keyserlings** (1855–1918) Novellen und Romane sowie seine Dramen aus der Welt des balt. Adels gelten als Beispiele des Impressionismus, doch steht ihre resignative Grundhaltung durchaus auch der Dekadenz nahe. Den Lyriker **Richard (von) Schaukal** (1874–1942) aus Brünn, später Wiener Ministerialbeamter, zeichnet bei aller Nähe zu den frz. Symbolisten, die er in wichtigen Übersetzungen vorstellte, in seinen eigenen Werken, im Roman wie in Novellen, ein konservativ-relig. Traditionsbewußtsein österr. Prägung aus. Als Impressionisten im engeren Sinne kann man durchaus PETER HILLE (1854–1904) und PETER ALTENBERG (1859–1919) ansprechen. Beide verbindet, wenn auch in versch. literar. Zentren tätig (HILLE in Berlin und ALTENBERG in Wien), ein verwandter bohemienhafter Lebensstil. Ein nicht geringer Teil von **Hilles** Arbeiten ging durch die Sorglosigkeit des Autors verloren; geblieben sind u. a. die Romane 'DIE SOZIALISTEN' (1886), 'SEMIRAMIS' (1902) und 'CLEOPATRA' (1905). **Altenbergs** impressionist. Skizzen, die in jüngster Zeit neue Aufmerksamkeit finden, streben auch im kleinsten Realitätsausschnitt ein Sinnbild des Ganzen an. 1896 erschien (erst auf Betreiben von SCHNITZLER und KARL KRAUS) 'WIE ICH ES SEHE'. Um den Nachlaß kümmerten sich keine Geringeren als A. POLGAR (1925) und M. MAUTHNER (1930).

In deutl. Abgrenzung zur befürchteten Formauflösung in Impressionismus und jugendstilhafter Neuromantik schufen um die Jahrhundertwende WILHELM VON SCHOLZ (1874 bis 1969) und PAUL ERNST (1866–1933) die sog. **Neuklassik.** Formstrenge und ideeller Gehalt der Dichtung werden i. S. einer klass. Stiltradition der Relativierung ästhet. Maßstäbe entgegengesetzt. Als Vorläuferin kann ISOLDE KURZ (1853–1944) gelten, die bereits 1890 mit ihren 'FLORENTINER NOVELLEN' hervorgetreten war. Das zugrundeliegende Italienerlebnis bestimmt auch ihre weiteren Dichtungen, die sich von literar. Moden weitgehend freihielten. Der Neuklassik nahe steht ebenfalls RUDOLF G. BINDING (1867–1938) in seinen Erzählungen (u. a. 'LEGENDEN DER ZEIT', 1909; 'DER OPFERGANG', 1912) wie in seiner Lyrik.

Einen großen Bogen zwischen Naturalismus und Neuromantik schlagen die Werke **Jakob Wassermanns** (1873–1934), deren wesentlichster Grundzug, die Bewahrung abendländ. Traditionen, die Freundschaft des Dichters mit HOFMANNSTHAL vertiefte. Von bleibender Bedeutung sind seine Novellen und der Roman 'DIE JUDEN VON ZIRNDORF' (1897), dessen Stoff sich kaum zufällig mit einer wesentl. Intention auch seiner Essays, der jüd. Bemühung um dt. Kulturerbe, verbindet (vgl. auch S. 245).

Charakteristisch für den Übergang vom Naturalismus zur Neuromantik ist das erste Drama WILHELM SCHMIDTBONNS (1876–1952) von 1901, 'MUTTER LANDSTRASSE'. Die **Neuromantik** wird wohl am eindrucksvollsten durch das Frühwerk RICARDA HUCHS und HERMANN HESSES vertreten. **Ricarda Huch** (1864–1947) gestaltet den **"literar. Jugendstil"** (wie die Neuromantik auch, bei dieser Autorin sogar mit bes. Recht, genannt wird) sowohl in ihrer Lyrik wie auch in ihren zahlreichen ep. Arbeiten. Ihr erster Roman, 'ERINNERUNGEN VON LUDOLF URSLEU DEM JÜNGEREN' von 1893, schildert in bewußtem Gegensatz zu naturalist. Darstellungsweise mit starkem Stimmungsgehalt in Erzählhaltung wie Sprachform den Untergang einer norddt. Kaufmannsfamilie, ein Thema, das TH. MANN wenige Jahre später aufgreifen wird (s. S. 231). Doch trennen Welten diese beiden Romane: hier der plötzl. Zusammenbruch, ausgelöst durch eine leidenschaftl. Liebe, in den 'BUDDENBROOKS' der Generationen dauernde Verfall als Entbürgerlichung und Vergeistigung. Beiden Romanen ist jedoch auch ein autobiograph. Zug eigen. – Den 'ERINNERUNGEN' folgte u. a. 1902 der Roman 'VITA SOMNIUM BREVE' (1946 unter dem Titel 'MICHAEL UNGER' neu ersch.), der durch umfangreiche literarhistor. Arbeiten zur Romantik vorbereitet war. Darin kommt ein dem romant. Erbe durchaus kongenialer Grundzug des Schaffens dieser Dichterin zum Vorschein: die **Bemühung um die Historie,** die RICARDA HUCH auch zu einer Erneuerin literar. Geschichtsschreibung werden ließ. Davon zeugen ihre Darstellungen großer histor. Persönlichkeiten und Entwicklungen wie 'DAS RISORGIMENTO' (1908), 'LUTHERS GLAUBE' (1916) und 'MICHAEL BAKUNIN' (1923) u. v. a. Daß die Nähe zur Romantik ihren Blick für die Gegenwart nicht trübte, beweist der tapfere Widerstand gegen das NS-Regime, den sie u. a. mit ihrem Austritt aus der gleichgeschalteten Preuß. Akademie der Künste 1933 unter Beweis stellte (vgl. S. 253 und S. 259).

Hermann Hesse (1877–1962) hingegen ist einer antirationalen Romantikströmung eher gegenwärtig geblieben, wie die erstaunl. Renaissance seiner Werke in der "Flower-power"-Bewegung der USA in den späten sechziger Jahren und danach auch in Deutschland beweist. Dabei darf freilich die sowohl um die Jahrhundertwende wie später notwendige Protesthaltung in seinem Schaffen gegen Brutalitäten der offiziellen Kultur und gegen fortschreitende Naturzerstörung nicht unterschätzt werden. Neuromantik bedeutet bei ihm auch **Bewahrung idealist. Humanität und**

klass. Bildungserbes. Sein später Roman 'DAS GLASPERLENSPIEL' von 1943 legt Zeugnis ab von seinem Streben nach **Universalität,** in das er hier auch nichteurop. Geistestraditionen einzubeziehen versucht. Sein erster Roman, 'PETER CAMENZIND' von 1904, eröffnet bereits die bis zum 'GLASPERLENSPIEL' gült. **Schaffenslinie des Bildungsromans.** KELLERS 'GRÜNER HEINRICH' (s. s. 213) war für HESSES literar. Entwicklung ein entscheidender Text. Zwei Jahre später veröffentlicht HESSE den Roman 'UNTERM RAD', das spätromant. Idyllik und die (vom Autor selbst erlittenen) Qualen eines uniformierenden Schulbetriebs kontrastiert. 1910 erschien 'GERTRUD', der einzige ep. Text, dem HESSE den Gattungsnamen "Roman" zugestand", was sich als "Künstler-(genauer: Musiker-) Roman" präzisieren läßt. Ein Nachfahre des EICHENDORFFschen Taugenichts ist die Titelfigur in den drei Geschichten von 'KNULP' aus dem Jahre 1915. Eine schwere Lebenskrise hatte HESSE 1916 zu überwinden. Zeugnis dieser Krise und ihrer Überwindung legt 1917 (1919) der Roman 'DEMIAN' ab, ein Preis der Freundschaft im HÖLDERLINschen Sinne, worauf schon die Hauptfigur Sinclair (HÖLDERLINS Freund; vgl. S. 170f.) verweist, dessen Name von der 9. Aufl. an auch den Untertitel bestimmt: 'DIE GESCHICHTE VON EMIL SINCLAIRS JUGEND'. In dem Freundespaar von Demian und Sinclair vereinen sich **Kunst und Leben,** deren Zwiespalt HESSES Grundmotiv seit 'PETER CAMENZIND' war. Im 'DEMIAN' versucht HESSE – mit zweifelhaftem Erfolg –, Romantik und antiken Mythos, gnost. Gedankengut, Philosopheme von BACHOFEN und NIETZSCHE zu vereinen. In 'NARZISS UND GOLDMUND' von 1930 verkörpert HESSE, wiederum in einem Freundespaar, die Vereinigung von **Wissenschaft und Kunst** als väterl. und mütterl. Prinzip. Der begeisterten Wiederaufnahme HESSES in den sechziger Jahren kamen insbes. die Romane 'SIDDHARTA' von 1922, den östl. Meditationsweisheit prägt, und 'DER STEPPENWOLF' von 1927 entgegen. Gerade dieser vertrat einen antirationalen **Kulturpessimismus** und stärkte das **Bekenntnis zum Außenseitertum** in einer Leistung fordernden Gesellschaft. In mancher Hinsicht kann er auch als frühes Zeugnis des Existentialismus gelten.

HESSES Thema vom Leiden an der Schule ('UNTERM RAD') kann in einer Reihe mit der **Vielzahl von psycholog. Kinderromanen** gesehen werden, für die schon 1902 der neuromant. Erzähler und Dramatiker **Emil Strauß** (1866–1960) mit seinem Schülerroman 'FREUND HEIN' den trag. Grundton anschlägt. In einem fiktiven Schülertagebuch beschreibt 1909 der bis jüngst unterschätzte Schweizer **Robert Walser** (1878–1956; ab 1929 wegen Schizophrenie in versch. Heilanstalten) in 'JAKOB VON GUNTEN' den Aufenthalt in einem Erziehungsinstitut, das auf merkwürdige Weise Lebensräumen in KAFKAS Werken verwandt ist. WALSERS Romane (auch 'GESCHWISTER TANNER' 1907 und 'DER GEHÜLFE' 1908) von durchaus autobiograph. Charakter tragen unverkennbar kulturkrit. Züge.

Die stoffl. Vielfalt der Neuromantik repräsentierte auf eindrucksvolle Weise auch der Erzähler, Lyriker und Dramatiker **Eduard Stucken** (1865–1936). Er greift Mythos- und Sagentraditionen sowohl der Alten wie der Neuen Welt auf; darunter befinden sich isländ. Sagas und hochmittelalterl. Stoffe (Gralsdramen), aber auch Sujets der frühen amerikan. Geschichte, so der Untergang der Azteken in der Romantrilogie 'DIE WEISSEN GÖTTER' (1918–22). – Schles. Mystikertradition wird in den Werken **Hermann Stehrs** (1864–1940) wieder lebendig. Unter unmittelbarem, auch sprachl. Einfluß JAKOB BÖHMES (s. S. 127) steht vor allem sein erfolgreicher Roman 'DER HEILIGENHOF' von 1918, dessen Thema, die Gottsuche, schon im Roman 'DREI NÄCHTE' von 1909 vorgeprägt war.

Daß sich theoret. Gegensätze **zwischen Neuromantik und Impressionismus** in der dichter. Praxis überwinden ließen, beweisen die Anfänge von **Stefan Zweig** (1881–1942). Der Übersetzer großer frz. Symbolisten war in seinem eigenen Werk sowohl dem Wiener Impressionismus wie der Neuromantik verpflichtet (vgl. S. 259). Sein Namensvetter **Arnold Zweig** (1887–1968) begann ebenfalls mit kleineren impressionist. Erzählungen, bevor er durch das Erleben des 1. Weltkriegs und der Nachkriegszeit zum großen Zeitkritiker wurde, der die dabei gewonnene polit. Grundeinstellung bis zur Entscheidung, nach der Emigration in den östl. Teil Restdeutschlands zurückzukehren (1948) und für die DDR zu wirken, durchhielt (vgl. S. 265).

Die sog. **Heimatkunst** (s. S. 221) erhielt nach ANZENGRUBER und ROSEGGER, nach den Bauernromanen des Oberlausitzers W. VON POLENZ (1861–1903) und mundartl. Heimatdichtungen des Tirolers KARL SCHÖNHERR (1867–1943) 1901 einen starken Impuls durch den überaus erfolgreichen Bauernroman 'JÖRN UHL' des Dithmarschers **Gustav Frenssen** (1863–1945). In welche Richtung sich dieser literar. Zweig entwickeln konnte, läßt sich an FRENSSENS weiteren Werken absehen, unter denen sich auch die "germanisch-völk." Schrift 'DER GLAUBE DER NORDMARK' (1936) findet. Der der Heimatkunst ebenfalls zuzurechnende Erzähler **Hans Friedrich Blunck** (1888–1961) schließlich empfahl sich den Nationalsozialisten mit seinen volkstümlich-niederdt. und "nord." Werken so sehr, daß er 1933 Präsident der Reichsschrifttumskammer werden konnte (s. S. 253). – Eine solche Entwicklung war nicht zwangsläufig, wie das Beispiel **Ludwig Thomas** (1867–1921) zeigt. Heimatverbundenheit schließt krit. Distanz zu Fehlentwicklungen nicht aus. Diese aber kennzeichnet THOMAS literar. Arbeiten von Anfang an. In einer frühen Phase war THOMA sogar mehr Satiriker als "Heimatdichter". In seinen Bauernromanen ist er weitgehend von naturalist. Nüchternheit: 'ANDREAS VÖST' (1906), 'DER WITTIBER' (1911), 'DER RUEPP' (1922) u.a. Zu den bleibenden Leistungen humorist. Erzählkunst zählen sicher seine 'LAUSBUBENGESCHICHTEN' (1905, mit einer Fortsetzung von 1907). Seine oberbayer. Komödien gehören zu den seltenen Höhepunkten des Volkstheaters. – Zu erwähnen sind im Rahmen der Heimatkunst auch die Werke HERMANN LÖNS' (1866–1914), des ungemein populär gewordenen Romanciers und Heimatlieddichters, und der LULU VON STRAUSS UND TORNEY (vgl. S. 230).

Im Schatten des jüngeren Bruders GERHART stand und steht noch immer **Carl Hauptmann** (1858–1921). Nach Aufgabe einer wiss. Laufbahn schrieb er Dramen, die Einwirkungen des Naturalismus und der (schles.) Heimatkunst verraten (u.a. 'MARIANNE' 1894, 'DIE BERGSCHMIEDE' 1901). Mit seinem Roman 'EINHART DER LÄCHLER' von 1907 nahm er wesentl. Züge des Expressionismus vorweg. Seine lebendigen und fruchtbaren Beziehungen zum poln. Geistesleben harren noch gründl. Entdeckung. – Für die Auseinandersetzung mit der frz. Kultur war kaum jemand besser geeignet als der Elsässer **René Schickele** (1883–1940). 1902 gründete er mit E. STADLER und O. FLAKE die kurzleb. progressiv-literar. Zeitschrift 'DER STÜRMER'; 1914 zählte er zu den entschiedenen Pazifisten, die sich in der Schweiz sammelten. Trotz seines frühen aktiven Anteils am Expressionismus zeigt sein Drama 'HANS IM SCHNAKENLOCH' von 1916 noch Wirkungen des Impressionismus. Hierin wie in der Romantrilogie von 1925–31 'DAS ERBE AM RHEIN' geht es um den bis heute nachwirkenden Zwiespalt des Elsässers zwischen Deutschtum und Franzosentum, für den SCHICKELE im 3. Teil, 'DER WOLF IN DER HÜRDE', noch eine Lösung durch den Völkerbund erhoffte. Sein Leben endete gegen diese Hoffnung im frz. Exil. Sein tragikom. Roman 'DIE FLASCHENPOST' konnte 1937 nur noch in einem Emigrantenverlag erscheinen.

Daß das Fronterlebnis des 1. Weltkriegs nicht automatisch zum Pazifismus führte, sondern auch zu irrationaler Verklärung des Krieges, belegt der 1916 begeistert aufgenommene Erlebnisbericht 'DER WANDERER ZWISCHEN BEIDEN WELTEN' von WALTER FLEX (1917 fiel der erst Dreißigjährige auf Ösel).

Expressionismus

Der Expressionismus ist die bislang letzte literar. Richtung in Deutschland, die eine Vielzahl von Autoren mit großem Engagement für ihr Programm verpflichten konnte. Gestützt wurde dieser Aufschwung durch die einzigart. **Symbiose der Literatur mit gleichgesinnten Vertretern anderer Künste.** Weltweite Geltung erlangten vor allem Maler und Grafiker, deren berühmteste Gruppierungen die Dresdner "Brücke" (1905) und der Münchner "Blaue Reiter" (1911) wurden. Nicht wenige waren in versch. Künsten gleichzeitig tätig, E. BARLACH als Bildhauer, Grafiker und Dichter, O. KOKOSCHKA und E. WEISS als Maler und Dichter, um nur drei herausragende Beispiele zu nennen. Die Gesellung in zahlreichen Gruppen ist auch für die Schriftsteller kennzeichnend, von denen viele in ihrem radikalen Gegensatz zur offiziellen bürgerl. Kultur in einer Vereinzelung kaum hätten durchhalten können.

Im Vorfeld ist der 1904 von OTTO ZUR LINDE und RUDOLF PANNWITZ gegr. **Kreis um die Zeitschrift 'Charon'** (zunächst bis 1914) zu sehen, der bereits in Opposition zum Klassizismus der GEORGEschen Ästhetik stand. Als Vorläufer können auch **Karl Wolfskehl** (vgl. S. 222 und 230), der es freilich nicht zum Bruch mit GEORGE kommen läßt, und **Alfred Mombert** gelten.

Der inneren Krise, die den Jahrhundertbeginn trotz aller offiziellen Fortschrittsgläubigkeit zutiefst bestimmte und die in der Katastrophe des 1. Weltkriegs aufs schlimmste bestätigt wurde, traten die Expressionisten mit dem auch politisch gemeinten und verfochtenen Anspruch einer **Erneuerung des Menschen** entgegen. In der herkömml. Ästhetik sahen sie einen Zwang, von dem man sich ebenso zu befreien habe wie von den in die falsche Richtung treibenden gesellschaftl. Kräften. **Leidenschaftl. Pathos, neuer Sinngebung des Lebens in Menschenwürde und Brüderlichkeit gewidmet,** schlägt sich in "expressiven" Formen der Sprache und Textgestalt nieder: Worthäufungen, kühne Wortbildungen, groteske Satzgestaltung, stammelnde Rede, ekstat. Schrei, extreme Versfreiheit sind die äußeren Kennzeichen dieses neuen Gefühlskults, der sich im **Dadaismus** *(dada* – nach dadaist. Zeugnis – frz. Kinderwort für 'Holzpferdchen'), in der Ablehnung alles Großsprecherischen unter dem Eindruck des Kriegserlebens, zur **Aufhebung naturl. Sprachlogik** noch steigert.

Vorort des Expressionismus wurde **Berlin,** wo zunächst der "Neue Club" mit eigenen Kabaretts ("Neopathet. Club" und "Gnu") hervortrat. Die insges. wichtigsten Gruppen wirken hier: **'Der Sturm'** unter HERWARTH WALDEN und **'Die Aktion'** unter FRANZ PFEMFERT. In Leipzig werden die für den Expressionismus wichtigen Verlage von ROWOHLT und WOLFF gegründet, bei denen KURT PINTHUS (Hg. der repräsentativen **Lyrik-Anthologie 'Menschheitsdämmerung',** 1920) und der junge WERFEL Lektoren sind. In Leipzig entstehen auch 'DIE WEISSEN BLÄTTER', die ab 1915 unter R. SCHICKELE (vgl. oben) in der Schweiz erscheinen. Mün-

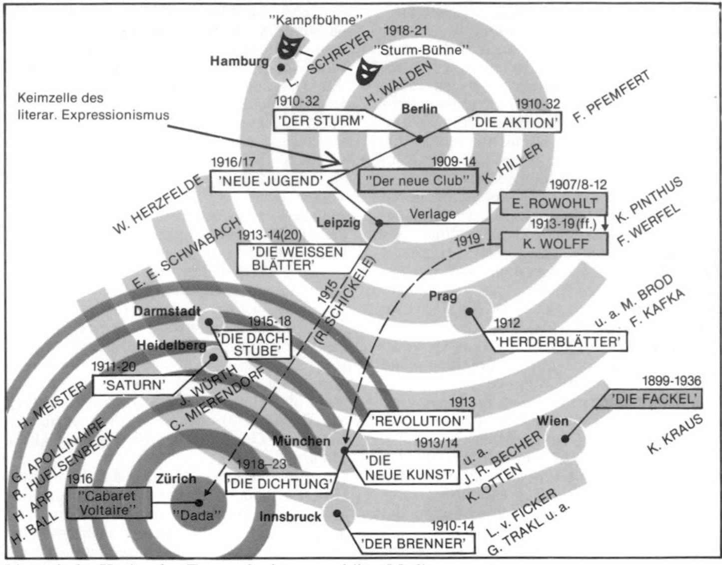

Literarische Kreise des Expressionismus und ihre Medien

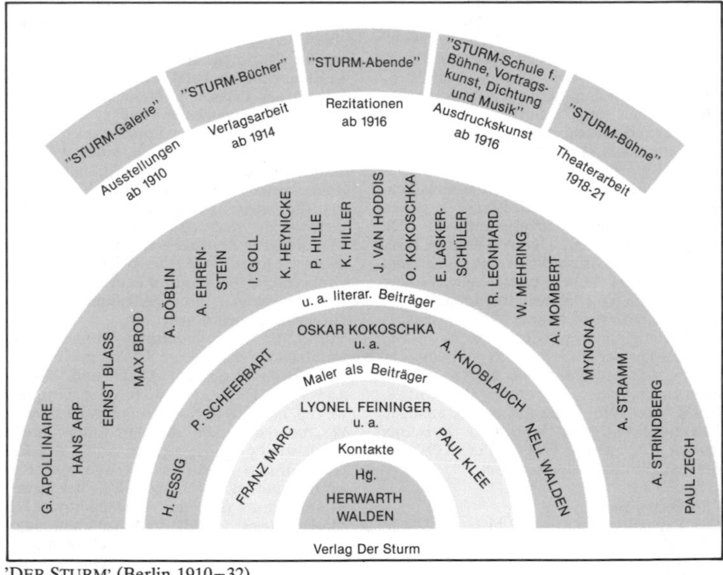

'DER STURM' (Berlin 1910–32)

chen tritt zunächst zurück, dafür unterstützt der große Sprachkritiker KARL KRAUS in Wien die expressionist. Anfänge, von denen er sich bald aber wieder distanziert. **Prag** ist ein weiteres Zentrum, das sich u.a. in den **'Herderblättern'** von 1912 artikuliert. Heidelberg nimmt mit dem MEISTER-('SATURN'-) Verlag an der Bewegung teil. Innsbruck ist mit der wichtigen Zeitschrift **'Der Brenner'** (ab 1915 'BRENNER-JAHRBUCH') vertreten. Schließlich formiert sich in **Zürich** im "Club Voltaire" (mit gleichnam. Publikation) der entschieden pazifist. **Kreis der Dadaisten,** dessen Kunstgrenzen sprengende Wirkungen international sind (u.a. noch bei ARAGON und COCTEAU). Begründer der dt. Dada-Bewegung in Berlin war R. HUELSENBECK (1918). **Pazifismus, Sozialismus und Kommunismus, aber auch myst. Religiosität** waren die Konsequenzen, die viele Expressionisten aus dem Erleben des 1. Weltkriegs zogen. Exemplarisch sei auf die erstaunl. Gründung eines 15jähr. Schülers, JOSEPH WÜRTHS, in Darmstadt hingewiesen, an der sich mit sozialist. Programm auch CARLO MIERENDORFF und THEO HAUBACH aktiv beteiligten. Die überaus große Zahl nicht weniger bedeutender Zirkel und Periodika ist hier gar nicht darstellbar.

Literatur des Expressionismus

Am reinsten kommt der Expressionismus in der **Lyrik,** in monolog. Reflexionen und im Gefühl schwelgenden Tönen, zum Ausdruck. Die früheste Anthologie, "eine rigorose Sammlung radikaler Strophen" (u.a. E. BLASS, G. HEYM, E. LASKER-SCHÜLER) wird 1912 von KURT HILLER (1885–1972) unter dem Titel 'DER KONDOR' herausgegeben.

Das **Drama** wendet sich von naturalist. Milieuschilderungen und impressionist. Stimmungsmalerei wieder dem Symbolhaften und typenhaft verkörperten Ideen zu. Im Umkreis von 'CHARON' (s.o.) fließen die Grenzen zwischen Lyrik und Drama noch, so bei WOLFSKEHL und MOMBERT. Am schwächsten kann sich der Expressionismus in der Epik durchsetzen, wo er am ehesten noch in der kleinen Form von **Erzählung und Novelle** aufzuspüren ist. Trotz mancher surrealist. Momente ist die Verpflichtung der großen Epiker dieser Epoche auf eine **realist. Gestaltung** unverkennbar. Zu den expressionist. Anfängen muß auch das Versepos THEODOR DÄUBLERS (1876–1934) gezählt werden, ein pathet. Lehrgedicht mit eigener kosm. Mythologie in mehr als 30000 Versen.

Der junge **Franz Werfel** (1890–1945) ist als Lyriker und Dramatiker Exponent derjenigen Expressionisten, die weniger politisch als allgemein-moralisch die menschl. "Bruderschaft" feiern. **Georg Heym** (geb. 1887) hat vor seinem frühen Tod (1912 im Wannsee ertrunken) die expressionist. Lyrik mit starken, die Kulturkatastrophe vorausahnenden Visionen nachhaltig beeinflußt ('DER EWIGE TAG', 'UMBRA VITAE'). **Carl Sternheim** (1878–1942) ist neben G. KAISER der wichtigste Dramatiker des Expressionismus. Satir. Demaskierung der Gesellschaft war die Intention seiner Komödien, die er mit dem bezeichnenden Titel 'AUS DEM BÜRGERL. HELDENLEBEN' als Zyklus gestaltete. **Georg Kaisers** (1878–1945) Dramen, insges. rd. siebzig, waren die meistgespielten dieser Epoche. KAISER konstruierte außengelenkte menschl. Schicksale, deren innere Gegensätze sich wie etwa in den 'BÜRGERN VON CALAIS' in einer Mischung freier und willkürl. Entscheidung auflösen. **Fritz von Unruh** (1885–1970) wandelte sich im 1. Weltkrieg wie viele andere Schriftsteller zum entschiedenen Pazifisten. Sein Drama 'GESCHLECHT' wurde zum pathet. Antikriegsbekenntnis. Doch schon in den (thematisch KLEISTS 'PRINZEN VON HOMBURG' verwandten) 'OFFIZIEREN' setzt er sich kritisch mit der Dialektik von Gehorsam und Verantwortung auseinander. **Reinhard Joh. Sorge** (1892–1916) steht für die im Expressionismus durchaus mitangelegte Wandlung einer allgemein. Sehnsucht nach dem "neuen Menschen" ('DER BETTLER') zu tiefer, auch konfessionell (hier kath.) gebundener Religiosität. **Ernst Barlachs** (1870–1938) erstes Drama, 'DER TOTE TAG', schlägt bereits das auch in weiteren eigenen wie anderer Expressionisten-Dramen variierte Thema der Vater-Sohn-Beziehung an, hier freilich ins für BARLACH grundsätzlich gültige Mythenhafte gesteigert: als Dualismus zwischen väterl. Geist-Welt und mütterl. Erd-Welt. **Walter Hasenclever** (1890–1940) etwa wird dieses Thema 1914 als polit. Demonstration gegen den "Vater" als Symbolfigur herrschender Autoritäten gestalten (vgl. auch WILDGANS, 'DIES IRAE', oder WERFELS Erzählung 'NICHT DER MÖRDER ...'). Der Pazifist HASENCLEVER galt lange als der Exponent der revolutionär-polit. Richtung des Expressionismus, wandte sich später freilich mehr unterhaltsamen Komödien zu. In Gedichten und "Novellen" überträgt **Gottfried Benn** (1886–1956) seine Erfahrungen als Arzt in grelle Visionen allgem. Krankheit und Verwesung, aus denen auch die Suche nach myth. Urgründen spricht. Sein rauschhaft artikulierter Antirationalismus ließ BENN vorübergehend politisch in gefährl. Nähe zum Nationalsozialismus geraten, in dem er das erstrebte "myth. Kollektiv" zu finden hoffte. Seine Scharfsicht bewahrte ihn jedoch vor einer endgült. Kompromittierung.

Bereits das erste Kriegsjahr raffte zwei große expressionist. Lyriker hin: den Elsässer **Ernst Stadler** (geb. 1883) und den Salzburger GEORG TRAKL (geb. 1887). 1915 fiel der bedeutendste Lyriker des 'STURM'-Kreises (s. S. 236), **August Stramm** (geb. 1874). **Trakl** freilich fiel nicht auf dem "Feld der Ehre", sondern zerbrach innerlich an den Kriegser-

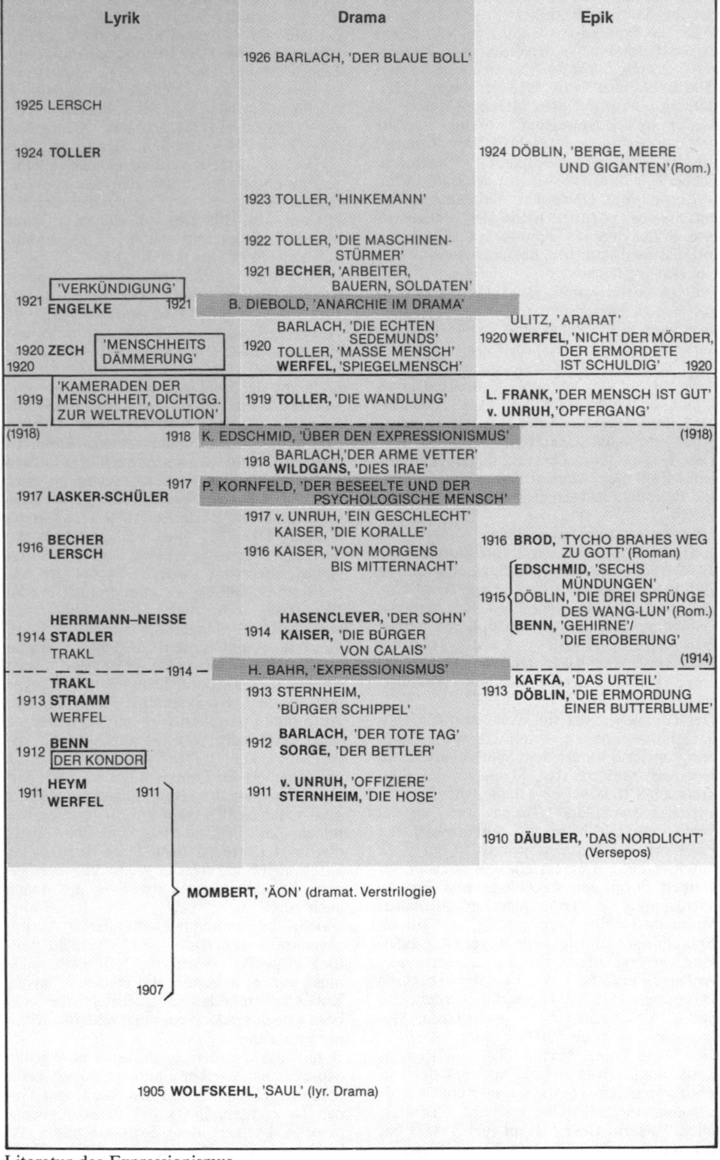

Literatur des Expressionismus

lebnissen, die den überaus sensiblen Dichter völlig zerrüttet hatten. Sein Gedichtband von 1914, ’Sebastian im Traum‘, mit Texten, die zuvor schon im ’Brenner‘ erschienen waren (s. S. 236f.), zeichnet den Menschen inmitten der Finsternisse von Sünde, Schuld, Leid und Vergänglichkeit. Traum und Wirklichkeit mischen sich in Hölderlin-nahen Versen. ’Verfall‘, ’Trübsinn‘, ’Klage‘ sind einige sprechende Titel seiner schwermüt. Gedichte. ’Grodek‘ faßt das ganze Leid des sinnlosen Kriegssterbens in wenigen eindringl. Zeilen zusammen.

Heinrich Lersch (1889–1936), ein gelernter Kesselschmied, repräsentiert mit seiner Lyrik (’Herz! Aufglühe dein Blut!‘ 1916) und bekenntnisstarken Erzählungen den Typ des ”Arbeiterdichters“ im Expressionismus, der auch von **Gerrit Engelke** (1890–1918), unter dem Einfluß von Walt Whitman und R. Dehmel, angestrebt wurde (’Rhythmus des neuen Europa‘, postum 1921). Lersch und Engelke zählen zu den wichtigsten Vertretern der frühen **Arbeiterdichtung,** die von der 1912 in Bonn gegr. **Nylandgruppe** gepflegt wurde. Sozialrevolutionäres, aber auch relig. Pathos, anfangs ebenfalls von der Arbeiterdichtung beeinflußt, vertreten die Verse **Paul Zechs** (1881–1946), u.a. in ’Golgatha‘ (1920). Revolutionär in Wort und Tat war **Ernst Toller** (1893–1939), nachdem auch ihn der Krieg zum entschiedenen Pazifisten gemacht hatte. 1918 beteiligte er sich an Eisners Umsturz in Bayern. 1919 erscheint sein Drama ’Die Wandlung‘, dem weitere dramat. und lyr. Anklagen gegen polit. und soziale Knechtung des Menschen folgen (u. a. ’Das Schwalbenbuch‘ von 1924). Mit seiner aktiven Mitgliedschaft in der KPD (seit 1919) zieht **Johannes R. Becher** (1891–1958) polit. Konsequenzen aus dem Erlebnis des Krieges, dem er schon früh die pazifist. Mahnung seiner Gedichte (’Verbrüderung‘ 1916) entgegengestellt hatte. Sein Drama ’Arbeiter, Bauern, Soldaten‘ von 1912 ist in seiner pathet. Grundaussage (der ”Weg eines Volkes zu Gott“) freilich noch weit von kommunist. Programmatik entfernt (s. auch S. 247 u. 264ff.).

Else Lasker-Schüler (1869–1945), für G. Benn, mit dem sie neben P. Hille, Th. Däubler, Trakl u. a. befreundet war, die ”größte Lyrikerin, die Deutschland je hatte“, schuf in ihren Gedichten eine eigene phantast. Welt, in der sich jüd. Religiosität, dt. Traditionen, Orientalisches und aktuelle Existenzproblematik mischten. ’Die gesammelten Gedichte‘ von 1917 vereinigen bereits früher Erschienenes (u. a. aus ’Styx‘ 1902, ’Der siebente Tag‘ 1905, ’Hebräische Balladen‘ 1913).

Obwohl er in die berühmte Anthologie ’Menschheitsdämmerung‘ (S. 235) keine Aufnahme fand, galt **Max Herrmann-Neisse** (eigtl. M. Herrmann, aus Neiße, 1886–1941) von Anfang an als einer der gültigsten Vertreter des Expressionismus. Berühmt wurde er durch seinen Gedichtband ’Sie und die Stadt‘ von 1914. Ihm folgten noch zahlreiche Lyrikveröffentlichungen, ein schon 1914 konzipierter Antikriegsroman (’Cajetan Schaltermann‘) sowie Dramen. Er war Mitarbeiter an Pfemferts ’Aktion‘ und an den ’Weissen Blättern‘ (von R. Schickele; s. S. 236).

Während die **Anfänge Döblins** (s. S. 250) eindeutig dem Expressionismus zuzuordnen sind, ist Kafkas Werk, von dem nur weniges zu seinen Lebzeiten erscheint, von vornherein eine weit über den Expressionismus hinausweisende weltliterar. Größe (s. S. 243). Sein Freund und späterer Nachlaßverwalter **Max Brod** (1884–1968) tritt 1916 mit einem histor. Roman um den Hofastronomen Kaiser Rudolfs II., Tycho Brahe, hervor, der als Typus des um die Befreiung der Welt leidenden expressionist. Menschen gestaltet ist.

Kasimir Edschmid (1890–1966) führt in seinen 1915 ersch. Erzählungen noch eine geradezu barocke Fülle von auch an exot. Schauplätzen spielenden Handlungen vor. In Erzählungen des Jahres 1919 konzentrieren sich **Fritz von Unruh** und **Leonhard Frank** (1882–1961) unüberhörbar auf die Wirkungen des Krieges und die Einsicht der in ihn Verstrickten, daß Friede und Menschheitsverbrüderung die Sinnlosigkeit der Gegenwart ablösen müssen. Franks inzwischen vergessener Roman ’Die Ursache‘ von 1915 wurde bis in Details zum Vorbild von A. Camus‘ ’L’Etranger‘ (1942; dt. ’Der Fremde‘).

F. Werfel abstrahiert in seiner ”mag. Trilogie“ vom ’Spiegelmenschen‘ (1920) die Gegenwartsprobleme als Ambivalenz des Menschen zwischen ”Seins-Ich“ und ”Schein-Ich“, die in einem geist. Menschentum aufgelöst werden müsse.

Verhältnismäßig spät, gleichsam schon rückblickend, erschienen **theoret. Versuche über den Expressionismus,** von Kornfeld und Edschmid, während der überaus flexible Hermann Bahr (s. S. 219) schon 1914 mit einer Programmschrift auf die Szene getreten war. Die **Lyriksammlungen** von 1919–21 sind ebenfalls schon späte Ernten dieser überaus reichen literar. Epoche.

Stichwörter wissenschaftlicher Innovationen vor 1933

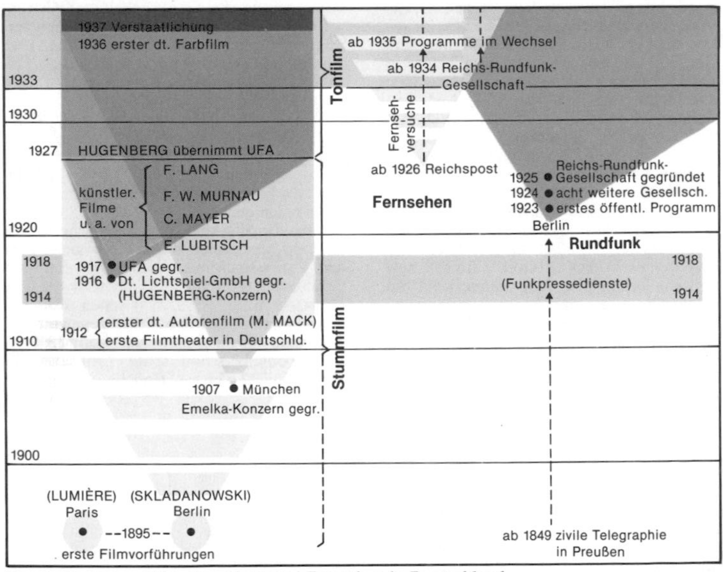

Die Anfänge von Film, Rundfunk und Fernsehen in Deutschland

Carl Spitteler (1845–1924)
1919 erhielt (nach MOMMSEN, EUCKEN, HEYSE und G. HAUPTMANN) als fünfter deutschsprach. Autor der Schweizer Erzähler, Lyriker, Dramatiker und Essayist C. SPITTELER den Nobelpreis für Literatur. Bes. Ruhm hatte er mit seinem Epos 'OLYMP. FRÜHLING' (4 Bde. 1900–05, 2. Fassung 1910) erlangt, in dem seine eigenständ. myth. Deutung der Gegenwart ihren Höhepunkt erreichte. Abseits der Tendenzen der zeitgenöss. Literatur hatte er bereits 1881/82 in rhythm. Prosa ein Epos, 'PROMETHEUS UND EPIMETHEUS', veröffentlicht, das in seinem Todesjahr – allerdings mit geringem Erfolg – in einer Neufassung, 'PROMETHEUS DER DULDER', noch einmal erschien. Themat. Verbindungen zum Expressionismus sind vielleicht in seinem Protest gegen aktuelle Vermassungstendenzen zu sehen, doch muß sein Werk insges. als **Zeugnis einer neuidealist. Richtung** gedeutet werden, in dem sich pessimist. Züge i. S. SCHOPENHAUERS und eine NIETZSCHE verwandte Programmatik des "Aristokratismus" wiederfinden. Bezüge zur Psychoanalyse FREUDS, der SPITTELER hochschätzte, finden sich in seinem Roman 'IMAGO' von 1906. Politisch mißverstanden wurde im kriegsbegeisterten Deutschland von 1915 seine Neutralitätsrede 'UNSER SCHWEIZER STANDPUNKT'.

Wissenschaft und neue Medien
Das erste Drittel des 20. Jhs. ist trotz der großen Belastungen durch 1. Weltkrieg, Nachkriegswirren und Weltwirtschaftskrise zu einer kaum je wieder zu erreichenden **Blüte wiss. Entwicklung** in Deutschland geworden, von der **zahlreiche Impulse auf die internat. Forschung** ausgingen. Selbst die großen Gebiete, auf denen entscheidende Fortschritte erzielt werden konnten, lassen sich nur stichwortartig nennen (s. Tafel), das Wirken einzelner Forscher ist hier gar nicht darzustellen. Bei genauerem Zusehen wird freilich der **immense Anteil jüd. Gelehrter** – von EINSTEIN bis HORKHEIMER – überdeutlich. Es mußte darum zwangsläufig zu einem tiefen wiss. Absturz führen, als der Rassismus des NS-Regimes dieses Ferment dt. Kultur gnadenlos unterdrückte. Daß freilich selbst die später direkt Bedrohten gelegentlich sehenden Auges, aber ohne Widerstand dem Ende der Demokratie entgegengingen, hat RAYMOND ARON (1905–83) in seinen Lebenserinnerungen (dt. 1986) der "Frankfurter Schule", namentlich HORKHEIMER, ADORNO und H. MARCUSE vorgeworfen: *"Sie taten nichts, um die Republik zu retten."* (vgl. S. 261)
Bezeichnend für die politisch erzwungenen Umwege der dt. Geistesgeschichte im 20. Jh. ist, daß zukunftweisende Entwicklungen, die die NS-Barbarei für "undeutsch" und "artfremd" erklärte, durch Emigranten ins Ausland verpflanzt wurden, dort oft zu großem Ansehen gelangten und nach dem Krieg, mit nicht selten übergroßer Verspätung, "reimportiert" werden mußten. Beispiele sind die Psychoanalyse S. FREUDS, der 1938 von Wien nach London emigrieren mußte, oder die Krit. Theorie der "Frankfurter Schule" um M. HORKHEIMER, der über Genf in die USA emigrierte, aber auch jene Richtung der Existenzphilosophie, die als Existentialismus in der Prägung von J.-P. SARTRE nach Kriegsende Einfluß auf das dt. Geistesleben gewann (vgl. S. 263).
Jedoch auch vor-nationalsozialist. Widerstände konnten die Wirkung einzelner wiss. Richtungen hemmen, etwa der philosoph. Sprachkritik F. MAUTHNERS (1848–1923), die erst ab den sechziger Jahren eine gewisse Resonanz, in Westdeutschland, fand. Dagegen erlebte die Kultur- und Geschichtsphilosophie OSWALD SPENGLERS (1880–1936) in der Schrift 'DER UNTERGANG DES ABENDLANDES' (1918–22) eine sofortige und nachhaltige Wirkung, da sie die Stimmung vieler Intellektueller sehr genau traf.
Auch wenn die dt. Literatur unmittelbar nur von den geisteswiss. Früchten dieser Epoche angeregt wurde (die grundsätzl. Distanz eines Großteils der Literatur zu Technik und Naturwissenschaft, die nicht erst durch aktuelle Fehlentwicklungen in diesen Bereichen zu erklären ist, sorgt für eine bedenkl. Einseitigkeit im dt. Geistesleben!), so schuf doch die Lebendigkeit wiss. Diskussion auch im naturwiss. Bereich ein **außerordentlich günstiges allgem. Klima,** in dem die Literatur bes. Auftriebskräfte empfing. Die zwanziger Jahre tragen – bei aller notwend. Einschränkung – auch für die Literaturgeschichte ihr Attribut "die goldenen" zu Recht.
So sehr die **revolutionierende Entwicklung neuer Medien** im Ursprung ein rein techn. Fortschritt war, so sehr haben sich in der Anfangsphase zumindest von Film und Hörfunk auch aufgeschlossene Künstler dieser Erfindungen angenommen und bedient. In einer Zeit, da zunehmend Intendantenstellen von Funkanstalten nach parteipolit. Kompromißdenken besetzt werden, sei daran erinnert, daß etwa die Sender Köln, Frankfurt und Breslau vor 1933 bekannte Schriftsteller zu Leitern hatten: ERNST HARDT, HANS FLESCH und FRIEDR. BISCHOFF. Diese drei bereiteten mit eigenen akust. Szenarien auch eine **erste Blüte der neuen Funkgattung "Hörspiel"** vor (s. auch S. 269). Hörberichte und Reportagen werden zu insbes. in der "Neuen Sachlichkeit" gepflegten Gattungen (s. S. 244ff.). Erinnert sei auch an die frühe **"Radiotheorie" B. Brechts** (1927–32), die erst in jüngster Vergangenheit wieder (ein freilich nur theoret.) Interesse fand. Expressionisten nahmen sich auf vielfache Weise des **künstler. Films** an. Bezeichnend hierfür ist u.a. 'DAS KINOBUCH' von 1914 mit **Kinodramen** von HASENCLEVER, LASKER-SCHÜLER, BROD, PINTHUS, EHRENSTEIN u.a.

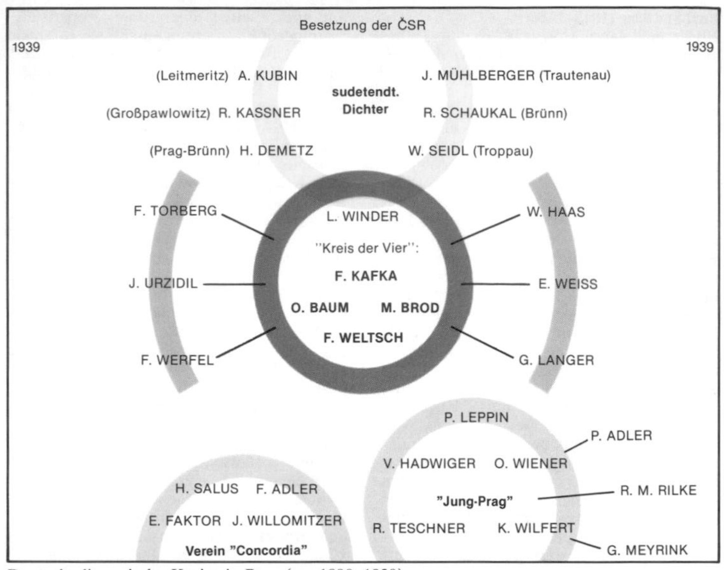

Deutsche literarische Kreise in Prag (ca. 1890–1939)

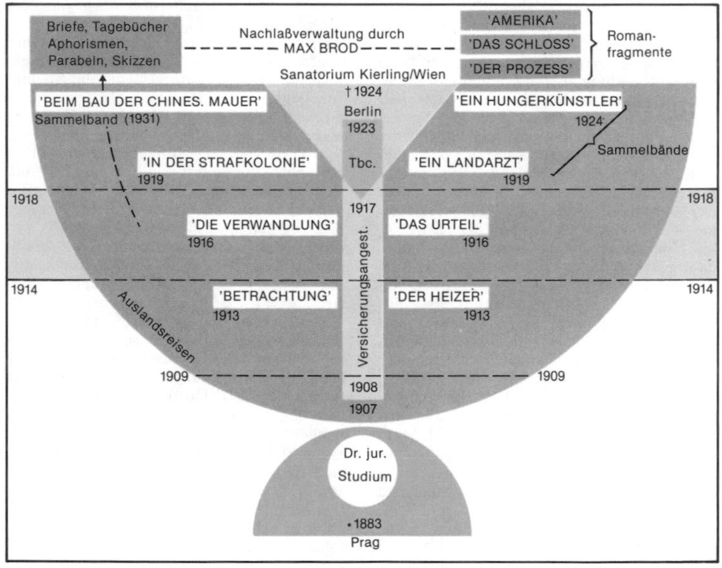

FRANZ KAFKA

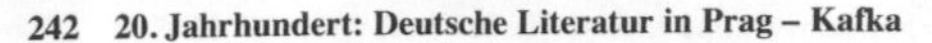

Deutsche Literatur in Prag
Durch die Folgen der NS-Zeit wird mehr und mehr ein Faktum aus dem Bewußtsein verdrängt, das noch vor wenigen Jahrzehnten von hoher Bedeutung für das dt. Geistesleben war: Prag, alte Hauptstadt Böhmens, Sitz der ersten im Dt. Reich gegr. Universität (1348), Hauptstadt der Tschechoslowakei seit 1918, war **ein Zentrum der dt. Literatur,** das von dem historisch gewachsenen Neben- und Miteinander verschiedener ethn. und kultureller Traditionen lebte: natürlich der tschech., danach aber gleichberechtigt der dt., der jüd. und der österr. Erst der Einmarsch dt. Truppen 1939 zerstörte diese fruchtbare Mischung endgültig und vernichtete auch den bis dahin noch lebendigen Rest der alten **habsburg. Weltoffenheit.** In Prags geist. Klima konnte sich der deutschsprach. Autor mehr denn als Nur-Deutscher, Nur-Österreicher oder Nur-Böhme fühlen. Bis ins 1. Drittel dieses Jahrhunderts wirkten hier Dichterkreise, die aktiven Anteil an den großen literar. Strömungen hatten. Im Prager **Verein "Concordia"** waren Autoren vereint, aus denen HUGO SALUS und FRIEDR. ADLER herausragten. Bedeutender war der jüngere, **neuromant. Kreis "Jung-Prag"** um PAUL LEPPIN, dem sich vorübergehend der Wiener GUSTAV MEYRINK, 1889–1902 in Prag als Bankier tätig (wichtig sein späterer Roman 'DER GOLEM', 1915), und RILKE, in Prag geb. und studierend, zugesellten. Mit RILKE und dem jungen, noch expressionist. WERFEL, ebenfalls hier geb. und studierend, der in Freundschaft dem **Kreis um Brod und Kafka** verbunden blieb, gewann die Prager dt. Literatur erste Weltgeltung.
Der von M. BROD so genannte "engere Prager Kreis" seiner Freunde KAFKA, OTTO BAUM und FELIX WELTSCH, der nach KAFKAS Tod von LUDWIG WINDER ergänzt wurde, hatte vielfält. Beziehungen zu anderen in Prag und in der weiteren ČSR wirkenden Autoren, insbes. zu den dt. Expressionisten ERNST WEISS und JOHS. URZIDIL, zu dem Theaterkritiker WILLY HAAS, in Prag geb. und 1933–39 hier wieder (als Emigrant) lebend, zu dem dt., tschech. und hebr. schreibenden GEORG LANGER sowie zu dem Wiener FRIEDR. TORBERG (gest. 1980), über dessen KISHON-Übersetzungen meist sein eigenes schriftstellér. Werk vergessen wird (s. S. 259).
Das dt. Wort hatte in Prag über die Literatur im engeren Sinne hinaus eine durchaus öffentl. Wirkung; denn ihm standen **Theater** und eine lebendige **Publizistik** zur Verfügung. Als "rasender Reporter" machte sich der Kommunist EGON ERWIN KISCH berühmt, 1928 Mitbegründer des "Bundes proletar.-revolutionärer Schriftsteller Dtlds.", später Rotspanienkämpfer (s. S. 247). M. BROD knüpfte viele seiner Beziehungen als Theater- und Musikkritiker des 'PRAGER TAGBLATTS'. Freundschaftl. Bindungen bestanden auch zu **"sudetendt." Dichtern,** zu denen u. a. der geniale Zeichner KUBIN und der Lyriker SCHAUKAL zu zählen sind. In den sich zuletzt unter NS-Druck verschärfenden Beziehungen zwischen den versch. ethn. Gruppen der ČSR boten diese den mehr und mehr bedrängten jüd.-dt. Autoren eine letzte moral. Stütze.

Franz Kafka (1883–1924)
Ohne die bes. Atmosphäre Prags im ersten Quartal dieses Jhs. ist KAFKAS Werk kaum denkbar, wie sich umgekehrt durch KAFKA die *"eigentliche Essenz jenes Prag vollkommener begreifen und definieren* (läßt) *als durch jeden anderen Autor"* (URZIDIL). Da KAFKAS Schaffen in seiner Gesamtheit erst nach seinem frühen Tod der Welt erkennbar wurde, kann es nur die unmittelbare Verflechtung dieses Autors mit der einzigart. kulturellen Mischung dieser Stadt sein, die sein auf so merkwürd. Weise Fragment gebliebenes Werk entstehen ließ, das inzwischen als ein weit über die histor. Einmaligkeit dieses Orts hinaus geltendes **Symbol der modernen Welt, ihrer Widersprüche, Abgründe und Tragik** gedeutet wird. Abgerungen ist dieses Werk den mehr als beengenden, geradezu kleinbürgerl. Lebensumständen eines Versicherungsangestellten, der einst schon ein Jurastudium mit Promotion abgeschlossen hatte, abgerungen auch einer heimtück. Erkrankung, die ihn schließlich niederwarf.
Dabei fanden bereits die ersten Erzählungen von 1913 durchaus öffentl. Anerkennung (FONTANE-Preis). Im "privaten" Bereich, real in der problemat. Beziehung zu seinem Vater, entdeckte KAFKA wesentl. Züge einer unmenschlich gewordenen Welt. In den Erzählungen 'DIE VERWANDLUNG' und 'DAS URTEIL' scheitern auch die schüchternsten Versuche einer Selbstverwirklichung gegen die Ansprüche von berufl. und Sohnespflichten am Egoismus der Familie: Die Verwandlung in einen hilflosen Käfer liefert Gregor Samsa einem qualvollen Sterben aus; Georg Bendemann fügt sich dem mitleidslosen Todesurteil des Vaters für nichtige Vergehen und ertränkt sich. 'IN DER STRAFKOLONIE' wird die Seelenlosigkeit privater Beziehungen schon auf "öffentl." Einrichtungen übertragen: Eine präzis beschriebene Hinrichtungsmaschine ritzt ihren Opfern das Todesurteil in den Körper. KAFKA nimmt hier weniger die allzubald Tatsache werdenden Exekutionsexzesse von Diktaturen vorweg; vielmehr erkennt und beschreibt er eine schon zu seiner Zeit längst wirkende Grausamkeit, die möglich geworden ist, nachdem der Mensch dem Menschen nur noch als Sache begegnet.
Die Erzählungen 'EIN LANDARZT' und 'EIN HUNGERKÜNSTLER' sind zugleich die Titelstücke für zwei Sammelbände mit weiteren Erzählungen, die noch zu KAFKAS Lebenszeit

erschienen, während 'Beim Bau der Chines. Mauer' als Auswahl hinterlassener Erzählungen erst 1931 erschien.
Max Brod, der Freund und Nachlaßverwalter, brachte die großen Romane sowie die anderen Schriften Kafkas gegen den erklärten Willen des Autors postum heraus. 'Der Prozess' und 'Das Schloss' schildern den jeweils vergebl. Versuch zweier Männer (beide mit Kafkas Monogramm "K" benannt), einer höheren Instanz zu begegnen, die auf gespenst. Weise das Schicksal des "Helden" lenkt: im 'Prozess' durch ein Todesurteil für eine bis zuletzt undeutl. Schuld (das zuletzt auch vollstreckt wird), im 'Schloss' durch eine quälende Abwehr des Verlangens, einer imaginären Beamtenhierarchie näherzukommen bzw. in die ihr unterstellte Dorfgemeinschaft aufgenommen zu werden. Da so gut wie keiner der zahlreichen **Deutungsversuche, die von theolog. bis tiefenpsycholog. Ansätzen reichen,** für sich letzte Stimmigkeit beanspruchen kann, scheint Kafka in seinen Romanen wie in den übrigen Erzählungen eine **Grundbefindlichkeit des modernen Menschen** dargestellt zu haben, die nicht auf einzelne Aspekte reduziert werden kann, sondern in ihrer Komplexität gesehen werden will.
Vor diesen beiden Romanen hatte Kafka bereits an einem "amerikan. Roman" gearbeitet, dessen Fragmente von Brod 1927 unter dem Titel 'Amerika' ediert wurden. Das 1. Kapitel war als selbständ. Erzählung, als 'Der Heizer', schon 1913 erschienen. Auch hierin bemüht sich der "Held", Karl Roßmann, mehrfach von seinen Verwandten verstoßen, um ein nicht erreichbares Ziel: die Selbstverwirklichung als freies Individuum, die in den als **„System von Abhängigkeiten"** interpretierten USA auf immer neue Grenzen stößt. Ob der unvollendete Roman ausnahmsweise "glücklich" enden sollte, ist umstritten.
Kafka gilt neben Marcel Proust und James Joyce als einer der international wirksamen **Erneuerer der Erzählkunst.** Proust ('Auf der Suche nach der verlorenen Zeit', 1913–27) hob die chronolog. Zeitfolge auf und schuf die im Erinnerungsvorgang begründete Gleichzeitigkeit von Vergangenheit und Gegenwart. Joyce ('Ulysses', 1922, dt. 1927) integriert Gegenwart und Vergangenheit im sog. inneren Monolog, der zugleich die Verflechtung von Intellekt und Trieb aufdecken soll. Kafka löste die Epik von der "realist." Perspektive des allwissenden Erzählers, indem er den **Erlebnishorizont des Helden zum vorherrschenden Erzählprinzip** machte. Die volle Rezeption dieser neuart. Erzählweisen in der dt. Literatur wurde durch NS-Zeit und Krieg unterbrochen. Selbst Kafka konnte wesentlich erst auf dem Umweg über seine "Entdeckung" in außerdt. Literaturen auf die dt. Literatur wirken.

"Neue Sachlichkeit"
Nicht Kafka, dessen Werk nicht sogleich eine breitere Wirkung beschieden war, sondern eine durch den 1. Weltkrieg und seine Folgen begründete **nüchternere Haltung vieler Autoren** löste die expressionist. Richtung der Literatur allmählich ab. Den Utopien der Expressionisten wurde zunehmend ab ca. 1920 die "objektive" Wirklichkeit, dem expressionist. Pathos ein sachlicher, **um Exaktheit bemühter Stil** entgegengesetzt. Der Kunsthistoriker Gustav Friedr. Hartlaub prägte für diese auch in der Malerei (gegen die abstrakte Kunst) wirksame Richtung den Begriff der "Neuen Sachlichkeit", die freilich eine **nur vage Gemeinsamkeit versch. nachexpressionist. Autoren** bezeichnet.
Als Vertreter der "Neuen Sachlichkeit" gelten auch etliche schon im Expressionismus erfolgreiche Autoren: K. Edschmid, W. Hasenclever, P. Kornfeld, F. Werfel (s. S. 237ff.), der dt.-frz. Schriftsteller Yvan Goll (1891–1950), Carl Zuckmayer (1896–1977) u. a.
Unter dem neuen Begriff werden sowohl die **Zeit- und Lehrstücke** Brechts (s. S. 248ff.), Ferdinand Bruckners und Ödön von Horváths als auch die **Volksstücke** Zuckmayers sowie das tatsachenorientierte **"dokumentar. Theater"** Erwin Piscators, des großen dramaturg. Antipoden zu M. Reinhardt, zusammengefaßt. Den Begriff konkretisieren ferner die **neuen Funkformen,** wobei der **Reportagestil** auch für die Zeitungsarbeit E. E. Kischs (vgl. S. 243) kennzeichnend ist. In der Epik entsteht eine **neue Blüte des Geschichtsromans,** dessen Charakteristikum indes die desillusionierende Tendenz ist: Klabund, M. Brod, F. Werfel, A. Döblin und L. Feuchtwanger (s. S. 250) sind einige der auf diesem Gebiet herausragenden Autoren. Nicht zuletzt **Biographisches und die aktuelle Gegenwart** sind typ. Themen für die neue Richtung: A. Seghers, L. Renn, H. Fallada, Erich Kästner u. a. gestalten diesen Bereich in Romanen. Ein bes. Themenkreis ist das **Kriegserlebnis** von 1914–18, das in einer Reihe von (Anti-)Kriegsromanen dargestellt wird: bedeutend Arnold Zweigs 'Der Streit um den Sergeanten Grischa' (1927), E. M. Remarques 'Im Westen nichts Neues' (1929) und Theodor Plieviers (Plivier) 'Der Kaiser ging, die Generäle blieben' (1932; vgl. auch I. Langner, S. 276). Die wichtigsten Vertreter einer **"neusachl. Gebrauchslyrik"** sind J. Ringelnatz, W. Mehring, Erich Kästner und insbes. B. Brecht.
Schon die wenigen genannten Namen deuten die **große innere Spannweite der "Neuen Sachlichkeit"** an. Ö. v. Horváth (1901–38) stammt biographisch wie literarisch noch aus der sterbenden österr.-ungar. Monarchie. Seine Dramen greifen die Tradition des österr. Volksstücks auf, wandeln es allerdings in scharfe Satire, die den kleinbürgerl. Nähr-

boden des wachsenden Faschismus analysiert (vgl. S. 259). FERDINAND BRUCKNER (1891–1958), Gründer des Berliner Renaissance-Theaters, kam wie manch anderer vom Expressionismus her, wandte sich dann in seinen Zeitstücken einer psychoanalyt. Methode zu, bis er sich schließlich der Wiederherstellung antiker Ordnung im Drama widmete (vgl. S. 259). Schillernd in seinem polit. und literar. Engagement blieb ARNOLT BRONNEN (1895–1959), der zeitweilig sogar auf der äußersten polit. Rechten agierte.
KLABUND (eigtl. A. HENSCHKE, 1890–1928), der viele seiner Kurzromane zu Zyklen zusammenfaßte, war gleichzeitig Lyriker und Übersetzer chines. und pers. Gedichte. KAFKAS Freund M. BROD, dessen 'TYCHO BRAHE' schon erwähnt wurde (s. S. 239), schrieb eine Reihe weiterer Romane, von denen sich mehrere jüd. Themen und Motive annahmen. WERFEL gestaltete in seinen ep. Werken nach der expressionist. Periode gleichfalls relig., christl. Themen (s. S. 259). Zu den zeitkrit., skeptisch-iron. Romanciers sind unbedingt auch HERMANN KESTEN (geb. 1900) und ROBERT NEUMANN (1897–1975) zu zählen, die sich beide um die dt. Literatur im Exil verdient gemacht haben (s. S. 256). Vielfach übersetzte Spitzenleistungen des histor. Romans schuf ALFRED NEUMANN (1895–1952), der scharfsichtig die Probleme des Machtmißbrauchs und des polit. Fanatismus behandelte, dabei die Traditionen des Realismus und Expressionismus weiterführend.

Für eine angemessene Beurteilung der kulturellen Vielfalt der Zwischenkriegszeit bleibt unabdingbar, daß man sich die Gleichzeitigkeit des literar. Schaffens der schon vorgestellten Autoren vor Augen hält, die sich weder dem Expressionismus noch der ''Neuen Sachlichkeit'' oder der eindeutig politisch engagierten Literatur (s. S. 251ff.) zuordnen lassen. Mindestens gleichrang. literar. Ereignisse der zwanziger und frühen dreißiger Jahre sind u.a. die **lyr. Veröffentlichungen** von **George** (s. S. 223) und **Rilke** ('SONETTE AN ORPHEUS', 'DUINESER ELEGIEN', 1923), die **Dramen** von **G. Hauptmann** ('DER WEISSE HEILAND' 1920, 'VOR SONNENUNTERGANG' 1932), **G. Kaiser,** dem meistgespielten Dramatiker auch des Nachexpressionismus, **E. Barlach** ('DIE SÜNDFLUT' 1924, 'DER BLAUE BOLL' 1926) und **Hofmannsthal** (s. S. 226); die **Romane J. Wassermanns,** ('CHRISTIAN WAHNSCHAFFE' 1919/32, 'DER FALL MAURIZIUS' 1928), **Hesses** und der **Brüder Mann** (s. S. 232); **Novellen** von **St. Zweig** (s. S. 259), **A. Schnitzler** und **L. Frank.**
Drei große Gestalten der dt. Literatur in **Österreich** mit sehr unterschiedl. geist. Physiognomie unterstreichen auf ihre Wesie das Bild **literar. Vielfalt** vor dem Ausgreifen des Nationalsozialismus: **Robert Musil** (1880–1942), der einen bis heute nur schwer zu würdigenden Abgesang auf die k.u.k.-Monarchie schrieb, der zugleich ein Psychogramm des wurzellos gewordenen Menschen ist: 'DER MANN OHNE EIGENSCHAFTEN' (1930–43/52); **Hermann Broch** (1886–1951), 1931–32 mit der Roman-Trilogie 'DIE SCHLAFWANDLER', 1936 mit der Radioskizze 'DIE HEIMKEHR DES VERGIL' (die Ausgangstext für den Roman 'DER TOD DES VERGIL' 1945 wurde) hervortretend; **Alexander Lernet-Holenia** (1897–1976), Lyriker, Dramatiker und Romancier (vgl. S. 259).
Die sog. **Heimatkunst** erfuhr in den **Romanen Oskar Maria Grafs** (1894–1967), des Pazifisten und Sozialisten, Höhepunkte, die regionale Begrenzung weit überragen. Erst in jüngster Zeit wird auch das ebenfalls bayer. Mentalität entstammende **sozialkrit. Werk** in Roman und Drama der **Marieluise Fleißer** (1901–74) voll rezipiert.
Kaum angemessen gewürdigt wäre **Hans Henny Jahnn** (1894–1959), wollte man sein dramat. und ep. Schaffen gänzlich auf die unzweifelhaften expressionist. Merkmale seiner Frühzeit festlegen. Auch sein Werk harrt noch weiterer ''Entdeckung'' (s. auch S. 276).
Daß sich die Autoren der zwanziger Jahre selbst nicht nur in unterschiedl. literar. oder polit. Lagern sahen, beweist die inzwischen fast vergessene **''Gruppe 1925'',** der u.a. BRECHT, DÖBLIN, MUSIL, J. ROTH, TOLLER und TUCHOLSKY angehörten (1925–27).

''Proletarisch-revolutionäre'' Literatur

Daß die ''Neue Sachlichkeit'' nicht nur eine literar. Mode, sondern eine aus bewußtem Erleben der Zeit gewachsene Grundhaltung war, wird spätestens aus dem **sozialist. Engagement vieler Autoren** deutlich, deren Werk der neuen Richtung ein entscheidendes Gepräge gab. Die auch für manchen Deutschen vorbildl. Oktoberrevolution von 1917 hatte der Mehrheit der russ. Bevölkerung nicht nur soziale Befreiung gebracht, sondern zunächst auch Entfaltungsmöglichkeiten für eine neue, sowjet. Kunst eröffnet. Wichtig wurden hier der **''Proletkult''** (Kurzwort für ''proletar. Kultur''), der der revolutionären Erziehung u.a. durch Massenschauspiele und Straßentheater dienen sollte, und die **''Vorpostler''** (Zss. 'NA POSTU'/'OKTJABR' 1923 bzw. 1924ff.), die eine von allen bürgerl. und klass. Elementen freie proletar. Literatur forderten. Bereits 1923 kam es aber zu polit. Konflikten, weil LENIN u.a. experimentelle Kunst für die Massen ablehnte. Ab 1925 setzte auch in Deutschland die **Disziplinierung der Kommunisten** i.S. einer von Moskau gesteuerten globalen Taktik ein. Die **Ablehnung antifaschist. Bündnisse** mit anderen Parteien wurde dabei zu einer der Ursachen für den relativ leichten Erfolg der Nationalsozialisten gegen das demokrat. Lager.

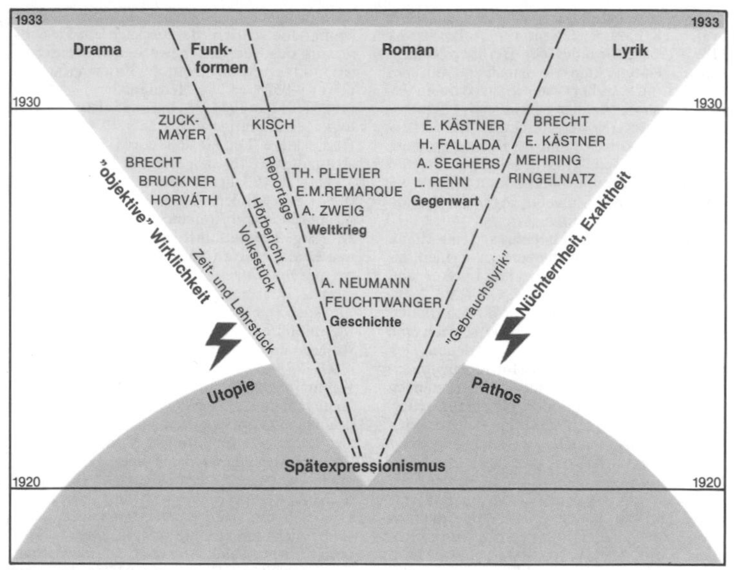

"Neue Sachlichkeit"

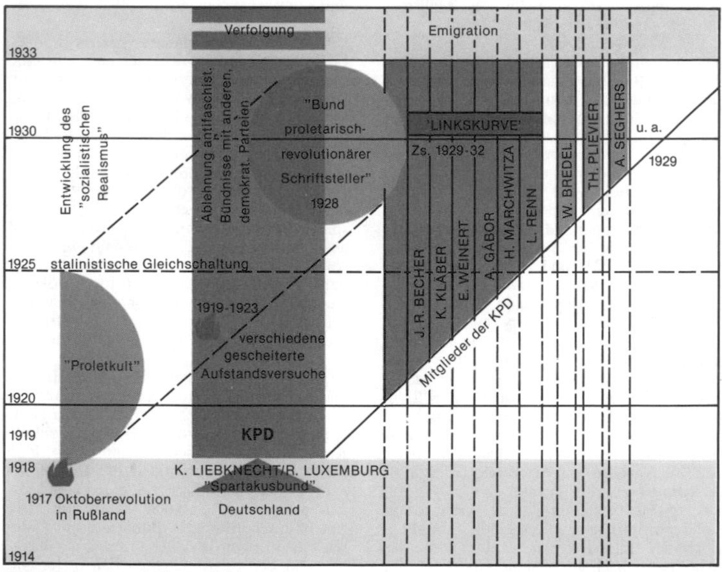

"Proletarisch-revolutionäre" Literatur

Bedeutende dt. Autoren waren sehr früh **Mitglieder der KPD** und bewahrten sich bei aller Verpflichtung auf die Parteitaktik ihre vom ''Proletkult'' vorgelebte künstler. Freiheit. 1928 gründeten etliche von ihnen, darunter J. R. BECHER, L. RENN und E. E. KISCH, den **''Bund proletarisch-rev. Schriftsteller Deutschlands''**, dessen Organ die 'LINKSKURVE' wurde.
Johs. R. Becher (1891–1958), ab 1919 KP-Mitglied, war bereits mit einem umfangreichen lyr. Œuvre hervorgetreten (vgl. S. 239), kontinuierlich vor allem sein Sonettschaffen (1913–55); er schrieb u.a. 1931 das Epos 'DER GROSSE PLAN'. In der Emigration wurde er zu einem der großen Organisatoren sozialist. Exilliteratur (s. S. 257), nach dem Kriege neben dem Lyriker und Essayisten ERICH WEINERT (1890–1953) und HANS MARCHWITZA (1890–1965) sowie dem Romancier WILLI BREDEL (1901–64) zum Begründer einer DDR-spezif. Literatur. Wichtige Mitarbeiter der 'LINKSKURVE' waren auch der Sekretär des ''Bundes'' (1928–32) L. RENN, der ungar. Dichter und Journalist A. GÁBOR (1919 nach Deutschland emigriert) und K. KLÄBER.
Auch der schon erwähnte **Plivier** (TH. PLIEVIER; s. S. 244) war aktives KP-Mitglied, remigrierte nach dem Kriege ebenfalls in den östl. Teil Deutschlands, um dann freilich schon 1947 von Westdeutschland aus (später in der Schweiz) entschieden gegen kommunist. Totalitarismus Stellung zu beziehen.
Unverändert blieb das sozialist. Engagement bei **Anna Seghers** (1900–83), die ein Jahr nach der Verleihung des KLEIST-Preises für die Erzählung 'DER AUFSTAND DER FISCHER VON ST. BARBARA' und 'GRUBETSCH' (1928) der KP beitrat und noch jüngst zu den großen Gestalten der DDR-Literatur zählte. KP-Mitglied war auch der Autor zahlreicher sozialkrit. Dramen, u.a. 'CYANKALI' (gegen Abtreibungsverbot, 1929), **Friedr. Wolf** (1888–1953). Nach dem Krieg war er maßgeblich an der Neugestaltung des Theater- und Rundfunkwesens in der DDR beteiligt.
Theoretisch bedeutsam für eine sozialistisch orientierte Literatur wurde das Wirken von GEORG LUKÁCS (1885–1971) und WALTER BENJAMIN (1892–1940). **Lukács,** ungar. Literaturhistoriker und -theoretiker, leitete nach früheren Studienaufenthalten in Heidelberg und Berlin in den zwanziger Jahren in Wien und Berlin die Publizistik der KP. Wissenschaftlich hervorgetreten war er bereits 1920 mit seiner 'THEORIE DES ROMANS' (noch philosophisch idealist.); zur Linksorientierung vieler europ. Intellektueller trug er 1923 mit seinem Werk 'GESCHICHTE UND KLASSENBEWUSSTSEIN' bei. – Der philosoph. Essayist, Literatur- und Zeitkritiker **Benjamin,** der sich ab 1924 zum Marxismus bekannte, hatte ebenfalls 1920 schon ein bedeutendes literaturtheoret. Werk vorgelegt: 'DER BEGRIFF DER KUNSTKRITIK IN DER DT. ROMANTIK'. Sein 'URSPRUNG DES DT. TRAUERSPIELS' von 1928 wurde als Habil.-Schrift von der Frankfurter Universität nicht mehr angenommen, er emigrierte 1933 nach Paris. Erst recht hier widmete er sich bis zu seinem Tod (s. S. 257) einer Arbeit, die er bereits 1927 begonnen hatte und die uns nur in einem Exposé von 1935 ('PARIS, DIE HAUPTSTADT DES XIX. JHS.', postum 1955) und zahlreichen Fragmenten überliefert ist: seiner kultursoziolog. und geschichtsphilosoph. Analyse des 19. Jhs. Die sog. 'PASSAGEN' (gemeint sind die Pariser Ladengalerien) sind der Ort, wo BENJAMIN in unterschiedlichsten Beobachtungen den Anbruch der Gegenwart reflektiert. Die krit. Adaption von BENJAMINS Ansätzen wird seit einiger Zeit indes dadurch beeinträchtigt, daß aus ihm mehr und mehr eine Kultfigur gemacht worden ist.
1929, ein Jahr nach Gründung des proletar.-rev. ''Bundes'', rief A. ROSENBERG, der mit seinem 'MYTHUS DES 20. JHS.' (1930) noch zum Chefideologen der Nazibewegung aufsteigen sollte, den **''Kampfbund für Dt. Kultur''** ins Leben. Diese Vereinigung zeichnete sich nicht nur durch die polit. Naivität namhafter Mitglieder aus – so des Germanisten A. HEUSLER, des Kunsthistorikers WÖLFFLIN, der Verleger BRUCKMANN und DIESTERWEG, der Schriftsteller E. G. KOLBENHEYER und H. JOHST (in seinen Anfängen ein ernstzunehmender Expressionist und Pazifist, nachmals 2. Präs. der NS-Schrifttumskammer, 1935–45; s. S. 255) –, sondern auch durch **Terroraktionen gegen ''undeutsche'' Kunst und mißliebige Künstler** (''kulturelle SA'').
Für viele kommunist. Autoren wurde nach 1933 der aktive Kampf gegen den Faschismus zur ersten Aufgabe. Bezeichnend ihre Beteiligung am Kampf für ''Rotspanien'' im Span. Bürgerkrieg 1936–39. Währenddessen hatte sich in der Sowjetunion als offizielle Kunstdoktrin der **''sozialist. Realismus''** durchgesetzt (Beschluß des ZK der KPdSU von 1932): *''Hierbei müssen Wahrheit und histor. Konkretheit der künstler. Darstellung der Wirklichkeit in Abstimmung mit der Aufgabe der ideellen Umformung und Erziehung der Werktätigen im Geiste des Sozialismus gebracht werden.''* Nach B. GROYS (1988) war der ''sozialist. Realismus'' zunächst durchaus als **Erfüllung der russ. und sowjet. künstler. Avantgarde** und ihres Zukunftsoptimismus zu verstehen, die erst unter **stalinistisch-parteibürokrat. Gängelei** in ästhet. Programme des 19. Jhs. zurückfiel und nicht selten einen deutl. **Qualitätsverlust** bedeutete, was manchen sozialist. Künstler gegen den orthodoxen Kommunismus einnahm. Die Situation des Exils begünstigte freilich auch die Blindheit vieler gegen selbst inhumanste Methoden der Kommunisten, etwa in Paris, wie sie HANS SAHL 1991 in 'DAS EXIL IM EXIL' beschrieben hat.

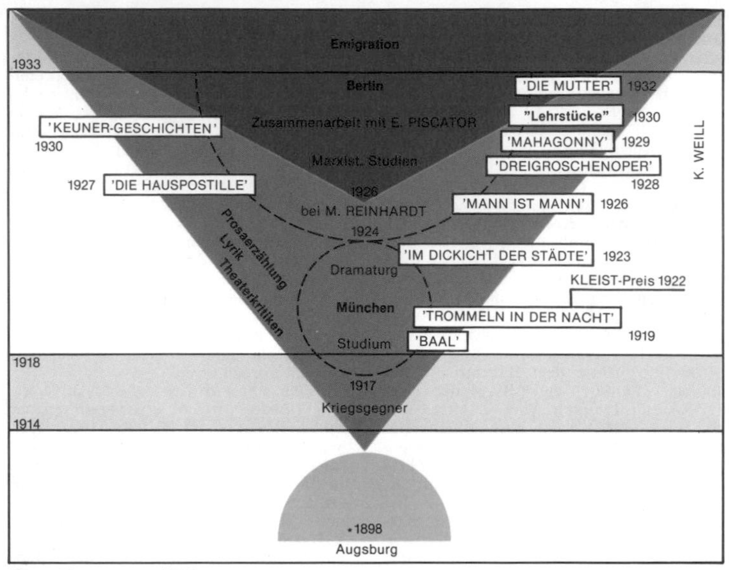

BERT BRECHT vor 1933

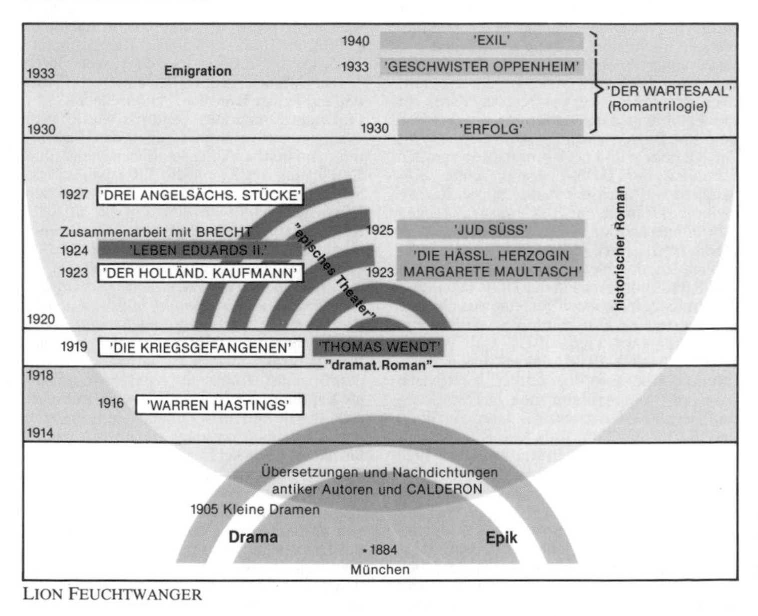

LION FEUCHTWANGER

Bert (Bertolt) Brecht (1898–1956)
Seit seinem Studium des Marxismus in Berlin (1926–30) blieb der Augsburger BRECHT **dem realen Sozialismus in der Sowjetunion und in der späteren DDR bis zu seinem Tode verbunden;** und doch entdeckt man an ihm kaum einen künstler. Kompromiß. Mit über 30 Dramen, 150 Prosatexten (ohne Tagebücher und Briefe), rd. 1300 Gedichten, Liedern und Songs sowie drei Romanen (neben zahlreichen Fragmenten) ist er darüberhinaus **einer der schaffensreichsten und wirkungsvollsten Autoren des 20. Jhs.** überhaupt, dessen Faszination sich auch polit. Gegner nicht entziehen können.
Nach philos. und medizin. Studien arbeitete BRECHT zunächst als **Theaterkritiker** für eine Augsburger Zeitung, schon damals entschiedener Pazifist und der Linken (zunächst der USPD) nahestehend. Eigene Liedproduktion und eine eigenwill. Rezitationsweise beeindruckten seine Umgebung. Seine frühen Texte sind politisch noch von **Anarchismus und Zynismus** geprägt. 1919 entstehen die Dramen 'BAAL' und 'TROMMELN IN DER NACHT', der Erstling 'BAAL' (als dramat. Widerspruch zur expressionist. Deutung des Dichters GRABBE in einem Drama von H. JOHST angelegt), die Komödie 'TROMMELN IN DER NACHT', ein schwäbisch-bayer. Volksstück um den Spartakus-Aufstand im Januar 1919 (urspr. Titel 'SPARTAKUS'). Seine dramaturg. Kunst vervollkommnete er ab 1924 bei M. REINHARDT und in Zusammenarbeit mit L. FEUCHTWANGER (s. S. 250). Noch in München erschien die 1. Fassung seines Stücks 'IM DIKKICHT DER STÄDTE', eine äußerlich wirre, myth. Tiefen und grelle Oberflächlichkeit umspannende "Familientragödie", die schon ein erster Vorschein von BRECHTS "ep. Theater" ist (2. Fassung 1927).
Einen bedeutsamen **Wendepunkt in seinem dramat. Schaffen** bedeutet das "Lustspiel" 'MANN IST MANN', von 1926, in dem BRECHT erstmals die Parabelform und eine auf versch. Spiel- und Kommentarebenen aufbauende Darstellungsweise verwendet (Songs, Paraphrasen, Selbstvorstellung der Figuren, Sprachmontagen). Die Musik schrieb P. DESSAU, mit dem BRECHT eine jahrelange Freundschaft verbinden sollte. Aus der fruchtbaren Zusammenarbeit mit dem Komponisten K. WEILL gingen danach die 'DREIGROSCHENOPER' und die Oper 'AUFSTIEG UND FALL DER STADT MAHAGONNY' hervor. Die 'DREIGROSCHENOPER', die BRECHTS Weltgeltung begründete, war die erste konsequente Durchführung seines Begriffs vom **"ep. Theater"**, in dem zugunsten der (marxist.) Lehre von der Veränderbarkeit der Welt auf dramat. Zuspitzung verzichtet wird. Eine **„Verfremdung"** der Handlung durch Kommentare, Songs, Spruchbänder und Textprojektionen ("V-Effekte") soll durch die so geschaffene Distanz zum Bühnengeschehen im Gegensatz zur aristotel. Wirkungsästhetik **den Zuschauer gesellschaftlich aktivieren.**
Die 'DREIGROSCHENOPER' ist eine moderne Version der 'BEGGAR'S OPERA' des JOHN GAY von 1728 (sie stellt den Existenzkampf des Londoner Straßenräubers und Geschäftsmanns Macheath, "Mackie Messer", dar), deren entschieden antibürgerl. Tendenz freilich durch die musicalähnl. Elemente des Stücks leicht überspielt wird (eine ep. Bearbeitung, 'DER DREIGROSCHENROMAN', veröffentlichte BRECHT 1934, entst. im dän. Exil). 'MAHAGONNY', Name einer aus dem Boden gestampften Vergnügungsmetropole, die wohl ein Modell der "spätkapitalist." Gesellschaft sein soll, schwankt **zwischen strenger marxist. Lehre und absurdem Theater,** was diesem Stück freilich zusätzl. Reize verleiht.
1927 war nach einer ersten größeren Gedichtsammlung, der 'TASCHENPOSTILLE', 'BERTOLT BRECHTS HAUSPOSTILLE' erschienen. Sie vereint in fünf "Lektionen" (mit einem "Schlußkap.") Gedichte, Lieder, Balladen, Bänkellieder und Moritaten aus den Jahren 1916–25, also überwiegend aus der noch "anarch. Periode" des Dichters. Gleichwohl kündigt sich die **sozialkrit. Tendenz seiner weiteren Lyrik** schon an. Die 'HAUSPOSTILLE' erschien mit ihren scharfen antibürgerl. Tönen als ein einziger Widerspruch zur weithin noch gült. Lyrik der Neuromantiker und Symbolisten. Die **Wiederaufnahme und Erneuerung alter Textformen,** insbes. des Bänkelsangs und der Ballade, hat die dt. Lyrik des 20. Jhs. nachhaltig bereichert.
1930 (und 1949) veröffentlichte BRECHT die **'Keuner-Geschichten',** die die Gattung der (urspr. bibl.) **Gleichnisrede** für seine neue lehrhafte Tendenz aufgreifen. **"Lehrstücke" für den Marxismus** wollen auch seine Dramen von 1930 sein: 'DIE MASSNAHME', 'DIE HL. JOHANNA DER SCHLACHTHÖFE' und 'DER JASAGER – DER NEINSAGER', aber auch 'DIE MUTTER' von 1932, eine Dramatisierung von M. GORKIJS gleichnam. Roman von 1906. "Die Auskältung und Einfrostung der zwischenmenschl. Beziehungen im Stalinismus und Nationalsozialismus, ... – dies alles ist von BRECHT gewissermaßen dichterisch vorweggenommen und ästhetisch salonfähig gemacht worden." (H. SAHL)
Die dramaturg. Zusammenarbeit mit M. REINHARDT hatte BRECHT inzwischen längst aufgegeben und sich mit **Erwin Piscator** (1893–1966) zusammengetan. PISCATOR hatte bereits 1920 ein **"proletar. Theater"** in Berlin einzuführen versucht, das schon alle von BRECHT verwendeten formalen Elemente wie Textprojektionen, Lautsprecher, Film vorexerzierte. Auch der Begriff des "ep. Theaters" war von PISCATOR – wenn auch mit anderer Akzentuierung – vorgeprägt. Mit 'HOPPLA, WIR LEBEN' von E. TOLLER konnte er schließlich seine eigene, die **"Piscator-Büh-**

ne" in Berlin eröffnen. Wie stark dieses "polit. Theater" am sowjet. Kommunismus orientiert war, zeigt die frühe Übersiedlung PISCATORS in die Sowjetunion (1931–36; s. auch S. 275), während BRECHT noch bis 1933 in Deutschland blieb. Auch und gerade in der Emigration bewies BRECHT mit einer Reihe großer Dramen und lyr. Produktionen seine immense Schaffenskraft und sein polit. Engagement (s. S. 258 u. 264ff.).

Lion Feuchtwanger (1884–1958)

Ein wichtiger Anreger für BRECHTS "ep. Theater" war auch L. FEUCHTWANGER (s. Tafel S. 248), der nach Übersetzungen und Nachdichtungen und eigenen kleineren Dramen den **"dramat. Roman"** schuf, am deutlichsten in 'THOMAS WENDT' von 1919. Seine Theaterarbeit führte ihn über die **Schauspiele** 'WARREN HASTINGS', 'DIE KRIEGSGEFANGENEN' und 'DER HOLLÄND. KAUFMANN' im 'LEBEN EDUARDS II.' (nach MARLOWE) zur konkreten **Zusammenarbeit mit Brecht** (1924). 'DREI ANGELSÄCHS. STÜCKE' von 1927 sind die Dramen 'DIE PETROLEUMINSELN', 'KALKUTTA, 4. MAI' und 'WIRD HILL AMNESTIERT?'.
FEUCHTWANGERS Bedeutung für die Literatur vor 1933 liegt jedoch noch stärker in der **Erneuerung des histor. Romans,** 'DIE HÄSSL. HERZOGIN ...' spielt im 14. Jh. und entwickelt den Gegensatz zwischen polit. Handeln, das entscheidend von materiellen Interessen geleitet ist, und menschl. Vereinsamung der handelnden Personen, hier der Herzogin Margarete von Tirol. Durch spektakuläre Verfilmungen wurde sein Roman 'JUD SÜSS' weithin bekannt. Bereits 1917 hatte FEUCHTWANGER das Thema (das schon in einer Novelle HAUFFS gestaltet war) dramatisiert. FEUCHTWANGER geht es um die Hintergründe des (zunächst histor.) Antisemitismus, durchaus kritisch gegen den materialist. Machthunger jüd. Finanzmanager (der histor. JOSEF SÜSS OPPENHEIMER des 18. Jhs. war Finanzberater ALEXANDERS VON WÜRTTEMBERG), zugleich aber auch eingenommen für die Hoffnungsstärke des jüd. Volkes in Zeiten der Verfolgung. 1933 verboten die Nazis das Buch, 1934 kam in England eine erste Verfilmung heraus, 1940 nahm sich der dt. Filmregisseur VEIT HARLAN des Stoffs an, nun freilich unter verzerrender Betonung der "typisch jüd." negativen Charakterzüge des Helden.
FEUCHTWANGERS **Romanzyklus 'Der Wartesaal',** 1940 mit 'EXIL' abgeschlossen, beschreibt den *"Wiedereinbruch der Barbarei in Deutschland und ihren zeitweil. Sieg über die Vernunft"*. Bereits der erste Teil, 'ERFOLG' von 1930, war als Schlüsselroman über den Aufstieg der NSDAP konzipiert, 'DIE GESCHWISTER OPPENHEIM' (später: ... OPPERMANN') schildert die Erlebnisse einer jüd. Berliner Familie 1932/33 im Sinne einer scharfen Anklage gegen den NS-Terror.
Im **frz. Exil** setzte FEUCHTWANGER sein dramat. und Romanschaffen trotz bedrückender und schließlich lebensgefährdender Umstände fort (Internierung 1940 und Flucht in die USA), nun noch konsequenter dialektisch in der Geschichtsdeutung und sozialistisch-pazifistisch in der Gesinnung. Hier entstanden neben 'EXIL' u. a. die Romane 'DIE SÖHNE', und 'DER FALSCHE NERO'. Während eines **Moskauaufenthalts** (1937) war er Mitherausgeber der Zs. 'DAS WORT' (vgl. S. 256f.). In den **USA** schrieb er u. a. 'DER TAG WIRD KOMMEN' (1945) und 'WAFFEN FÜR AMERIKA' (auch: 'DIE FÜCHSE IM WEINBERG' 1947/48) sowie die Dramen 'WAHN ODER DER TEUFEL IN BOSTON' (1948) und 'DIE WITWE CAPET' (1956).
FEUCHTWANGER war einer von den vielen dt. Schriftstellern, die nach 1945 nichts mehr in ihre alte Heimat zurückzog. Er starb in **Los Angeles,** das mit ihm, den Brüdern MANN, BRECHT und WERFEL u. a. zu einem **Zentrum dt. Exilliteratur** geworden war. Eine Stiftung seiner Frau, auf der Grundlage der umfangreichen (3.) Bibliothek FEUCHTWANGERS, hat 1978 dort die Gründung eines Instituts zur Erforschung des Exils ermöglicht.

Alfred Döblin (1878–1957)

Der Berliner Nervenarzt A. DÖBLIN (s. Tafel S. 252) begann sein literar. Werk als **Expressionist.** 1910 war er Mitbegründer der Zs. 'DER STURM' (s. S. 236ff.). Typisch für diese Phase sind **Erzählungen** wie 'DIE ERMORDUNG EINER BUTTERBLUME' oder 'DIE LOBENSTEINER REISEN NACH BÖHMEN'. Auch seine frühen **Romane,** 'DIE DREI SPRÜNGE DES WANG-LUN' (aus dem China des 18. Jhs.) oder der **erste Berlin-Roman 'WADZEKS KAMPF MIT DER DAMPFTURBINE'**, zeigen in expressiv-ekstat. Stil den **Kampf des Individuums mit Naturgewalten und Kollektivkräften.** Wang-Lun, Führer einer taoist. Sekte, zieht sich nach einem mißlungenen Aufstand wieder in die "Macht der Ohnmacht" des "Wu-wei", der Lehre vom "Nicht-Handeln", zurück. Auch 'WALLENSTEIN' demonstriert, diesmal am europ. Beispiel des Dreißigjähr. Krieges, die **Absurdität machtbesessenen Handelns.** Gleichsam als **Übergang zur Realistik** der "Neuen Sachlichkeit" ist zu werten, daß DÖBLIN in diesem Roman – in allerdings noch kaum gebändigter Fülle – histor. Dokumente verwendet, ein Verfahren, das er in seinem **zweiten Berlin-Roman** von 1929, 'BERLIN ALEXANDERPLATZ', zur **Collage unterschiedlichster "Dokumente",** vom Werbeslogan bis zur Reichstagsrede weiterentwickelt. 'BERLIN ALEXANDERPLATZ' ist die "Geschichte von Franz Biberkopf", einem strafentlassenen Berliner Arbeiter, der sich durch die Fährnisse seines Milieus in der durch soziale und polit. Kämpfe aufgewühlten Großstadt zu einem neuen Leben durchzuringen versucht. Die Qualität dieses Werks hat Vergleiche mit

dem 'Ulysses' von J. Joyce oder 'Manhattan Transfer' von J. Dos Passos angeregt.
Fünf Jahre zuvor hatte Döblin mit 'Berge, Meere und Giganten' eine **apokalypt. Vision des industriellen Zeitalters** gestaltet, an dessen Ende – fast schon prophetisch gesehen – die Menschen in Abkehr von ihrer Überzivilisation zu archaischen Mysterien streben (gekürzte Fassung 1930).
Schon vor 1933 ist Döblin auch als **krit. Essayist** hervorgetreten (z.B. 'Dt. Maskenball'). Als Jude emigrierte er 1933 zunächst nach **Paris,** flüchtete 1940 in die **USA,** wo er den kath. Glauben annahm. In der **Emigration** entstanden weitere Essays, aber auch neue Romane, darunter 'Die Babylon. Wanderung' und eine Südamerikatrilogie. 1945 kehrte er als Kulturberater der frz. Besatzungsmacht **nach Deutschland** zurück. Zeugnis seines neuen, christl. Bekenntnisses legen u.a. ab der Essay 'Der unsterbl. Mensch', die Erzählung 'Der Oberst und der Dichter' (beide 1946) sowie der Roman 'Hamlet oder Die lange Nacht nimmt ein Ende' (1956). Seine in Berliner Jahren durch tägl. Umgang mit Patienten aus dem Arbeitermilieu begründete **sozialist. Einstellung** spiegelt sich in der **Revolutionstrilogie** von 1948–50, 'November 1918' ('Verratenes Volk', 'Heimkehr der Fronttruppen', 'Karl und Rosa'), die erst jüngst wieder Aufmerksamkeit fand.

Lebendige Traditionspflege

Eine starke Strömung neben expressionist. und ''neusachl.'' Suche nach einer neuen dt. Literatur blieb auch in der Zeit zwischen 1918 und 1933 die **bewußte Pflege literar. Tradition,** die sich nicht in bloßer Nachahmung erschöpfte, sondern fernab der gelegentlich auch ins Modische absinkenden neuen Richtungen eine durchaus aktuelle **Weltdeutung aus Geist und Form früherer Epochen** unternahm, die auf diese Weise der Gegenwart lebendig blieben. Es ist müßig, imaginäre Trennlinien zu den Traditionen zu ziehen, aus denen auch ''progressive'' Autoren wichtige Impulse empfingen.
Wie stark politisch beeinflußte Wertungen den Blick für die Bedeutung der Tradition trüben, läßt sich am leichtesten am **Beispiel der aus dem Judentum schöpfenden dt. Autoren** vor 1933 erkennen. Ist nicht ein breiteres Publikum heute noch unter dem Eindruck nationalsozialist. ''Verdrängung'' geneigt, etwa das Werk Martin Bubers (1878–1965) als ''konservativ'' einzustufen, obwohl gerade er für eine alles andere als orthodoxe, auch polit. Erneuerung der Gesellschaft aus dem Geist der Bibel und des Chassidismus eintrat und damit in engerer Nachbarschaft zu den ebenfalls heute vielfach totgeschwiegenen **''relig. Sozialisten''** stand, zu denen u.a. Paul Tillich gehörte?
Das **christl. Fundament der dt. Kultur,** das durch eine lebend. Anverwandlung von **Antike und Germanentum** gekennzeichnet ist, war die Grundlage für eine Reihe von Dichtern der zwanziger und dreißiger Jahre, die die versch. **Fermente dieser kulturellen Mischung** in ihrem Werk wirken ließen, wobei die Palette der Gestaltungen von antiken Themen bis zu konfessionell geprägten Äußerungen reichte.
Rudolf Borchardt (1877–1945), Lyriker, Dramatiker und Rhetor, widmete sich als Übersetzer und Essayist gleichermaßen griech., röm., wie mittelalterlich-dt. Kulturüberlieferung. Mittelalterl. relig. Themen bearbeitete in zahlreichen Dramen der Österreicher **Max Mell** (1882–1971), wie Borchardt ein Freund Hofmannsthals. Aus myst. und klass. Geist schrieb **Wilhelm von Scholz** (1874–1969), dessen Drama 'Der Wettlauf mit dem Schatten' (1922) ihm sogar Welterfolg brachte. Der schles. Mystik war der Erzähler und Lyriker **Hermann Stehr** (1864–1940) verbunden. **Albrecht Schaeffer** (1885–1950) schrieb in der Nachfolge Hölderlins, Platens und Georges 1920 seinen Bildungsroman 'Helianth', der schon im Titel an das mittelalterl. (altsächs.) Versepos erinnert (vgl. S. 29). Vorbilder für den Lyriker **Friedr. Georg Jünger** (1898–1977) waren Klopstocks Oden, Hölderlin, George und deren antike Quellen.
Hans Carossa (1878–1956) fühlte sich in seiner Lyrik und Epik antiken und christl. Traditionen der dt. Literatur verpflichtet (u.a. 'Eine Kindheit' 1922, 'Der Arzt Gion' 1931). **Rud. G. Binding** (1867–1938) war in Lyrik und Erzählung von d'Annunzio, C. F. Meyer und G. Keller angeregt und sah Formstrenge als künstler. Gebot, das ihm die Begegnung mit griech. Plastik vermittelt hatte. Christlich-humanist. Auffassung folgte der Lyriker **Rud. Alexander Schröder** (1878–1962), Begründer der Zs. 'Die Insel' (s. S. 222 und 230): u.a. 'Widmungen und Opfer' (1925), 'Jahreszeiten' (1930). Die Romane **Annette Kolbs** (1875–1967) bezeugen eine ähnl. Grundhaltung.
Wie individuell verschieden die konkrete Haltung zur Politik war, erweist sich aus den höchst **unterschiedl. Konsequenzen,** die diese Autoren **aus dem Nationalsozialismus** zogen: Carossa durch ein Amt in der NS-gelenkten ''Europ. Schriftstellervereinigung'' (1941) zeitweilig kompromittiert (vgl. S. 245 zum ''progressiven'' A. Bronnen!), A. Kolb ab 1933 in der Emigration, die der Neuromantik verpflichtete Ricarda Huch mit mutigem Protest (s. S. 233). Der österr. Lyriker und Erzähler Jos. Weinheber (1892–1945), 1927 zum Protestantismus übergetreten, ist heute wegen seiner zeitweil. Nähe zum Nationalsozialismus (s. auch S. 253), von der sein anspruchsvolles Werk freilich weitgehend freigeblieben ist, wohl zu Unrecht unterbewertet.

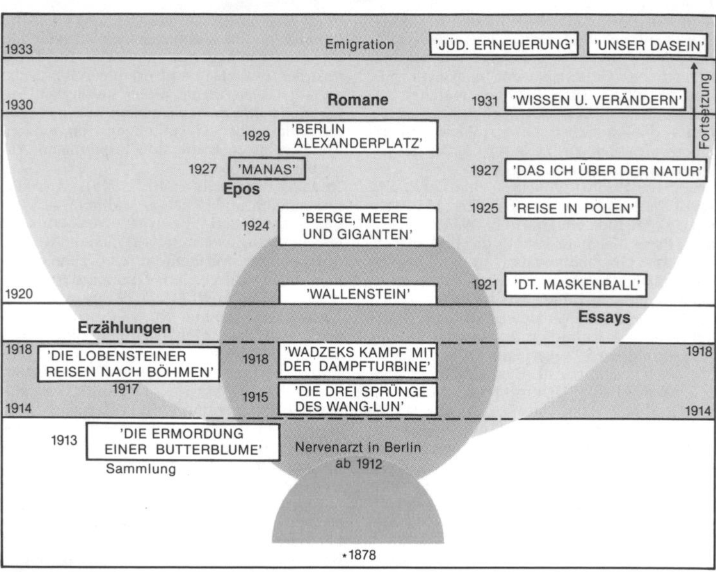

ALFRED DÖBLINs Werk vor 1933

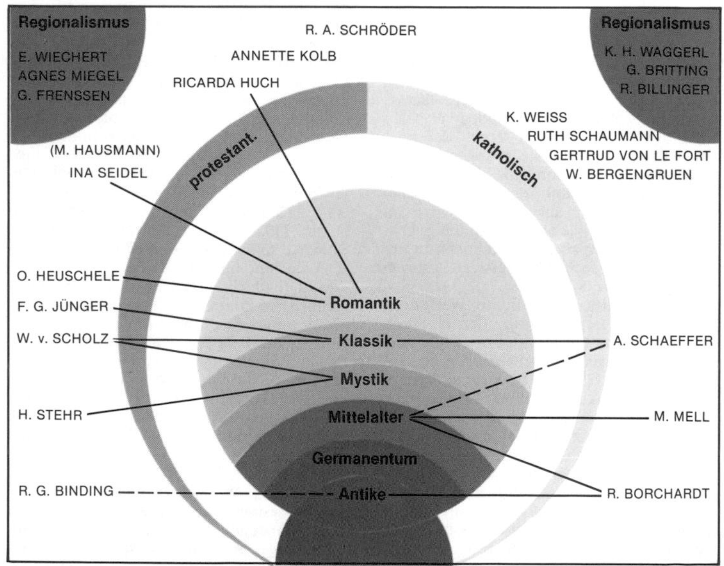

Traditionspflege und -anverwandlung

Die **konfessionelle Akzente setzenden Autoren** ließen sich ebenfalls nicht leicht vereinnahmen, wie das Beispiel **Werner Bergengruens** (1892–1964) beweist (s. S. 261). Eine bewußt kath. Lyrikerin und Erzählerin war **Gertrud von le Fort** (1876–1971): u. a. 'HYMNEN AN DIE KIRCHE' (1924) und 'DAS SCHWEISSTUCH DER VERONIKA' (1928). Christl. Geschichtsdeutung gestaltete **Konrad Weiss** (1880–1940), 15 Jahre lang Redakteur der kath. Zs. 'HOCHLAND', in Lyrik, Drama und ep. Prosa. Eine christl.-protestant. Grundhaltung vertrat **Ina Seidel** (1885–1974), wie R. HUCH romant. Tradition folgend, in ihrer Lyrik (u. a. 'DER VOLLE KRANZ' 1929, 'DIE TRÖSTL. BEGEGNUNG' 1932/33) wie in ihren Romanen und Erzählungen (u. a. 'STERNE DER HEIMKEHR' 1923, 'DAS WUNSCHKIND' 1930).

Gefährlich angesichts der polit. Besetzung ihrer Themen war die (isoliert betrachtet unproblemat.) **Pflege dt. Traditionen** im engeren Sinne: **"volkhafte" Dichtung und "german." Themen** kamen den NS-Kulturfunktionären wie gerufen, und mancher Autor merkte zu spät, wofür er unfreiwillig Schützenhilfe geleistet hatte; mancher hat sich freilich auch gerne einspannen lassen. So lastet eine Mitschuld an der NS-Barbarei auf einem ganzen Traditionsstrang, der selbst natürlich keine NS-Erfindung war. Das gilt insbes. für die "Heimatkunst", die wie am Beispiel O. M. GRAFS angedeutet (S. 245), politisch durchaus "offen" war, in der NS-Zeit aber vielfach zur **"Blut- und Boden-Literatur"** verkam.

Nicht mehr unbefangen kann man heute Autoren wie WILHELM SCHÄFER (1868–1952) und seinem Hauptwerk 'DIE DREIZEHN BÜCHER DER DT. SEELE' (1922) oder JOS. PONTEN (1883–1940) und seinem "Roman der dt. Unruhe" 'VOLK AUF DEM WEGE' (1931–42) begegnen. Nicht nur durch ähnl., rassist. Denkart, sondern durch aktive Nähe zum NS-Regime hat sich E. G. KOLBENHEYER (1878–1962) kompromittiert. Eine geradezu wohlfeile Propagandaformel lieferte HANS GRIMM (1875–1959) den Nazis mit seinem Roman 'VOLK OHNE RAUM' (1926), was leicht über die Qualität seiner Novellen mit afrikan. Themen hinwegsehen läßt. Auf die polit. Willfährigkeit manches durchaus begabten Autors kann hier nur pauschal verwiesen werden. Die "Fälle" H. F. BLUNCK und H. JOHST sind schon erwähnt (S. 234 u. 247).

Zwischen den polit. Fronten stand das **Werk Ernst Jüngers** (geb. 1895, Bruder F. G. JÜNGERS; s. o.). Sein "heroischer Nihilismus", der aus den Erfahrungen des 1. Weltkriegs hervorging und in Werken wie 'IN STAHLGEWITTERN' (1920) und 'DER KAMPF ALS INNERES ERLEBNIS' (1922) Niederschlag fand, wurde von der polit. Rechten als geist. Verwandtschaft empfunden. Gleichwohl stand er persönlich Sozialisten wie E. NIEKISCH nahe. Eine geradezu myth. Auffassung des Arbeiters prägt seine Schrift 'DER ARBEITER' von 1932. Eine Opposition zum NS-Regime konnte man in seiner Erzählung 'AUF DEN MARMORKLIPPEN' von 1939 entdecken. 1944 wurde der Stabsoffizier JÜNGER als "wehrunwürdig" entlassen. Er blieb auch in seinen Nachkriegswerken (vgl. S. 266) einer konservativen Grundhaltung verbunden, nun freilich mehr zu einem religiös geprägten Humanismus neigend. Im Für und Wider der Verleihung des Frankfurter GOETHE-Preises an E. JÜNGER 1982 wurde noch einmal die polit. Problematik seines Werks deutlich, das im Ausland mehr Anerkennung zu finden scheint als in seiner Heimat. Immerhin wird er auch hier gelegentlich offen gerühmt, etwa für seine Erzählung von 1985 'EINE GEFÄHRL. BEGEGNUNG'.

Ähnlich umstritten war nach 1945 FRIEDRICH SIEBURG (1893–1964), ein hochbegabter Autor (bes. erfolgreich 'GOTT IN FRANKREICH', 1929, erw. 1954), der freilich die Nazis beim Versuch der kulturellen Gleichschaltung des besetzten Frankreichs (ab Juni 1940) aktiv unterstützte.

Deutsches PEN-Zentrum und Akademie der Künste

Orte fruchtbarer Auseinandersetzungen zwischen sehr versch. Stilrichtungen und literar. Programmen waren das 1923 gegr. dt. PEN-Zentrum und die 1926 gegr. Sektion für Dichtung der Preuß. Akademie der Künste zu Berlin. Erster Präsident des zwei Jahre nach der Londoner PEN-Gründung (P.E.N. = Poets, Essayists, Novellists) ins Leben gerufenen dt. Zentrums wurde der erfolgreiche Dramatiker und Übersetzer LUDWIG FULDA, der neben TH. MANN, A. HOLZ und H. STEHR auch Gründungsmitglied der neuen Akademie-Sektion wurde. Hier trafen außerdem so unterschiedl. literar. Temperamente wie W. v. SCHOLZ, O. LOERKE, W. v. MOLO, H. MANN, A. DÖBLIN und M. HALBE zu zahlreichen auch literaturpolit. Diskussionen (etwa über den Autorenschutz) zusammen, bis die Nazis auch hier der Freiheit des Geistes ein brutales Ende bereiteten: Am 20. 2. 1933 wurde H. MANN gezwungen, sein Präsidentenamt niederzulegen und die Akademie zu verlassen.

In vorauseilender Unterwerfung unter den Nationalsozialismus traten 1933 zahlreiche **"nationale" Autoren Österreichs** aus dem PEN aus und gründeten 1936 den "Bund der dt. Schriftsteller Österreichs" (u. a. F. SCHREYVOGEL, F. TUMLER, K. H. WAGGERL, J. WEINHEBER; 1. Vorsitzender: MAX MELL), der 1938, nach dem "Anschluß" an das Dt. Reich, der mit peinl. Tönen gefeiert worden war ('BEKENNTNISBUCH ÖSTERR. DICHTER'), wieder aufgelöst wurde. (Vgl. S. 259)

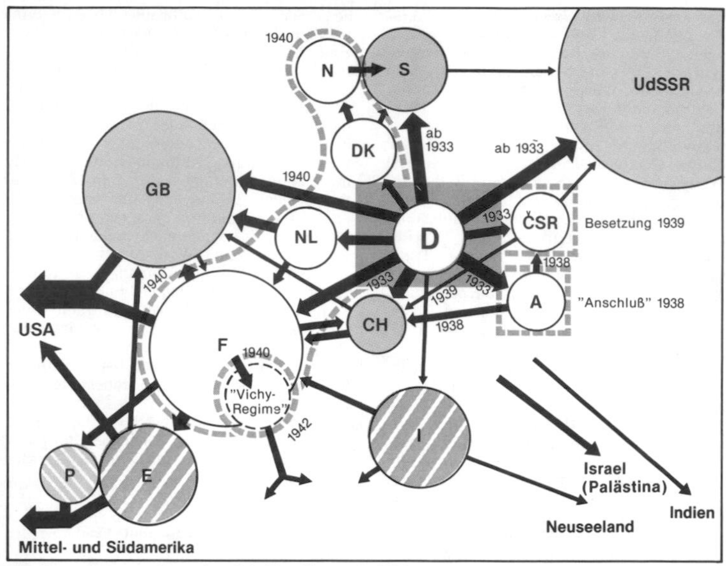

Fluchtbewegungen deutscher Schriftsteller nach 1933

1945 Kriegsende	1945 A. WOLFENSTEIN ⸸ (Paris) A. HAUSHOFER † (erm. in Berlin-Moabit, SS) 1943 GERTRUD KOLMAR † (erm. in unbek. KZ) 1942 J. VAN HODDIS † (erm. in unbek. KZ) P. KORNFELD † (im KZ Lodz) J. KLEPPER ⸸ (Berlin) A. MOMBERT † († nach Haft) ST. ZWEIG ⸸ (Petropolis/Brasilien)
1940 Frankreich besetzt	1940 W. HASENCLEVER ⸸ (Lager Les Milles/Frkr.) E. WEISS ⸸ (Paris) W. BENJAMIN ⸸ (Port Bou/Spanien)
1939 Kriegsbeginn ČSR besetzt	1939 L. FULDA ⸸ (Berlin) E. TOLLER ⸸ (New York)
1938 Österreich annektiert	1938 E. FRIEDELL ⸸ (Wien) 1938 C. v. OSSIETZKY † († nach KZ-Haft)
1933 NS-Machtergreifung	1936 E. G. WINKLER ⸸ (München) 1935 K. TUCHOLSKY ⸸ (Hindås/Schweden) 1934 E. MÜHSAM † (erm. im KZ Oranienburg) erm. ermordet ⸸ Freitod

Opfer nationalsozialistischer Vertreibung und Verfolgung

Der Einbruch der NS-Barbarei

Die NS-Machtergreifung am 30. Januar 1933 (Ernennung A. HITLERS zum Reichskanzler) bedeutet einen tiefen **Einschnitt in die dt. Geschichte und damit auch in die kulturelle Entwicklung des dt. Volkes.** Von ihm konnte sich Deutschland angesichts der Ausrottung oder Vertreibung eines Großteils demokratisch und antifaschistisch gesinnter Politiker und Intellektueller und der durch Krieg und Niederlage bedingten Zerstörung eines gesamtdt. Staates bis heute nicht erholen. Zwar haben viele literar. Leistungen dt. Autoren der Emigrationszeit inzwischen internat. Anerkennung gefunden, doch ist **seit 1933 ein für die Entwicklung der Literatur entscheidendes gesamtdt. Publikum kaum mehr vorhanden.** Die selbständ. Entwicklung zweier dt. Staaten nach 1945 hat beiderseits der Zonengrenze einer **Provinzialisierung der dt. Literatur** Vorschub geleistet, mit der verglichen die dt. Literatur zwischen 1918 und 1933 als die bisher letzte Blüte der dt. Literaturgeschichte erscheint. Einzelne Ausnahmen von dieser generellen Feststellung, die sich nach 1945 in den versch. deutschsprach. Staaten hervortun konnten, sind später zu würdigen.

Das Abgleiten in die kulturelle Barbarei nach HITLERS Machtantritt sei mit folgenden Stichwörtern angedeutet: Mehr als eine halbe Mill. Deutscher, davon rd. 50% jüd. Mitbürger, haben nach 1933 Deutschland verlassen müssen (zur Emigration von Schriftstellern s.u.), Unzählige sind in den nach dem Reichstagsbrand (27. 2. 1933) eingerichteten KZs, in Gefängnissen und nicht zuletzt auch durch den Krieg ums Leben gekommen (Gesamtzahl der Kriegstoten: 55 Mio, in Deutschland: 4 Mio). Die **Bücherverbrennungen im April/Mai 1933,** denen zahlreiche Werke marxist., pazifist. und jüd. Autoren zum Opfer fielen, der **Austritt des dt. PEN-Zentrums aus der Internat. Schriftstellervereinigung** und die Schaffung einer **Reichskulturkammer** mit bes. Kammern für Bildende Künste, Schrifttum, Musik, Theater, Rundfunk und Presse (22. 9. 1933), denen nur "arische" Künstler angehören durften (Präsident: Reichspropagandamin. J. GOEBBELS), sowie zunehmende Repressionen aus polit. und rass. Gründen gegen Künstler und andere Intellektuelle, zuletzt das **Verbot jegl. unabhäng. Kunst-, Theater- und Literaturkritik** (1936) markieren die Knebelung einer nichtfaschist. dt. Kultur schon zu Beginn des "Dritten Reiches".

Emigration deutscher Schriftsteller

Der kulturelle Aderlaß nach 1933 wird allein schon an der Zahl der namentlich bekannten Schriftsteller sichtbar, die Deutschland als Emigranten verließen: **rd. 1.500!** Es ist so gut wie unmöglich, die in dieser Zahl repräsentierten Richtungen, geschweige denn die betroffenen Individualitäten auch nur annähernd zu charakterisieren oder gar mit den Stichwörtern "Exil-" oder "Emigrantenliteratur" umfassend zu würdigen. Es wird mit Recht gesagt, daß sich die vor 1933 eingeschlagenen großen literar. Richtungen mehr oder weniger auch im Exil fortsetzten. D.h. schon von hier aus ist keine Einheitlichkeit zu erwarten. Zwar wurde mancher Autor durch die ins persönl. Schicksal einschneidenden Ereignisse "politisiert" (man denke etwa an TH. MANN). Eine auch politisch konsequente Haltung gegenüber der NS-Barbarei nahmen hingegen nur die Autoren und Gruppen ein, die sich schon vorher mit dem wachsenden Faschismus auseinandergesetzt hatten. Von den exilierten Künstlern ist mithin kaum eine einheitlichere Haltung gegen das NS-Regime zu erwarten, als sie der aktive Widerstand bot, dessen Spektrum ebenfalls **von der äußersten Linken bis zu konservativen Richtungen** reichte. Hinzu kommt, daß die Mehrzahl der Emigranten eine nicht geringe Energie aufs nackte Überleben wenden mußten, von den Leiden ganz abgesehen, die die **Vertreibung aus der Lebensluft ihrer Sprache** bewirkte. Bedenkenswert bleibt angesichts der unzähl. "namenlosen" Exilanten, wieviele mögl. **literar. Innovationen unter diesen Bedingungen von vornherein verhindert** wurden. Naturgemäß hatten nur die schon einmal bekannten Schriftsteller, am ehesten solche mit internat. Ruf, eine Chance, ihre Arbeit auch im Exil fortzusetzen. Und wenn schon diese über extreme Behinderungen zu klagen hatten, läßt sich ermessen, wie verzweifelt die Lage der Masse von noch Unbekannten gewesen sein muß.

Anders als in früheren Exilperioden, etwa nach 1848, zwang die polit. Lage nach 1933, insbes. der Kriegsausbruch, eine große Zahl von Emigranten zu **immer neuen "Absetzbewegungen".** Hatten sich nach HITLERS Machtergreifung viele zunächst nur in die Deutschland unmittelbar benachbarten Staaten geflüchtet, insonderheit nach **Österreich,** in die **Schweiz** und ins ebenfalls noch deutschsprach. **Prag,** so zwangen die Annexion Österreichs 1938, die Besetzung der ČSR 1939, der Überfall auf die Niederlande, Dänemark und Norwegen sowie die Besetzung Frankreichs 1940 (und schließlich Rest-Frankreichs unter der "Vichy-Regierung" 1942) die Flüchtlinge zu erneuter Flucht. Selbst in der Schweiz und in **Schweden** fühlte man sich nicht endgültig sicher. So erklärt sich der starke **Zug nach europafernen Gegenden,** am stärksten in die **USA,** ferner nach **Mexiko** und **Südamerika,** in die **Sowjetunion,** aber auch nach **Indien** (Beispiel der Kritiker und Essayist WILLY HAAS) und selbst nach **Neuseeland** (K. WOLFSKEHL, der dort bis zu seinem Tod, 1948, blieb). Ihres Judentums bewußte Autoren zog es auch stark nach **Israel** (brit. Mandatsgebiet "Palästina").

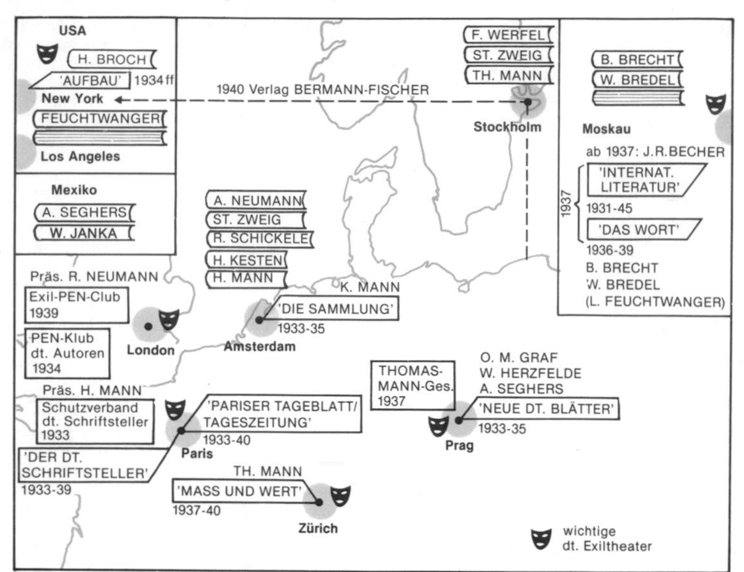

Zentren deutscher Exilliteratur

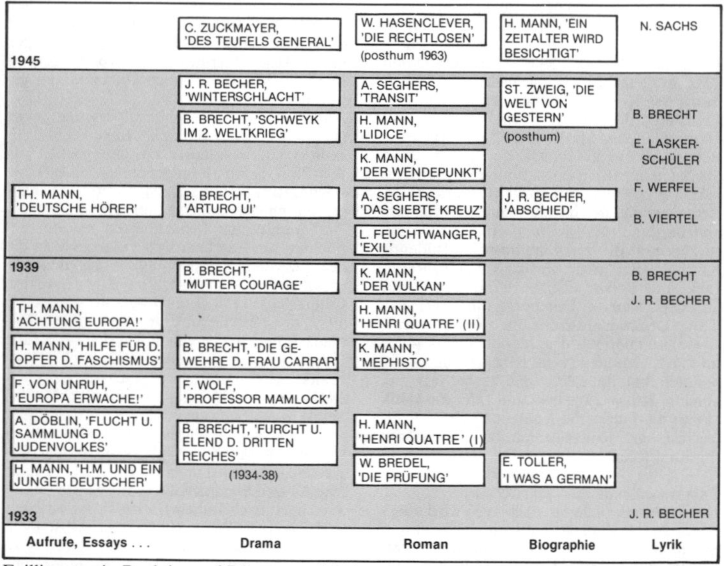

Exilliteratur in Reaktion auf Diktatur und Krieg

Die Leiden dieser Fluchtbewegungen, **Einreiseverweigerungen, Internierungen, Auslieferungen an die Gestapo** selbst aus nichtbesetzten Gebieten, sind nur anzudeuten. Unzählige **Selbstmorde** nicht nur in der Heimat, sondern auch im scheinbar sicheren Ausland bezeugen die Verzweiflung der Verfolgten. Stellvertretend sei auf K. TUCHOLSKY in Schweden und auf die Verzweiflungstat des marxist. Philosophen und Literaturkritikers WALTER BENJAMIN (s. S. 247) hingewiesen, der sich auf diese Weise dem Zugriff der Gestapo entzog. Besonders zahlreich waren die Selbstmorde dt. Schriftsteller beim Einmarsch der dt. Truppen in Wien, in Prag und in Paris.

Typ. **"Umwege" der Emigration** waren: Österreich bis 1938, dann weitere Flucht: etwa A. POLGAR, C. ZUCKMAYER; Prag bis 1939, dann weitere Flucht: etwa W. BREDEL, H. MANN; Frankreich bis 1940, dann weitere Flucht: A. DÖBLIN, A. SEGHERS, F. v. UNRUH u. v. a.; L. FEUCHTWANGER, ab 1933 als Emigrant in Frankreich mit einem Aufenthalt in Moskau (s. S. 256f.), wurde 1940 im unbesetzten südöstl. Teil von Frankreich von der "Vichy-Regierung" interniert, von wo er 1941 in die USA entkommen konnte. Niederlande bis 1940: etwa K. MANN (s. S. 258); B. BRECHTS Odyssee führte über die "Stationen" Schweiz, Dänemark, Schweden, Finnland, Sowjetunion und – unter dem Eindruck des dortigen stalinist. Terrors – USA. Stellvertretend für die vielen, die eine Flucht aus Deutschland ablehnten oder nicht mehr bewerkstelligen konnten und hier ums Leben kamen, seien nur zwei Namen genannt: der Publizist CARL VON OSSIETZKY, 1926–33 Chefredakteur der kulturpolit. Wochenschrift 'DIE WELTBÜHNE', wurde 1933 verhaftet, 1934 ins KZ eingeliefert. 1936 wurde ihm während der Haft der Friedensnobelpreis verliehen, den er aber nicht annehmen durfte. Schwerkrank wurde er entlassen und starb 1938 (unter Polizeibewachung) in einem Berliner Krankenhaus. 1944 wurde wegen Verbindung zur Widerstandsbewegung der Lyriker und Dramatiker ALBRECHT HAUSHOFER verhaftet. Im Gefängnis schrieb er noch seine 'MOABITER SONETTE'; wenige Tage vor Kriegsende wurde er von der Gestapo erschossen, das Manuskript seiner Gedichte wurde in den Händen des Toten gefunden.

Zentren deutscher Exilliteratur

Es gibt wohl kaum eine zweite Nationalliteratur, die wie die dt. in einem noch nicht zu übersehenden Umfang für viele Jahre außerhalb des Heimatlands ihrer Autoren existieren mußte. Es entstanden auch **in nichtdt. Staaten dt. Verlage, Zeitschriften und Theater.** Zahlreiche Uraufführungen dt. Stücke fanden im Ausland statt, teilweise sogar zunächst in der Sprache des Gastlandes wie sogar noch 1948 BRECHTS 'KAUKAS. KREIDEKREIS'. Nicht wenige Schriftsteller schrieben von vornherein ihre **Werke zunächst in fremder Sprache** (vgl. u. a. E. TOLLER, 'I WAS A GERMAN', 1934). Für die kontinuierl. dt. Spracharbeit wurde darum das Zürcher Schauspielhaus unter K. HIRSCHFELD bes. wichtig. Die Gründung von Zirkeln und Verbänden diente natürlich auch der Sicherung der nackten Existenz an den neuen Lebensorten. Schlimmerweise betrieb der **Pariser "Schutzverband"** auch eine vielen Mitgliedern verhohlene repressive kommunist. Kaderpolitik (vgl. S. 249).

Die **Londoner PEN-Gründungen** wollten Ersatz schaffen für die (durch den offiziellen Austritt des dt. Rest-PEN aus der internat. Vereinigung verlorengegangenen) Kontakte zur Weltliteratur. Wichtig wurde die Sammlung dt. Autoren in **Amsterdam**, wo viele dt. Texte, u. a. im Exilverlag Allert de Lange, erschienen. Bedeutsam wurde das Wirken des Verlegers G. BERMANN-FISCHER, der über **Wien, Stockholm** schließlich nach **New York** emigrierte, wo bereits seit 1938 unter der Leitung von O. M. GRAF und F. BRUCKNER die **"German-American-Writers'-Association"** wirkte. Das Emigrantenzentrum **Los Angeles** ist bereits im Zusammenhang mit FEUCHTWANGER erwähnt worden (s. S. 250). ANNA SEGHERS u. a., die zunächst in Prag zu arbeiten versucht hatten, ließen sich schließlich in **Mexiko** nieder, wo SEGHERS den **"Heinrich-Heine-Club"** leitete, dem 1942 der Verlag "El libro libre" angeschlossen wurde. 1940 entstand in **Buenos Aires** die "Freie dt. Bühne" (unter P. W. JACOB und L. REGER). Schon 1931 war in **Moskau** die Zeitschrift 'INTERNAT. LITERATUR' gegründet worden, die BECHER von 1937 an leitete. Ab 1936 erschien hier eine 2. literar. Zeitschrift, 'DAS WORT', später mit der 'INTERNAT. LITERATUR' vereinigt. Bei seinem Moskau-Aufenthalt 1937 wirkte hieran auch FEUCHTWANGER mit. Dies können nur Hinweise auf die bedeutenderen Aktivitäten dt. Exilautoren sein, deren Gesamtumfang noch weitere Forschungsarbeit nötig macht.

Exilliteratur zu Diktatur und Krieg

"Exilliteratur" bezeichnet **keine einheitl. Richtung der dt. Literatur**, sondern nur sehr formal die dt. Literatur, die nicht in Deutschland selbst erscheinen durfte. Insofern wäre es eine falsche Vorstellung, diese Literatur sei insges. der künstler. Arm des antifaschist. Widerstands gewesen. Eine solche Einschätzung gilt eindeutig nur für die **große Zahl appellativer Texte wie der Aufrufe, Manifeste, Rundfunkreden.** Im übrigen gelingt es immer nur wenigen, polit. Engagement und künstler. Anspruch glücklich zu vereinen. Beispiele eines solchen Gelingens gibt es nach 1933 zahlreich. Die in der Grafik (S. 256) aufgeführten Titel können (fast) alle dazu gerechnet werden, weitere zahlreiche Texte und Autoren müssen mitgedacht werden. Bei dem Schlüsselroman des THOMAS-MANN-Sohnes KLAUS MANN (1906–49), 'MEPHISTO', von 1936, der allzu direkt und ungezügelt über den Schauspieler G. GRÜNDGENS herzieht, dürfen indes Zweifel angemeldet werden. (Das Sujet war von H. KESTEN angeregt, der die eigtl. Nazigrößen für "unbeschreibbar" hielt.) K. MANN sind freilich grundsätzlich die kaum zu ertragenden Spannungen aus einer Erziehung im europäisch humanen Geist und Erlebnissen voller Inhumanität anzurechnen, die sich in seinem stark autobiograph. Werk niederschlagen. Seine wichtige Amsterdamer Emigrantenzeitschrift leitete er zusammen mit A. GIDE und A. HUXLEY. 'DER WENDEPUNKT', sein eigtl. Bekenntnisbuch, schrieb er 1942 zunächst in engl. Sprache (erst 1952, drei Jahre nach seinem Selbstmord, auf dt. veröffentl.).

Am leichtesten konnte die Verbindung von Politik und Kunst denjenigen gelingen, die sich wie BECHER, BRECHT, BREDEL, ANNA SEGHERS oder WOLF auf der Basis ihrer **sozialist. Grundüberzeugung** schon vor 1933 eine politisch-ästhet. Perspektive ihres Schaffens erarbeitet hatten. **Brechts Exildramen** zählen durchaus zum Besten seiner gesamten Produktion. Das darf freilich nicht darüber hinwegtäuschen, daß das NS-Regime auch tragisch-wohlfeile Beweise für die Richtigkeit einer antifaschist. Ideologie lieferte, die nach dem Sieg über den Faschismus schwieriger zu erlangen waren. BRECHT selbst warnte darum scharfsichtig vor den "Mühen der Ebenen", die nach den "Mühen der Gebirge", des Aufbaus einer faschismusfreien Gesellschaft auf die Künstler zukämen und manche künstler. Entwicklung nach dem Krieg tatsächlich auch nachhaltig negativ beeinflußten. Weder SEGHERS noch BECHER noch manchem anderen sind nach 1945 Gestaltungen von der Qualität ihrer früheren Werke gelungen.

Um so schwieriger gestaltete sich das Schreiben für die Autoren, die die Brutalität der Gegenwart nicht nur als eine historisch notwendige Phase auf dem Weg zu einer glücklicheren Zukunft, sondern als Ausbruch einer steten Gefährdung des Menschen und der Gesellschaft darstellen wollten. Als Beispiel diene HEINRICH MANNS 'DIE JUGEND' und 'DIE VOLLENDUNG DES KÖNIGS HENRI QUATRE' (1935/38). **H. Manns antifaschist. Engagement** in Frankreich steht außer Zweifel. Nur der Tod hinderte ihn schließlich an der Übernahme des ihm angetragenen Präsidentenamtes der DDR-Akademie der Künste in Berlin 1950. Im 'HENRI QUATRE' verbindet er eine nachweislich gegenwartsgetränkte Utopie des "Ewigen Friedens" (mit Gewissensfreiheit und der *"Freiheit, sich satt zu essen")* mit einem historisch fundierten Blick in die Zeit der frz. Glaubenskriege (HENRI IV. 1553–1610); dadurch wird diese Utopie von einer kurzschlüss. Ableitung aus der nur-aktuellen Situation befreit und als Antithese auch zu einem in der Geschichte immer wieder anzutreffenden Hang gestaltet, um eines Ideals willen auch das Unrecht in Kauf zu nehmen. Der König HENRI ist so sicher zu einem "Vorläufer des rev. Sozialismus" geworden. Zugleich kann man aus diesem Roman aber auch Argumente gegen fakt. Entwicklungen des "realen Sozialismus" oder anderer Dogmatismen beziehen! Insofern erschöpft sich H. MANNS Konzeption nicht in der aktuellen Opposition gegen NS-Tyrannei.

Eine solche Deutung soll nicht zugunsten eines fragwürdigen poet. Ewigkeitsideals der Dichtung über die Notwendigkeit sehr konkreter **Aufklärung über aktuelle Verbrechen** um den Preis der Kurzlebigkeit ihrer Manifestationen hinwegreden. Auch darin erweist sich die lebensnotwendige Funktion der Literatur, daß sie sich dieser Aufgabe unterzog. Als Beispiele seien genannt: die Kollektivarbeit aus dem "Bund proletarisch-rev. Schriftsteller" von 1934, 'HIRNE HINTER STACHELDRAHT'; 'ORANIENBURG', der KZ-Bericht G. SEGERS aus demselben Jahr; die HITLER-Biographie K. HEIDENS und W. LANGHOFFS 'MOORSOLDATEN' von 1935; A. KOESTLERS Schwarzbuch über Spanien, 'MENSCHENOPFER UNERHÖRT', 1937; ERIKA MANNS 'ZEHN MILL. KINDER. DIE ERZIEHUNG DER JUGEND IM DRITTEN REICH', 1938; H. KESTENS 'DIE KINDER VON GERNIKA', 1939. ARNOLD ZWEIG (der 1950 anstelle von H. MANN die Präsidentschaft in der Ostberliner Akademie antreten wird) gelang im Roman 'DAS BEIL VON WANDSBEK' (1943 zunächst in hebr. Sprache) eine jener über den aktuellen Anlaß weit hinausreichenden Auseinandersetzungen mit dem NS-Regime.

Wie wenig die Erlebnisse bis 1945 mit dem Ende des HITLER-Staates als "bewältigt" gelten konnten, bezeugen zahlreiche Arbeiten, die unmittelbar und noch lange **nach dem Krieg, nun häufig mit der Adresse der "Daheimgebliebenen"** vollendet, veröffentlicht oder erst geschrieben werden mußten. ZUCKMAYERS 'DES TEUFELS GENERAL', HASENCLEVERS 'DIE RECHTLOSEN', H. MANNS 'EIN ZEITALTER WIRD BESICHTIGT' oder die Gedichte der NELLY SACHS (gest. 1970), die 1940 als Jüdin nur mit knapper Müh und Not (und der Hilfe der schwed. Autorin SELMA LAGERLÖF) aus Deutschland fliehen konnte, sind hierfür nur einige wenige Beispiele. Erwähnenswert ist in jedem Fall auch G. WEISENBORNS Darstellung des dt. Widerstands, 'DER LAUTLOSE AUFSTAND' (1953), die auf einer umfangreichen Materialsammlung RICARDA HUCHS aufbauen konnte. Erst 1982 schloß HORST BIENEK (1930–1990) eine Tetralogie über den 2. Weltkrieg mit dem Roman 'ERDE UND FEUER' ab.

Literatur in Österreich 1933–38

Bis zur Annexion 1938 war Österreich sowohl das Land einer weiter blühenden bodenständ. Literatur als auch erste Fluchtstation vieler "reichsdt." Emigranten (s. o.). Herausragende österr. Leistungen in diesem Zeitraum sind zweifellos die Werke Hermann Brochs (1886–1951), Elias Canettis (geb. 1905), Enrica von Handel-Mazzettis (1871–1955), Ödön von Horváths (1901–38), Alexander Lernet-Holenias (1897–1976), Robert Musils (1880–1942), und Friedr. Torbergs (1908–80).

Dazu zählen: von **Broch** neben dem Roman 'Die unbekannte Grösse' (1933), dem Drama 'Denn sie wissen nicht, was sie tun' (1934) und zahlreichen Essays jene Hörspielskizze von 1936, die Vorarbeit seines Romans 'Der Tod des Vergil' werden sollte (s. S. 245); **Canettis** wohl bedeutendster Roman, 'Die Blendung' (1935), der die tragikom. Auseinandersetzung eines versponnenen Gelehrtentums mit brutaler Kleinbürgerlichkeit darstellt; von der durch zahlreiche histor. Romane (u. a. 'Die arme Margaret' 1910) schon bekannten **von Handel-Mazzetti** 'Die Waxenbergerin' (1934) und 'Graf Reichard' (1938/39); von **Horváths** zahlreichen Dramen, die in der Tradition des österr. Volksstücks stehend das Kleinbürgertum, auch als den Nährboden des Faschismus, satirisch scharf analysieren, sowie die Romane 'Jugend ohne Gott' und 'Ein Kind unserer Zeit' (1938); von **Lernet-Holenia** eine Reihe von Romanen, darunter 'Die Standarte' (1934), und Lyrisches; von **Musil** das 2. Buch von 'Der Mann ohne Eigenschaften' (Buch 3: 1943) sowie Essays (darunter 'Nachlass zu Lebzeiten'); von **Torberg** die Romane '... und glauben, es wäre die Liebe' (1933), 'Die Mannschaft' (1935) und 'Abschied' (1937).

Als Beispiel engagierter Kritik am Faschismus (zur Aktualität des Phänomens in Österreich vor 1938 vgl. S. 253; "linke" Literatur wurde hier schon ab 1933 auch von prominenten Verlagen unterdrückt!) muß **Karl Kraus** (1874–1936) gelten. Als Sonderheft seiner Zeitschrift 'Die Fackel' (vgl. S. 237) war 1933 seine Abrechnung mit dem Nationalsozialismus, 'Die dritte Walpurgisnacht', gedacht. Zur Veröffentlichung kam es freilich erst postum 1952. Kraus' zentrales 'Fackel'-Thema, die Sprachkritik, sollte in einem Sammelband bes. Gewicht erhalten. Diese Publikation, 'Die Sprache', konnte ebenfalls erst nach seinem Tod, 1937, erscheinen.

Exilliteratur abseits der polit. Auseinandersetzung

Ein nicht zu unterschätzendes Motiv der Emigration von Künstlern war selbstverständlich auch der Versuch, in einem freien Land einfach wieder Bedingungen für ein ungestörtes Schaffen zu finden. Es ist darum geradezu natürlich, daß viele Autoren in der Emigration sich nicht nur oder gar ausschließlich polit. Themen im engeren Sinne zuwandten. Oft hatte der Einbruch des Nationalsozialismus die langwier. Vorarbeit für ein dichter. Werk unterbrochen, das nach Vollendung verlangte.

Seit 1926 hatte etwa **Thomas Mann** (vgl. S. 231) schon an dem Roman-Zyklus 'Joseph und seine Brüder' gearbeitet. 1933 erschien der 1. Band, 'Die Geschichten Jaakobs', dem er 1934 den 2. Teil, 'Der junge Joseph', 1936 (nun in Wien) den 3. Teil, 'Joseph in Ägypten', und 1943 (in Stockholm) den Schlußteil, 'Joseph der Ernährer' folgen ließ. Sein Roman 'Lotte in Weimar' (1939) war ebenfalls keinem polit. Programm, sondern der psycholog. Analyse einer histor. Personenkonstellation gewidmet (s. S. 268 ff.).

Ferdinand Bruckner (1891–1958) zollte mit seinem Drama 'Die Rassen' (Urauff. 1933 in Zürich) dem kulturellen Widerstand gegen die NS-Rassenideologie durchaus seinen Beitrag, ließ sich aber in seinen weiteren Arbeiten auch nicht davon abbringen, sein literar. Programm zu verfolgen, dem Drama die strenge Form der antiken Tragödie zurückzugewinnen ('Heroische Komödie' und 'Simon Bolivar' 1945).

Stefan Zweig, dessen verzweifelter Freitod in Brasilien (1942) die Motive seiner Emigration über jeden Zweifel erhaben macht, schenkte der dt. Literatur aus dem Exil heraus Kostbarkeiten, die ebenfalls nicht unmittelbar auf einen polit. Antagonismus zurückzuführen sind, so den Roman 'Ungeduld des Herzens' (1938), die meisterhafte 'Schachnovelle' (1941) sowie zahlreiche Essays und Biographien.

Ähnlich steht es bei **Franz Werfel** (s. S. 237 u. ö.). Seine Romane 'Der gestohlene (später: 'Der veruntreute) Himmel' (1939) oder 'Das Lied von Bernadette' (1941) sowie andere Werke der Emigrationszeit bezeugen ein wesentlich poet., eigentlich „unpolit." Programm. Das Drama 'Jacobowsky und der Oberst' (1944) setzt sich sogar kritisch mit den in Verfolgungssituationen unausweichl. menschl. Schwächen auseinander.

Eine deutl. Distanzierung von der Politik läßt während seiner Emigration in Paris der ursprünglich sogar revolutionär gesinnte Romancier **Joseph Roth** (1894–1939) erkennen. Sein umfangreiches Schaffen, dem von 1923 bis 1932 rd. ein Dutzend Romane entsprangen (u. a. 'Radetzkymarsch') setzt er nach 1933 unbeirrt fort, bis er schließlich verzweifelt und völlig verarmt stirbt. Hauptthema ist die Endzeitstimmung der habsburg. Monarchie. In den Niederlanden erscheinen zwischen 1934 und 1939 allein sechs Romane von ihm, darunter 'Die Kapuzinergruft' (1938).

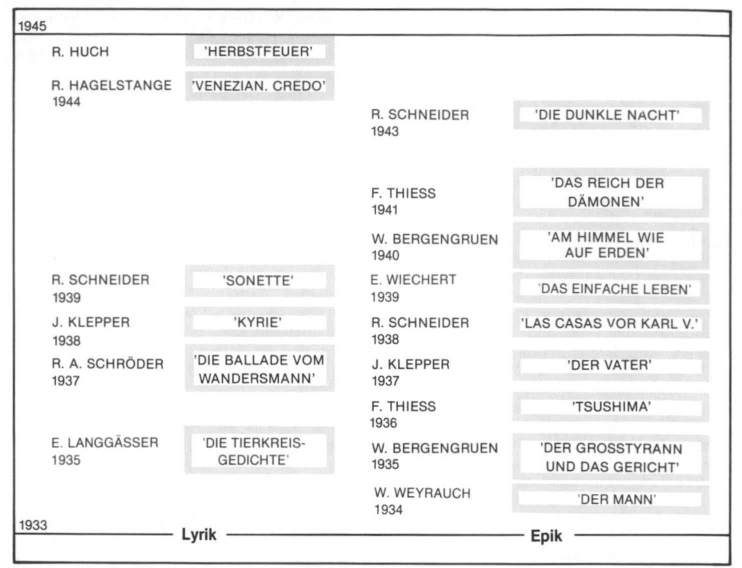

Literarische Beispiele der "Inneren Emigration"

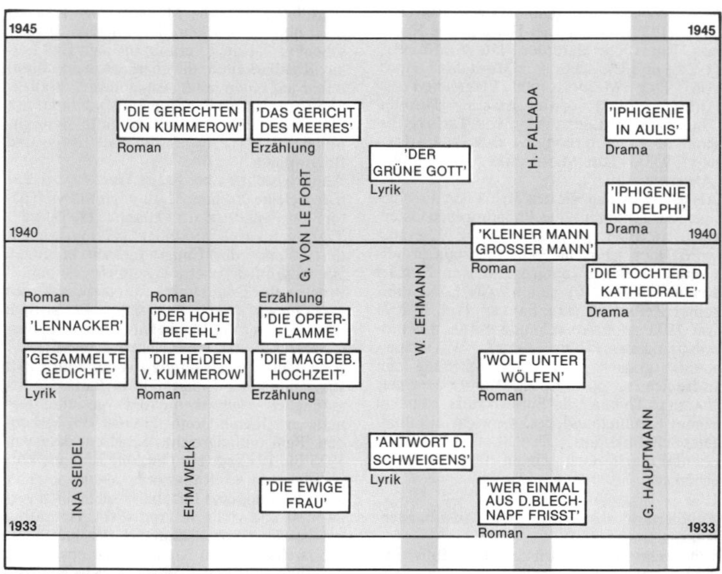

Beispiele kompromißloser Literatur im "Dritten Reich"

"Innere Emigration"
Aus distanzierter Rückschau will Emigration oder Widerstand als einzig denkbare Reaktion auf das NS-Regime scheinen. Doch nicht jedem, der nicht sofort und unmittelbar bedroht wurde, war die Kenntnis oder auch nur Ahnung der Folgen eines Ausharrens in Deutschland möglich. Nur so erklärt sich auch das lange Verbleiben mancher unmittelbar Gefährdeten, ohne daß sie wie etwa M. BUBER (der erst 1938 emigrierte, obwohl er bereits 1933 seine Lehrtätigkeit an der Frankfurter Universität hatte aufgeben müssen) aus Verantwortungsgefühl für die Leidensgenossen zurückgehalten wurden. Es waren auch Illusionen mit im Spiel, wie sie der sonst unbestechl. Kritiker der NS-Tyrannei TH. W. ADORNO bewies, der (nach eigenem Bekenntnis) *"in der Torheit dessen, dem der Entschluß zur Emigration unendlich schwer fiel"*, noch eine positive Rezension zur Vertonung von Liedern des "Reichsjugendführers" B. VON SCHIRACH schrieb (Zs. 'DIE MUSIK' 1934), bevor er selbst emigrierte (1934); vgl. S. 241.
Frank Thieß (1890–1977) prägte 1933 und wiederholte 1945 für die Künstler, die nicht ins Exil gegangen waren, aber in ihren Produktionen den Widerstand gegen das NS-System aufrechterhalten hatten, den Begriff der "Inneren Emigration". Ein sicher dehnbarer Begriff, dessen Unschärfe sich mancher nachträglich auch aus Opportunismus zunutze machen konnte. Gleichwohl gibt es unzweifelhafte Zeugnisse für eine solche Haltung, wozu von THIESS selbst vor allem 'DAS REICH DER DÄMONEN', eine Darstellung des Machtproblems an histor. (antikem) Material zählen darf. **Bergengruens** 'GROSSTYRANN', eine ebenfalls in die Vergangenheit verlegte Auseinandersetzung mit staatl. Machtmißbrauch setzte bereits 1935 Maßstäbe. Ähnlich verfuhr **Reinhold Schneider** (1903–58) etwa in 'LAS CASAS VOR KARL V.', eine Erzählung, die sein Grundthema von "Macht und Gnade" (Abh. dieses Titels 1940) umspielt. Illegal verbreitete er 1939 seine 'SONETTE'. BERGENGRUEN, SCHNEIDER und GERTRUD VON LE FORT stehen insbes. in dieser Phase unter dem Eindruck der schon um 1900 in Frankreich aufgebrochenen kath. Erneuerungsbewegung **"Renouveau catholique"** (CLAUDEL, BLOY, BERNANOS u. a.).
Jochen Klepper (geb. 1903), der auf dem Höhepunkt seiner Verfolgung freiwillig aus dem Leben schied (1942), wandte sich 1937 in der Gestaltung des Konflikts zwischen FRIEDRICH WILHELM I. von Preußen und seinem Sohn, FRIEDRICH D. GR., in 'DER VATER' einem für die "preuß." Tradition des neuen Regimes zentralen Thema zu.
Zur "Inneren Emigration" zählen zweifellos auch **Rud. Alexander Schröder** (1878–1962), der Mitglied der "Bekennenden Kirche" war. **Rud. Hagelstange** (1912–84), der sein 'VENEZIAN. CREDO' illegal drucken ließ, und nicht zuletzt die schon mehrfach wegen ihrer kompromißlosen Haltung gerühmte **Ricarda Huch.**
Gerechtigkeit gegenüber der Selbstgerechtigkeit mancher spätgeborenen "Progressiven" gebietet, auch daran zu erinnern, daß der inzwischen gern als konservativ abgetane **Ernst Wiechert** (1887–1950; vgl. S. 252) nach mutigem Eintreten für den ev. Theologen und Gegner der hitlerfreundl. "Deutschen Christen", M. NIEMÖLLER, auch eine Haftstrafe auf sich nahm.
Exemplarisch für eine **"Untergrundliteratur"** der tödlich Bedrohten ist außer HAUSHOFERS 'MOABITER SONETTEN' (s. S. 257) die Sammlung von Aufzeichnungen des 1945 hingerichteten ev. Theologen DIETRICH BONHOEFFER (geb. 1906), 'WIDERSTAND UND ERGEBUNG' (veröffentl. 1951). Sie enthält neben wichtigen theolog. Reflexionen persönl. Bekenntnisse in Gedicht-, Gebet-, Brief- und Aphorismusform.

Kompromißlose Literatur in Deutschland
Die nach 1933 in Deutschland geschriebene Literatur ist, sofern sie nicht durch bewußte Unterstützung des NS-Regimes oder weltanschaul. Übereinstimmung mit ihm kompromittiert war, ähnlich wie die Exilliteratur zu charakterisieren: einerseits aktiver (wenn auch unter den herrschenden Verhältnissen vielfach getarnter) Widerstand oder zumindest geist. Kompromißlosigkeit in Verfolgung poet. Programme. Die "harmlose" Literatur (die freilich ungewollt die durchaus "harmvolle" Funktion der Systemstabilisierung übernehmen konnte) hat sich ob ihrer Anspruchslosigkeit inzwischen meist von selbst erledigt bzw. gehört noch immer zum Unterhaltungsfach. Ohne ihnen ein gewisses Niveau absprechen zu wollen, muß man in diese Nähe doch rücken G. BRITTING, M. HAUSMANN, H. LEIP, E. PENZOLDT, G. V. D. VRING.
Gerade der Letztgenannte belegt, daß sich mancher Autor, der sein Können vor 1933 schon unter Beweis gestellt hatte (vgl. VRINGS 'SOLDAT SUHREN' von 1927), unter dem Druck der Verhältnisse ins Unverbindliche zu flüchten versuchte. Einen solchen "Rückzug" trat – wenigstens für kurze Zeit – auch **Hans Fallada** (eigtl. RUD. DITZEN, 1893–1947) an, was ihm bis heute ein negatives Pauschalurteil eingetragen hat, das keineswegs für sein Gesamtwerk, auch während der NS-Zeit, gerechtfertigt ist. Bereits 'WOLF UNTER WÖLFEN' (1937) bezeugt eine konsequente Wiederaufnahme seines zeit- und sozialkrit. Engagements, das durchaus auf offizielle Ablehnung stieß.
G. BENN, H. CAROSSA oder E. JÜNGER belegen auf je eigene Weise, wie schwierig es sein konnte, sich den geist. Gefährdungen zu entziehen, wenn man nicht bereits 1933 den

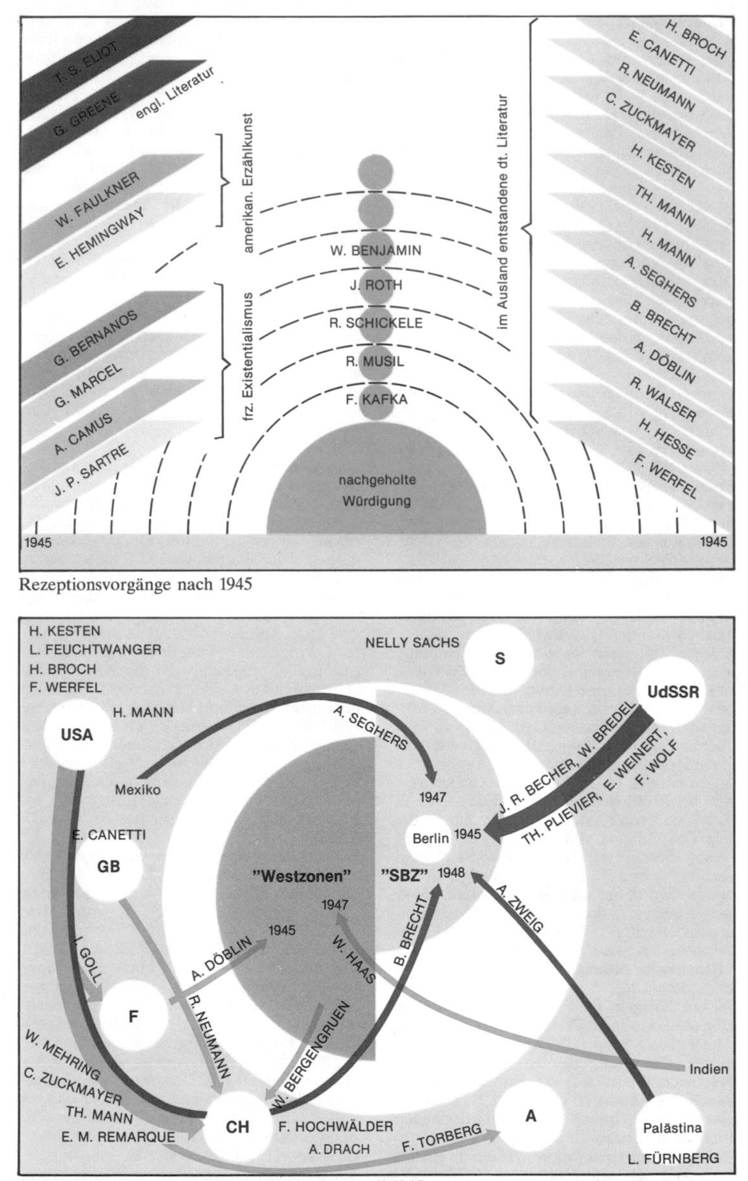

Rezeptionsvorgänge nach 1945

Beispiele der Emigration und Remigration nach 1945

Bruch mit der Heimat vollziehen wollte (vgl. S. 239 u. 253). Eine schwierige Gratwanderung zwischen Reichsideologie und anspruchsvolleren literar. Traditionen vollführten bereits im Titel ihrer Zeitschrift 'DAS INNERE REICH' (1934–44) die Herausgeber und Autoren P. ALVERDES, K. B. VON MECHOW, B. VON HEISELER.

Zu den kompromißlosen Autoren trotz (od. gerade wegen!) starker Traditionsverhaftung dürfen wir **Ina Seidel** und **Gertrud von le Fort** zählen (s. S. 253). Traditionsverbunden, aber ebenfalls ohne Zugeständnis an den herrschenden Traditionsmißbrauch schrieben der Lyriker und Erzähler **Otto von Taube** (1879–1973) und der Lyriker **Fritz Usinger** (1895–1982). Konsequent in der Ausprägung einer unromant. Naturlyrik, die auch nach dem Krieg noch weiterwirkte (s. S. 267), blieben die Freunde **Wilhelm Lehmann** (1882–1968) und **Oskar Loerke** (1884–1941), dieser reagierte jedoch auch mit trauervollen Zeitgedichten auf die dt. Tragödie.

G. **Hauptmann** (s. S. 245), dessen internat. Bedeutung die Nazis geschickt zu nutzen wußten, machte spätestens 1939 kein Hehl mehr aus seiner Distanz zum herrschenden Regime. Seine Dramen waren offiziell unanfechtbar, da sie die Konflikte der Zeit im histor. Gewand bzw. im antiken Mythos zu spiegeln versuchten.

Auch politisch konsequent blieb der Sozialist **Ehm Welk** (1884–1966), der dafür Gefängnis und KZ erleiden mußte. 'DIE HEIDEN (Forts. 'DIE GERECHTEN) VON KUMMEROW' (1937/43) gibt sich zwar als heiterer Dorfroman, doch hält WELK mit seiner realist. und krit. Sicht eines niederdt. Dorflebens deutl. Abstand zur offiziellen "Blut- und-Boden"-Literatur.

Nachkriegsbedingungen der Literatur

Die Kapitulation des Dt. Reiches am 8. Mai 1945 und die Beseitigung des NS-Regimes war trotz des totalen Zusammenbruchs Deutschlands **kein absoluter "Nullpunkt"** für eine neue geist. Entwicklung. Politisch versuchten die Siegermächte zwar eine "Entnazifizierung" des dt. Volkes, die aber auch bei größerem Erfolg die notwendige Selbstreinigung nicht ersetzen konnte. In Wirklichkeit spiegelte die Hektik des ökonom. und kulturellen Wieder- oder Neuaufbaus, in West und Ost, bei aller Unterschiedlichkeit der Ausgangspositionen, die die beiden Teile Restdeutschlands wesentlich ihren jeweil. Besatzungsmächten verdanken, die gleichen **Verdrängungsabsichten.** Es ist das Verdienst eines Teils der dt. Nachkriegsliteratur, die durch die polit. und militär. Niederlage keineswegs beantworteten **Fragen nach Schuld und Sühne für die Verbrechen der Nazizeit** wieder neu gestellt zu haben. Inzwischen kann man wissen, daß der Faschismus nur eine von vielen mögl. Entartungen menschl. Entwicklung ist, wenn die Würde des Individuums "höheren" Zielen, sei es dem "Gemeinnutz", den "gesellschaftl." oder "Klassen"-Erfordernissen oder dem "Lebensstandard" untergeordnet wird. Eine nur-polit. Kritik des Faschismus macht sich darum nicht selten blind gegen Gefährdungen des Menschen, die die besten der Dichter lange vor dem konkreten Phänomen des Faschismus in grundsätzl. Irrwegen der modernen Geschichte bloßgelegt haben; man denke nur an die apokalypt. Darstellungen KAFKAS. Seine Schreckensvisionen gehören verständlicherweise zu der Literatur, deren **verspätete Würdigung im Nachkriegsdeutschland** vehement einsetzt (im östl. Teil aus ideolog. Gründen freilich stark gebremst). Auch R. WALSER (s. S. 234) wird allmählich zur Kenntnis genommen. Das **Nachholbedürfnis** kann sich nun endlich auch den vielen exilierten Schriftstellern widmen, kann endlich auch – wenigstens partiell – die zeitgenöss. Weltliteratur zur Kenntnis nehmen, wobei es angesichts der allgem. Depression nicht wundernimmt, daß der (einst von Deutschland einmal ausgegangene) **Existentialismus** frz. Autoren, sei es als Überzeugung von der Absurdität jegl. Daseins (SARTRE, CAMUS) oder christlich hoffnungsgeprägt (MARCEL, BERNANOS), auf bes. Interesse stößt.

Für die dt. Literatur, die auch 1945 noch lange, zumindest geographisch, "zweigeteilt" bleibt, da sich viele Emigranten nicht zur Rückkehr entschließen können, bedeutet es eine starke Ermutigung, daß bereits 1946 mit HERMANN HESSE (seit 1923 Schweizer Staatsbürger) wieder ein deutschsprach. Autor den **Nobelpreis für Literatur** erhält. (20 Jahre später wird dieser Preis der Lyrikerin NELLY SACHS verliehen, die trotz Aussöhnung mit Nachkriegsdeutschland bis zu ihrem Tod 1970 im schwed. Exil verbleibt.)

Mit HESSE wurde international freilich auch eine Richtung der dt. Literatur geehrt, die so gar nicht ins Konzept derjenigen paßte, die das Heil oder auch nur Heilung der frischen Wunden etwa von einem **"Kahlschlag"** der Literatur erwarteten, wie sie noch 1949 WOLFGANG WEYRAUCH (1907–80) in einem Manifest forderte (in der Prosaanthologie 'TAUSEND GRAMM'), oder wie man sie nach dem Dictum TH. W. ADORNOS (1903–69), "nach Auschwitz ein Gedicht zu schreiben, ist barbarisch" ('KULTURKRITIK u. GESELLSCHAFT' 1949/51), vermutet hätte. So notwendig solche radikalen Forderungen angesichts der polit. Kompromittierung traditioneller Schreibweisen auch waren und so sehr die sog. **Trümmerliteratur** junger dt. Autoren wie WOLFGANG BORCHERT oder aus der "Gruppe 47" neue, befreiende Wege auch wiesen (s. S. 266ff.), – wer von einer neuen literar. Richtung allein eine bessere Zukunft erhoffte, täuschte sich erneut über die Wir-

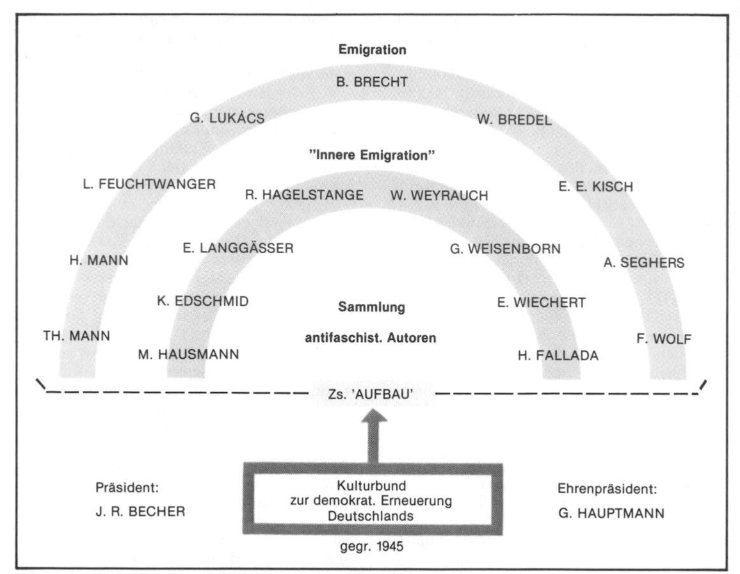

Die Zeitschrift 'AUFBAU' (”SBZ”/DDR, 1945–58) und einige frühe Beiträger

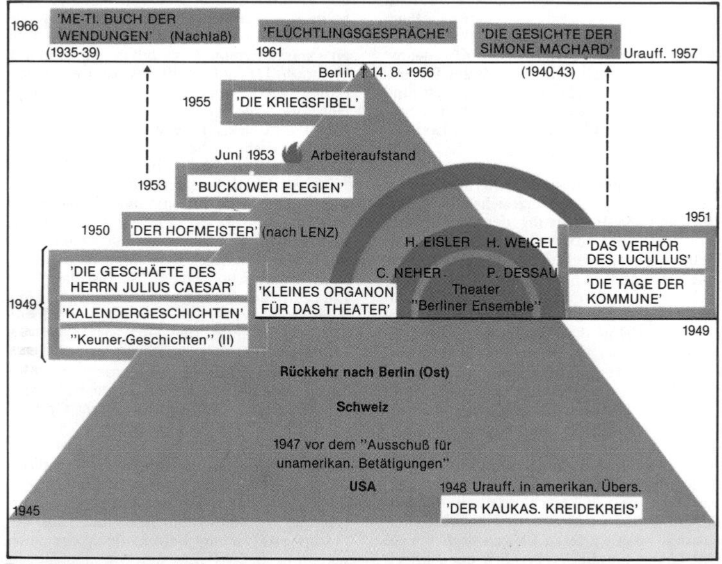

BERT BRECHT nach 1945

kungsmöglichkeiten dieses einen Mittels der Kommunikation und lud, sicher ungewollt, zu neuer Instrumentalisierung der Literatur ein.
Interessanterweise warben die Kulturfunktionäre **im sowjet. Besatzungsgebiet** (''SBZ'') zunächst durchaus nicht nur um die großen progressiven dt. Emigranten, sondern bemühten sich auch um die **Zusammenführung ''der beiden, zwölf Jahre lang getrennten Ströme der dt. Literatur''** (A. Abusch, 1947), und dies unter Einschluß von Autoren, die heute in der Bundesrep. nicht selten arrogant als ''gestrig'' und ''konservativ'' abgetan werden wie E. Wiechert, der in der Zs. 'Aufbau' neben G. Lukács und W. Bredel veröffentlichen konnte (vgl. S. 261).

Literatur in der ''SBZ'' und die Autoren des Exils

Für viele Emigranten war angesichts der offensiv demokratisch und national orientierten Kulturpolitik in der ''SBZ'' eine **Rückkehr in diesen Teil Deutschlands** fast selbstverständlich; ganz selbstverständlich für alle diejenigen, die schon vor 1945 für eine sozialist. Erneuerung Deutschlands eingetreten waren (Plievier zog sich allerdings bereits 1947 mit scharfer Kritik am Stalinismus über Westdeutschland in die Schweiz wieder zurück). **A. Zweig** übernahm 1950 als erster das Amt des Präsidenten der neuen Dt. Akademie der Künste in Ostberlin, das man zuvor **H. Mann** angetragen hatte, der aber, noch in Kalifornien, plötzlich verstarb. **G. Hauptmann** wurde noch kurz vor seinem Tod (1946) Ehrenpräsident des von **Becher** geleiteten ''Kulturbundes''. Auch **Th. Mann** ließ es sich trotz westdt. Kritik nicht nehmen, im Goethejahr 1949 sowohl in Frankfurt a.M. als auch in Weimar zu sprechen. Bereits 1947 hatte er sich zusammen mit Becher um die **Wiederaufnahme dt. Autoren in den internat. PEN-Club** bemüht. (1949 war noch die Gründung eines PEN-Zentrums für dt. Autoren in Ost und West möglich, das durch Gründung eines eigenen Zentrums für die Bundesrep. 1951 allmählich aber seine gesamtdt. Funktion verlor; seit 1967 ''PEN-Zentrum DDR''.) Zur Rückkehr in die auseinanderdriftenden Teile Deutschlands mochte sich Th. Mann dann nicht mehr entschließen. 1952 ließ er sich endgültig in der Schweiz nieder. Auch **Zuckmayer** und **Remarque** übersiedelten in die Schweiz, die **Hochwälder** (seit 1938 dort) ebenfalls nicht mehr verlassen wollte. **Werfel** starb bereits kurz nach Kriegsende, **Broch** 1951, **Feuchtwanger** 1958 in den USA. **Torberg** zog es von dort wieder nach Wien, den dt. und frz. schreibenden Lyriker **Yvan Goll** erneut nach Paris – um nur einige wenige Nachkriegsschicksale zu erwähnen.
Man kann somit sagen, daß die **Schwerpunkte einer politisch noch nicht geteilten dt. Literatur in den ersten Jahren nach 1945 im wesentl. noch im Exil und in der ''SBZ''** lagen. Eine Brücke zwischen Ost und West blieb **Berlin. Döblin,** seit 1945 in Westdeutschland, ist insofern ein Sonderfall, als er zunächst als frz. Kulturoffizier nach Deutschland kam. 1953 kehrte er im übrigen nach Frankreich zurück: sein 'Hamlet' fand in der Bundesrep. keinen Verleger, sondern wurde in der DDR gedruckt!
Inzwischen bemüht sich die DDR-Literaturgeschichtsschreibung um den Nachweis, daß die im östl. Teil Restdeutschlands nach 1945 entstandene Literatur die einzig ''richtigen'' Antworten auf die polit. Katastrophe von 1933–45 gefunden und dabei konsequent am Aufbau des ''realen Sozialismus'' mitgewirkt habe. Tatsächlich ist in der ''SBZ'' und in der späteren DDR eine im Westen **gelegentlich unterschätzte Literatur** entstanden, die aber oft genug auch gegen die offizielle Parteidoktrin vom ''sozialist. Realismus'' und um den Preis von Veröffentlichungsverbot, Vertreibung und Ausbürgerung geschrieben wurde (vgl. Tafeln S. 278 u. 284). Was zu Beginn der Nachkriegsära in der ''SBZ'' mit ehrlichem Bemühen um neue, demokratisch gesinnte Ausdrucksformen geschaffen wurde, kann heute freilich nur noch teilweise als überdauernde Leistung gewertet werden, wie auch vieles aus der frühen westdt. Literatur kaum mehr als zeitgeschichtl. Interesse findet. Auch konnten die sozialist. Altmeister wie **Becher** und **Seghers** in ihrer Anpassung an die sich verengenden polit. Verhältnisse kaum noch an frühere Leistungen anknüpfen. Bechers Nachkriegslyrik ist wegen ihrer peinl. Egozentrik und wegen ihrer nicht selten hohlen Pathetik oder Sentimentalität in vielen Texten geradezu unerträglich geworden. Seghers' Nachkriegsromane ('Die Toten bleiben jung' 1949, 'Die Entscheidung' 1959, 'Das Vertrauen' 1969) haben sich durchaus jener ''scholast. Schreibart'' genähert, vor der die Autorin ihre Kollegen selbst einmal gewarnt hat. Stärker hingegen ist sie in kürzeren Erzählungen geblieben, so in 'Die Kraft der Schwachen' (1966). – Bleibende Leistungen aus der ''SBZ'' bzw. der frühen DDR, vor allem auf dem Gebiet der Lyrik, stammen indes von Peter Huchel (1903–81) und Stephan Hermlin (geb. 1915). Huchel, der schon vor dem Krieg literarisch hervorgetreten war, ist aber auch zugleich eins jener traurigen Beispiele für **politisch bedingte Behinderungen freier Schriftsteller** in der DDR. Als Herausgeber der Zs. 'Sinn und Form' mußte er 1962 wegen ideolog. Anfeindungen zurücktreten. 1971 emigrierte er über Rom in die Bundesrep.
Viele der anfänglich durchaus i. S. einer antifaschist. Neuorientierung der DDR engagierten Autoren entwickelten nach und nach in Auseinandersetzung mit dem offiziellen Kurs zumindest **abweichende Standpunkte,** die – sofern sie in Veröffentlichungen (nicht selten

außerhalb der DDR) literar. Niederschlag finden konnten – auf einen formal wie inhaltlich ungebrochenen Zusammenhang zeitgenöss. dt. Literatur verweisen (s. S. 283ff.). Einen unschätzbaren Gewinn für die literar. Entwicklung im östl. Teil Deutschlands bedeutete natürlich die **Rückkehr Brechts nach Berlin,** die nicht zuletzt deswegen erst 1948 erfolgen konnte, weil dieser engagiert sozialist. Autor im Exilland USA in die Mühlen peinl. Untersuchungen "unamerikan. Betätigungen" geraten war. (Auch andere Exilautoren wie L. FÜRNBERG in Israel wurden quälend lange an einer Rückkehr in ihre Heimat gehindert.) Schon 1949 konnte BRECHT mit der **Gründung des "Berliner Ensembles"** (zus. mit seiner Frau HELENE WEIGEL) dem Theaterleben der ehem. Hauptstadt wieder Weltgeltung verschaffen, selbstverständlich in Fortführung seiner politisch geprägten Kunsttheorie, die ihm in der Verschärfung des "Kalten Krieges" zwischen Ost und West bald die entschiedene Gegnerschaft des offiziellen Westdeutschland eintrug. Als er sich anläßl. des Arbeiteraufstands von 1953 "linientreu" i. S. der obsiegenden SED verhielt, wurde vielerorts in der Bundesrep. ein Aufführungsboykott über BRECHT-Stücke verhängt. BRECHTS Verhältnis zur Tradition, die ihm nur insoweit wichtig war, wie sie für aktuelle Themen verwertbar erschien, hat eine Parallele in der selektiven Einstellung der DDR zum **"humanist. und sozialist. Erbe"** der dt. Kultur und prägt noch heute – nach dem Schwinden eines offensiven Antikommunismus in der Bundesrep. und einer verstärkten BRECHT-Rezeption – die Regiearbeit vieler westdt. Theater bis hin zum willkürl. Umgang mit Stücken des Meisters selbst. (Zum Schaffen BRECHTS nach 1945 s. Tafel S. 264, zur Literatur in der DDR S. 279ff.).

Literatur in Westdeutschland

Auch in den drei "Westzonen" und in den Westsektoren von Berlin gab es bedeutende Kräfte, die nach dem Zusammenbruch des Dt. Reiches in der Literatur einen Neubeginn setzen wollten, der freilich weniger "einheitlich" ausfallen konnte als im östl. Besatzungsgebiet, wo man von Anfang an mit dem polit. Willen des sowjet. Siegers konfrontiert war, der bis zum Tod STALINS (1953) oft nur taktisch bedingte Spielräume ließ (vgl. die Zwangsvereinigung von SPD und KPD zur SED 1946). Hervorragende **Publizisten** verschiedenster Herkunft wie A. EGGEBRECHT, W. DIRKS und E. KOGON (Autor von 'DER SS-STAAT' 1946) zeigten das gleiche **antifaschist. Engagement** wie ihre Kollegen in der "SBZ".

Die literar. Antworten auf die Fragen der jüngsten Vergangenheit und der Gegenwart waren indes sehr unterschiedlich. Den gültigsten Ausdruck der direkten Betroffenheit formulierte **Wolfgang Borchert,** Angehöriger des wohl am stärksten dezimierten Soldatenjahrgangs 1921, der in einer Reihe von Kurzgeschichten (etwa in 'DIE HUNDEBLUME' 1947) und in dem schon klassisch gewordenen Hörspiel und Bühnenstück 'DRAUSSEN VOR DER TÜR' (1947) die Verzweiflung der Heimkehrergeneration in der ihm verbleibenden kurzen Lebensspanne (gest. 1947) zu gestalten versuchte. **Wolfgang Weyrauch,** Autor des "Kahlschlag"-Manifests (s. S. 263), widmete sich in zahlreichen Gedichten, Kurzgeschichten und ebenfalls in der Gattung des Hörspiels, die er stark beeinflußte, der *"Entmenschlichung des Menschen durch den Menschen"*. Der Widerstandskämpfer **Günther Weisenborn** (1902–69), schon 1928 mit einem Antikriegsstück ('U-BOOT S 4') hervorgetreten, wirkte in Berlin als Herausgeber der satir. Zs. 'ULENSPIEGEL' (1945–47), die wichtige zeitkrit. Texte aus Ost und West veröffentlichte, und als Theatergründer (HEBBEL-Theater). WEISENBORN publizierte u. a. auch jene auf der Materialsammlung R. HUCHS basierende Darstellung des dt. Widerstands, 'DER LAUTLOSE AUFSTAND' (1953; vgl. S. 258).

Romane wie 'DAS UNAUSLÖSCHL. SIEGEL' (1946) von **Elisabeth Langgässer** (1899–1950) und 'DIE STADT HINTER DEM STROM' (1947) von **Hermann Kasack** (1896–1966) werden wie einige Nachkriegsarbeiten der Brüder E. und F. G. JÜNGER und ERNST KREUDERS zum **"mag. Realismus"** gezählt, der – auch dies ein ernstzunehmender Versuch der westdt. Nachkriegsliteratur, der kaum zu fassenden Katastrophe sprachlich Herr zu werden – hinter der realistisch dargestellten Wirklichkeit symbol- oder chiffrehaft eine andere, geheimnisvolle Realität aufdekken möchte. Die Kritik dieser seinerzeit bedeutsamen literar. Strömung hat freilich auch auf die Gefahr aufmerksam gemacht, daß mit der **Dämonisierung der Geschichte** die Verantwortung für das Geschehen geleugnet werden kann.

Neben diesen nur exemplarisch aufgezählten Namen etablierte sich in Westdeutschland eine Literatur, die trotz unbezweifelbarer literar. Qualität nicht immer den Eindruck der **Verdrängung des Geschehenen** vermeiden konnte. Dieser Vorwurf trifft aber zumindest auch das westdt. Lesepublikum (und seine Verlage!), das den Autoren, die dem Anspruch, mit Literatur auch polit. Probleme zu lösen, auswich oder wegen angebl. Nähe krit. Autoren zum Kommunismus einer "heilen Welt" zuneigte. Die jüngste "Heilslehre" des dt. Volkes, der Nationalsozialismus, hatte sich als Aberwitz entlarvt, die kommunist. Heilslehre erwies sich nicht gerade als attraktiv; **die allgem. Ratlosigkeit wurde nur oberflächlich mit dem Ringen um materielle Güter zugedeckt.** Das westl. Demokratieverhältnis, das der "Umerziehung" der Westdeutschen zugrundegelegt wurde, ist grundsätz-

lich geprägt von der Freiheit des einzelnen, ohne staatl. (oder ”gesellschaftl.“) Zwang und damit ohne Verpflichtung auf gemeinsame Überzeugungen seinen Lebensweg zu meistern. Das ließ auch **politisch ärgerl. oder höchst unkrit.** (gleichwohl sehr erfolgreiche) **”Zeitromane“** zu wie 'DER FRAGEBOGEN' (1951) von E. v. SALOMON (in der Weimarer Republik ein bekannter Rechtsextremist) oder '08/15' (1954/55) von H. H. KIRST. Neben dem oft nur unwillig aufgenommenen politisch krit. Engagement konnten im Bereich ernsthafter Literatur so nur noch die **Reste christl. Grundüberzeugungen oder ästhet. Programme** aktiviert werden.
Zu letzteren kann die (im übrigen in West und Ost) **ungebrochene Pflege des Naturgedichts** gezählt werden, dessen jüngere Tradition in Deutschland von OSKAR LOERKE und WILHELM LEHMANN (s. S. 263) begründet wurde. Insbes. LEHMANNS Thema, die Natur als ”der grüne Gott“ (Titel einer Lyrikedition von 1942) und die mag. Verbundenheit des Menschen mit dem zeitlosen Naturgeschehen, beeinflußte die Lyrik nachhaltig. Trotz entschiedener Zuwendung zur Nachkriegswirklichkeit und Mahnung zur Verantwortung suchten auch viele Gedichte GÜNTER EICHS (1907–72) i. S. einer solchen ”Dingmagie“ hinter der vordergründ. die eigentl. Realität. KARL KROLOW (geb. 1915) stand vor seinen surrealistisch angeregten Sprachexperimenten ebenfalls unter dem Einfluß dieser modernen Naturlyrik.

Gottfried Benn (s. S. 237), der gerade durch sein Nachkriegsschaffen eine erstaunl. internat. Anerkennung fand, mag man vieles vorwerfen, mit Sicherheit aber nicht, daß er eine ”heile Welt“ verkündet hätte. Seine 'STAT. GEDICHTE' von 1948 etwa sind Ausdruck einer von vielen Lyrikern nach ihm geteilten Überzeugung, daß die Heillosigkeit der Welt nur durch die artistisch gelungene ”absolute“ Form ertragen werden könne.

Christlich geprägte Autoren wiederum bedurften nicht erst des ”Beweises“ durch die NS-Zeit, daß die menschl. Natur grundsätzlich gefährdet sei und im blinden Streben nach diesseit. Heil eher das Unheil bewirke. Die relig. Erfahrung der Heils- und Trostbedürftigkeit des Menschen konnte sich darum bei ihnen in einer oft mißverstandenen Kontinuität über die zeitl. Markierungen der (Un-)Heilsgeschichte hinweg äußern. Hierzu zählt vor allem der Lyriker R. A. SCHRÖDER (s. S. 261; u. a. 'AUF DEM HEIMWEG' 1946 und 'WEIHNACHTSLIEDER' 1947), ferner der ev. Pfarrer ALBRECHT GOES (geb. 1908; etwa mit 'GEDICHTE 1930–1950'). Auch der 1936 zum Katholizismus übergetretene WERNER BERGENGRUEN (s. S. 261), nach dem Krieg zwölf Jahre in der Schweiz lebend, setzte neben seinem erzähler. Werk auch sein Schaffen relig. Lyrik fort ('DIE ROSE VON JERICHO' 1936; 'DIES IRAE' 1946). Während des amerikan. Exils war auch ALFRED DÖBLIN (s. S. 250) kath. geworden. Seine neue Glaubenshaltung äußerte sich in seinen Nachkriegsessays (u. a. 'DER UNSTERBL. MENSCH' 1946) und lange vor dem Roman 'HAMLET' (1956; vgl. S. 265) schon in der Südamerikatrilogie 'DAS LAND OHNE TOD', 'DER BLAUE TIGER', 'DER NEUE URWALD' 1937–48. Geschichte als ”Gericht“ zu deuten, war auch für REINHOLD SCHNEIDER (s. S. 261) keine Modewendung nach dem Krieg; man denke u. a. an Titel wie 'APOKALYPSE' und 'ERSCHEINUNG DES HERRN' (Lyrik 1946) oder 'DER TOD DES MÄCHTIGEN' (Erz. 1946).

Die folgenreichsten Anregungen i. S. einer literar. Erneuerung gingen indes von den Autoren aus, deren Werk oft (mißverständlich) als **”Trümmerliteratur“** bezeichnet wird. Im weltliterar. Maßstab handelt es sich dabei um die **dt. Ausprägung des Neorealismus,** der seine Blüte vor allem in der it. Literatur und Filmkunst hatte (u. a. PAVESE, SILONE, VITTORINI bzw. de SICA, VISCONTI – *neorealismo/ neoverismo*). Entscheidend wurde in Westdeutschland die Dichtergruppe, die sich um die u. a. von A. ANDERSCH, H. W. RICHTER, W. SCHNURRE hg. Zs. 'DER RUF' (1946/47) sammelte. Als 'DER RUF' von den Amerikanern sehr bald wieder verboten war (er propagierte u. a. einen ”sozialist. Humanismus“), gründete sich unter maßgebl. Wirkung von RICHTER 1947 in München die **”Gruppe 47“,** die durch mindestens zwei Jahrzehnte einen wesentl. Teil der literar. Szene bestimmte (s. S. 270 ff.).

Insgesamt war die unmittelbare Nachkriegszeit eine **kulturelle Zwischenphase mit einer heute unvorstellbar gewordenen Fülle an Initiativen** auf den verschiedensten Feldern. Die Zahl der Verlags- und Zeitschriftengründungen ist kaum überschaubar. Theateraufführungen und Konzerte, oft noch in Ruinen, hatten einen vorher und nachher nicht gekannten Zulauf. Die neue geistige Freiheit regte zahllose Publikationen gegensätzlichster Art an. Aber bereits die Währungsreform von 1948 brachte das meiste wieder zum Erliegen. Der danach einsetzende wirtschaftl. Aufschwung absorbierte viele Kräfte, und diejenigen Autoren, die sich und ihrem Publikum die Aufbruchstimmung dieser Phase zwischen Diktatur und Demokratie bewahren wollten, kamen leicht in den Ruch des ”Miesmachers“, bis eine Zeit materieller Übersättigung alte und neue Sinnfragen stellte.

HEINRICH MANN

1933 Emigration über Prag nach Frankreich
Antifaschist. Propaganda
1935
Romane
'DIE JUGEND D. KG. HENRI QUATRE'
'DIE VOLLENDUNG D.KG. HENRI QUATRE'
1939
1940 Flucht über Spanien nach Kalifornien
'LIDICE'
1945
'EIN ZEITALTER WIRD BESICHTIGT'
Autobiographie
'DER ATEM'
'EMPFANG BEI DER WELT' (postum 1956)
1950
† 12. 3. Santa Monica (Cal.)
vor Amtsantritt als Präs. der Dt. Akad. der Künste (Ostberlin)
Romane
'DIE TRAURIGE GESCHICHTE VON FRIEDRICH DEM GROSSEN'
(Fragment, postum 1960)

THOMAS MANN

1933 Aufenthalt in USA, Frankreich, Schweiz
1935
1936 Bruch mit dem NS-Regime
Antifaschist. Propaganda
'LOTTE IN WEIMAR'
Josephs-Tetralogie
'DIE VERTAUSCHTEN KÖPFE'
'DAS GESETZ'
1945
Romane
Novellen
'DOKTOR FAUSTUS'
1950
'DER ERWÄHLTE'
1952 Rückkehr nach Europa (CH)
'DIE BETROGENE'
'FELIX KRULL'
(1922)
1955
† 12. 8. Kilchberg/Zürich

Das epische Werk der Brüder HEINRICH und THOMAS MANN nach 1933

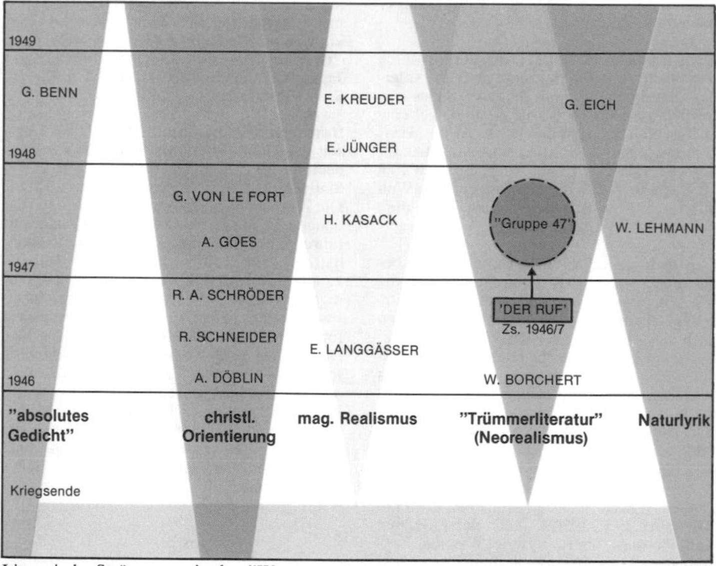

Literarische Strömungen in den "Westzonen"

Literar. Nachkriegsformen: Hörspiel und Kurzgeschichte

So unmöglich es ist, die literar. Fülle eines so bewegten Zeitraums wie der ersten Nachkriegsjahre knapp und angemessen zu umreißen, so leicht läßt sich doch sagen, daß in formaler Hinsicht zwei Gattungen ungewöhnl. (Wieder-)Belebung erfuhren: das Hörspiel und die Kurzgeschichte. Es greift zu kurz, ihre Bevorzugung wie auch die Beliebtheit der Lyrik in diesen Jahren allein auf die materielle Mängelsituation (etwa die Papierknappheit!) zurückzuführen. Im Hörspiel hatten freie Schriftsteller erstmals wieder Zugang zu dem Medium, das zwölf Jahre lang schamlos für Propagandazwecke mißbraucht worden war. Die Kurzgeschichte und der kleine lyr. Text waren die adäquaten Formen für die vorsichtig tastenden Versuche, die unheimlich gewordene Realität nach und nach wieder sprachlich zu meistern. Den "langen Atem" des großen Epos hatte es vielen tatsächlich verschlagen!

Nach einer ersten Blüte des Hörspiels vor 1933 (Theoretiker: BRECHT, H. PONGS und R. KOLB; vgl. S. 241) hatte während der NS-Zeit von den schon erprobten Spielarten dieser Gattung nur die "völkisch-nationale" eine Chance (u.a. A. BRONNEN, H. JOHST). Die Nachkriegsentwicklung knüpfte in Westdeutschland an das (links-)bürgerlich-humanist. Zeitstück an (A. DÖBLIN, H. KASACK, Ö. v. HORVÁTH u.a.). BORCHERT und WEYRAUCH sind als frühe Autoren bereits genannt (s. S. 266). Es folgten u.a. G. EICH, ILSE AICHINGER, E. SCHNABEL, der Schweizer M. FRISCH, die Österreicherin INGEBORG BACHMANN. In den sechziger Jahren, mit dem Aufschwung des Fernsehens, wurde das schon klassisch gewordene **literar. Hörspiel** von experimentierfreudigen Formen, dem **"totalen Schallspiel"** ("Neues Hörspiel") abgelöst. Zu den Autoren dieser Phase gehören JÜRGEN BEKKER, P. O. CHOTJEWITZ, P. HANDKE, E. JANDL und W. WONDRATSCHEK. – In der "SBZ" und in der DDR knüpfte man konsequenterweise eher an das **"sozialist. Hörspiel"** an, für das u.a. BECHER und W. BENJAMIN wichtige Archetypen geliefert hatten. Autoren wie M. SCHEER, R. LEONHARD, G. RÜCKER, ROLF SCHNEIDER, W. BRÄUNING und R. KIRSCH bewirkten hier eine eigene Entwicklung, deren Höhepunkte in den sechziger Jahren lagen. Das **Funk-Feature** wurde wesentlich von E. SCHNABEL gefördert.

Die **Kurzgeschichte** hatte durchaus auch ihre dt. Tradition, die bis ins 19. Jh., etwa zu J. P. HEBEL, zurückzuverfolgen ist. BRECHT hatte sie nachhaltig beeinflußt. Doch wurde die Nachkriegsblüte in mindestens gleicher Weise durch die **Rezeption der amerikan. shortstory** und deren Meister HEMINGWAY, FAULKNER und TH. WOLFE gefördert. BORCHERT und WEISENBORN gehören wiederum zu den frühen Höhepunkten der neuen Entwicklung. Auch hierin folgten ihnen mit eigenen großen Leistungen G. EICH und I. AICHINGER, sodann H. BÖLL, M. L. KASCHNITZ, W. SCHNURRE u.v.a.m.

Kontinuitäten dt. Literatur außerhalb Deutschlands

Außer den schon früher erwähnten Nachkriegspublikationen WERFELS (postum), BROCHS, ZUCKMAYERS, HEINR. und THOMAS MANNS, BRECHTS und FEUCHTWANGERS (s. Tafeln S. 262, 264 u. 268) sind aus dem Zeitraum der ersten vier Jahre nach Kriegsende besonders bemerkenswert L. FÜRNBERGS autobiograph. Werk 'BRUDER NAMENLOS' (1945/46, im palästinens. Exil entst.), REMARQUES Darstellung von Emigrantenschicksalen in 'ARC DE TRIOMPHE' (1946), H. KESTENS Roman 'DIE ZWILLINGE VON NÜRNBERG' (1947), F. HOCHWÄLDERS Drama 'DER ÖFFENTL. ANKLÄGER' (1948) und F. TORBERGS Roman 'HIER BIN ICH, MEIN VATER' (1948), um nur einige wenige Autoren und Werke einer überaus fruchtbar weiterwirkenden **Exilliteratur** zu nennen.

1948 trat in Paris mit 'DER SAND AUS DEN URNEN' einer der bedeutendsten deutschsprach. Lyriker an die Öffentlichkeit: **Paul Celan** (aus Czernowitz/Bukowina, 1920–70). Sein Gedicht 'TODESFUGE' gehört neben Texten von NELLY SACHS (vgl. S. 259) zu den wenigen Dichtungen, denen es gelungen ist, die Unsagbarkeit jüd. Leids in den KZs aufzuheben. Obwohl ebenfalls durch die Nazis verfolgt blieb der seit 1929 in Paris und in der Normandie wirkende Erzähler und Dramatiker **Joseph Breitbach** (1903–80) um eine dt.-frz. Verständigung bemüht. Der Wiener **Jean Améry** (1912–78) blieb trotz Emigration, Widerstandskampf und KZ-Haft der dt. Sprache auch in seinem Brüsseler Exil (ab 1945) treu (u.a. 'JENSEITS VON SCHULD UND SÜHNE' 1966, 'UNMEISTERL. WANDERJAHRE' 1971). Sein spektakulärer Freitod 1978 schien gedanklich vorweggenommen in dem "Diskurs" 'HAND AN SICH LEGEN' (1976).

Die 1949 durch **Gründung der Bundesrep. und der DDR** zurückgewonnene (Teil-)Staatlichkeit Deutschlands könnte leicht dazu verleiten, in diesem Jahr auch einen Einschnitt in der literar. Entwicklung insges. zu sehen (die offizielle DDR reklamierte das Jahr 1949 ganz ausdrücklich als Beginn einer eigenen "sozialist. Nationalliteratur"!). Für die weiterhin im nichtdeutschsprach. Ausland verbleibenden Schriftsteller, aber auch für die dt. Literatur in der Schweiz und in Österreich (seit 1955 wieder unabh. Republik) ist dieses Datum jedoch ohne jede Bedeutung. Die Kontinuitäten in der dt. Literatur außerhalb Deutschlands nach 1945 haben leider nicht vermocht, jene **"kleindt." Imagepflege von DDR- und westdt. Literatur** aufzugeben, die sich an einen der Geschichte deutsch-

	M. FRISCH – Dramen	M. FRISCH – Epik	F. DÜRRENMATT – Epik	F. DÜRRENMATT – Dramen
1970–1980	"Ende des literar. Theaters" ['TRIPTYCHON']	'BLAUBART' 'DER MENSCH ERSCHEINT IM HOLOZÄN' 'MONTAUK' 'WILHELM TELL FÜR DIE SCHULE'	'STOFFE I-III' 'DER STURZ'	'FRIST' 'DER MITMACHER' 'TITUS ANDRONICUS'
1960–1970	'BIOGRAFIE' 'ANDORRA'	'MEIN NAME SEI GANTENBEIN'		'PLAY STRINDBERG' 'DER METEOR' 'DIE PHYSIKER' 'FRANK V.'
1950–1960	'BIEDERMANN UND DIE BRANDSTIFTER' 'DON JUAN OD. DIE LIEBE Z. GEOMETRIE' 'GRAF ÖDERLAND'	'HOMO FABER' 'STILLER'	'DAS VERSPRECHEN' 'DIE PANNE' 'GRIECHE SUCHT GRIECHIN' 'DER VERDACHT' 'DER RICHTER UND SEIN HENKER' 'DER NIHILIST'	'DER BESUCH DER ALTEN DAME' 'EIN ENGEL KOMMT NACH BABYLON' 'DIE EHE DES HERRN MISSISSIPPI' 'ROMULUS DER GROSSE'
vor 1950	'DIE CHINES. MAUER' 'NUN SINGEN SIE WIEDER' 'SANTA CRUZ'	'BIN ODER DIE REISE NACH PEKING'		'ES STEHT GESCHRIEBEN'

Hauptwerke MAX FRISCHs und FRIEDRICH DÜRRENMATTs

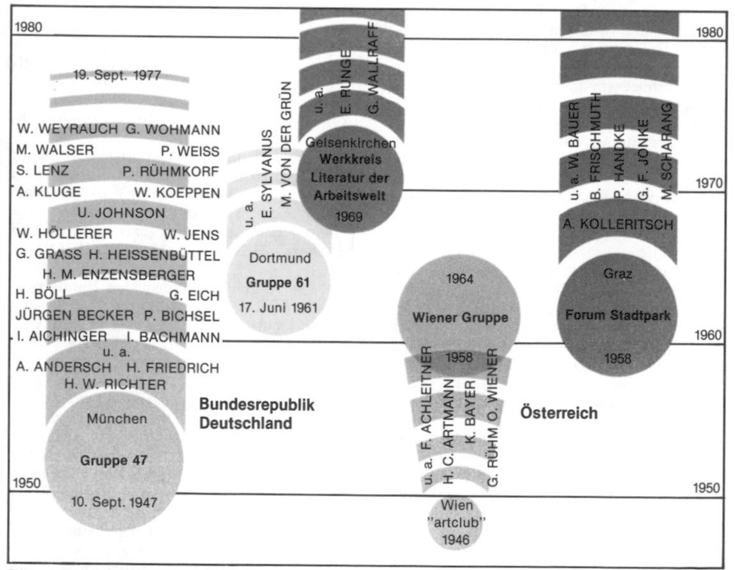

Literarische Gruppen nach 1945

sprach. Kultur völlig ungemäßen, politisch verengten Nationalbegriff klammerte.
Die Feststellung, daß die dt. Katastrophe die Weltgeltung einer aktuellen dt. Literatur nachhaltig geschwächt habe, trifft mit Sicherheit auf literar. Erscheinungen der **Schweiz** nicht zu. Die Schweiz beherbergte noch nach 1945 nicht nur viele Emigranten, sondern war und ist auch der (freilich mit krit. Distanz erfahrene) Lebensraum zweier Autoren, die nach den großen Gestalten der 1. Jahrhunderthälfte der deutschsprach. Literatur internat. Rang sicherten: MAX FRISCH und FRIEDR. DÜRRENMATT.
Als Epiker hatte **Frisch** (1911–91) schon in den dreißiger Jahren auf sich aufmerksam gemacht, etwa mit 'JÜRG REINHART' (1934). 1945 veröffentlichte er 'BIN ODER DIE REISE NACH PEKING'. Sein dramat. Schaffen, anfänglich unter deutl. Einfluß von BRECHT, setzte ein mit 'SANTA CRUZ' (1944/47) und 'ALS DER KRIEG ZU ENDE WAR' (1945). Es folgten 'NUN SINGEN SIE WIEDER. VERSUCH EINES REQUIEMS' (1946) und die Farce 'DIE CHINES. MAUER' (1947, Neufass. 1955). Mit der Verweigerung einer Aufführung des Dramas 'TRIPTYCHON' signalisierte FRISCH für sich das "Ende des literar. Theaters" (Hörspielfassg. 1979). – BRECHTS gesellschaftskrit. Demonstrationsabsicht und Stilmittel prägen auch die Dramen **Friedr. Dürrenmatts** (1921–90), der sich bis zuletzt freilich einen auf keine literar. Strömung festzulegenden Nonkonformismus bewahrt hat: 'ES STEHT GESCHRIEBEN' 1947 (Neufassg. 'DIE WIEDERTÄUFER' 1957), leitet die Reihe seiner großen Dramen ein, neben die in den fünfziger Jahren auch ein phantasiereiches Erzählwerk tritt.
Als begabt, nach Anfangserfolgen aber geradezu unproduktiv erwies sich der Schweizer PETER BICHSEL (geb. 1935), im wesentl. nur durch seine 'KINDERGESCHICHTEN' (1969) berühmt. Mit einer wachsenden Fülle erzähler. Arbeiten machte sich spätestens seit Mitte der sechziger Jahre **Adolf Muschg** (geb. 1934) einen Namen (u.a. 'IM SOMMER DES HASEN' 1965, 'FREMDKÖRPER' 1968, 'ENTFERNTE BEKANNTE' 1976, 'NOCH EIN WUNSCH' 1979). Mit experimenteller Lyrik ('KONSTELLATIONEN' 1953) erschloß der 1925 in Bolivien geb. **Eugen Gomringer** der dt. Literatur in der Schweiz die "absolute Dichtung", vergleichbar H. HEISSENBÜTTEL in Deutschland und F. MON in Österreich. GOMRINGERS 'VOM VERS ZUR KONSTELLATION' (1955) muß als eine der grundlegenden theoret. Schriften dieser Richtung gelten.
Die Literatur in **Österreich** wird nach dem Krieg noch stark von zwei bedeutenden älteren Autoren mitgeprägt, von den beiden miteinander befreundeten Wienern HEIMITO VON DODERER (1896–1966) und ALBERT PARIS GÜTERSLOH (1887–1973), dieser auch ein führender Vertreter des "Phantast. Realismus" in der Malerei. **Doderer,** Verfasser einer eigenen Romantheorie, nach der das Epos jeweils die Totalität einer Weltsicht sichern soll, entfaltete nach dem 2. Weltkrieg noch ein reiches Romanwerk, wozu 'DIE STRUDLHOFSTIEGE' (1951), 'DIE DÄMONEN' (1956) und 'DIE MEROWINGER' (1962) zählen. Sein 'ROMAN NR. 7' blieb nach zwei von geplanten vier Bänden unvollendet (1963–67). **Gütersloh** war bereits 1923 für sein Romanschaffen ('INNOZENZ' und 'DER LÜGNER UNTER BÜRGERN') ausgezeichnet worden. Sein 1935 begonnenes Hauptwerk, 'SONNE UND MOND', erschien erst 1962.
Schon 1946 hatten sich im Wiener **"artclub"** avantgardist. Schriftsteller zusammengeschlossen, die als **"Wiener Gruppe"** (bis 1964) in gemeinsamer Opposition gegen die Erstarrung literar. Formen durch Belebung und Weiterentwicklung dadaist. und surrealist. Traditionen (einschl. "visueller/konkreter/abstrakter Poesie"; vgl. S. 129) wirken wollten. Groteske und Komik, aber auch bittere Zeitsatire äußerten sich in Montagen, Laut- und Dialektgedichten (u.a. 'HOSN, ROSN, BAA' 1959). Der Beitrag **Franz Mons** (geb. 1926) zur "absoluten Dichtung" ist bereits kurz erwähnt worden. In diesen Umkreis gehören auch die satir. "Sprechgedichte" **Ernst Jandls** (geb. 1925), der diese Gattung sogar zur "Sprechoper" erweitern konnte: 'AUS DER FREMDE' (1979).
1958 formierte sich die Grazer Künstlergruppe **"Forum Stadtpark"** (s. Tafel S. 270) mit der von ALFRED KOLLERITSCH (geb. 1931) hg. Zs. 'MANUSKRIPTE' (seit 1960).
Eine unschätzbare Bereicherung erfuhr die Literatur in Österreich nicht zuletzt durch eine **Reihe großer Autorinnen.** ILSE AICHINGER (geb. 1921) und die viel zu früh verstorbene INGEBORG BACHMANN (1926–73) sind bereits als Verfasser wichtiger Hörspiele und Kurzgeschichten erwähnt worden (vgl. S. 269). Beide waren vor allem in der "Gruppe 47" aktiv. Bereits 1948 hatte **I. Aichinger** im Roman 'DIE GRÖSSERE HOFFNUNG' Schicksale unter der NS-Herrschaft gestaltet. **I. Bachmann** wird nicht zuletzt auch als große Lyrikerin (u.a. 'DIE GESTUNDETE ZEIT' 1953 und 'ANRUFUNG DES GROSSEN BÄREN' 1959) einen bleibenden Platz in der dt. Literaturgeschichte behalten. Durch sie wurde dem dt. Publikum auch der it. "Hermetismus" in seinem bedeutendsten Vertreter, G. UNGARETTI, bekannt. Zu nennen sind u.a. auch HILDE SPIEL (1911–91), GERTRUD FUSSENEGGER (geb. 1912) und FRIEDERIKE MAYRÖCKER (geb. 1924). Unverkennbare Begabungen wie GERTRUD LEUTENEGGER (geb. 1948) sind inzwischen nachgerückt.
Auf ep. wie dramat. Gebiet hat Österreich mit **Thomas Bernhard** (1931–89) und **Peter Handke** (geb. 1942) fast schon "moderne Klassiker". BERNHARDS Romane (z.B. 'FROST' 1963 oder 'KÄLTE' 1981) und Dra-

men (z. B. 'Der Weltverbesserer' 1980 oder 'Am Ziel' 1981) sind von einem an Beckett erinnernden Grundzug trag. Verlassenheit geprägt. Die Schmähschrift gegen Österreich 'Holzfällen' (1984) stellt nur die Außenseite von Bernhards extremer Sensibilität dar, die nicht zuletzt in seinen 1991 (postum) ersch. Gedichten zum Ausdruck kommt. – Handke, zunächst vom "absurden Theater" beeinflußt, trat 1966 mit einer 'Publikumsbeschimpfung' hervor. Deutlich sprachanalyt. Intention bezeugte sein 'Kaspar' (= Kaspar Hauser; 1967). Inzwischen legte er seine Reflexionen in mehreren poet. "Versuchen" vor (z. B. 'Versuch über den geglückten Tag' 1991). (Vgl. S. 286)

Polarisierung der westdt. Literatur

Die Zementierung der dt. Teilung 1949 hatte mit ihrer gegensätzl. Betonung des jeweil. polit. und gesellschaftl. Eigenwerts von Bundesrep. und DDR groteske Verkrampfungen im kulturellen Leben zur Folge. Der 1952 in der DDR gegr. "Dt. Schriftstellerverband" (Organ: 'Neue Dt. Literatur', ab 1953) entwickelte sich zu einem polit. Instrument, mithilfe dessen DDR-Autoren in Übereinstimmung mit der Parteilinie der SED zu staatstreuer Arbeit angehalten werden konnten. Viele DDR-Autoren sahen sich so gezwungen, wichtige Werke im Westen zu veröffentlichen (was mehrfach auch als "Devisenvergehen" geahndet werden konnte! Vgl. S. 284). Die Literatur in der Bundesrep. zerfiel bald ihrerseits in zwei **antagonist. Strömungen,** die sich durch eine ebenfalls **polarisierte Literaturkritik** gegenseitig unkrit. Staatstreue bzw. Linkslastigkeit vorwarfen. Tatsächlich war mit der **"Gruppe 47"** ein lokkerer Zusammenschluß von Autoren entstanden, dessen engagierteste Vertreter konservativen und restaurativen Tendenzen in der Bundesrep. offensiv entgegentraten, ohne sich dabei auf die Entwicklung in der DDR als ernsthafte Alternative festzulegen. Der "offizielle" Durchbruch dieser Richtung bei fast offizieller Ächtung der weniger progressiven "Klassiker der fünfziger Jahre" vollzog sich mit der wachsenden allgem. **Kritik am innen- und außenpolit. Kurs der CDU-geführten Regierungen,** die ihre Höhepunkte in der "Außerparlamentar. Opposition" (APO) und in der von der "Neuen Linken" inspirierten Studentenbewegung 1967–69 fand und 1969 zur Übernahme der Regierung durch SPD und FDP ("sozialliberale Koalition") führte. Nach wiederholten Attacken aus CDU-Kreisen gegen "linksorientierte" Autoren konnte das aktive **Eintreten für diesen Regierungswechsel** (vor allem im Kabarett und in Wahlkampfinitiativen zugunsten der SPD, insbes. durch H. Böll und G. Grass) kaum wundernehmen.

Daß eine dermaßen politisch motivierte Polarisierung der Literatur über den individuellen Wert einzelner Autoren und ihrer Werke auf beiden Seiten täuschen kann, liegt auf der Hand. Die vielfach angenommene Führungsrolle der Literatur in der politisch-geist. Auseinandersetzung erweist sich angesichts des oft erstaunl. Meinungsschwenks angesehener literar. "Instanzen" in Medien und Verlagen **nicht selten als "marktorientierte" Spiegelung innenpolit. Trends.** Die Satire H. Bölls von 1958 'Doktor Murkes gesammeltes Schweigen' gegen opportunist. Veränderungen einmal gemachter Aussagen hat eine den aktuellen Anlaß weit übersteigende Bedeutung gewonnen. Auch manche DDR-Autoren fühlten sich in Anbetracht einer keineswegs immer geradlinigen Politik der SED zur Revision früherer Meinungen veranlaßt.

Die bis in die sechziger Jahre offiziell, durch mancherlei Kanonisierung (vor allem im Deutschunterricht), erfolgreiche westdt. Literatur ist von Namen wie S. Andres, W. Bergengruen, H. Carossa, G. Gaiser, M. Hausmann, W. Lehmann gekennzeichnet. Scharfe lit. Kritik (etwa von K. Deschner, 1957) brachte einige um diesen Rang.

Gerd Gaiser (1908–76), wie Carossa in der NS-Zeit durch polit. Anpassung arg kompromittiert, wurde in der sich zuspitzenden Auseinandersetzung sogar zu einer Art Gegenfigur gegen die progressive Richtung der "Gruppe 47" stilisiert; doch geht in dieser Kontroverse leicht unter, daß Gaiser in seinen Nachkriegsromanen ('Eine Stimme hebt an' 1950, 'Schlussball' 1958) sowie in seiner Erzählsammlung 'Gib acht in Domokosch' (1959), aber auch in seinem schon während des Krieges begonnenen Luftwaffenroman 'Die sterbende Jagd' (1953) wenn auch nicht polit. Aufklärung, so doch formal anspruchsvolle Zustandsbeschreibungen der Kriegs- und Wirtschaftswunderzeit gelungen sind. – **Bergengruens** Leistung für die Nachkriegsgeltung der dt. Literatur sollte über der inzwischen erfolgten Verschiebung des literar. Geschmacks ebenfalls nicht gänzlich unterschlagen werden. Sein Gesamtwerk, zu dem nach 1945 außer der schon erwähnten Lyrik (S. 267) auch Romane wie 'Das Feuerzeichen' (1949) und 'Der letzte Rittmeister' (1952) sowie Novellen zählen, wurde immerhin in zehn Sprachen übersetzt. Für das insbes. in Westdeutschland nach dem Krieg zutiefst gestörte **Verhältnis zum Roman** war das selbstbewußte ep. Schaffen dieser und anderer Autoren wie **Stefan Andres** (1906–70) oder **Edzard Schaper** (1908–84) – und sei es nur als Phänomen, an dem sich die Kritik entzünden konnte – ein wichtiges Datum. Auch in der um schonungslose Aufklärung bemühten Gegenrichtung hat der Roman (s. Tafel S. 274) eine bedeutsame Funktion wiedergewonnen und sich im zeitweil. Niedergang von Lyrik und Drama sogar behauptet.

Hans Werner Richter (geb. 1908), Spiritus rector der "Gruppe 47", veröffentlichte 1949 den ersten Kriegsroman eines dt. Soldaten, 'Die Geschlagenen', dem 1951 der Zeitroman 'Sie fielen aus Gottes Hand' folgte, Beginn eines wachsenden liter. Œuvres, das freilich nicht immer positive Kritik fand. 1951 erschien die erste größere ep. Arbeit **Heinrich Bölls** (1917–85), 'Wo warst du, Adam?', eigtl. die Komposition von neun Kurzgeschichten, die um das Thema Sinnlosigkeit des (jüngst beendeten) Krieges kreisen, wie auch die folgenden Romane, 'Und sagte kein einziges Wort' und 'Haus ohne Hüter', der Auseinandersetzung mit Krieg und Nachkriegszeit gewidmet sind. 1974 erhielt Böll für sein unermüdl. erzähler. Wirken den **Literatur-Nobelpreis** – als erster in (West-)Deutschland schreibender Nachkriegsautor.
1951 trat ebenfalls mit einem Roman, 'Es waren Habichte in der Luft', **Siegfried Lenz** (geb. 1926) hervor, der noch in 'Stadtgespräch' (1965) und 'Deutschstunde' (1968) Kriegsschicksale gestaltete (aber auch so ironisch-heimatverliebte Erzählungen wie in 'So zärtlich war Suleyken', 1955, schreiben kann). Das bis heute gültige zeitkrit. Engagement dieser Autorengruppe wurde spätestens im Roman über das geist. und polit. "Klima" in der Bundeshauptstadt Bonn, 'Das Treibhaus' (1953), von **Wolfgang Koeppen** (geb. 1906) offenbar. 'Die Ehen in Philippsburg' (1957) von **Martin Walser** (geb. 1927) zeichneten die Abgründe einer oberflächl. Aufsteiger- und Anpassergesellschaft. Gleichzeitig erschien von **Alfred Andersch** (1914–80) 'Sansibar oder der letzte Grund', ein Roman, der die Flucht aus NS-Deutschland zum Thema hat, wie Andersch auch in seinen übrigen Arbeiten die Befreiung aus einer entwürdigenden Umwelt thematisiert. Einige wichtige Schriften von ihm erschienen auch erst postum, so 'Der Vater eines Mörders' (= Heinr. Himmlers) 1980.
Nach lyrischen Texten und Beiträgen zum "absurden Theater" (vgl. S. 228; u. a. 'Onkel, Onkel' und 'Die bösen Köche' 1957) begründete **Günter Grass** (geb. 1927) seinen Ruf als Romancier mit 'Die Blechtrommel' (1959), einer auch die Groteske nicht scheuenden Rückerinnerung an die deutsche, vor allem NS-Vergangenheit seiner Danziger Heimat.
Im selben Jahr trat der kurz zuvor aus der DDR nach Westberlin umgesiedelte **Uwe Johnson** (1934–84) mit der ersten literarisch gültigen Behandlung der dt. Spaltung und ihrer menschl. Folgen auf: 'Mutmassungen über Jakob'. 'Das dritte Buch über Achim' (1961) ist einer der wenigen deutl. Belege für die von Frankreich (Robbe-Grillet) ausgehende Stilrichtung des *nouveau roman* (eigtl. "Antiroman").

Politisierung, neue Realismustendenzen und "Tod der Literatur"
Daß die westdt. **"Gruppe 47"** nicht ein beschränkt innerdt. Unternehmen und trotz ihres polit. Engagements keineswegs eine literarisch homogene Gesellschaft war, zeigen schon wenige der beteiligten Autoren (Tafel S. 270). Namen wie Aichinger, Bachmann, Bichsel u. a. beweisen die lebendigen **Querverbindungen,** die nicht zuletzt diese Gruppe **zwischen den Literaturen in versch. deutschsprach. Ländern** herstellen konnte. Auch trafen sich in ihr zu fruchtbarem Austausch **sehr unterschiedl. literar. Temperamente,** wie sich allein schon an dem Namen Heissenbüttel nachweisen läßt, der für die dt. Entwicklung der "absoluten Dichtung" steht (vgl. S. 271). Schon gar nicht wollte und konnte die Gruppe die individuelle Entwicklung des einzelnen beschränken; man denke nur an die Experimentierfreudigkeit Alexander Kluges (geb. 1932), der schließlich auch zu einem bedeutenden Filmschaffen fand (u. a. 'Die Artisten in der Zirkuskuppel: ratlos' 1968).
Der Versuch, mit Literatur auf die Innenpolitik einzuwirken, erschien zuletzt manchem eher außerhalb dieser Gruppe möglich. Die Schüler überholten die Meister, wie die immer eindeutiger und ideologisch sich zusehends verengende Politisierung einzelner bis hin zum **Ersatz der Literatur durch polit. Manifeste und Aktionen** deutlich machte.
Schon 1957 gab etwa **H. M. Enzensberger** (geb. 1929) in seiner Gedichtsammlung 'Verteidigung der Wölfe' die Parole aus: *"lies keine oden, mein sohn, lies die fahrpläne:/sie sind genauer ...*" Trotz unverkennbarer und nur mühsam unterdrückter Neigung zur Dichtung ohne Rücksicht auf deren polit. Richtung (Edition des 'Museums der modernen Poesie' 1960, oder der Reihe 'Poesie' bis 1966), wandte er sich schließlich der Unterstützung radikaler polit. Programme (Ed. 'Kursbuch' ab 1965) oder Aktionen zu (*"Schafft französ. Zustände!"* – Aufruf zur Solidarisierung mit dem Studentenaufstand in Paris, 1968, im Hess. Rundfunk). Den Fehlschlag der polit. Revolte betrauerte er später in dem kollektiv geschriebenen Roman 'Der kurze Sommer der Anarchie' (1972) und in dem für die Selbstkritik der "Neuen Linken" aufschlußreichen Poem 'Der Untergang der Titanic' (1978).
Als Zeichen krit. und polit. Distanz zu den ästhet. Akzenten der "Gruppe 47" muß auch die **Gründung der "Gruppe 61"** gelten (vgl. Tafel S. 270), die sich wie entspr. Versuche in der DDR (s. S. 280) der **Arbeitswelt** widmen wollte. Hier sollten neben erfahrenen Autoren auch literar. Laien aus der Arbeitswelt zu Wort kommen und eine aus der übrigen Literatur weitgehend ausgeblendete Realität authentisch beschreiben. Doch schon wenige Jahre nach der neuen Gruppengründung spalteten sich von ihr einzelne Autoren ab,

	H. BÖLL	S. LENZ	M. WALSER	G. GRASS	U. JOHNSON
1980	† 1985	'DER VERLUST'	'DAS SCHWANEN-HAUS'		† 1984
1970	'FÜRSORGL. BELAGERUNG' Nobelpreis 1974 'GRUPPENBILD MIT DAME'	'HEIMATMUSEUM' 'DAS VORBILD'	'SEELENARBEIT' 'DER STURZ' 'DIE GALLISTL-SCHE KRANKHEIT'	'DER BUTT'	'JAHRESTAGE. AUS D. LEBEN VON GESINE CRESSPAHL
1960	'ENDE EINER DIENSTFAHRT' 'ANSICHTEN EINES CLOWNS'	'DEUTSCHSTUNDE' 'STADTGESPRÄCH' 'DAS FEUERSCHIFF'	'DAS EINHORN' 'HALBZEIT'	'ÖRTLICH BETÄUBT' "Danziger Trilogie" 'HUNDEJAHRE' ('KATZ U. MAUS')	'ZWEI ANSICHTEN' 'DAS DRITTE BUCH ÜBER ACHIM'
1950	'BILLARD UM HALB ZEHN' 'HAUS OHNE HÜTER' 'UND SAGTE KEIN EINZIGES WORT' 'WO WARST DU, ADAM'	'BROT U. SPIELE' 'DER MANN IM STROM' 'ES WAREN HA-BICHTE I. D. LUFT'	'EHEN IN PHILIPPSBURG'	'DIE BLECH-TROMMEL'	'MUTMASSUNGEN ÜBER JAKOB' 'INGRID BABENDERERDE' (postum 1985)
1945	H. BÖLL	S. LENZ	M. WALSER	G. GRASS	U. JOHNSON

Romane von Autoren der "Gruppe 47"

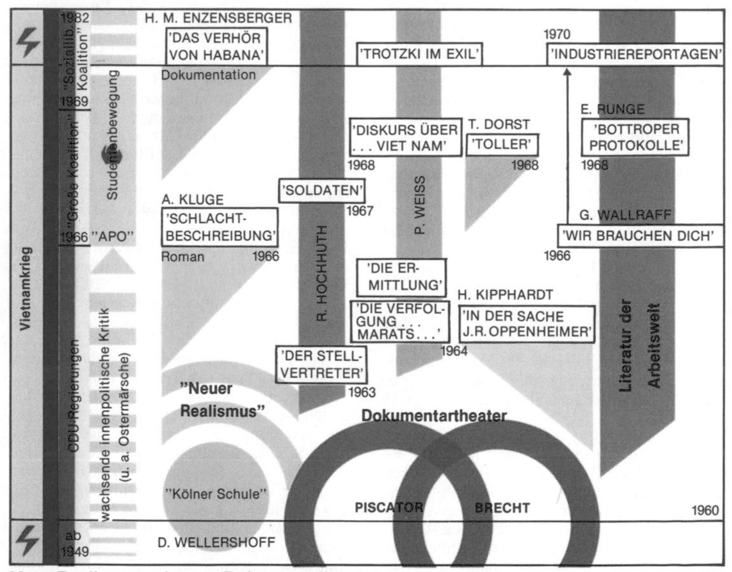

Neue Realismustendenzen, Dokumentarliteratur

die im **"Werkkreis Literatur der Arbeitswelt"** politisch noch eindeutiger wirken und wo nötig auch agitieren wollen. Die "Gruppe 61" bestand die Konkurrenz nicht lange – als "Einzelkämpfer" bewährten sich weiterhin **Erwin Sylvanus** (1917–85) und **Max von der Grün** (geb. 1926) –, während der "Werkkreis" sich seitdem zu einer **Bewegung der Alternativkultur** mit zeitweise über 20 lokalen "Werkstätten" entwickelt hat. Die anspruchsvolle Definition von "Arbeiterliteratur", *"Literatur von Arbeitern für Arbeiter"*, kann aber auch hier kaum durchgehalten werden. Ein Anzeichen abnehmenden Interesses an dieser Richtung war, daß der S. FISCHER-Verlag Ende 1986 eine einschlägige Publikationsreihe einstellte.

Hinter dieser neuen Bewegung stand nicht zuletzt auch ein **wachsendes Mißtrauen gegen den Wahrheitsgehalt poet. Formen** (ein Mißtrauen, das schon seit dem antiken Topos vom "Dichter als Lügner" für immer neue "Realismus"-Wellen gesorgt hat!), das konsequenterweise auch zur **Wiederentdeckung dokumentar. als der angeblich realitätsnäheren Formen des Schreibens** führte. Schon BÜCHNER hatte etwa 'DANTONS TOD' (s. S. 203ff.) mit wörtl. Zitaten aus Verhandlungsprotokollen eine höhere Authentizität verleihen wollen. Die "Neue Sachlichkeit" vor 1933 war die erste hohe Zeit einer Dokumentarliteratur, die die Realität u.a. mit der neuen Form der Reportage einfangen wollte (vgl. S. 244ff.). Aus den USA wirkte als weitere Anregung die sog. Faction-Prosa (z.B. T. CAPOTES 'IN COLD BLOOD'/'KALTBLÜTIG', 1965/66).

Im dramat. Schaffen der sechziger Jahre legte sich bei verwandter polit. und formaler Tendenz ebenfalls eine Anknüpfung an Vorbilder der zwanziger und dreißiger Jahre nahe, an BRECHTS "episches" und an PISCATORS "dokumentar. Theater" (s. S. 248f.). BRECHT-Rezeption und die aktive Theaterarbeit PISCATORS (1951 aus dem Exil in die Bundesrep. zurückgekehrt, seit 1962 in Westberlin; gest. 1966) schufen ein neues **"Dokumentartheater"**, das sich in seinen Themen vorwiegend polit. Problemfälle aus der jüngsten Vergangenheit oder Gegenwart annahm. **Rolf Hochhuth** (geb. 1931) ist bis in die jüngste Zeit, da er sich stärker dem Erzählen widmete, lange dem damals eingeschlagenen Weg treugeblieben, Zeitgeschichte dramatisch aufzuarbeiten (vgl. 'JURISTEN' zur "FILBINGER-Affäre", 1979). **Peter Weiss** (geb. 1916, im schwed. Exil gest. 1982) hat seine polit. Erfahrungen später auch poetologisch gefaßt, in 'ÄSTHETIK DES WIDERSTANDS' (1975–78); letztes Drama: 'DER NEUE PROZESS'.

Die Dokumentarliteratur ("Faktographie") der sechziger Jahre hat auf **ep. Gebiet** wichtige Anregungen von der sog. **"Kölner Schule" um Dieter Wellershoff** (geb. 1925) empfangen, die einen **"Neuen Realismus"** durchsetzen wollte und für eine Dichtung eintrat, die nur noch "objektive Tatbestände" erfassen sollte. WELLERSHOFF wandte sich gleichzeitig gegen die ep. Phantastik (z.B. von G. GRASS) wie auch gegen Sprachspiele (etwa in der Konkreten Poesie). Beeinflußt wurden davon anfänglich insbes. die Autoren R. D. BRINKMANN, G. HERBURGER, RENATE RASP und G. SEUREN. Inzwischen will WELLERSHOFF zumindest auch das "Lustprinzip" in der Literatur angemessen berücksichtigt wissen.

Daß die Wirklichkeit auch in der Dokumentarliteratur nicht immer "eindeutig" genug für sich selbst sprechen kann, bewies ERIKA RUNGE (geb. 1939), die erst einige Zeit nach Veröffentlichung ihrer 'BOTTROPER PROTOKOLLE' eingestand, daß sie den tatsächl. Äußerungen von Arbeitern aus dem Ruhrgebiet redigierend nachgeholfen habe. Am grundsätzl. Vermittlungscharakter sprachl. Äußerungen – so ist zu folgern – muß der Versuch eines Autors scheitern, sich völlig hinter die Wirklichkeit zurückziehen zu wollen. Die Wiederentdeckung der Subjektivität in den siebziger Jahren war somit eine notwendige Folgerung aus den teilweise verbissenen Experimenten der sechziger Jahre (s. S. 277ff.).

Die sich im Kampf gegen innenpolit. Erscheinungen (Pressekonzentration und Notstandsgesetze 1968) und außenpolit. Vorgänge (Vietnamkrieg) immer stärker engagierende Literatur kollabierte schließlich, als in der "Neuen Linken" trotz der Forderung *"Die Phantasie an die Macht!"* (oder aus Einsicht in deren polit. Ineffizienz) die **Parole "Tod der Literatur"** laut wurde (H. M. ENZENSBERGER 1968). Abgesehen davon, daß mancher engagierte Autor teilweise Jahre brauchte, bis er danach zur Literatur zurückfand (die Zerstörung noch nicht entwickelter junger Talente ist nur zu ahnen), bewirkte diese Wende durch die Folgerungen, die besonders eifrige Kultusverwaltungen daraus zogen, einen Kahlschlag eigener Art: **Abgeschafft wurde die Literatur nämlich vorwiegend im Deutschunterricht,** der sich bis heute auch von der Maßstabslosigkeit der westdt. Germanistik, die ebenfalls auf die Verunsicherung der endsechziger Jahre zurückgeht, nicht erholt hat. Die **Beschäftigung mit "nichtfiktionaler" Literatur** (ein Begriff, der die Ignoranz gegen die Einsicht spiegelt, daß Sprache stets eine eigene Wirklichkeit "fingiert"), mit Heftchenromanen, Comics, Werbetexten u.a. – Erscheinungen, die als wichtiger literatursoziolog. Gegenstand sträflicherweise von Wissenschaft und Unterricht tatsächlich vernachlässigt waren – verdrängte nun oft genug die Frage nach literar. Qualität, die nur mit Hilfe eigener Kenntnis des gesamten Spektrums literar. Produktion geklärt werden kann.

Autoren abseits der Tagesaktualität

Hinter den Aufgeregtheiten dieser politisierten Bewegungen verschwanden leicht diejenigen Autoren aus dem Blick, die keinen Ansatz boten, sie der einen oder anderen "Partei" zuzuschlagen. So harrt noch manches Œuvre dieser Epoche der angemessenen Würdigung. Als exemplarisch für oft **ungerechte Verweigerung gebührender Aufmerksamkeit** können gelten: ILSE LANGNER (1899–1987), die bereits vor 1933 (etwa durch ihr Antikriegsstück 'FRAU EMMA KÄMPFT IM HINTERLAND' 1929) berühmt war, HANS KEILSON, ein heute noch in den Niederlanden lebender jüd. Emigrant (lyr. Retrospektive: 'SPRACHWURZELLOS' 1987) und MARTIN KESSEL (1901–90), der vor 1933 mit Literaturpreisen hochdekorierte Romancier und Lyriker.

Aber auch das Werk HANS HENNY JAHNNS oder ARNO SCHMIDTS, das sicherlich neben den besten und weit vor den meisten der im Tageskampf erprobten Namen bestehen wird, konnte längst nicht die gleiche Aufmerksamkeit finden wie manches gelegentlich auch unbedeutende Räuspern der "aktuellen" Matadore. Ohne Zugeständnisse an irgendwelche Strömungen hatte **Jahnn** (1894–1959) seine Arbeit fortgesetzt (vgl. S. 245). Neben neuen Dramen (u. a. 'ARMUT, REICHTUM, MENSCH UND TIER' 1948 und 'DIE TRÜMMER DES GEWISSENS' 1961) entstanden die Romane 'FLUSS OHNE UFER' (3 Tle. 1949–61) und 'DIE NACHT AUS BLEI' (1956). – Jedem gängigen literarhistor. Schema entzog sich von vornherein mit seinem gesamten Prosawerk **Arno Schmidt** (1914-79), der durch eine minutiös geplante Schreib- und Sprachtechnik eine "konforme Abbildung von Gehirnvorgängen", Bewußtseinsprozessen und Erlebnisweisen erzielen wollte. Aus der Vielzahl seiner Werke seien nur genannt 'LEVIATHAN' (1949), 'DIE GELEHRTENREPUBLIK' (1957) und 'ZETTELS TRAUM' (1970; mehr als 1300 großformat., doppelspaltig bedruckte Seiten).

Merkwürdig still geworden ist es zwischenzeitlich auch um das Werk **Hans Erich Nossacks** (1901–77), dessen Grundthema, die Begegnung mit der Grenzsituation des Sterbens, in den sechziger Jahren offenbar "unzeitgemäß" geworden war. Der Untergang Hamburgs 1943 im Bombenhagel, durch den NOSSACK alle früheren Manuskripte verloren hatte, war zu einer entscheidenden Wende seines Lebens geworden. 'DER UNTERGANG' (1943), 'NEKYIA. BERICHT EINES ÜBERLEBENDEN' (1947), 'INTERVIEW MIT DEM TODE' (1948) u. a. legen davon Zeugnis ab. Als er auch noch 1968 im Roman 'DER FALL D'ARTHEZ' den geist. Vollzug des Todes als Möglichkeit phys. Überlebens darstellte, "paßte" er so gar nicht mehr in die kulturelle Landschaft, in der ein enthusiast. "Jugendkult" ausgebrochen war, den auch ARNO SCHMIDT noch 1973 öffentlich rügen zu müssen glaubte (GOETHE-Preis-Rede).

Gemessen am politliterar. Getöse der sechziger Jahre kann man auch den Lyriker und Erzähler **Hermann Lenz** (geb. 1913) zu den "Stillen im Lande" zählen, die aber unbeirrt ihren Dienst an der Selbstvergewisserung der Gesellschaft in der Literatur verrichten, so LENZ mit seinen Romanen 'DER RUSS. REGENBOGEN' (1959), 'DIE AUGEN EINES DIENERS' (1964) oder 'NEUE ZEIT' (1975) und 'HERBSTLICHT' (1992). 1978 erst erinnerte sich auch ein größeres Publikum seiner wieder, als er den BÜCHNER-Preis erhielt.

Der BÜCHNER-Preis des Jahres 1979 wurde einem Beinahe-Vergessenen gar erst postum verliehen: **Ernst Meister** (1911–79), Lyriker (u. a. 'ZEICHEN UM ZEICHEN' 1968) und Hörspielautor.

Das nach 1970 in der Bundesrep. neuerwachte Interesse für Lyrik hat auch dem wenig "aktuellen", dafür aber um so kontinuierlicheren Dichten **Rose Ausländers** (1907–88) neue Beachtung eingetragen (etwa 'ICH SPIELE NOCH', 1987). Man darf diese Lyrikerin schon jetzt in eine Reihe mit E. LASKER-SCHÜLER, N. SACHS und P. CELAN, dem sie durch Herkunft, Schicksal und Freundschaft verbunden war, stellen.

Wie gelegentlich erst das Ausland wieder an wirklich große deutschsprach. Autoren erinnern muß, wurde schlaglichtartig durch die Verleihung des Literatur-Nobelpreises 1981 an **Elias Canetti** (s. S. 259) deutlich. Im Mediengetöse um Tagesgrößen hatte dieser Dichter mit einer Reihe von Nachkriegsarbeiten seinen internat. Ruf gefestigt: u. a. 'MASSE und MACHT' 1960, 'STIMMEN VON MARRAKESCH' 1968, 'DIE PROVINZ DES MENSCHEN' 1972, 'DIE GERETTETE ZUNGE' 1977 und 'DIE FACKEL IM OHR' 1980. Seine Verdienste um die dt. Sprache und Literatur sind um so höher zu bewerten, als er, der mit sehr vielen versch. Sprachen aufgewachsen war, auch im (weiterbestehenden) Exil an der dt. Sprache festgehalten und sie nach Ansicht der internat. Juroren in "äußerst selten" anzutreffender Qualität gehandhabt hat.

CANETTI hatte seinerseits einem Beinahe-Vergessenen schon früher eine bislang ziemlich folgenlose Reverenz erwiesen: dem österr. Erzähler **Franz Nabl** (1883–1974). CANETTI rühmte dabei NABLS Mut, "den Tod ernst genommen ... und sich ihm in den Schicksalen seiner Figuren immer wieder gestellt", also das so oft tabuisierte Thema gestaltet zu haben. NABLS bes. Leistungen, die Romane 'ÖDHOF' und 'DAS GRAB DES LEBENDIGEN' (anderer Titel: 'DIE ORTLIEBSCHEN FRAUEN') liegen zwar schon mehrere Jahrzehnte zurück (1911 bzw. 1917), doch haben sogar A. KOLLERITSCH und P. HANDKE bezeugt, wie sehr NABL auch heutige Erzählkunst noch anregen könne.

Studentenbewegung, Alternativkultur und die Folgen

Die Revolte großer Teile der Studentenschaft 1967–69, die sich gegen Mißstände im Bildungswesen als Bestandteil einer (nach Meinung der Wortführer) insges. "korrupten" Politik des "Establishments" in Staat und Gesellschaft richtete, gehörte zu einer **weltweiten Protestbewegung,** von der mehr oder weniger nur die kommunist. Staaten verschont blieben. Zum geist. Führer der **"Neuen Linken",** der sich die student. Linke zurechnete, wurde der seit seiner Emigration aus Deutschland in den USA wirkende marxist. Philosoph HERBERT MARCUSE (1898–1979), der die Revolte als Vorboten einer allgem. Revolution deutete (u.a. 'IDEEN ZU EINER KRIT. THEORIE DER GESELLSCHAFT' 1969). Theoret. Impulse gingen auch von dt. Vertretern der **"Krit. Theorie"** (auch: "Frankfurter Schule der Soziologie") aus, von MAX HORKHEIMER (1895–1973), TH. W. ADORNO (1903–69) und JÜRGEN HABERMAS (geb. 1929), die aber bald selbst Opfer der student. Radikalisierung ihrer Ideen wurden.

Der **student. Protest** – anfangs von überschäumendem, geradezu dadaist. Phantasiereichtum und Aktionismus – schwankte **zwischen den Extremen des Anarchismus und orthodox marxist. Programmen,** zwei Richtungen, in die die Bewegung (mit weiter zerfaserndem "Mittelfeld") sehr bald wieder zerfiel, als sich die hochgespannten Erwartungen nicht oder in "reformist." Korrekturen nur teilweise erfüllten. Der starke **Einfluß von Ideen des chines. Mao-Kommunismus** trug **kulturrevolutionäre Akzente** auch in die westl. Welt. Unter die Räder einer radikalen **Ideologiekritik,** die überall "Systemstabilisierung" witterte, geriet schließlich auch die Literatur, sofern in ihr nicht ausdrücklich gleichgesinnte progressive Bekenntnisse abgelegt waren. Wandzeitungen, Flugblätter, Teach-ins, Polit-Happenings, Protestlieder und Straßentheater wurden zu fast rituellen Äußerungen des gegen die "offizielle Kultur" gerichteten Protests, Formen, die von der **"Alternativbewegung",** die aus der Desillusionierung der Revolte entstand, weitergepflegt werden und inzwischen zum Repertoire einer alternativen **Subkultur** ("Gegenkultur") gehören, die sich vor allem in einer kaum noch übersehbaren Fülle von "underground"-Zeitungen artikuliert. Eine eigene Literatur (z.B. die "Öko-Lyrik") scheint im Werden begriffen. Text-Foto- u.a. Collageformen sind beliebt, Kleinverlage werden schon aus Kritik am herkömml. Literaturbetrieb bevorzugt. Über Indiskutables wie das "alternative Kultbuch" von H. KÖRNER 'JOHANNES' (1978, 24. Aufl. 1986!) erhebt sich inzwischen doch einiges deutlich, etwa A. BERRS Erzz. 'NACHTS SIND ALLE KATZEN BREIT' (1986).

Die **Wandlungen in Theorie und polit. Hoffnung der "Neuen Linken"** wurden repräsentativ dokumentiert u.a. in ENZENSBERGERS 'KURSBUCH' (s. S. 273) und in den Zss. 'ÄSTHETIK UND KOMMUNIKATION' (seit 1970) sowie 'ALTERNATIVE' (bis 1982). Manche Zeugen der Bewegung von 1967–69 haben Jahre später versucht, ihre Erfahrungen literarisch zu verarbeiten. Hingewiesen sei nur auf PETER HENISCH ('DER MAI IST VORBEI' 1978) und ADOLF MUSCHG ('GEGENZAUBER' 1981).

Im Scheitern der Studentenbewegung traten indes auch Kräfte zutage, die durchaus die Gesamtkultur verändert haben. Die **Überschätzung akadem. Theorie** (zunächst der Soziologie, später der Psychoanalyse) **und einer abstrakten Sprachlichkeit** durch die "Neue Linke" wurde schließlich abgelöst durch eine **außerordentlich "sinnl." Einstellung zur Welt ("neue Sensibilität"),** die sich u.a. äußert in einer neuen Kultivierung persönl. Beziehungen, in der Entdeckung des Selbstwerts der Frau, in der Zuwendung zu sozialen Randgruppen, in einem liebevollen, fast romant. Verhältnis zur Natur und in einer Bemühung um die Erhaltung oder Wiederherstellung konkreter Erfahrungsräume in Wohnquartier und Region. Überdauert und verstärkt hat sich die polit. Komponente des Pazifismus. Der anfängl. Rationalismus ist freilich nicht selten auch in Irrationalismus umgeschlagen, am schlimmsten in den Jugendsekten oder in der Flucht in den Drogenkonsum.

Vieles davon gilt angesichts der weit vorangeschrittenen Entpersönlichung sozialer Beziehungen als Rückzug ("Aussteigertum") – den Befürwortern positiv, weil als letzte Rettung vor einer sonst unabwendbaren zivilisator. Katastrophe empfunden, den Kritikern negativ, weil als egoist. Verweigerung kleiner Gruppen ohne Rücksicht auf die Überlebenschancen der Mehrheit gedeutet. In jedem Fall lassen sich aus der **Wirkung "alternativer" Programme** Phänomene erklären, die unübersehbar auch die "offizielle Kultur" beeinflussen: ein **neuer Subjektivismus,** der **"Feminismus"** (etwa in der "Frauenliteratur"), eine **"neue Innerlichkeit",** das wiedererwachte **Interesse an Biographie und Autobiographie,** der **Regionalismus,** der die **neue Dialektliteratur** beflügelt hat (auch als Ersatz für die verdrängte nationale Identität), und nicht zuletzt eine **Veränderung der Umgangssprache** (die nun auch literarisch stärker genutzt wird), deren "neogrobian." Töne durch ihren (sich allmählich wieder abnutzenden) Schockeffekt gegen die allgem. Gleichgültigkeit persönliche Reaktion provozieren wollen.

Wie sehr die Alternativbewegung auf durchaus weltweite Probleme der Zivilisation reagiert, zeigt sich nicht zuletzt daran, daß – trotz Ausblendung aus der polit. Bewegung der endsechziger Jahre – auch die **DDR** von

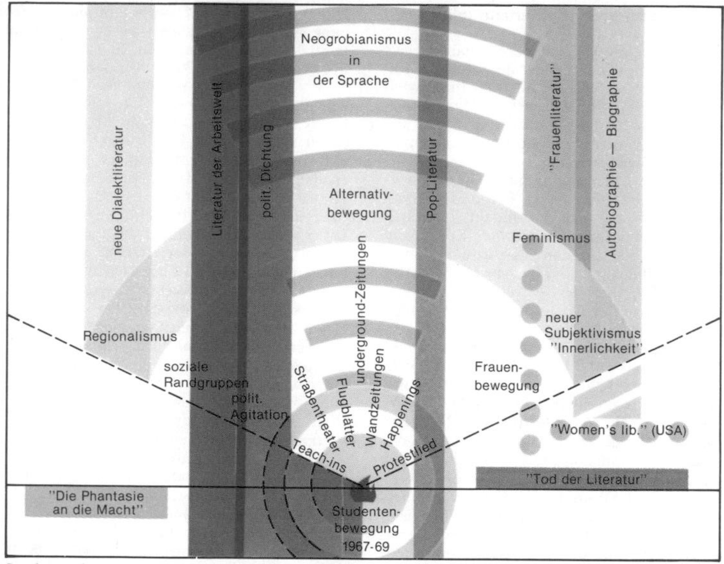

Studentenbewegung und Alternativbewegung

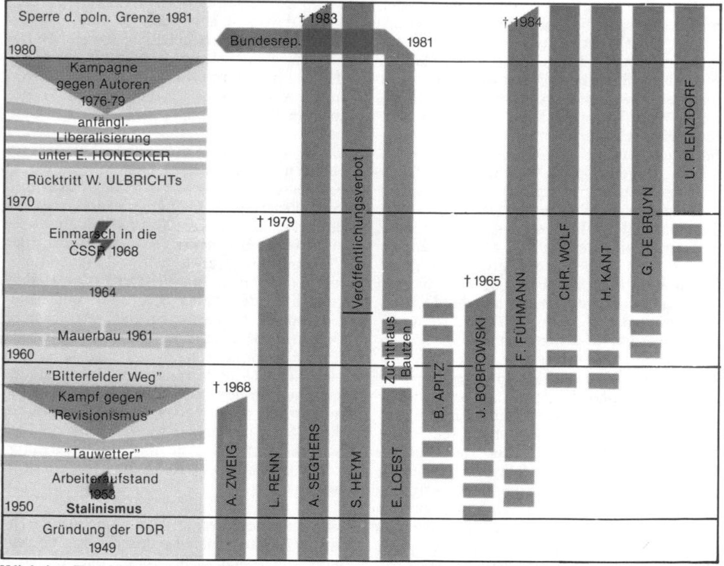

Wichtige Erzähler in der DDR

kulturellen und teilweise sogar polit. Folgerungen aus ihr erfaßt wird (s. S. 283).

Daß die späten sechziger Jahre in mehrfacher Hinsicht "reif" waren für Revolten, läßt sich auch an der (bis heute fruchtbaren) **Rezeption der sog. Pop-Kultur** ablesen. Bezeichnenderweise schwankt die Interpretation des Begriffs "Pop" zwischen der Abkürzung für *popular art* ("volkstüml. Kunst") und engl. *pop* ("Stoß, Knall"); denn die Pop-Kultur ist sowohl eine (teilw. krit.) **Auseinandersetzung mit trivialen Formen des Massenkonsums,** die auch zu ihrer Adaption in der Kunst selbst führte (vgl. in der Literatur E. JANDLS Gedichte 'SPRECHBLASEN' 1966 – Comic-Formen aufgreifend), als auch eine auf Schockwirkung bedachte Protestbewegung.

Die von den USA ausgehende Richtung der "Pop-Literatur" hat in der Bundesrep. eine Reihe von Vertretern in fast allen literar. Gattungen gefunden. Zu nennen sind vor allem HEINZ VON CRAMER (geb. 1924), PETER O. CHOTJEWITZ (geb. 1934), ROLF DIETER BRINKMANN (1940–75) und WOLF WONDRATSCHEK (geb. 1943; vgl. S. 269). Als Sprengung traditioneller Gattungsgrenzen müssen die von der Pop-Kultur wesentlich geförderten **Multimedia-Formen** gelten, die – darin eine moderne Variante der Gesamtkunstwerkidee – Text mit Produktionen anderer Medien (Tonband, Film, Lichteffekte) zu vereinen suchen. Noch vor diesen Experimenten kombinierten schon PETER RÜHMKORF (geb. 1929) Lyrik und Jazz, Graphik und Dichtung FERDINAND KRIWET (geb. 1942). Die sog. **Jeans-Lyrik** BRINKMANNS (u.a. 'DIE PILOTEN' 1969) und WONDRATSCHEKS in ihrer oft sangbaren Form hat ein Zeugnis für eine Grundstimmung ihrer in die Subkultur abgewanderten Generation geschaffen, aus der mancher Autor ästhetisch kaum noch aufzusteigen vermag (vgl. WONDRATSCHEKS 'CARMEN OD. BIN ICH DAS ARSCHLOCH DER ACHTZIGER JAHRE?' 1986).

Gehalten haben sich bis heute versch. Formen polit. Dichtung. Das schon erwähnte **Protestlied** (Protestsong), in der amerikan. Bürgerrechtsbewegung aufgekommen (u.a. Newport Folk-Festival ab 1959, mit PETE SEEGER, JOAN BAEZ, BOB DYLAN), wurde in der Bundesrep. ab 1964 (Einladung an P. SEEGER zum "Ostermarsch" der Atomwaffengegner) bzw. 1966 (1. Burg-Waldeck-Treffen) rezipiert und weiterentwickelt. Bekannteste dt. Autoren, "Liedermacher", wurden F. J. DEGENHARDT, D. SÜVERKRÜP, H. WADER. W. BIERMANNS Lieder wurden in der DDR zum Zeugnis dafür, daß sich auch im "realen Sozialismus" Protest, von BIERMANN durchaus als marxistisch-solidar. Kritik verstanden, nicht ganz unterdrücken ließ (s. S. 281).

Polit. Lyrik mit sozialist. Tendenz war in den sechziger bis achtziger Jahren überhaupt eine Konstante westdt. Literatur. Nennenswert sind u.a. E. FRIED, F.C. DELIUS, P.P. ZAHL, G. ZWERENZ, die unter teilweise spektakulären Umständen an die Öffentlichkeit treten (Beleidigungsprozeß gegen DELIUS 1980–82, P.P. ZAHL 1974–82 wegen eines nichtliterar. Delikts in Haft). Doch wäre eine scharfe Trennung zwischen "polit." und "poet." Literatur höchst anfechtbar, da sich einerseits die Texte der Genannten nicht in Agitation oder Tagesaktualität erschöpfen (vgl. etwa ZAHLS Erzählungen 'WIE IM FRIEDEN' 1976), andererseits auch die "neue Innerlichkeit" eine polit. Dimension gerade darin hat, daß sie sich Themen zuwendet, die von der offiziellen Politik ausgeblendet werden.

Die **Wiederaufnahme und Weiterentwicklung von Agitprop-Elementen und -Tendenzen im Drama** hat den Niedergang der Studentenbewegung eine Zeitlang ebenfalls überlebt. Teile des Dokumentartheaters (s. S. 275) gehören in diese Entwicklung. FRANZ XAVER KROETZ (geb. 1946), mit zeitweil. Unterstützung der DKP-Richtung der westdt. Linksbewegung, war wohl der charakteristischste Vertreter eines sozialistisch agitierenden "Volkstheaters" (z.B. 'STALLERHOF' 1972 und 'MÜNCHNER KINDL' 1974). Politisch aktualisierende Inszenierungen auch klass. Texte in Theater und Film (etwa die – ästhetisch höchst disparaten – Arbeiten R.W. FASSBINDERS, 1945–82) belegen sinnfällig diese bedeutsame Tendenz.

Zur literar. Entwicklung in der DDR

Dank ihrer Abgrenzungspolitik gegenüber dem Westen war es der DDR gelungen, sich von wichtigen Strömungen, die die dt. Literatur in der Bundesrep. und darüber hinaus geprägt haben, offiziell freizuhalten. Für einen nicht geringen Teil der literar. Produktion, die noch bis zu Beginn der fünfziger Jahre gerade dem östl. Teil Deutschlands eine führende Rolle und internat. Ansehen eingetragen hatte (s. S. 265f.), bedeutete dies Stagnation, wenn nicht Rückschritt. Gerade an den großen Autorennamen läßt sich ablesen, wie lähmend insbes. der **Spätstalinismus** auf das literar. Schaffen wirkte. Selbst die kaum erschöpfbare Produktivität BRECHTS, mehr noch die von BECHER und SEGHERS litten unter der engen polit. Vereinnahmung durch die SED und dem von ihr propagierten **"sozialist. Realismus"** (vgl. S. 258). Für beides ist ein Wort des ersten Min.Präs. der DDR, O. GROTEWOHLS, bezeichnend: *"Literatur und bildende Künste sind der Politik untergeordnet ... die Idee der Kunst muß der Marschrichtung des polit. Kampfes folgen."* (1951)

Konservative Kräfte hatten hier offiziell zwar keine Chance wie in der Bundesrep. Da aber alles, was erscheinen durfte, von vornherein als "progressiv" zu gelten hatte, wäre ein pauschaler Vergleich mit zeitgenöss. antifaschist. und liberalen Tendenzen in der Bundesrep. unangemessen, weil in der frühen

DDR nicht wenige Literaten auftraten, die sich ausschließlich durch ihre Parteihörigkeit auszeichneten. Als Beispiel für den Niedergang einer vielen **zunächst vorbildl. Kampflyrik,** die Entscheidendes von BRECHT gelernt hatte, muß KURT BARTEL, Pseudon. KUBA (1914–67), gelten (man vgl. 'GEDICHT VOM MENSCHEN' 1948, noch im Exil entst., mit der 'KANTATE AUF STALIN' 1949). Aus dieser Richtung zogen sich darum **krit. Autoren** bald zurück, darunter GÜNTER KUNERT (geb. 1929), der noch von BECHER und BRECHT gefördert worden war. Auch der hervorragendste Vertreter der **Naturlyrik** in der "SBZ"/ DDR, die gerade durch ihn um eine polit. und zeitgeschichtl. Dimension erweitert wurde, **Peter Huchel** (1903–81) fand *"zu der neuen Entwicklung in der DDR ... kein produktives Verhältnis"* (H. HAASE/DDR!). Von den späteren Anfeindungen gegen ihn war schon die Rede (s. S. 266). **Stephan Hermlin** (geb. 1915), der zwischen 1945 und 1950 ein bedeutendes lyr. Œuvre (darunter 'ZWEIUNDZWANZIG BALLADEN') geschaffen und als Nachdichter u.a. den frz. Surrealisten P. ELUARD in Deutschland bekannt gemacht hatte, zog sich unter Parteidruck ebenfalls zurück, distanzierte sich aber (auch nach 1989) nicht von seinem persönl. Stalinismus. Auch von A. ZWEIG und L. RENN erschien in dieser Phase nichts, was die DDR als literar. Erfüllung ihres polit. Programms hätte feiern können.

Die **Verunsicherung der Literatur** hielt auch während des nach **Stalins Tod** und dem **Arbeiteraufstand vom 17. Juni 1953** einsetzenden "liberaleren" Kurses der SED ("Tauwetter") an. Obgleich sich jetzt angeblich eine eigene "sozialist. Nationalliteratur" herausbilden sollte, mußte selbst die offizielle Literaturgeschichtsschreibung der DDR für diese Zeit zunächst einmal **"ideolog. Klärungsprozesse"** einräumen. Namhafte marxist. Theoretiker, so der Ungar G. LUKÁCS (s. S. 247), der Leipziger Philosoph E. BLOCH ('DAS PRINZIP HOFFNUNG' 1954–59) und der Literaturwissenschaftler H. MAYER, traten **für eine liberalere Politik** ein, die schon ab 1956 wieder als "Revisionismus" verworfen wurde (BLOCH wurde 1957 zwangsemeritiert und emigrierte 1961, MAYER 1963 in die Bundesrep., LUKÁCS war lange Jahre verfemt).

Arnold Zweig (s. S. 244 u. 258) vollendete 1954 bzw. 1957 einen schon vor Jahrzehnten begonnenen Romanzyklus, 'DER GROSSE KRIEG DER WEISSEN MÄUSE' ('DIE FEUERPAUSE' und 'DIE ZEIT IST REIF'), seinen letzten Roman schuf er sieben Jahre vor seinem Tod: 'TRAUM IST TEUER' (1961), in vielfacher Hinsicht auch ein Rückgriff auf sein Frühwerk. – **Stefan Heym** (eigtl. H. FLIEG, geb. 1913), der 1948 in 'THE CRUSADERS' (dt. 'DER BITTERE LORBEER' 1950) noch eine Abrechnung mit der amerikan. Politik geschrieben hatte, war durch den Aufstand von 1953 so getroffen, daß er seine folgenden meist ebenfalls engl. und dt. geschriebenen Romane um das Thema "Unterdrückung" kreisen ließ (etwa 'THE LENZ PAPERS', 1963, über den bad. Aufstand 1848/49), bis er 1975 mit 'FÜNF TAGE IM JUNI' die Ereignisse von 1953 (auf insges. SED-freundliche Weise) zu deuten versuchte (dennoch durften weder dieser Roman noch die fingierte Schriftstellerbiographie 'COLLIN' von 1979 in der DDR erscheinen: generelles Veröffentlichungsverbot 1963–73). 1958 veröffentlichte **Bruno Apitz** (1900–79) seinen überaus erfolgreichen KZ-Roman 'NACKT UNTER WÖLFEN', in dem es um die brisante Alternative "strenge Parteidisziplin oder Einsatz für das Leben eines einzelnen (eines Kindes)" geht. Die formalen Mängel wiegen gering angesichts der mutigen humanen Lösung des Konflikts, die immerhin zu einer **Zeit erneut verschärfter Reglementierung von Schriftstellern** vorgetragen wurde, in der Autoren wie WOLFGANG HARICH und ERICH LOEST wegen ideolog. Abweichungen zu hohen Zuchthausstrafen verurteilt wurden.

1959 wurde auf der **"1. Bitterfelder Konferenz"** unter maßgebl. Einfluß von W. ULBRICHT ein Programm verabschiedet, das – für die DDR, die "erste dt. Arbeiter- und Bauernmacht", eigentlich "überflüssig" – **die Arbeitswelt in der Kunst,** u.a. durch Anregung von Arbeitern zu eigenem Schaffen, stärker verankert wissen wollte ("Bitterfelder Weg"). Trotz großer offizieller Förderung war dieser Initiative auch nicht annähernd der gleiche Erfolg beschieden wie der entspr. Bewegung, die in der Bundesrep. mit der Gründung "Gruppe 61" einsetzte (s. S. 275). Bis 1989 hielten sich (von der SED wohldotiert) einige Epigonen. – Da, wo sich unzweifelhaft "proletar." Autoren wie P. GRATZIK, W. HILBIG oder E. KÖHLER der Arbeitswelt ohne jenen damals propagierten Beschreibungsrealismus zuwandten, konnte es ihnen geschehen, daß sie in der DDR nicht veröffentlichen durften (so etwa GRATZIK seinen Roman 'KOHLENKUTTE', West-Berlin 1982).

Die Sperrung der Westgrenze **("Mauerbau")** 1961 schuf die äußeren Voraussetzungen für eine **"Beruhigung" des innenpolit. Klimas,** da nun jeder DDR-Bürger sinnfällig erfuhr, "wohin er gehörte". (Bezeichnenderweise haben auch westdt. Autoren erst 1960 die persönl. Folgen der polit. Teilung reflektiert: 'ICH LEBE IN DER BUNDESREPUBLIK' hg. v. W. WEYRAUCH). DDR-Autoren konzentrierten sich nun zwangsläufig mehr auf die sie unmittelbar umgebenden Probleme. **Günter de Bruyn** (geb. 1926) zeichnete in seinem Roman 'DER HOHLWEG' (1963) die Entscheidung junger Menschen unmittelbar nach dem Kriege für die sozialist. oder kapitalist. Lebensweise nach. Die sozialist. Bodenreform von 1945 und ihre konkreten Folgen sind das

Thema des vielbeachteten, ideologisch zunächst umstrittenen Romans 'Ole Bienenkopp' (1963) von **Erwin Strittmatter** (geb. 1912), zwischenzeitlich zum (freilich einsam-einzigen) Klassiker des "sozialist. Dorfromans" avanciert. **Franz Fühmann** (1922–84), in den fünfziger Jahren vor allem als Lyriker tätig, veröffentlichte zu Beginn der sechziger Jahre mehrere Erzählungen, von denen die Novelle 'Böhmen am Meer' (1962) in poet. Verflechtung mit Shakespeares 'Wintermärchen' dem Heimischwerden sudetendt. Flüchtlinge in einem Ostseedorf gewidmet ist.

1963 ist auch das Erscheinungsjahr des ersten DDR-Romans, der die Massenflucht von Ost nach West vor dem Mauerbau thematisiert. **Christa Wolf** (geb. 1929), 'Der geteilte Himmel'. Außer den von Weyrauch hg. Reflexionen westdt. Autoren waren es im übrigen bis 1989 eher Schriftsteller aus der DDR (wozu auch U. Johnson zählen muß – s. S. 273), die literarisch Gültiges, wenn auch oft **Unbequemes zum nationalen Nachkriegsproblem, der Spaltung Deutschlands,** zu sagen hatten. Hierin machte sich zweifellos auch ein **höheres Maß an Betroffenheit in der DDR** bemerkbar. Als westdt. Ausnahmen mögen gelten Peter Schneider und Martin Walser; ansonsten dominierte im Westen eher ein peinlicher Politnarzißmus (vgl. die österr. Anthologie 'Deutschland, Deutschland', hg. v. J. Jung, 1979). Demgegenüber bereiteten die polit. Verhältnisse in der DDR zunehmend einen Nährboden für **Formen politikferner Alternativkultur,** in denen freilich die Stasi kräftig mitwirkte; so in den Künstlerzirkeln und in der Lyrikergruppe vom **Prenzlauer Berg** in Berlin. Die Enttarnung der Prenzlauer Leitfigur S. Anderson als Stasi-Spitzel (1986 in die Bundesrep. übergesiedelt) hat auch Unschuldige in Mißkredit gebracht.

Schuldbewußte Erinnerungen an die alte Heimat und deren östl. Nachbarn wurden für die literar. Arbeit von **Johannes Bobrowski** (geb. 1917 in Tilsit/Memel, gest. 1965) bestimmend. Er vermied indes vordergründ. Aktualisierungen und hat wohl nicht zuletzt deswegen in seiner relativ kurzen Schaffenszeit als Lyriker und Erzähler weit über die DDR und das dt. Sprachgebiet hinaus Wirkendes geleistet.

Nach einem Jugendbuch von 1956 erschienen 1961 und 1962 die Gedichtbände 'Sarmat. Zeit' und 'Schattenland Ströme'. 1964 wurde seinem Roman 'Levins Mühle' sogleich große Resonanz zuteil. Er stellt an einem Justizfall nationale und relig. Intoleranz bloß. Es folgten die Erzählbände 'Böhlendorff' und 'Mäusefest' (1965) sowie 'Der Mahner' (postum 1967), in denen Bobrowski sich durchaus engagiert auch mit der sozialen Rolle des Intellektuellen auseinandersetzt. DDR-Literarhistoriker sahen Bobrowski mitunter als "ihre" Alternative zu G. Grass. Insgesamt blieb die Auseinandersetzung mit der NS-Vergangenheit in der DDR aber oberflächlich pauschal, wenn sie nicht gar unterdrückt wurde.

Die Mitte der 60er Jahre zur Verdrängung von Popmusik und Folksong aus dem Westen gegr. **Singebewegung** der FDJ mußte mit ihren meist anspruchslosen Liedchen auch über den **kulturpolit. Kahlschlag** hinwegtrösten, der vom 11. ZK-Plenum der SED unter W. Ulbricht im Dez. 1965 exekutiert wurde (zahlreiche Veröffentlichungs- und Aufführungsverbote). Die Repression traf nicht zu letzt den "Liedermacher" **Wolf Biermann** (geb. 1936), der seine aufmüpfigen, der DDR aber grundsätzlich wohlgesonnenen Texte nur im Westen veröffentlichen konnte (u.a. 'Die Drahtharfe' 1965, 'Mit Marx- und Engelszungen' 1968). Die kulturpolit. "Liberalisierung" unter E. Honecker diskreditierte sich durch Biermanns „Ausbürgerung" 1976 (s.u.).

Unbehindert konnte jedoch **Hermann Kant** (geb. 1926) publizieren. Nach kleineren Erzählungen ('Ein bisschen Südsee' 1962) trat er 1964/65 mit seinem Roman 'Die Aula' hervor, der für die offiziell geförderte DDR-Literatur als epochemachend galt, weil er moderne Erzählformen (die vormals unter dem Verdacht standen, "formalistisch" zu sein) mit Ansprüchen des "sozialist. Realismus" zu vereinen suchte. 1972 darf Kant den Roman 'Das Impressum' veröffentlichen, der die eingeschlagene Richtung weiterverfolgt. Dies gilt auch für die Haltung "solidar. Kritik" an der Gegenwartssituation der DDR, die "höheren Orts" für ungefährlich gehalten wurde. So sensibel, wie sich Kant in seinem dritten Roman 'Der Aufenthalt' (1977) zeigte, in dem er seine Erfahrungen in poln. Kriegsgefangenschaft reflektierte, erwies er sich freilich als Vorsitzender des DDR-Schriftstellerverbands keineswegs. Hier agierte er rücksichtslos.

Schon 1968 kommt es anläßlich der **Unterdrückung des "Prager Frühlings"** auch durch DDR-Truppen zu krit. Äußerungen von DDR-Autoren, die aber kompromißlos geahndet werden (u.a. Verurteilung von Th. Brasch).

Die **theoret. Diskussion über die Aufgaben der Literatur in der DDR** erscheint im Rückblick wie Spiegelfechterei, da sie stets unter der Bedingung eines Bekenntnisses zur führenden Rolle der SED geführt wurde. Zwei Antipoden dieser Diskussion, **Peter Hacks** (geb. 1928), neben Heiner Müller lange Zeit der wichtigste Dramatiker der DDR, und **Volker Braun** (geb. 1939), Lyriker, Dramatiker und Erzähler, unterschieden sich (außer durch ihre spezif. Stilideale) durch eine unterschiedl. Einschätzung des "revolutionären" Zustands der DDR. Hacks hielt die

Situation bereits für "postrevolutionär" und hielt sich (vorsichtigerweise) vor allem an histor. und mytholog. Themen (z.B. 'Müller von Sanssouci' 1958, 'Amphitryon' 1967, 'Senecas Tod' 1980). V. Braun ging hingegen von nach wie vor bestehenden sozialen Ungleichheiten aus, die er etwa in seinem Schauspiel 'Die Kipper' (1966; 1. Fassung 'Kipper Paul Bauch' 1962) bearbeitete, oder er dramatisierte den Konflikt zwischen ungeduldiger Zukunftserwartung und ergebener Parteiarbeit in der Faust-Adaption 'Hinze und Kunze' 1973 (1967 als 'Hans Faust' in 1. Fassung). Hinze und Kunze als Vertreter des gesellschaftl. Unten und Oben in der DDR machte Braun inzwischen zu Dialogpartnern in 'Berichte von Hinze u. Kunze' (1983) und zu Figuren seines 'Hinze-Kunze-Romans' (1985), der auch die literaturtheoret. Folgen der nach wie vor bestehenden gesellschaftl. Ungleichheit reflektierte.

Die **wachsenden Probleme der DDR** kamen aber auch sonst in der Literatur mehr und mehr zur Sprache (natürlich ungeachtet des vielen, was in den engen Maschen der Zensur hängenblieb). Nach der Ablösung Ulbrichts durch E. Honecker 1972 und einer leichten Lockerung der Kulturpolitik wurden schon **1976 wieder stalinist. Methoden herrschend:** W. Biermann wurde während einer Tournee durch die Bundesrep. "ausgebürgert", sein Freund Robert Havemann (1910–82) unter Hausarrest gestellt, Protestresolutionen von Schriftstellerkollegen wurden mit Ausschluß aus der SED und/oder dem Schriftstellerverband geahndet (allein bis 1981 wurde rd. 50 Intellektuellen die DDR-"Staatsbürgerschaft" aberkannt).

Trotz dieser beschämenden Entwicklungen, die westdeutscherseits oft nur verschämt wahrgenommen wurden, lassen sich – manchmal zeitversetzt – **erstaunl. literaturinterne Gemeinsamkeiten zwischen Ost und West** feststellen. Die Unterschiede aber sollen ebenfalls nicht unterschlagen werden:

1. Literatur stieß in Ost und West auf ein sehr **unterschiedl. öffentl. Interesse.** Oft gegen die Absichten der Autoren nahm das DDR-Publikum Literatur als Ersatz für eine freie Berichterstattung über den wahren Zustand von Staat und Gesellschaft. In der kleinräum. DDR waren zudem literar. Erscheinungen sehr viel schneller allg. bekannt, als es Texten hierzulande widerfuhr, die oft in der Flut konkurrierender Publikationen untergehen.

2. Die Behinderung von DDR-Bewohnern in ihrer Bewegungsfreiheit hatte auch in der Literatur ein **"Verlangen nach Welt"** zum Thema werden lassen, das sich in unzähl. Äußerungen einer **Sehnsucht nach Reisen und Weite** niederschlug (vgl. die Anthologie neuer Prosa aus der DDR von K. Franke, 'Gespräche hinterm Haus' 1981). Ein weiterer gemeinsamer Zug jüngster Literatur war die deutl. Kontrastierung von "großer" und "kleiner Welt", von ideolog. Ansprüchen und tatsächl. Enge des sozialist. Alltags. Markante Belege bieten Romane von E. Loest ('Es geht seinen Gang' 1978), G. de Bruyn ('Märk. Forschungen' 1979) und Armin Müller ('Der Magdalenenbaum' 1979).

3. Die **Vielseitigkeit von Autoren aus der DDR im Umgang mit den Medien** (Film und Funk), die aus Besonderheiten des DDR-Kulturbetriebs herrührte (gezielte Aufforderungen, auch in anderen Medien zu arbeiten), wurde von Autoren in der Bundesrep. auch nicht annähernd erreicht. Im Vergleich zu vormal. DDR-Autoren wie Thomas Brasch oder Reiner Kunze, die auch im Westen schon beachtenswerte Filmarbeit geleistet haben, sind viele westdt. Autoren eher "medienscheu" eingestellt (Ausnahmen: A. Kluge und H. Achternbusch).

Es verwundert darum kaum, daß die DDR-Literaturgeschichtsschreibung sogar die Entwicklung neuer, medienbestimmter Gattungen wie den **"Fernsehroman"** reklamierte. Auch war in der Bundesrep. die Arbeit von Autoren in versch. literar. Genres längst nicht so verbreitet wie in der DDR, wo selbst renommierte Schriftsteller sich nicht "zu schade" waren, etwa auch **Kinder- und Jugendbücher** zu schreiben (prominentes Beispiel P. Hacks; seltene Ausnahmen im Westen sind Günter Herburger und Peter Härtling). Trotz ideolog. Sperren hatten sich angesehene DDR-Autoren (Seghers, Kunert, Fühmann u.a.) ebenfalls **Science-fiction-Sujets** angenommen, die in der Bundesrep. fast ausschließlich Trivialautoren vorbehalten waren.

Trotz des beständigen Aderlasses, dem sich die DDR selbst unterzog, waren im Westen noch etliche DDR-Autoren mit Gewinn neu zu entdecken. Daß sich darunter vor allem Lyriker fanden, erklärt sich aus der in der DDR erstaunlich **ungebrochenen Pflege der lyr. Gattung.** Die Lyrik bewahrte indes ihre Autoren auch leichter vor ideolog. Beckmesserei. In der DDR-Lyrik stoßen wir denn auch am ehesten auf Texte, die ein politisch ungeteiltes Publikum ansprechen. Erwähnt seien nur die Namen H. Czechowski, A. Endler, W. Kirsten, U. Kolbe, K. Mickel, J. Rennert. – Erscheinungen wie das Zusammenwirken von Lyrikern in der sog. Sächs. Dichterschule der sechziger und siebziger Jahre wären in der alten Bundesrep. allerdings unvorstellbar gewesen. Der Anspruch der "Neuen Wilden" aus der von der Stasi unterwanderten Alternativszene (z.B. B. Papenfuss-Gorek, L. Lorek) muß sich in der polit. Einheit neu bewähren.

Tendenzen in den siebziger und achtziger Jahren

Zu den in der Bundesrep. der siebziger Jahre heftig diskutierten Themen schienen nicht selten Autoren der DDR gültigere Worte als ihre westl. Kollegen gefunden zu haben (*"Vielleicht sogar ist die dt. Geschichte in der DDR 'deutscher' als andernorts!"* – G. KUNERT): zu der hier oft nur gestammelten oder zerredeten Angst vor der Zukunft, zur Ignoranz histor. Kontinuitäten, zur Undurchschaubarkeit sozialer Beziehungen, zur Bedrohtheit der privaten Existenz, zur Zerstörung vertrauter Umgebungen und persönl. Identität. Was nach den Brüchen der end sechziger Jahre in der Bundesrep. erst allmählich wieder zum Wort findet, hat in der DDR, nicht zuletzt durch die polit. Verhältnisse erzwungen, eine ungebrochenere dichter. Reflexion erfahren.

Bezeichnend war – wie oben schon angedeutet – die kontinuierl. **Pflege der Lyrik** in der DDR, die im Westen erst in den siebziger Jahren wieder größere Aufmerksamkeit fand: 1979 erstes Lyriker-Treffen in Münster/Westf. (mit rd. 20.000 Zuhörern!) und Beginn des LEONCE-UND-LENA-Wettbewerbs in Darmstadt (mit jährlich wachsendem Zuspruch). Neben den jüngeren Talenten werden auch die "Altmeister" wieder stärker zur Kenntnis genommen. ELISABETH BORCHERS (geb. 1926), HILDE DOMIN (geb. 1912), KARL KROLOW (geb. 1915), HEINZ PIONTEK (geb. 1925), CHRISTA REINIG (geb. 1926; 1964 aus der DDR gekommen) mögen exemplarisch für diese stehen. Das Feld der Jüngeren ist noch kaum überschaubar und in fruchtbarer Veränderung. Genannt seien außer den schon bei anderer Gelegenheit Erwähnten LUDWIG FELS, JAN KONEFFKE, ULLA HAHN, ROLF HAUFS, KARIN KIWUS, KLAUS KONJETZKY, URSULA KRECHEL, PETER MAIWALD, ROMAN RITTER, JÜRGEN THEOBALDY, GUNTRAM VESPER. Eine "mittlere Generation", zu der man JÜRGEN BECKER (geb. 1932, vgl. S. 260), den früh verstorbenen NICOLAS BORN (1937–79) und PETER RÜHMKORF (s. S. 279) zählen darf, hat viel für die lyr. Kontinuität in der Bundesrep. getan. Auffällig ist eine **stärkere Beachtung kunstvoller Formen** (Endreim, Sonett, sogar Ghasele ...).

Die **"neue Innerlichkeit"**, die Rückkehr zur Subjektivität in der Poesie, die in der Bundesrep. den zuvor überzogenen polit. Ansprüchen an die Literatur mühsam abgerungen werden mußte (man denke an den geradezu programmat. Titel des Romans von N. BORN, 'DIE ERDABGEWANDTE SEITE DER GESCHICHTE', von 1976), hatte sich inzwischen auch **in der DDR als literar. Haltung gegen die monströse Politisierung des Alltags** so sehr durchgesetzt, daß sich selbst der ansonsten überaus linientreue Präsident des Schriftstellerverbandes, H. KANT, zu einer öffentl. Verteidigung des "Rückzugs ins Private" veranlaßt sah (Radio DDR 1981).

Eine **radikale, an keinen Gruppennormen orientierte Selbstverwirklichung** bestimmt spätestens seit 1969 das literar. Werk des Westdt. HERBERT ACHTERNBUSCH (geb. 1938), dessen Filmschaffen bereits kurz erwähnt wurde (s. S. 282). Seine Schriften 1963–79 liegen jetzt gesammelt vor: '1969'/'DIE ALEXANDERSCHLACHT'/'DIE ATLANTIKSCHWIMMER' (1986). In der DDR hat 1973 ULRICH PLENZDORF (geb. 1934) in seinem Roman 'DIE NEUEN LEIDEN DES JUNGEN W.' eine inzwischen wohl "gesamtdt." gewordene **Distanz zu den Aufbauideologien** der Nachkriegszeit und das **Motiv der Leistungsverweigerung** gestaltet. Einen vielbeachteten österr. Beitrag zur neuen Subjektivität hat FRANZ INNERHOFER (geb. 1944) mit seinen Romanen 'SCHÖNE TAGE' (1974), 'SCHATTSEITE' (1975) und 'DIE GROSSEN WÖRTER' (1977) geleistet. Eine "Schweizer Variante" von Gegenwartsthemen wie Lebensangst, zerstörtes Selbstbewußtsein und Leistungsverweigerung gestaltet FRANZ BÖNI (geb. 1952) in seinen Erzählungen, z. B. 'EIN WANDERER IM ALPENREGEN' (1979). Das Thema "Unfähigkeit zur Liebe" steht im Zentrum eines Romans von HERMANN BURGER (1942–89): 'DIE KÜNSTL. MUTTER' (1982); BURGER zählt zu den jüngeren Meistern der Schweiz; unvollendet blieb seine Tetralogie 'BRENNER'.

Wie sehr gerade die **Mitteilung des Privaten** mit der Einsicht verbunden sein muß (und kann), daß das Private der Raum ist, in dem **gesellschaftl. Zwänge** besonders deutlich werden, bezeugt das (seit 1957) außerordentlich konstante erzähler. Schaffen von GABRIELE WOHMANN (Bundesrep., geb. 1932). Das ihre zahlreichen Werke durchziehende Thema ist die Problematik der Beziehungen zwischen (Ehe-)Partnern sowie Eltern und ihren Kindern, worin eine gewisse themat. Verwandtschaft mit neueren Arbeiten von M. WALSER (etwa 'BRANDUNG' 1985) aufscheint. Trotz tiefer Getroffenheit durch das Scheitern der Studentenrevolte bedeutet auch bei dem Westberliner Dramatiker BOTHO STRAUSS (geb. 1944) die "Wendung nach innen" keineswegs eine Flucht vor der Auseinandersetzung mit der Realität. Seine Szenen von 1978 'GROSS UND KLEIN' oder die Prosastücke 'PAARE, PASSANTEN' von 1981 bieten ein weites Panorama westdt. Gesellschaft und demonstrieren überaus kritisch die herrschende Verwirrung in Gefühl und Handlungsweise. Ein gefährl. **Zug ins Mystische** wurde indes seinem Gedicht 'DIE ERINNERUNG AN EINEN, DER NUR EINEN TAG ZU GAST WAR' von 1985 bescheinigt, eine Tendenz, die auch bei anderen Autoren zunimmt. Eine alte, verschüttete Quelle dieser Richtung erschloß die in Straßburg lebende BARBARA HONIGMANN (geb. 1949) mit ihrem ep. Debüt

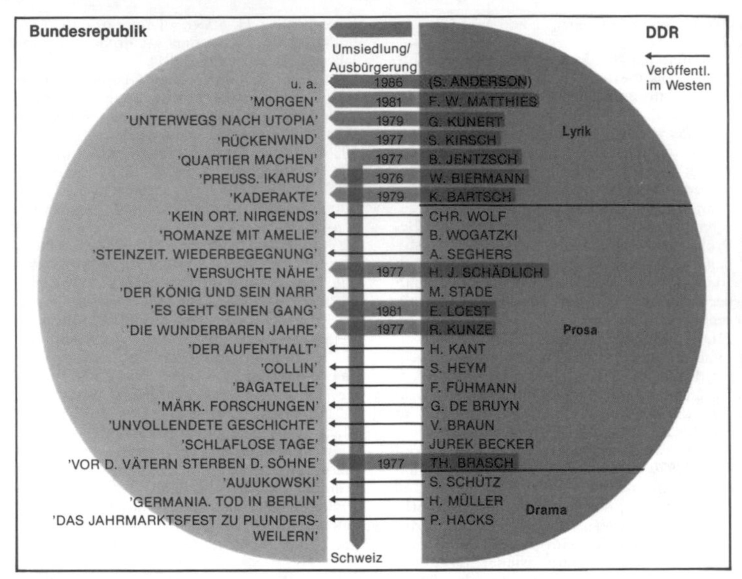

DDR-Autoren im Westen

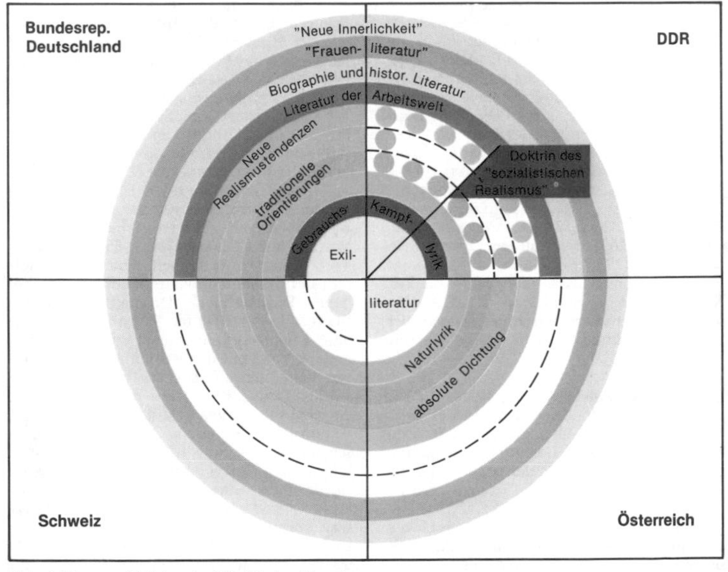

Entwicklungsschichten der Nachkriegsliteratur

'ROMAN VON EINEM KINDE' (1986) neu: die jüd.-orthodoxe Mystik.
Das **neue Interesse an lebensgeschichtl. Fragestellungen,** an der Ermittlung individueller wie kollektiver Identität hatte schon in der 2. Hälfte der sechziger Jahre einen Protagonisten in dem Erzähler HUBERT FICHTE (Bundesrep., 1935–86; Romane 'DAS WAISENHAUS' und 'DIE PALETTE' 1965 bzw. 1968). Es war und ist auch die Basis für die **literar. Selbstbesinnung von Frauen** über ihre Geschlechterrolle, scheinbar gleichartig in der Bundesrep. wie in der DDR. Die Romane 'KLASSENLIEBE' (1973) von KARIN STRUCK und 'HÄUTUNGEN' (1975) von VERENA STEFAN (beide Autorinnen geb. 1947) mögen dieses Thema für den Westen belegen, für den Osten die von MAXIE WANDER (1933–77) gesammelten (und redigierten!) Selbstaussagen von Frauen in 'GUTEN MORGEN, DU SCHÖNE' und HELGA SCHÜTZ' 'MÄDCHENRÄTSEL' (beide Titel 1978). Dennoch wehrten sich DDR-Autorinnen wie HELGA SCHUBERT (u. a. 'ANNA KANN DEUTSCH', Westausg. 1985), unter "Frauenliteratur" subsumiert zu werden (dies sei eine Erfindung des westdt. Feminismus!). Ein bemerkenswertes Motiv persönl. Identitätssuche war in den siebziger Jahren die **"Suche nach dem Vater"**, für das CHRISTOPH MECKELS Roman 'SUCHBILD' (1980) besonders bezeichnend ist (auch RENATE RASP, RUTH REHMANN u. a.).
Unter das Stichwort "Identitätssuche" läßt sich wohl auch die vor allem in der Bundesrep. in den siebziger Jahren hervorgetretene **Dialektliteratur** subsumieren, die durch die regional gebundene Sprache der Mundart die vielfach schon endgültig verlorenen Fixpunkte einer individuellen Entwicklung in überschaubaren Lebensräumen zu rekonstruieren versucht. Natürlich wirken hier auch ältere, sprachkrit. und -artist. Momente nach, wie sie vor allem die Texte des Wieners H. C. ARTMANN bestimmten (vgl. S. 270). Nennenswerte Zeugnisse stammen u. a. von LUDWIG HARIG (Saarland), FRANZ XAVER KROETZ (Bayern; s. S. 279), FITZGERALD KUSZ (Franken), KURT SIGEL (Frankfurt a. M.), LUDWIG SOUMAGNE (Niederrhein), THADDÄUS TROLL (Schwaben). Eine Gefährdung hochdt. Literatur – wie sie sich in der Schweiz abzeichnet – ging von diesen Bemühungen jedoch nicht aus.
Histor. und kulturelle Kontinuitäten gehörten – freilich in politisch-ideolog. Selektion – seit langem zur offiziellen **Pflege des "kulturellen Erbes"** in der DDR. Inzwischen hat aber auch in der Bundesrep. das **Interesse an Geschichte** wieder erheblich zugenommen, wie nicht nur die entspr. Sachbuchproduktion offenbart. Eine **wachsende Zahl von Biographien und Briefwechseln** bezeugt auch einen neuen literar. Schwerpunkt. GOLO MANNS 'WALLENSTEIN' VON 1971 war das noch von einem Historiker gesetzte Signal, daß Geschichte "erzählt" sein will, wenn sie auf mehr als ein abstraktes Interesse stoßen soll. Die Künstlerbiographien von PETER HÄRTLING (Hölderlin 1976), WOLFGANG HILDESHEIMER (Mozart 1977) und DIETER KÜHN (Oswald von Wolkenstein 1977 u. a.) versuchen darüber hinaus, das Subjekt des Erzählenden als unleugbaren Faktor alles Erzählten sichtbar zu machen.
Zur nicht immer unproblemat. Rekonstruktion kultureller Kontinuitäten zählte die in West wie Ost zu beachtende **neue Mythenrezeption.** Sie hat zwar – auch im 20. Jh. – prominente Vorgänger (TH. MANN, E. CANETTI, M. L. KASCHNITZ u. a.), kann aber in konkreten aktuellen Bemühungen auch als Ausweichen vor rationaleren Weltdeutungen (wie im neuen Mystizismus; s. o.) gewertet werden. So unterschiedl. Autoren wie F. DÜRRENMATT, CHRISTA WOLF und D. KÜHN (vgl. S. 58), früher schon P. HACKS (S. 282), bezeugten hierin eine geradezu grenzüberschreitende Tendenz mit ästhetisch höchst gegensätzl. Ergebnissen. Unzweifelhaft positiv zeichnet sich in der **übersetzer. Zuwendung anerkannter Autoren zu Klassikern der Literatur** wie AISCHYLOS (P. HANDKE 1986), SHAKESPEARE (E. FRIED 1985) oder TSCHECHOW (TH. BRASCH 1985) ein grundsätzlich gewandeltes Verhältnis zur Tradition ab. Wenig präzise, aber medienwirksam werden solche Wandlungen **"postmodern"** genannt.
Ausschließlich negativ muß dagegen das **Gegenwartstheater** eingeschätzt werden, das trotz (oder auch: gerade wegen?) vielfältiger dramaturg. Experimente keine verläßl. Qualität mehr erkennen läßt. Es fehlen zudem – von wenigen Ausnahmen abgesehen – qualitätvolle Texte, und das offensichtlich weltweit. Zu den Ausnahmen muß TANKRED DORST zählen, der noch fast jährlich mit anspruchsvollen Vorlagen aufwartet. Ähnlich produktiv, aber oft umstritten ist der Österreicher PETER TURRINI. FRANZ XAVER KROETZ (der noch 1986 in 'WEIHNACHTSTOD' sein dramat. und sozial engagiertes Talent unter Beweis gestellt hatte) wollte sich sogar ganz vom Theater zurückziehen. Theaterkritiker wie G. HENSEL befürchten gar schon den "Zerfall der Gattung" (1987). Ähnlich kritisch äußerte sich P. REICHEL (Leipzig) schon 1985 über das Drama in der DDR. Viele Regisseure scheinen mit ihren Verfremdungen überlieferter Stücke (sog. Regietheater) nur noch für theaterwissenschaftl. Insider agieren zu wollen.
In West wie Ost wurde dagegen die sog. **Protokolliteratur** weitergepflegt. Beispiele wären ERIKA RUNGE (vgl. S. 275) mit 'BERLINER LIEBESGESCHICHTEN' und WERNER FRITSCH mit 'CHERUBIM' (1987). Nach MAXIE WANDERS Frauenprotokollen (s. o.) sind aus der DDR die Männerprotokolle von CHRISTINE MÜLLER 'JAMES DEAN LERNT KOCHEN' (1986) er-

wähnenswert. Eine interessante Fernwirkung hatte das DDR-Genre bis zum Pekinger Massaker 1989 in der VR China (u.a. ZHANG XINXIN/SANG YE, 'PEKINGMENSCHEN', dt. 1986).

Ein polit. Thema hatte Anfang der achtziger Jahre die Grenzen zwischen Ost und West wenigstens für Schriftsteller schon einmal etwas durchlässiger machen können, ein Thema, das freilich ganz auf der Propagandalinie der SED lag: das **Engagement für den Frieden.** Treffen in Ost-Berlin 1981 (Initiator S. HERMLIN), in Scheveningen (NL) und Köln 1982 sowie West-Berlin 1983 führten Autoren der DDR und der Bundesrep. wieder einmal an einen Tisch. Intern beschäftigten die DDR-Schriftsteller seit 1985 mehr die mögl. Folgen der neuen sowjet. Innenpolitik GORBATSCHOWS. Das allgemein gewachsene Engagement für Frieden und **Überleben in einer ökologisch bedrohten Welt** brachte auch einige literar. Zeugnisse hervor, die freilich oft mehr mod. "Betroffenheit" als Gültigkeit über den Tag hinaus beanspruchen können. Wenig überzeugend waren entspr. Texte von G. KUNERT (in 'ZURÜCK INS PARADIES' 1984) oder G. GRASS (Roman 'DIE RÄTTIN' 1986). Das Schauspiel 'TOTENFLOSS' von HARALD MUELLER erschien zwar makaber zeitgerecht zum Tschernobyl-Unglück, erschöpfte sich aber in genüßlich vorgetragenen Horrorvisionen. Eindringlicher reflektiert CHRISTA WOLF in 'STÖRFALL' (1987) die auch persönl. Folgen der sowjet. Atomkatastrophe. Noch ehrlicher gegenüber der Unbeschreibbarkeit aktueller Selbstzerstörungsmöglichkeiten verhielt sich da wohl W. HILDESHEIMER, der nach schon sehr frühen Untergangsprophezeiungen seit seiner fiktiven Biographie 'MARBOT' (1981) bis zu seinem Tod 1991 mehr oder weniger schwieg.

HILDESHEIMERS Tod war Glied in einer schmerzl. **Kette von großen Verlusten für die dt. Literatur,** durch die innerhalb von nur sechs Jahren H. BÖLL (1985), F. FÜHMANN (1986), H. BURGER und TH. BERNHARD (1989) sowie F. DÜRRENMATT (1990) und M. FRISCH (1991) für immer verstummten.

Soll man nun die nach wie vor blühende Lyrik i.S. G. KUNERTS als "Arche, vor der Sintflut" (in Abwandlung seiner Frankfurter Poetik-Vorlesungen 1981) oder den unübersehbaren neuen **Aufschwung der Epik** in den achtziger Jahren i.S. von P. BICHSELS Theorem vom Erzählen als "Überlebens-Mittel" werten? Erzählungen und Romane wie 'DAS SPIEGELKABINETT' von MICHAEL SCHNEIDER (1980), 'DAS PARFÜM', 'DIE TAUBE' von PATRICK SÜSKIND (1984 bzw. 1987), die Texte in der 'ATLANTIK-NOVELLE' von R. HOCHHUTH (1985) oder 'DRACHENBLUT' und 'HORNS ENDE' (1982 bzw. 1985) des DDR-Autors CHRISTOPH HEIN stellen zwar noch keine weltliterar. Höhepunkte dar, sind aber Zeugnisse von gewachsener Sprachkultur.

Dasselbe gilt für weitere ep. Texte, die sich mit neuer Intensität der **Auseinandersetzung mit der NS-Zeit und ihren Folgen** widmen. Hier ist noch einmal B. HONIGMANNS 'ROMAN VON EINEM KINDE' (1986) zu nennen, ferner JUREK BECKERS Roman 'BRONSTEINS KINDER', GERT HEIDENREICHS Erzz. 'DIE GNADE DER SPÄTEN GEBURT' und nicht zuletzt TH. BERNHARDS Roman 'AUSLÖSCHUNG' (alle 1986).

BERNHARD wie HANDKE hatten mit ihren jüngeren Arbeiten (HANDKE u.a. mit 'NACHMITTAG EINES SCHRIFTSTELLERS' 1987) zwischenzeitlich aufgekommene Zweifel an ihrer schriftsteller. Qualität glänzend widerlegt. Um HANDKE (und B. STRAUSS) war 1985/86 der sog. **neudeutsche Literaturstreit** zwischen verschiedenen Fraktionen der Literaturkritik ausgebrochen, die erste größere öfftl. Kontroverse um literar. Maßstäbe seit dem sog. Zürcher Literaturkrieg 1966/67 (anläßl. der konservativen Abwertung der Moderne durch den Germanisten E. STAIGER, gest. 1987).

Überhaupt ließ sich – allgemeindeutsch – wieder ein **größeres literatur- und sprachtheoret. Engagement,** auch von Autoren selbst, feststellen. Die Neuauflage der Frankfurter Poetik-Vorlesungen (seit 1979) mit Schriftstellern als Dozenten (Nachahmungen in Kassel und München), literar. Arbeiten wie 'DIE SCHULD DER WORTE' von GERT NEUMANN (DDR) von 1979, A. MUSCHGS Roman 'DAS LICHT UND DER SCHLÜSSEL' von 1984 (in Fortführung seiner Frankfurter Vorlesungen), V. BRAUNS schon erwähnter 'HINZE-KUNZE-ROMAN' (1985) oder G. DE BRUYNS Essays 'LESERFREUDEN' (DDR 1986) sind deutl. Belege.

Das Ende des "Realsozialismus" und die deutschen Schriftsteller

Kompromißloser Widerstand gegen die Politik der SED schien DDR-Schriftstellern nur außerhalb der Grenzen ihres Landes möglich. So intensiv sie in der DDR selbst die Chancen von GORBATSCHOWS Politik, von **Perestrojka** und **Glasnost** (ab 1985) für die DDR intern auch diskutierten: der artige Protest der Etablierten hatte nur geringe Folgen, etwa in der "Liberalisierung" der Buchzensur (sog. Druckgenehmigungspraxis), die der DDR-Schriftstellerkongreß 1987 angemahnt hatte. Um so überraschter schienen viele DDR-Autoren über den Freiheitsdrang ihrer Mitbürger, die durch die entscheidenden Demonstrationen vom 5. bis 7. Okt. 1989 in Dresden und am 9. Okt. 1989 in Leipzig die SED-Herrschaft ins Wanken brachten und schließlich den Beitritt neu geschaffener Länder zur Bundesrep. bewirkten (3. Okt. 1990).

Wie vieles andere geriet das **literar. Leben in den neuen Bundesländern in eine tiefe Krise.** Hierbei wirken versch. Faktoren zusammen;

doch sollte man die materiellen Aspekte (etwa das fakt. Ende von DDR-Verlagen) in angemessener Relation zu den geistigen Ursachen des Zusammenbruchs der DDR sehen. Die scheinbar vorbildl. (tatsächlich aber höchst einseitige) Kultur- und Literaturförderung in der DDR war ein insges. erfolgreiches Instrument der SED, die Künstler im Lande ruhig zu stellen. Der Ex-DDR-Autor W. HEGEWALD hat schon Anfang 1990 unmißverständlich bekannt: "... wir sind alle an der Schuld beteiligt worden" – ein Satz, der weit über die aktiv an der Zersetzung künstler. Bemühungen durch die Stasi Beteiligten (u. a. S. ANDERSON) hinausreicht.
Von kleinmütiger Larmoyanz war der **Sonderkongreß der DDR-Autoren** Anfang März 1990 geprägt, der noch nicht einmal die Kraft aufbrachte, sich von seinem Ex-Vorsitzenden H. KANT zu distanzieren, obwohl dieser für eindeutig stalinist. Maßnahmen (insbes. zahlreiche Verbandsausschlüsse 1979) verantwortlich war. Selbst ein davon Betroffener wie S. HEYM scheint inzwischen seiner Rolle als Dissident nachzutrauern, als er im eigenen Land nicht publizieren durfte. Inzwischen hat KANT es fertiggebracht, in Memoiren, 'ABSPANN' (1991), die Täter der SED-Diktatur zu Opfern zu stilisieren.
Erst vier Wochen nach dem Leipziger Durchbruch der DDR-Protestbewegung wagte sich die Prominenz auf eine (genehmigte!) Demonstration: Ost-Berlin, 4. November. Die Initiative "Für unser Land" (Dez. 1989) versuchte – blind gegen den unübersehbaren Bankrott des "Realsozialismus" auf allen Gebieten –, die DDR noch zu reformieren und zu retten.
Dieser peinl. **DDR-Nostalgie** gaben sich auch westdt. Autoren hin, wenn sie gegen eine neue staatl. Einheit plädierten. G. GRASS befürchtete im Febr. 1990 in seiner Frankfurter Poetik-Vorlesung gar schon ein neues Auschwitz! – Angemessener war dagegen, sich um die Rehabilitierung für stalinist. "Fehlurteile" zu bemühen, wie sie 1990 endlich u. a. W. HARICH, E. LOEST und W. JANKA (einem Opfer der polit. Kriecherei von J. R. BECHER und A. SEGHERS) zuteil wurde. Auch die Analyse ihrer Stasi-Akten, die 1990 etwa E. LOEST mit 'DER ZORN DES SCHAFES' und R. KUNZE mit 'DECKNAME "LYRIK"' vorlegten, nahm die bittere DDR-Realität ernster als das Gejammer um den Verlust SED-abhängiger Privilegien, die auch westdt. Autoren genossen haben; ernster auch als der verbissene Kampf von W. JENS und H. MÜLLER um eine Kollektivaufnahme der Ost-Berliner Akademie der Künste und ihrer bis 1989 auf "parteiliche Kunst" verpflichteten Mitglieder in die West-Berliner Akademie (1991/92). – CHR. WOLFS verspätete Offenbarungen über den **Stasi-Terror** in 'WAS BLEIBT' (1990) waren wertlos im Vergleich zu den zeitgerechten Darstellungen JUREK BECKERS von 1983 (Erz. 'DER VERDÄCHTIGE') oder KERSTIN HENSELS von 1987 (Erz. 'HERR JOHANNES').
Viele der bisher vorliegenden Versuche, die neue Lage nach dem weltweiten Zusammenbruch des Kommunismus literarisch zu deuten, sind i.w. nur Zeugnisse **individueller weltanschaul. Verwirrung.** Exemplarisch sei V. BRAUNS Drama 'BÖHMEN AM MEER' (1992) genannt, das zum "Lehrstück ohne Lehre" geraten ist. Wie tief bei manchem Autor der erzwungene Abschied von alten Zukunftshoffnungen wirken kann, zeigt die innere Entwicklung einer Trilogie von G. HERBURGER, die nach ihren sozialist.-utop. Stationen 'FLUG INS HERZ' (1977) und 'DIE AUGEN DER KÄMPFER' (1980/83) im Roman 'THUJA' (1991) mit einem geradezu surrealist. Abgesang auf jede Utopie endet. Geradezu programmatisch erscheint daher JOHANO STRASSERS Schrift von 1992 'LEBEN OHNE UTOPIE'.
Maßstäbe für die **Auseinandersetzung mit der jüngsten dt. Geschichte** setzen inzwischen die Romane von M. WALSER und MONIKA MARON, 'DIE VERTEIDIGUNG DER KINDHEIT' bzw. 'STILLE ZEILE SECHS', sowie G. DE BRUYNS Aufsätze 'JUBELSCHREIE, TRAUERGESÄNGE' (alle 1991).
Es wäre indes problematisch, die Situation der dt. Literatur (wieder einmal) ausschließlich oder auch nur vorwiegend an einem "richtigen" Verhältnis zur Politik zu messen, obgleich der zweite Abschied der Deutschen von einer Diktatur in diesem Jahrhundert genügend aufwühlenden Stoff bietet, der bearbeitet sein will. Große Literatur hatte – auch ohne derart aktuelle Anlässe – schon immer die Brüchigkeit gängiger Orientierungen im Auge. Ob sich die dt. Literatur vom vordergründ. Druck individueller oder kollektiver Aktualität befreien kann, um noch einmal zu weltliterarisch gült. Aussagen zu gelangen, muß derzeit bezweifelt werden. Im Vergleich zum Standard in anderen Ländern wie auch zu den glücklicheren eigenen Epochen keucht manches an dt. Gegenwartsliteratur, was von der Kritik hoch gefeiert wird (wenn es nicht ohnehin nur eine Eintagsfliege ist) zu vernehmlich unter der Last theoret. Ansprüche. Dennoch sollten es vorwiegend die Leser sein, die bei zeitgenöss. Literatur über die Gültigkeit literaturkrit. und -wiss. Urteile entscheiden. An Lesestoff, der trotz des skept. Gesamturteils empfehlenswert ist, fehlt es keineswegs. Hier stieße ein Versuch des Überblicks nicht nur an räuml., sondern auch an grundsätzl. Grenzen.

Wichtige "Seitentriebe" der dt. Literatur in Aus- und Inland

Die breitere literar. Öffentlichkeit nimmt im Vergleich zu allem bisher Genannten wichtige "Ableger" der **dt. Literatur im Ausland, in deutschsprach. Minderheiten,** leider meist nur wahr, wenn der (Medien-)Blick auf bes.

Erscheinungen fällt, obgleich die Lage dieser Literaturen wissenschaftlich schon recht gut dokumentiert ist (nicht zuletzt dank der Arbeiten der "Steinberger Studien"). In der **Sowjetunion** etwa hatte die dt. Sprache trotz der bedrückenden Folgen, die die dt. Aggression für die deutschsprach. Minderheit hatte, seit 1957 bzw. 1966 sogar in dt. Periodika einen hierzulande vielleicht überraschenden "Unterbau", auf dem rd. 50 Autoren schriftsteller. Tätigkeit in dt. Sprache nachgehen konnten. Die Folgen der Auflösung des Sowjetimperiums (1991), der anhaltend starken Auswanderung der "Rußlanddeutschen", der Formierung autonomer dt. Verwaltungsregionen und der mögl. Neuansiedlung in einzelnen Ländern der GUS sind überhaupt nicht absehbar.

Ähnliches gilt für die Lage der Deutschsprachigen in **Rumänien** (insbes. in Siebenbürgen), wo sich die Bedingungen für die Literatur insges., auch über CEAUŞESCUS Sturz 1989 hinaus, immer mehr verschlechtern. Die einstmals erstaunl. Vielfalt dt. Literatur in diesem Land ist vom rapiden Schwund dt. Leser infolge Auswanderung faktisch ausgelöscht. Herausragende Beispiele für diese Vielfalt waren u.a. FRANZ HODJAK, ALFRED KITTNER, HERTA MÜLLER, DIETER SCHLESAK und RICHARD WAGNER, die schon seit einigen Jahren in Deutschland veröffentlichen bzw. ganz hier leben.

Deutschsprach. Autoren in **Südtirol** versuchen natürlich die alten kulturellen Bindungen an Österreich aufrechtzuerhalten und zu nutzen. Ein Beispiel ist der Romancier JOSEPH ZODERER (u.a. 'LONTANO' 1984). Mit dem Schwinden des Alemann. im **Elsaß** gehen auch wichtige Voraussetzungen für eine dt. Literatur in dieser Region verloren. Gleichwohl sind literar. Einzelleistungen immer noch möglich, wie das Werk ANDRÉ WECKMANNS beweist (u.a. 'WIE DIE WÜRFEL FALLEN', Roman 1982). Die Lage deutschsprach. Literatur in weiteren Weltgegenden läßt sich auch nicht annähernd in kurzen Notizen fassen.

Ein durchaus schon beachtenswerter literar. Seitentrieb ist in den letzten Jahren in der Bundesrep. mit Veröffentlichungen ausländ. Immigranten, sog. **Gastarbeiter- oder Migrantenliteratur,** entstanden, die sicher zunächst ihrer krit. Inhalte (etwa: gegen Diskriminierung und falsche "Germanisierungstendenzen") wegen, bei einigen Autoren aber auch um ihrer künstler. Qualität willen Aufmerksamkeit findet. Einige (willkürl.) Beispiele: In West-Berlin lebt und schreibt seit den siebziger Jahren der Türke ARAS ÖREN Gedichte und Erzählungen, zwar auf türkisch, die aber in dt. Übersetzungen verbreitet werden. Sein in Köln lebender Landsmann AKIF PIRINCI schreibt dagegen bewußt unmittelbar auf deutsch, so seinen Roman 'TRÄNEN SIND IMMER DAS ENDE' (1980/81). Realist. Prosa stammt von dem Italiener FRANCO BIONDI ('PASSAVANTIS RÜCKKEHR' u.a.). Als Lyriker tritt der wichtige Organisator der Gastarbeiterliteratur GINO CHIELLINO, ebenfalls ein Italiener, hervor. Als Gemeinschaftsarbeit von F. BIONDI, den Syrern RAFIK SCHAMI und SULEMAN TAUFIQ sowie dem Libanesen JUSUF NAOUM ist inzwischen sogar eine Art Poetik der Gastarbeiterliteratur, 'LITERATUR UND BETROFFENHEIT' (1981), entstanden. Die inhaltl. Bandbreite ist jedoch breiter, als es die Forderung nach "oppositioneller Literatur" nahelegt (vgl. etwa die Märchen der Griechin ELENI TOROSSI 'TANZ DER TINTENFISCHE' 1986).

Nach wie vor bleibt die Frage nach der **Einheit der dt. Literatur,** die in verschiedenen Staaten lebt, obgleich sich diese Frage nach der Wiederherstellung der polit. dt. Einheit in einer Hinsicht entschärft hat (gleichwohl werden die Diskussionen um eine histor. DDR- bzw. BRD-Spezifik noch lange weitergeführt werden).

In **Österreich** gibt es starke Tendenzen, eine eigene Nationalliteratur zu reklamieren. Dem widersprechen allerdings die tatsächl. Bedingungen von Publikation und Verbreitung wichtiger österr. Autoren (man denke u.a. an TH. BERNHARD, P. HANDKE, E. JANDL, F. MAYRÖCKER, W. A. MITGUTSCH, J. WINKLER).

Ähnliches gilt für die **Schweiz,** in der sich die hochdt. Schreibenden noch stärker an einem "gesamtdt." Publikum orientieren müssen, weil die Dialektalisierung des öfftl. Lebens die Geltung der "Schriftsprache" immer mehr einschränkt. Hinzu kommt die extreme Distanzierung vieler Schweizer Autoren zumindest von den polit. und sozialen Strukturen ihres Landes (F. DÜRRENMATT bezeichnete die Schweiz als "Gefängnis", J. LAEDERACH gar als "Eiterbeule"!). Daneben aber ist eine "innere Regionalität" (oder auch: der "Plurizentrismus"; S. 11) der dt. Literatur in verschiedenen Ländern, d.h. eine unterschiedl. Ausprägung themat., stilist. und argumentativer Art unzweifelhaft. Sie entspricht durchaus der histor. Vielfalt dt. Literatur und wird ihr auch in Zukunft zugute kommen.

Bibliographie (Auswahl)

1. Gesamtdarstellungen

Annalen der dt. Literatur. Geschichte der dt. Literatur von den Anfängen bis zur Gegenwart, hg. v. H. O. Burger, Stuttgart ^{2}1971.

Beutin, W., Ehlert, K. u.a.: Dt. Literaturgeschichte. Von den Anfängen bis zur Gegenwart, Stuttgart ^{3}1989.

Böttcher, K., Geerdts, H. J. u.a.: Kurze Geschichte der dt. Literatur, Berlin (Ost) 1981.

Boor, H. de, Newald, R.: Geschichte der dt. Literatur von den Anfängen bis zur Gegenwart, München 1949ff.

Brenner, E., Bortenschlager, W.: Dt. Literaturgeschichte bis zum Ende des 19. Jhs., München ^{19}o.J. (2 Bde.).

Dt. Dichter. Leben und Werk deutschsprachiger Autoren, 8 Bde., hg. v. G. E. Grimm und F. R. Max, Stuttgart 1989ff.

Die dt. Literatur, hg. v. O. F. Best und H. J. Schmitt, Stuttgart 1974–77 (16 Bde.).

Dt. Literatur. Eine Sozialgeschichte, hg. v. H. A. Glaser, Reinbek 1980ff.

Dinse, H.: Die Entwicklung des jidd. Schrifttums im dt. Sprachgebiet, Stuttgart 1974.

Frauen, Literatur, Geschichte. Schreibende Frauen vom Mittelalter bis zur Gegenwart, hg. v. H. Gnüg und R. Möhrmann, Stuttgart 1985.

Frenzel, H. A., Frenzel, E.: Daten dt. Dichtung. Chronolog. Abriß der dt. Literaturgeschichte, München ^{25}1990 (2 Bde.).

Frenzel, H. A.: Geschichte des Theaters. Daten und Dokumente 1470–1890, München ^{2}1984.

Geschichte der deutschen Literatur, hg. v. E. Bahr, Tübingen 1987–88 (3 Bde.).

Glaser, H. u.a.: Wege der dt. Literatur, Bd. 1 Frankfurt a.M. ^{3}1986.

Hansers Sozialgeschichte der dt. Literatur vom 16. Jh. bis zur Gegenwart, hg. v. R. Grimminger, München 1980ff.

Heuer, R.: Bibliographia Judaica. Verzeichnis jüd. Autoren dt. Sprache, Frankfurt/New York 1982ff. (4 Bde.).

Kinderliteratur und Jugendliteratur, hg. v. M. Gorschenek und A. Rucktäschel, München 1978.

Kindlers Literatur-Lexikon im dtv. München 1974 (25 Bde.) und 1986 (14 Bde.).

Kindlers neues Literatur-Lexikon, hg. v. W. Jens, München 1988ff. (20 Bde.).

Kunze, K., Obländer, H.: Grundwissen dt. Literatur, Stuttgart ^{4}1980.

Martini, F.: Dt. Literaturgeschichte. Von den Anfängen bis zur Gegenwart, Stuttgart ^{18}1984.

Rothmann K.: Kleine Geschichte der dt. Literatur, Stuttgart ^{7}1985.

Szyrocki, M.: Die deutschsprachige Literatur von ihren Anfängen bis zum Ausgang des 19. Jhs., Warschau 1986.

Willberg, H. J.: Dt. Literaturepochen, Bonn ^{4}1972.

2. Einzelne Epochen und Themen

Absichten und Einsichten. Texte zum Selbstverständnis zeitgenössischer Autoren, hg. v. M. Krause und S. Speicher, Stuttgart 1990.

Albrecht, R.: Das Bedürfnis nach echten Geschichten. Zur zeitgenössischen Unterhaltungsliteratur in der DDR, Frankfurt a.M./Bern 1987.

Alker, E.: Die dt. Literatur im 19. Jh. 1832–1914, Stuttgart ^{3}1981.

Anger, A.: Literarisches Rokoko, Stuttgart ^{2}1968.

Arnold, H. L.: Literarisches Leben in der Bundesrepublik Deutschland, Stuttgart 1974.

Auslandsdeutsche Literatur der Gegenwart, hg. v. A. Ritter, Hildesheim 1974ff.

Balzer, B., Denkler, H., Eggert, H., Holtz, G.: Die deutschsprachige Literatur in der Bundesrepublik Deutschland, München 1988.

Bertau, K.: Dt. Literatur im europ. Mittelalter, München 1972–73 (2 Bde.).

Betz, A.: Exil und Engagement. Deutsche Literatur im Frankreich der Dreißiger Jahre, München 1986.

Borchmeyer, D.: Die Weimarer Klassik, Königstein/Ts. 1980 (2 Bde.).

Brinker-Gabler, G. u.a.: Lexikon deutschsprachiger Schriftstellerinnen 1800–1945, München 1986.

Buddecke, W., Fuhrmann, H.: Das deutschsprachige Drama seit 1945. Schweiz/BRD/Österreich/DDR, München 1981.

Bumke, J.: Höfische Kultur. Literatur und Gesellschaft im hohen Mittelalter, München 1986 (2 Bde.).

Demetz, P.: Fette Jahre, magere Jahre. Deutschsprachige Literatur von 1965–1985, München 1988.

Dt. Dichter des 17. Jhs. Ihr Leben und Werk, hg. v. H. Steinhagen und B. von Wiese, Berlin 1984.
Deutsches Exilarchiv 1933–1945. Katalog der Bücher und Broschüren, hg. v. K.-D. Lehmann, Stuttgart 1989.
Die dt. Exilliteratur 1933–1945, hg. v. M. Durzak, Stuttgart 1973.
Dt. Gegenwartsliteratur, hg. v. M. Durzak, Stuttgart 1981.
Die dt. Literatur der Gegenwart. In Einzeldarstellungen, hg. v. D. Weber, Stuttgart 1976ff.
Die dt. Literatur im Dritten Reich. Themen – Traditionen – Wirkungen, hg. v. H. Denkler und K. Prümm, Stuttgart 1976.
Die dt. Literatur in der Weimarer Republik, hg. v. W. Rothe, Stuttgart 1974.
Dt. Literatur zur Zeit der Klassik, hg. v. K. O. Conrady, Stuttgart 1977.
Die dt. Romantik, hg. v. H. Steffen, Göttingen [3]1978.
Der deutsche Schelmenroman im europäischen Kontext. Rezeption, Interpretation, Bibliographie, hg. v. G. Hoffmeister, Amsterdam 1987.
Deutschsprachige Exilliteratur seit 1933, hg. v. J. M. Spalek und J. Strelka, Bern 1976ff.
Eine nicht nur dt. Literatur, hg. v. I. Ackermann und H. Weinrich, München 1986.
Emmerich, W.: Kleine Literaturgeschichte der DDR. Frankfurt [5]1989.
Emrich, W.: Dt. Literatur der Barockzeit, Königstein/Ts. 1981.
Endres, E.: Die Literatur der Adenauerzeit, München 1980.
Engel-Braunschmidt, A., Heithus, C.: Bibliographie der sowjetdeutschen Literatur 1960–1985, Wien/Köln 1987.
Finck, A.: Die deutschsprachige Gegenwartsliteratur im Elsaß, Hildesheim 1987.
Die Französische Revolution in Deutschland. Zeitgenössische Texte deutscher Autoren, Augenzeugen, Pamphletisten, Publizisten, Dichter und Philosophen, hg. v. F. Eberle und Th. Stammen, Stuttgart 1989.
Gaede, F.: Realismus von Brant bis Brecht, München 1972.
Geschichte der dt. Literatur von den Anfängen bis zum Beginn der Neuzeit, hg. v. J. Heinzle, Frankfurt a.M. 1984–89 (3 Bde.).
Geschichte der dt. Literaturkritik (1730–1980), hg. v. P. U. Hohendahl, Stuttgart 1985.
Geschichten aus dem Ghetto, hg. v. J. Hermand, Frankfurt a.M. 1987.
Görtz, F. J.: Innenansichten. Über Literatur als Geschäft, Frankfurt a.M. 1987.
Greiner, B.: Literatur der DDR in neuer Sicht. Studien und Interpretationen, Frankfurt a.M./Bern/New York 1987.
Hage, V.: Schriftproben. Zur dt. Literatur der achtziger Jahre, Reinbek 1990.
Halm, H. J.: Dt. Klassik, Freiburg/Br. 1981.
Hartung, H.: Dt. Lyrik seit 1965. Tendenzen, Beispiele, Porträts, München 1985.
Hartung, H.: Experimentelle Literatur und konkrete Poesie, Göttingen 1975.
Haug, W.: Literaturtheorie im dt. Mittelalter. Von den Anfängen bis zum Ende des 13. Jahrhunderts, Darmstadt 1985.
Hettner, H.: Geschichte der dt. Literatur im 18. Jh., Berlin (Ost) [2]1979.
Hippen, R.: Kabarett der spitzen Feder. Streitzeitschriften, Zürich 1986.
Hippen, R.: Das Kabarettchanson. Typen, Themen, Temperamente, Zürich 1986.
Hippen, R.: Satire gegen Hitler. Kabarett im Exil, Zürich 1986.
Hoffmeister, G.: Dt. und europ. Romantik, Stuttgart 1978.
Jacobs, J., Krause, M.: Der deutsche Bildungsroman. Gattungsgeschichte vom 18. bis zum 20. Jahrhundert, München 1989.
Jost, D.: Literarischer Jugendstil, Stuttgart [2]1980.
Kafitz, D.: Grundzüge einer Geschichte des Dramas von Lessing bis zum Naturalismus, Frankfurt a.M. [2]1989.
Kaiser, G.: Aufklärung, Empfindsamkeit, Sturm und Drang, München [3]1979.
Kaiser, G.: Geschichte der deutschen Lyrik von Goethe bis Heine. Ein Grundriß in Interpretationen, Frankfurt a.M. 1988 (3 Bde.).
Kindlers Literaturgeschichte der Gegenwart. Autoren, Werke, Themen, Tendenzen der deutschsprachigen Literatur seit 1945, München 1980 (12 Bde.).
Klein, K. K.: Literaturgeschichte des Deutschtums im Ausland (1939), Nachdr. mit aktualisierender Bibliographie, Hildesheim/New York 1979.
Kranz, G.: Christliche Dichtung heute, Paderborn 1975.
Kristeller, P. O.: Humanismus und Renaissance, Stuttgart/München 1980 (2 Bde.).
Kritisches Lexikon zur deutschsprachigen Gegenwartsliteratur, hg. v. H. L. Arnold, München 1978ff. (Loseblattsammlung).
Lexikon der deutschsprachigen Gegenwartsliteratur, hg. v. H. Wiesner, München [2]1987.
Literatur der DDR, hg. v. H. J. Geerdts, Stuttgart 1972.
Literatur des Exils. Eine PEN-Dokumentation, hg. v. B. Engelmann, München 1981.
Lützeler, P. M., Schwarz, E.: Dt. Literatur in der Bundesrepublik seit 1965, Königstein/Ts. 1980.

Mahal, G.: Naturalismus, München ^{2}1982.
Martini, F.: Dt. Literatur im bürgerlichen Realismus 1848–1898, Stuttgart ^{4}1981.
Maus, L.: Handbuch der dt. Exilpresse in Europa von 1933 bis 1939 in Einzeldarstellungen, München/Wien 1990.
Mayer, H.: Die umerzogene Literatur. Deutsche Schriftsteller und Bücher 1945–1967, Berlin 1988.
Mayer, H.: Die unerwünschte Literatur. Deutsche Schriftsteller und Bücher 1968–1985, Berlin 1989.
Mertz, P.: Und das wurde nicht ihr Staat. Erfahrungen emigrierter Schriftsteller mit Westdeutschland, München 1985.
Mühlberger, J.: Geschichte der dt. Literatur in Böhmen 1900–1939, München/Wien 1981.
Müller, K. D.: Bürgerlicher Realismus. Grundlagen und Interpretationen, Königstein/Ts. 1981.
Philipp, E.: Dadaismus, Stuttgart/München 1980.
Poetik. Essays über Ingeborg Bachmann, Peter Bichsel, Heinrich Böll ... und andere Beiträge zu den Frankfurter Poetik-Vorlesungen, hg. v. H. D. Schlosser und H. D. Zimmermann, Frankfurt a. M. 1988.
Prager deutschsprachige Literatur zur Zeit Kafkas, hg. v. der Österr. Franz Kafka Gesellschaft, 2 Bde., Wien 1989.
Raabe, P.: Die Autoren und Bücher des literarischen Expressionismus. Ein bibliographisches Handbuch, Stuttgart 1985.
Räkel, H.-H. S.: Der deutsche Minnesang. Eine Einführung mit Texten und Materialien, München 1986.
Reich-Ranicki, M.: Dt. Literatur in West und Ost, München 1983.
Renner, G.: Österreichische Schriftsteller und der Nationalsozialismus (1933–1940), Frankfurt a. M. 1986.
Romantik, hg. v. E. Ribbat, Königstein/Ts. 1979.
Scharfschwerdt, J.: Literatur und Literaturwissenschaft in der DDR. Eine historisch-kritische Einführung, Stuttgart 1982.
Schlosser, H. D.: Die literarischen Anfänge der dt. Sprache, Berlin 1977.
Schnell, R.: Die Literatur der Bundesrepublik. Autoren, Geschichte, Literaturbetrieb, Stuttgart 1986.
Schütz, E., Vogt, J. u. a.: Einführung in die dt. Literatur des 20. Jhs., Opladen/Wiesbaden 1977–80 (3 Bde.).
Sciences, Arts and Literature (Biographisches Handbuch der deutschsprachigen Emigration nach 1933, Bd. 2), hg. v. H. A. Strauss und W. Röder, München/New York/London/Paris 1983.
Stein, P.: Epochenproblem "Vormärz" (1815–1848), Stuttgart 1974.
Stephan, I.: Literarischer Jakobinismus in Deutschland (1789–1805), Stuttgart 1976.
Strothmann, D.: Nationalsozialistische Literaturpolitik, Bonn ^{4}1985.
Sturm und Drang, hg. v. W. Hinck, Frankfurt a. M. 1989.
Szyrocki, M.: Die dt. Literatur des Barock, Stuttgart 1979.
Tendenzen der dt. Gegenwartsliteratur, hg. v. Th. Koebner, Darmstadt ^{2}1984.
Theorie des Expressionismus, hg. v. O. F. Best, Stuttgart 1976.
Urbanek, W.: Dt. Literatur. Das 19. und 20. Jh., Bamberg ^{5}1984.
Wall, R.: Verbrannt, verboten, vergessen. Kleines Lexikon deutschsprachiger Schriftstellerinnen 1933–1945, Köln ^{2}1989.
Walter, H.-A.: Deutsche Exilliteratur 1933–1950, Stuttgart 1978 ff. (7 Bde.).
Wapnewski, P.: Dt. Literatur des Mittelalters, Göttingen ^{4}1980.
Weimar, K.: Geschichte der deutschen Literaturwissenschaft bis zum Ende des 19. Jahrhunderts, München 1989.
Welt-Literatur heute. Eine aktuelle Bestandsaufnahme, hg. v. H. L. Schütz und M. L. Fenner, München 1982.
Die Wiener Gruppe, Achleitner, Artmann, Bayer, Rühm, Wiener, hg. v. G. Rühm, Reinbek/Hamburg 1985.
Wittstock, U.: Von der Stalinallee zum Prenzlauer Berg. Wege der DDR-Literatur 1949–1989, München 1989.
Zwischen Trümmern und Wohlstand. Literatur der Jugend 1945–1960, hg. v. K. Doderer, Weinheim/Basel 1988.

3. Weitere Nachschlagewerke

Best, O. F.: Handbuch der literarischen Fachbegriffe. Definitionen und Beispiele, Frankfurt a. M. ⁴1986.
Braak, I.: Poetik in Stichworten. Literaturwissenschaftliche Grundbegriffe, Kiel ⁶1980.
Brüggemann, Th., Ewers, H.-H.: Handbuch zur Kinder- und Jugendliteratur, Stuttgart 1982 ff.
Curtius, E. R.: Europ. Literatur und Lat. Mittelalter, Bern/München ⁹1978.
Daemmrich, H. S. und I.: Themen und Motive in der Literatur. Ein Handbuch, Tübingen 1987.
Das Fischer-Lexikon. Literatur, hg. v. W. H. Friedrich und W. Killy, Frankfurt a. M. 1964–65 (3 Bde.).
Das Fischer-Lexikon. Publizistik, hg. v. E. Noelle-Neumann und W. Schulz, Frankfurt a. M. 1980.
Handbuch der Editionen: Deutschsprachige Schriftsteller, Ausgang des 15. Jhs. bis zur Gegenwart, hg. v. Zentralinstitut der Akademie der Wissenschaften der DDR, München ²1981.
Handlexikon zur Literaturwissenschaft, hg. v. D. Krywalski, Reinbek 1978 (2 Bde.).
Herder Lexikon. Literatur, Sachwörterbuch, bearb. v. U. Müller, Freiburg/Br. ⁵1981.
Hirschberg, L.: Der Taschengoedeke. Bibliographie deutscher Erstausgaben, München 1970 (2 Bde.).
König, W.: dtv-Atlas zur dt. Sprache, München ⁷1989.
Lexikon der Kinderliteratur und Jugendliteratur, hg. v. K. Doderer, Weinheim/Basel 1984 (4 Bde.).
Der Literatur Brockhaus, hg. v. W. Habicht, W.-D. Lange, Mannheim 1988 (3 Bde.).
Metzler Autoren Lexikon. Deutschsprachige Dichter und Schriftsteller vom Mittelalter bis zur Gegenwart, hg. v. B. Lutz, Stuttgart 1986.
Moderne Literatur in Grundbegriffen, hg. v. D. Borchmeyer und V. Zmegac, Frankfurt a. M. 1987.
Reallexikon der dt. Literaturgeschichte, hg. v. W. Kohlschmidt, Berlin ²1958 ff.
Rinsum, A. und W. van: Lexikon literarischer Gestalten. Deutschsprachige Literatur, Stuttgart 1988.
Rundfunk in Deutschland, hg. v. H. Bausch, München 1980 (5 Bde.).
Schmidt, H.: Quellenlexikon der Interpretationen und Textanalysen. Personal- und Einzelbibliographie zur deutschen Literatur von ihren Anfängen bis zur Gegenwart, Duisburg 1987.
Schüler-Duden. Die Literatur. Ein Sachlexikon für die Schule, hg. v. der Redaktion für Literatur des Bibliograph. Instituts, Mannheim/Wien/Zürich 1980.
Schütz, H. J.: Ein deutscher Dichter bin ich einst gewesen. Vergessene und verkannte Autoren des 20. Jahrhunderts, München 1988.
Staiger, E.: Grundbegriffe der Poetik, München ⁵1983.
Wilpert, G. von: Deutsches Dichterlexikon, Stuttgart ³1988.
Wilpert, G. von: Sachwörterbuch der Literatur, Stuttgart ⁶1979.
Wörterbuch der Literaturwissenschaft, hg. v. C. Träger, Leipzig 1986.

Register

Autoren und Anonyma der deutschen Literatur

Sachregister

Politische, kulturelle und literarische Geographie

(Die Fülle von Verweisen auf dt. Beziehungen zu England, Frankreich und Italien kann hier nicht noch einmal verzeichnet werden. Sie begegnet im Text auf Schritt und Tritt.)

dtv-Atlas zur deutschen Sprache

Tafeln und Texte
Mit Mundart-Karten

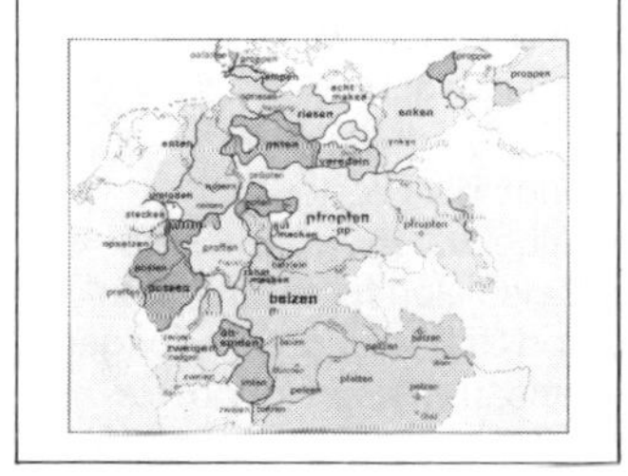

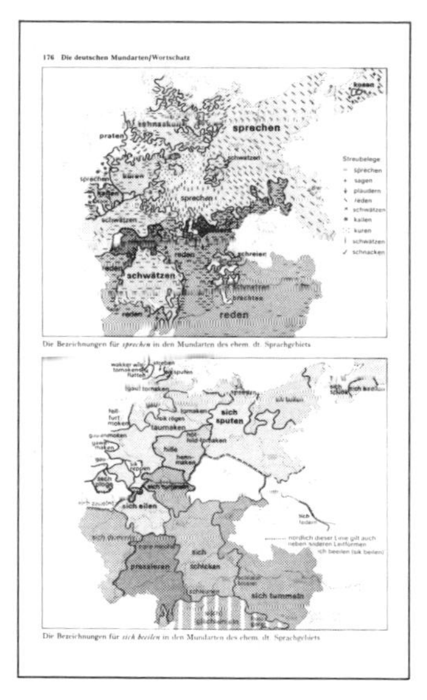

Sprachatlas

dtv-Atlas zur deutschen Sprache
von Werner König
Tafeln und Texte
Mit Mundart-Karten
Originalausgabe

Aus dem Inhalt:
Einführung: Sprache, Text, Satz, Wort, Laut, Bedeutung, Sprache und Weltbild, Schrift
Geschichte der deutschen Sprache: Indogermanisch. Alt-, Mittel- und Neuhochdeutsch. Sprachstatistik. Entwicklungstendenzen. Sprache und Politik. Namenkunde. Sprachsoziologie.
Mundarten: Sprachgeographie, Phonologie, Morphologie.
Wortschatzkarten: Junge, Mädchen, Schnupfen, klein, gestern, warten, Kohl, Mütze, Sahne, Tomate, Stecknadel
u. v. a.

dtv 3025